KB032702

7년 연속 전체 수석 합격자 배출

유도은

S+ 감정평가실무연습

2차 | 종합문제 1권 문제편

유도은 편저

브랜드만족 1위 박문각

근거자료 후면표기

제12판

박문각

박문각 감정평가사

본 교재를 통해 공부하는 모든 수험생들의 감정평가사 시험 최종합격을 진심으로 기원합니다.

감정평가실무연습은 크게 종합문제편과 기출문제편으로 구분됩니다. 감정평가실무 과목은 기본이론의 학습 못지않게 정제된 문제를 통한 꾸준한 훈련이 매우 중요합니다. "실무"라는 과목명에서 알 수 있듯이 수험생들은 실전과 같은 연습을 통해 기본이론의 내용을 비로소 체득하였다고 할 수 있을 것입니다.

종합문제는 2005년 초판이 발행된 이후 많은 변화가 있었습니다. 19년의 시간이 지났지만 그 당시와 지금의 변화는 가히 상전벽해라고 말할 수 있을 것입니다. 감정평가와 관련된 큰 변화에 맞춰 그동안 종합문제집은 진화를 거듭하였고 수만 명의 수험생들로부터 선택받아 왔습니다. 그동안의 역사와 수험생들의 선택에서도 알 수 있지만 저자는 본 종합문제집은 감정평가실무연습에 있어 최고의 문제집이라 자부하며 그런 교재를 만들기 위해 최대한의 노력을 기울여 왔습니다.

제12판에서의 변화를 요약하면 다음과 같습니다.

우선 개정시점인 2024년 4월까지의 법령 및 지침에 따라 문제를 구성하고 해설을 하였습니다. 2023년 「감정평가에 관한 규칙」이 개정되었고, 이후 「감정평가실무기준」, 「토지보상평가지침」, 「영업손실보상평가지침」 등 각종 지침이 개정되었습니다. 종합문제는 이런 법령 및 지침의 개정에 발맞추어 문제 및 예시답안을 정비하고 있습니다.

종합문제는 수험생들의 편의를 위하여 문제편과 예시답안편을 분리하여 배치하였습니다. 이러한 편제는 실전과 같은 연습을 통하여 수험생들의 실전 감각을 높일 수 있다고 생각합니다. 한편, 문제의 배열은 진도에 따라 배치하였습니다. 종합문제 내의 문제는 그동안 선택과 정제를 거듭해온 문제들입니다. 감정평가사 수험생 대부분이 본 교재를 선택하고 있으며 종합문제를 2회 이상 풀어봅니다. 진도별 배열은 수험생들이 대표적인 문제를 정리하고 단권화하는 데 도움이 될 것이라 생각합니다.

이번 제12판에서는 일부 문제를 교체하였고, 답안 작성의 방향은 최대한 실무에서의 감정평가서 작성방법을 준용하였으며, 감정평가실무 과목에서 득점에 용이한 방향으로 수정하였습니다.

감정평가실무 문제집은 몇 가지 소임을 해야 한다고 저자는 생각합니다.

첫째, 기본서에서 학습한 이론에 대한 적용입니다. 본 교재는 S+감정평가실무 기본서를 잘 학습하였다면 모두 풀 수 있는 문제들로 구성하였습니다.

둘째, 문제집을 통하여 실전적인 연습을 할 수 있어야 합니다. 수험생들은 문제들의 난이도와 배점을 고려하여 최대한 정해진 시간 내에 풀이할 수 있도록 연습해야 할 것입니다. 난이도가 높은 문제의 경우 배점의 150%까지 시간을 소요해도 될 것이지만 난이도가 낮은 문제의 경우 주어진 시간보다 짧게 풀이해야 할 것입니다. 이 연습이 처음에는 힘든 일이겠지만 반복학습을 통해 숙달해야 할 것입니다.

셋째, 문제집은 수험생들로 하여금 실무과목의 흥미를 느낄 수 있게 해주어야 합니다. 저자는 본 문제집의 각종 자료는 최대한 현실 자료를 그대로 이용하는 것을 원칙으로 교재를 구성하였습니다. 마치 독자가 실제 현장에서 평가를 하는 것 같은 느낌을 받기를 원하고 앞으로 저자들이 해야 할 감정평가실무를 미리 해보면서 공부의 흥미를 느낄 수 있기를 바랍니다.

감정평가실무는 살아 있는 실용 학문으로서 관계 법령이나 지침에 따라 문제나 풀이 방법이 달라져야 합니다. 앞으로의 개정사항이 있을 때마다 이에 발맞출 것이며, "감정평가사 합격카페"를 통하여 제공하겠습니다.

저자는 본 S+감정평가실무연습 종합문제 교재를 통하여 독자들과 같이 호흡하고자 합니다. 교재에 대한 의견, 궁금한 사항은 언제든지 질문하기를 바라며, 그 과정에서 독자와 저자가 함께 학습하고 성장할 수 있기를 바랍니다.

마지막으로 본 교재를 독자들이 가장 보기 편하게 작업하고 수정해준 박문각 출판사 임직원 여러분들게 고마운 마음을 전하며, 독자의 댁내에도 항상 행복이 가득하기를 바랍니다. 또한 저자를 항상 이해해주고 도와주는 사랑스러운 가족에게도 고마움을 전합니다.

관악구 봉천동 연구실에서

편저자 씀

감정평가사 문제별 주요 **논점** 및 **난이도**

진도	12판교재번호	배점	내용	난이도
제1장 감정평가의 기초 및 화폐의 시간가치(TVM) 연습				
TVM	1	10	TVM(유리한 대출상품 선택)	하
	2	20	TVM(매매금액의 Cash Equivalence)	중
	3	10	TVM(대출의 대환)	하
제2장 감정평가 3방식 연습				
비교방식	4	20	공시지가기준법	중
	5	30	공시지가기준법 및 거래사례비교법	중
	6	10	합필가치산정	하
	7	10	합필가치산정 및 노선가식평가	하
	8	10	합필가치보정 및 거래사례비교법	하
	9	10	노선가식평가	하
	10	20	노선가식평가	중
	11	10	단순회귀분석	하
	12	10	거래사례비교법(대쌍비교법)	중
	13	30	토지평가(건물일부, 일단지 조건판단)	중
	14	35	복합부동산의 감정평가	상
	15	20	복합부동산의 일괄 감정평가	하
	16	15	복합부동산의 일괄 감정평가	하
원가방식	17	25	건물의 감정평가(재조달원가)	중
	18	20	건물의 감정평가(분해법)	중
	19	10	건물의 감정평가평가(거래사례비교법에 의한 감가수정)	하
	20	35	건물의 감정평가(재조달원가 – 감가수정)	상
	21	20	토지조성원가법에 의한 감정평가(골프장)	중
수익방식	22	15	직접환원법	하
	23	10	각종 지수산정	하
	24	25	창고의 감정평가(NOI기준, ATCF기준)	하
	25	30	복합부동산의 감정평가(3방식 병용)	중
3방식 병용	26	30	토지의 감정평가(3방식 병용)	중
	27	25	토지의 감정평가(3방식 병용)	중
	28	40	개발법에 의한 토지평가(일체평가 후 토지가격 배분)	상
	29	35	직접환원법(환원이율 산정)	중
	30	25	복합부동산의 감정평가(3방식 병용)	중
제3장 임대료 및 임대차 감정평가 연습				
임대료 감정평가	31	10	임대사례비교법	하
	32	25	구분소유권 임대료평가(임대사례비교법, 적산법)	중
	33	30	소송평가(부당이득금의 감정평가)	상
	34	20	수익분석법	중
임대차 감정평가	35	10	임대차평가	하

제4장 구분소유권 및 구분지상권의 감정평가 연습				
구분소유권	36	30	구분소유권 감정평가(거래사례비교법)	중
	37	30	구분소유권 감정평가(소형주택, 3방식 병용)	중
	38	25	구분소유권 감정평가 및 타당성 분석	중
구분지상권	39	25	구분지상권 감정평가(지하부분 보상평가)	중
	40	15	구분지상권이 설정된 토지의 감정평가	중
	41	15	공중선로 있는 토지의 감정평가	중
	42	25	구분지상권이 설정된 토지의 감정평가	상
제5장 유형별 감정평가 연습				
토지/건물 유형별 평가	43	35	일단지 판단 및 복합부동산 감정평가	중
	44	20	지상권이 설정된 토지의 감정평가	하
	45	40	골프장 감정평가(3방식)	중
	46	25	광천지 감정평가	중
	47	20	맹지의 감정평가	하
	48	10	맹지의 감정평가	하
	49	10	환지예정지 감정평가	하
기계기구 등	50	10	기계기구류 감정평가	하
	51	15	선박의 감정평가	하
공장(사업체)	52	35	공장의 감정평가	중
무형자산	53	15	무형자산(영업권)의 감정평가	중
	54	20	지식재산권(상표권)의 감정평가	상
	55	30	지식재산권(특허권)의 감정평가	상
기업가치	56	10	무형자산(특허권 및 영업권)의 감정평가	중
	57	10	광업권 감정평가	하
	58	25	기업가치 감정평가	상
	59	25	기업가치 감정평가	중
	60	25	기업가치 감정평가(수익환원법, 거래사례비교법)	중
	61	40	기업가치 감정평가(계속기업가치, 청산가치)	상
유가증권	62	35	비상장주식 감정평가(유무형자산 포함)	상
	63	35	비상장주식 감정평가	상
	64	25	비상장주식 감정평가	상
오염부동산	65	25	오염부동산 감정평가	중
그 밖의 물건	66	15	입목의 감정평가(시장가역산법)	중
	67	15	동산 감정평가(원자재)	하
제6장 타당성분석과 부동산의 최유효이용분석 연습				
타당성분석	68	15	상호독립적 투자안, 상호종속적 투자안 판단	하
	69	15	NPV, IRR 산정	하
	70	20	NPV, IRR, MIRR 산정	중
	71	25	ARR, NPV 산정	중

	72	30	부동산의 매입 및 NPV분석	상
	73	15	Duration, MIRR 결정	하
	74	10	WAPI분석	하
	75	25	Mean-Variance분석	중
	76	10	허프(Huff)의 상권분석모형	중
	77	25	감정평가 및 매도제안가격과 비교	중
	78	35	부동산 매입에 따른 현금등가(Cash Equivalence) 결정	중
	79	15	Re(자기자본환원이율)산정	하
	80	20	매후환대차(Sales and Leaseback) 타당성분석	상
	81	35	개발단계별 현금흐름 분석	상
	82	20	상권분석(예상인구 결정) 및 리테일 부동산 신축타당성 결정	중
	83	10	통계량분석	하
	84	20	실물옵션(Real Option)	상
최유효분석	85	20	토지의 최유효이용 분석	하
	86	20	토지의 최유효이용 분석(분리환원이율 산정)	중
	87	40	최유효분석, 부동산가치평가	중
	88	30	복합부동산의 최유효이용 분석	상
	89	20	최유효이용 분석, 현상태 비교검토	중
제7장 목적별 감정평가 연습				
담보/경매평가	90	35	담보평가 및 경매평가	중
	91	20	담보감정평가(매매건) 및 대출가능가액 산정	중
	92	25	담보감정평가	중
	93	25	경매/담보평가 및 가격차이의 원인설명	상
	94	25	담보감정서 심사	중
도시정비 등 평가	95	25	종전자산의 감정평가	중
	96	25	종후자산의 감정평가	중
	97	15	현금청산목적의 감정평가	중
	98	25	소송평가(소유권이전 청구소송) - 매도청구평가	중
	99	15	종전자산 감정평가 및 정산금 산정	하
	100	25	도시개발사업 감정평가 등 - 정리전/후 토지평가 등	중
	101	15	개발제한구역(매수청구평가)토지의 감정평가	하
	102	20	재개발, 비례율변동, 권리가액	중
	103	15	정비사업 내 매각방안 결정	하
	104	10	권리가액 및 관리처분	하
	105	15	다세대/단독주택 가격격차 약술	중
제8장 표준지/표준주택 평가 연습				
표준지	106	40	유형별 표준지 평가	중
	107	20	골프장 표준지 평가	하
표준주택	108	10	전형적인 표준주택 평가	하

제9장 보상 감정평가 연습				
토지보상	109	20	토지 보상평가(기본)	하
	110	20	토지 보상평가(기본)	하
	111	20	토지 보상평가(기본)	하
	112	15	토지 보상평가(채권보상 유불리)	하
	113	20	토지 보상평가(둘 이상 용도지역)	하
	114	35	토지 보상평가	중
	115	30	토지 보상평가	하
	116	25	토지 보상평가	중
	117	35	토지 및 영업손실 보상평가	상
	118	20	토지 보상평가	하
	119	10	잔여지 가치하락보상	하
	120	15	도시철도 지하부분 사용 보상	하
	121	35	GB해제토지 보상평가	상
	122	10	환매권	하
	123	20	환매권	하
	124	25	환매권(다른 공익사업의 편입)	상
	125	30	토지 보상평가(유사지역표준지, 도시계획공원)	상
건축물 등 보상	126	15	지장물 보상평가(건축물, 집합건물)	중
	127	25	지장물 보상평가(무허가건축물, 일부편입, 농작물 포함)	중
	128	10	일부 편입되는 건축물의 보상평가(보수비 산정)	하
	129	10	과수 보상평가	하
	130	20	농작물 보상평가	중
	131	5	과수 보상평가	하
영업손실 등 보상	132	15	영업손실 보상평가	하
	133	35	영업손실 보상평가	중
	134	35	영업손실 보상평가(폐업보상 및 가영업소 포함)	중
	135	20	영업손실 보상평가(임시영업소 설치)	중
	136	20	어업손실 보상평가(면허 및 허가어업)	하
	137	15	어업손실 보상평가(어획실적 미달어업)	하
	138	15	어업손실 보상평가(정지대상어업)	하
	139	15	광업권 보상평가	하
	140	20	농업손실보상	중
생활보상	141	20	생활보상, 농업손실보상	중
	142	5	생활보상(주거이전비)	하
보상평가 종합	143	40	토지, 지장물, 농업손실보상 보상평가	상
	144	50	토지, 지장물, 영업손실 보상평가	상
	145	40	토지, 지장물 보상평가	상
	146	20	토지 보상평가(공공주택특별법 등)	중
	147	25	개별적 제한과 일반적 제한 및 일부편입 보상평가	상

CONTENTS
이 책의 차례

PART 01 문제편

PART 01

문제편

Chapter 01

감정평가의 기초

QUESTION 01

감정평가사 R씨는 S시 K구 B동에 있는 근린생활시설을 매입하면서 S은행으로부터 대출을 받기를 희망하고 있다. 금융기관에서는 아래 자료와 같은 대출상품을 안내하고 있는데, 부동산 매입자료 및 대출상품 관련 자료를 종합하여 감정평가사 R씨에게 유리한 상품을 선택하도록 하시오. 10점

자료 1 부동산 매입자료

1. 소재지 : S시 K구 B동 100 토지 및 건물
2. 매매계약금액 : 1,500,000,000원
3. 담보목적의 감정평가금액 : 1,450,000,000원

자료 2 금융상품 관련 자료

1. 공통자료
   (1) 담보인정비율(LTV) : 60%
   (2) 대출기간 : 2년
   (3) 상환방법 : 매월 이자지급 후 원금 일시상환
   (4) 대출금액 : 대출한도 내 최대금액 대출
2. 대출상품

대출상품명	보증수수료 여부	금리
S보증대출	대출금액의 0.3%	기준금리 + 1.2%p
일반대출	없음	기준금리 + 1.5%p

※ 판단시점 현재의 기준금리는 2.00%를 가정한다.

자료 3 기타자료

1. 상품선택 시 2년간의 현금유출액을 비교하여 결정한다.
2. 감정평가사 R의 요구수익률은 월 0.4%(연 4.8%)이다.

QUESTION **02**

朴씨는 K구 Y동에 소재하는 근린생활시설을 취득하면서 매수특약사항에 대해 감정평가사 柳씨에게 검토를 요청하였다. 각 매수특약사항을 분석하여 朴씨에게 가장 유리한 특약을 판단하시오. 20점

자료 1 공통조건

1. 거래금액 : 5,000,000,000원
2. 계약시점 : 2025년 7월 1일
3. 시장이자율 : 연 6.0%

자료 2 특약사항 A

1. 거래금액 중 35억은 계약시점에 현금 지급한다.
2. 잔금 15억원에 대하여는 2026년 7월 1일을 첫 지급일로 하여 3년에 거쳐 균등 분할 납부하며 이자는 없는 것으로 한다.
3. 매도인의 양도소득세를 산정하는 세무사 비용 중 금 200만원을 매수인이 부담한다.

자료 3 특약사항 B

1. 거래금액 중 37억은 계약시점에 현금 지급한다.
2. 등기상 매도인인 金씨의 근저당권 설정액 2,000,000,000원을 인수하도록 한다(채권잔액 : 1,300,000,000원).
3. 근저당권 인수 시 저당조건
   (1) **상환조건** : 2년 거치(이자만 납부) 후 3년간 원리금 균등상환(총 5년)
   (2) **저당이자율** : 연 12.0%

자료 4 특약사항 C

1. 거래금액 중 30억은 계약시점에 현금 지급한다.

2. 거래금액 중 2,000,000,000원은 액면가를 기준으로 한 ㈜반포의 비상장채권(주당 액면가 5,000원, 350,000주)으로 지불하기로 한다.

3. ㈜반포의 비상장채권 발행계약서 내용
   (1) **이자율** : 연 8.0%
   (2) **만기** : 10년
   (3) **발행일** : 2023년 7월 1일
   (4) **이자지급조건** : 매년 6월 30일 이자지급 후 만기 원금일시납
   (5) **채권의 요구수익률** : 5.0%

QUESTION 03

APT 매입 시 담보대출을 받았던 R씨는 최근 금리인하에 따른 새로운 대출상품의 출시로 인하여 기존 대출의 대환을 검토 중에 있다. 각 물음에 답하시오. 10점

1. 기존 대출과 새로운 대출 상품과의 차이점을 상품별로 각각 설명하시오. 5점
2. 대환 상품 B의 경우 만기까지 지급하게 될 총 이자액을 구하시오. 5점

자료 1 R씨가 가지고 있는 대출

1. 담보물의 가치 : 1,400,000,000원
2. 대출잔금 : 600,000,000원
3. 금리 : COFIX(신규) + 1.50%(변동금리)
4. 금리재산정기간 : 6개월(6개월 단위 금리조정)
5. 차입시점 : 5년전(잔여만기 : 15년)
6. 상환방식 : 원리금균등상환
7. 지급일 : 매월 말일

자료 2 대환가능한 상품

1. 변동금리형(대환 상품 A)
   (1) 만기 : 15년
   (2) 금리 : COFIX(신규) + 0.70%
   (3) 금리재산정기간 : 5년(5년 단위 금리조정)
   (4) 상환방식 : 원리금균등상환
   (5) 지급일 : 매월 말일
2. 고정금리형(대환 상품 B)
   (1) 만기 : 15년
   (2) 금리 : 연 2.65%
   (3) 상환방식 : 원리금균등상환
   (4) 지급일 : 매월 말일

자료 3 의사결정 시점 이후 중도상환은 하지 않는 것으로 본다.

Chapter

02 감정평가 3방식

QUESTION 04

감정평가사 A씨는 토지에 대한 시가참조용 감정평가를 의뢰받고 예비조사와 실지조사를 통하여 다음의 자료를 수집하였다. 주어진 자료를 활용하여 평가방법별 시산가액을 결정하고 대상토지의 감정평가액을 구하시오. 20점

자료 1 대상 부동산

1. 소재지 : A시 B구 C동 100번지

2. 지목 및 면적 : 대, 600㎡

3. 용도지역 : 일반상업지역

4. 본 토지상의 건축허가서

건축구분	신축	허가번호	지역개발사업단 - 지역개발과 - 2025 - 001
건축주	甲(주)	주민등록번호	*****-******
대지위치	A시 B구 C동 100		
대지면적(㎡)	600		
건축물 명칭	선원빌딩	주용도	근린생활시설
건축면적(㎡)	489.3	건폐율(%)	69.9%
연면적(㎡)	4,331.4	용적률(%)	793.37%

※ 감정평가사 A씨의 조사결과 해당 건축허가용도는 본 토지상의 최유효이용인 것으로 판단되었음.

5. 형상, 지세, 도로조건 : 정방형, 평지, 소로한면

자료 2 공시지가 자료(2025년 1월 1일)

(단위 : 원/㎡)

기호	소재지	면적(㎡)	지목	이용상황	용도지역	도로교통	형상지세	공시지가
1	A시 B구 A동 200	600	대	상업용	일반상업	소로한면	정방형 평지	3,000,000
2	A시 B구 C동 300	50,000	대	상업용	일반상업	중로한면	장방형 평지	4,500,000
3	A시 B구 C동 300	500	대	상업용	일반상업	소로각지	정방형 평지	3,800,000
4	A시 B구 C동 400	1,500	대	상업용	일반상업 제3종일주	소로한면	정방형 평지	4,000,000

※ 기호 2는 현황 복합쇼핑몰부지임.

※ 기호 3은 지상 위 광고탑을 위한 지상권 계약을 설정하였으며, 지상권으로 인해 당해 부동산의 매매가격은 상당히 낮아질 것으로 보인다.

※ 기호 4 중 일반상업지역이 80%, 제3종일반주거지역은 20%임.

자료 3 거래사례 자료

1. 거래사례 #1

(1) 물건내용

1) 소재지 : A시 B구 C동 98번지

2) 지목, 면적 : 대, 580㎡

3) 용도지역, 이용상황 : 일반상업지역, 상업용

4) 형상, 지세, 도로조건 : 정방형, 평지, 소로한면

(2) 거래가격 : 3,000,000,000원

(3) 거래시점 : 2025년 4월 1일

(4) 본 토지는 인접한 C동 99번지의 소유자가 매입한 사례로서 면적비에 따라 산출된 증분가치만큼 고가로 매입하였다. 한편, 각 토지의 상대적인 가격은 개별공시지가(2025년 기준)를 기준으로 산출하기로 합의하였다.

구분	98번지	99번지	합병시
개별공시지가(원/㎡)	1,300,000	2,000,000	2,200,000(예상)
토지면적(㎡)	580	430	1,010

(5) 노후된 건물로 인해 최유효이용에 미달하여 매입직후 철거되었다. 계약 당시 매수인은 건물의 잔재가치를 20,000,000원, 철거비를 50,000,000원으로 예상하고 매입하였다.

2. 거래사례 #2

(1) 물건내용

1) 소재지 : A시 B구 C동 99번지

2) 지목, 면적 : 주, 600㎡

3) 용도지역, 이용상황 : 일반상업지역, 충전소 및 주유소(인근 점포지대)

4) 형상, 지세, 도로조건 : 장방형, 평지, 소로한면

(2) 거래가격 : 800,000,000원

(3) 거래시점 : 2024년 11월 1일

(4) 기타사항 : 본 거래에는 주유소 영업에 따른 영업권이 반영되어 있는 것으로 판단됨.

3. 거래사례 #3

(1) 물건내용

1) 소재지 : A시 B구 A동 11번지

2) 지목, 면적 : 대, 620㎡

3) 용도지역, 이용상황 : 일반상업지역, 상업용

4) 형상, 지세, 도로조건 : 장방형, 평지, 세로한면

(2) 거래가격 : 토지 및 건물 포함 3,580,000,000원(건물가격 : 1,200,000,000원)

(3) 거래시점 : 2025년 5월 1일

(4) 기타사항 : 토지면적 중 30㎡가 도시계획도로에 저촉되어 있으나 건물가격에는 영향이 없다고 판단됨.

자료 4 시점수정자료

1. 지가변동률(%)

구분	2025.1	2025.2	2025.3	2025.4	2025.5	2025.6	2025.7
상업지역 (누계)	1.300 (1.300)	1.500 (2.820)	1.200 (4.053)	0.600 (4.678)	0.500 (5.201)	0.900 (6.148)	0.300 (6.466)
주거지역 (누계)	1.000 (1.000)	1.200 (2.212)	0.700 (2.927)	0.800 (3.751)	0.900 (4.685)	0.300 (4.999)	0.400 (5.419)

2. 건축비변동률

건축비는 2024년도 이후 보합세이다.

자료 5 요인비교자료

1. 지역요인

A시 B구 내 A동, B동, C동은 "각각"의 동이 인근지역이다.

2. 개별요인

(1) 가로조건

광대로한면	중로한면	소로한면	세로한면	맹지
105	100	95	90	80

※ 각지는 한면에 비해 5% 우세

(2) 기타조건

구분/평점	접근조건		환경조건	
	중심과의 접근성	교통시설과의 거리 및 편의성	고객의 유동성과의 적합성	인근환경 및 자연환경
표준지 1	100	110	110	95
표준지 2	105	107	95	110
표준지 3	105	110	95	97
표준지 4	120	110	85	100
거래사례 1	110	100	94	98
거래사례 2	95	80	100	95

거래사례 3	85	90	85	95
본건	100	100	100	100

※ 제시되지 않은 조건은 대등한 것으로 본다.

자료 6 기타자료

1. 시장이자율은 연 6%를 적용한다.
2. 도시계획도로에 저촉된 토지는 30% 감가되는 것이 일반적이다.
3. 가격조사기간은 2025.8.22.~2025.9.2.이다.
4. 그 밖의 요인은 대등한 것으로 본다.

QUESTION 05

감정평가사 柳씨는 매수인 A씨와 매도인 B씨의 근린생활시설의 매매와 관련한 참고 자료로서 감정평가를 의뢰받고 사전조사 및 현장조사를 통해서 아래의 자료를 수집하였다. 거래대상 부동산의 시장가치(Market Value)를 감정평가하시오. 30점

자료 1 감정평가의뢰 내용

1. 감정평가목적 : 일반거래목적

2. 감정평가의뢰일 : 2025년 8월 25일

3. 감정평가 현장조사 및 작성일자 : 감정평가사 柳씨는 2025년 8월 26일부터 사전조사를 하여 2025년 9월 3일에 현장조사를 마친 후 2025년 9월 5일에 감정평가서를 작성하였으나, 현장조사가 미진하다고 판단하여 2025년 9월 7일에 현장 재조사를 하여 최종적으로 2025년 9월 10일에 감정평가서 작성을 완료 및 발송하였다.

자료 2 감정평가 대상 부동산의 현황

1. 소재지 : 서울특별시 S구 S동 15-3

2. 사전조사 내용(공적장부)

(1) 토지 관련 사항

1) 토지대장

토지소재	서울특별시 S구 S동	
지번	15-3	
지목	면적(㎡)	사유
(08) 대	589	(62) 1994년 7월 7일 구획정리 완료
(08) 대	589	(51) 2000년 1월 1일 행정관할구역 변경
2025년 1월 1일 개별공시지가(원/㎡)		15,100,000

2) 토지이용계획확인원

소재지	서울특별시 S구 S동 15-3	
지역지구 등 지정여부	국토계획법상 지역, 지구 등	도시지역, 제3종일반주거지역, 일반미관지구
	다른 법령 등에 따른 지역, 지구 등	가축사육제한구역, 대공방어협조구역, 과밀억제권역, 상수원보호 기타, 학교환경위생정화구역
토지이용규제 기본법 시행령에 해당되는 사항		3m 건축선 지정구역

※ 도면확인 결과 건축선 지정에 편입된 대지면적은 60㎡이다.

3) 지적현황

(2) 건물 관련 사항(건축물관리대장)

대지위치	서울특별시 S구 S동	**지번**	15-3
도로명주소	서울특별시 S구 S대로 458		
대지면적	589㎡	**연면적**	1,254.79㎡
건축면적	284.86㎡	**용적률산정용 연면적**	969.93㎡
주구조	철근콘크리트조	**주용도**	근린생활시설

구분	층별	구조	용도	면적(㎡)
주1	지1	철근콘크리트조	계단실	36.04
주1	지1	철근콘크리트조	대중음식점	124.02
주1	지1	철근콘크리트조	다방	124.8
주1	1층	철근콘크리트조	제1종 근린생활시설(소매점)	93.21
주1	1층	철근콘크리트조	슈퍼마켓	124.02
주1	1층	철근콘크리트조	제2종 근린생활시설(부동산중개업소)	31.59
주1	1층	철근콘크리트조	계단실	36.04
주1	2층	철근콘크리트조	계단실	36.04
주1	2층	철근콘크리트조	미용원	185.22
주1	2층	철근콘크리트조	사무실	63.6
주1	3층	철근콘크리트조	사무실	124.02
주1	3층	철근콘크리트조	사무실	124.8
주1	3층	철근콘크리트조	계단실	36.04
주1	4층	철근콘크리트조	사무실	115.35

허가일자	착공일자	사용승인일자
–	–	1995.2.19.

3. 실지조사 내용

(1) 본건은 S대로를 따라 형성된 노선상가지대에 소재하고 있으며, 인근은 점포지대이다.

(2) 본건의 남동측 일부는 현황도로로 사용되고 있으며, 그 면적은 약 35㎡ 정도이다. 본건 전면의 S대로는 노폭 40m이며, 본건과 접한 후면의 도로는 4m의 도로이다.

(3) 실제이용상황 등

지하 1층	노래연습장
지상 1층	일반음식점, 판매점, 부동산중개업소
지상 2층	미용원, 사무실
지상 3층	사무실
지상 4층	사무실

※ 본 건물의 구조 등을 통하여 판단해본 바, 건축신축단가표상 등급이 5등급에 해당될 것으로 판단된다.

(4) 본건을 포함하여 A호수 사거리에서 S사거리까지의 S대로변의 점포지대를 인근지역으로 획정하는 것이 타당한 것으로 판단하였다.

자료 3 표준지공시지가 현황(2025년 1월 1일)

연번	소재지	면적(㎡)	공시지가(원/㎡)	주위환경	용도지역	이용상황	도로교통
1	S동 14-4	557.1	16,700,000	S대로변 노선상가지대	일반상업지역	상업용	광대중각
2	S동 20-2	784.1	9,700,000	B고분로변 노선상가지대	제3종 일반주거	상업기타	광대소각
3	A동 147-42	574.7	14,900,000	S대로변 노선상가지대	제3종 일반주거	상업용	광대한면
4	S동 19-3	463.8	17,700,000	S대로변 노선상가지대	준주거지역	상업용	광대소각

자료 4 거래사례 현황

1. 사전조사 시 거래사례조사 현황

구분		거래사례 1	거래사례 2	거래사례 3	거래사례 4	거래사례 5
소재지		S동 30-1	S동 15-9	A동 146-1	A동 147-37	S동 13-1
거래시점		2024.6.4.	2022.1.1.	2024.3.1.	2024.12.1.	2023.12.1.
거래금액		24억원	185억원	48억1천만원	72억5천만원	100억
거래대상		토지, 건물	토지, 건물	토지	토지, 건물	토지, 건물
용도지역		제2종주거	제3종일주	제3종일주	제3종일주	제3종일주
이용상황		상업용	상업용	주차장	상업용	상업용
건물 관련사항		철근 콘크리트조 2011.6.1.	철근 콘크리트조 2024.6.1.	없음	철근 콘크리트조 2016.7.1.	철근 콘크리트조 2000.6.1.
수량* (㎡)	토지	257.1	829	677.1	362	587.7
	건물	455.7	6,262	-	936	1,244.7
주변환경		후면상가	노선상가	후면상가	노선상가	노선상가

※ 수량요소는 기준시점 현재 열람한 토지 및 건물에 대한 수량요소이다.

2. 현장조사시 확인사항

구분	현장조사 시 구득한 내용
거래사례 1	· 지상의 건물은 최유효이용이다. · 지상의 건물의 정상적인 가격은 7억원이다. · 거래대금은 전액 현금으로 지급되었다. · 본 토지의 개별요인은 중로한면이다.
거래사례 2	· 조사시점 현재의 건물은 거래 이후 신축된 건물이다(최유효이용). · 본 건물은 근린생활시설로서 지하 5층, 지상 12층 건물이다. · 거래대금 중 120억원은 현금으로 지급하고 65억원은 액면가 65억원인 서울시 채권으로 지급하였으며, 채권재매도시 할인율은 20%이다. · 본 토지의 개별공시지가 열람 시 토지특성은 광대한면이나, 현장조사 결과 광대소각인 것으로 판단된다. · 조사시점의 건물의 시장가치는 60억원으로 판단된다.
거래사례 3	· 본 토지는 현재 주차장으로 사용되고 있으나 상업용 건물을 신축할 목적으로 매매되었다. · 지상의 건물은 소재하지 않는다. · 본 토지의 도로조건은 중로소각이다.
거래사례 4	· 지상의 건물은 최유효이용이다. · 지상의 건물은 근린생활시설의 철근콘크리트 구조이다. · 지상의 건물은 신축단가표 4급보다 5% 우세하다. · 거래금액 중 40%는 매도인으로부터 연이자 8%로 매월 이자지급 후 만기일시상환조건의 5년 만기로 차입하는 조건으로 거래했다. · 도로조건은 광대한면이다.
거래사례 5	· 지상의 건물이 신축된 이후 용도지역이 변경되면서 현재 본 토지는 비적법이용이다. · 지상의 건물은 약 10억원의 가치가 있다. · 본 토지의 도로조건은 광대한면이다. · 본 거래는 전액 현금으로 거래되었다.

자료 5 건축비 자료 등

본 자료는 2024년 4월 1일을 기준으로 발간된 건축물 신축단가표에 의한 자료이다.

1. 기본형 건축비(원/㎡)

구분	3급	4급	5급
철근콘크리트조 - 점포	750,000	625,000	576,000

※ 지상 및 지하에 공히 적용한다.

2. 부대설비는 상기 금액의 20% 수준이다.

3. 경제적 내용연수는 50년이며, 잔가율은 0%이다.

자료 6 지가변동률 등

1. 지가변동률(%)

구분	2022년 12월	2023년 12월	2024년 12월	2025년 7월
S구 상업	0.013 (1.330)	0.010 (1.471)	0.012 (1.971)	0.019 (1.341)
S구 주거	0.009 (1.227)	0.012 (1.931)	0.000 (2.551)	0.059 (1.244)

2. 생산자물가지수

구분	2024년 2월	2024년 3월	2024년 11월	2024년 12월	2025년 1월	2025년 6월	2025년 7월
지수	106.1	106.7	108.6	109.0	110.1	112.5	112.6

자료 7 개별요인비교치

1. 도로조건

구분	광대 중각	광대 소각	광대 세각	광대 한면	중로 소각	중로 세각	중로 한면	소로 한면
광대 중각	1.00	0.98	0.96	0.94	0.96	0.94	0.92	0.90
광대 소각	1.02	1.00	0.98	0.96	0.94	0.96	0.94	0.92
광대 세각	1.04	1.02	1.00	0.98	0.96	0.94	0.96	0.94
광대 한면	1.06	1.04	1.02	1.00	0.98	0.96	0.94	0.96
중로 소각	1.08	1.06	1.04	1.02	1.00	0.98	0.96	0.94
중로 세각	1.10	1.08	1.06	1.04	1.02	1.00	0.98	0.96
중로 한면	1.12	1.10	1.08	1.06	1.04	1.02	1.00	0.98
소로 한면	1.14	1.12	1.10	1.08	1.06	1.04	1.02	1.00

2. 도로조건을 제외한 개별요인 평점

구분	표준지 1	표준지 2	표준지 3	표준지 4	거래사례 1	거래사례 2
평점	110	85	95	120	75	106

구분	거래사례 3	거래사례 4	거래사례 5	본건
평점	85	102	100	100

자료 8 기타사항

1. 현황도로인 부분은 매매계약에 있어 정상적인 대지가격의 70% 수준으로 평가해 주기를 요청하였다.

2. 공시지가기준법에 따른 가격결정시 그 밖의 지가에 미치는 영향에 대한 그 밖의 요인으로서 20%를 상향 보정한다.

3. 시장이자율은 연 6.0%이다.

QUESTION 06

경기도 A시 D구 K동 소재 토지를 소유하고 있는 柳씨는 인접 토지의 소유자인 朴씨에게 자신 소유의 토지에 대한 매입제의를 받았다. 柳씨는 해당 토지가 단독 개발가능성이 낮아 매각할 용의는 있으나 인접 토지소유자로부터는 일반적인 시세에 비해 높은 가격을 받을 수 있을 것이라 판단하고 있다. 이에 감정평가사 Y씨에게 해당 토지의 예상 매매금액을 가늠하기 위하여 평가를 의뢰하였는바, 본건 토지의 예상 매매가액을 총액비 기준, 단가비 기준, 면적비 기준, 구입비 한도액비 기준으로 산정하고, 어떤 기준으로 산정하였을 때 가장 높은 가격으로 매각할 수 있는지를 판단하시오. 10점

자료 1 현황도면

(1) A토지 : 200㎡, 대 (2) B토지 : 400㎡, 대

자료 2 각 토지의 가격자료

1. 병합 후 토지의 가격 : ㎡당 10,000,000원의 가치가 창출될 것으로 판단된다.

2. 병합 전 토지가격
   (1) A토지 : 11,000,000원/㎡
   (2) B토지 : 5,000,000원/㎡

QUESTION 07

다음 거래사례는 근린상업지역 내의 B지 소유자가 A지를 구입한 사례로 다음 자료를 이용하여 물음에 답하시오. 10점

1. 합필가치(Plottage Value) 개념을 설명하고, 그 값을 산정하시오.
2. B지 소유자가 A지를 시장가치 대비 몇 % 고가로 구입하였는가를 총액비와 구입한도액비를 이용하여 각각 산정하시오(단, 병합 후 획지의 노선가는 400,000원/㎡임).

자료 1 의뢰물건

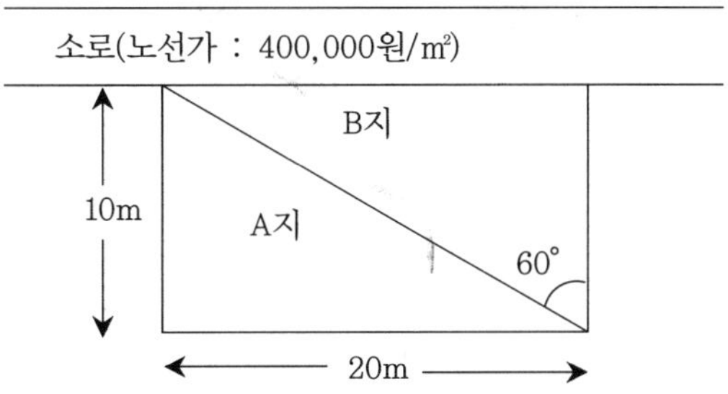

자료 2 깊이가격체감률

깊이	체감률
5m 이상~10m 미만	0.98
10m 이상~15m 미만	0.95

자료 3 각도보정률

최소각 \ 각도	20° 이상	30° 이상	45° 이상
저각	0.92	0.95	0.97
대각	0.90	0.93	0.95

자료 4 면적보정률

최소각 \ 면적	100㎡ 이상	135㎡ 이상	170㎡ 이상
30° 미만	0.80	0.85	0.90
30° 이상	0.85	0.90	0.95

자료 5 접면너비협소보정률

너비 \ 구분	중심상업	근린상업	중소공장
2m 미만	0.8	0.8	0.8
4m 미만	0.9	0.9	0.84

QUESTION 08

거래사례비교법에 의한 대상토지가격을 평가하시오. 10점

자료 1 대상토지

1. 소재지 : Y구 K동 34번지, 대, 200㎡

2. 평가목적 : 일반거래 참고용

3. 기준시점 : 2025년 2월 7일

4. 인근지역의 개황
대상이 속한 인근지역은 주거지역으로 단독주택 위주의 한적한 주택가를 형성하고 있으며, 대상토지는 주거용 나지임.

자료 2 거래사례

1. 소재지 등 : Y구 K동 125번지(주거지역, 가장형 평지)

2. 거래내용
(1) 명목상 거래금액은 45,000,000원이나, 2024년 11월 10일에 5,000,000원, 2025년 1월 10일에 20,000,000원, 2025년 4월 10일에 20,000,000원씩 분할 납부하는 것을 조건으로 하였다.

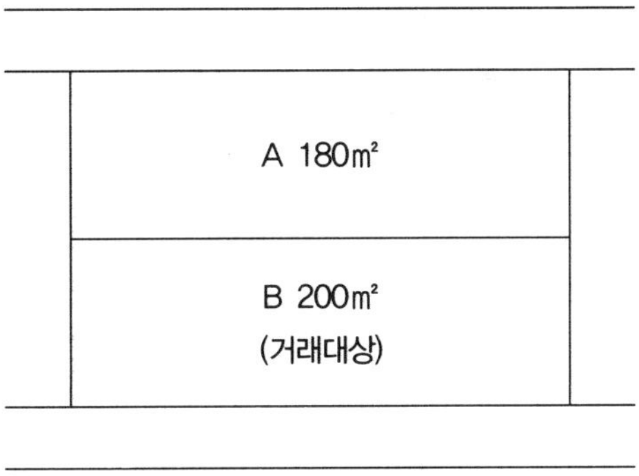

(2) A토지 소유자가 단독주택을 신축하기 위하여 인근의 주거지역 내에서 인접한 B토지를 2024년 11월 10일 매입한 사례이며, 매매당사자 간에는 경제적 합리성이 인정되는 것으로 판단된다.

(3) A토지 소유자는 가치증감분을 구입한도액비를 기준으로 배분하였으며, 병합 전, 후의 토지평점은 다음과 같다.

획지	A지	B지	A+B지
평점	95	80	100

(4) B토지 지상에는 노후한 벽돌조 지붕의 주거용 건물(100㎡)이 소재하고 있으나, 철거비는 B토지의 소유자가 부담하기로 하였다(철거비는 20,000원/㎡이며, 폐재가치는 없다).

자료 3 기타자료

1. 지가변동률(Y구 주거지역, %)

월	2024.11.	2024.12.	2025.1.
지가변동률	1.043	0.052	0.785

2. 시장이자율 : 월 1%

3. 사례는 대상보다 3% 우세함.

QUESTION 09

다음 자료를 이용하여 A토지를 노선가식평가법으로 평가하시오. 10점

자료 1 지적도

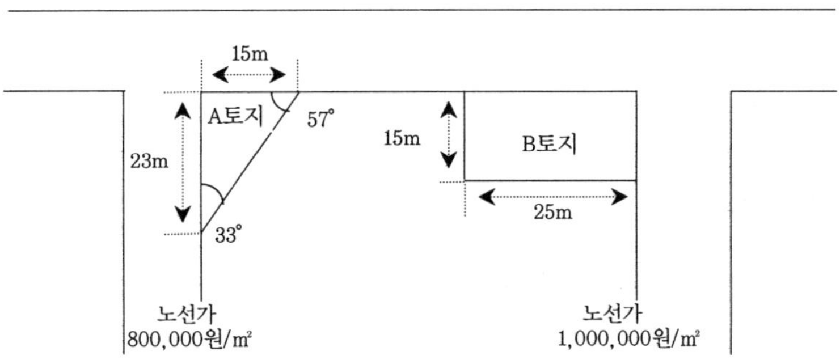

자료 2 깊이가격체감률

깊이(m)	10 미만	10~20 미만	20~30 미만	30~40 미만
체감률	1.0	0.98	0.97	0.96

자료 3 각도보정률

최소각 \ 각도(°)	10 미만	10~15 미만	15~20 미만	20~30 미만	30~45 미만
저각	0.80	0.85	0.89	0.92	0.95
대각	0.75	0.81	0.86	0.90	0.93

자료 4 면적보정률

최소각 \ 면적(㎡)	99 미만	99~ 132 미만	132~ 165 미만	165~ 330 미만	330~ 991 미만	991~ 3,300 미만	3,300 이상
30° 미만	0.75	0.78	0.80	0.85	0.90	0.95	0.98
30° 이상	0.80	0.83	0.85	0.90	0.95	0.97	0.98

자료 5 기타자료

1. 각지가산율 : 0.1

2. B토지(가장형 토지)의 ㎡당 가격 : 1,567,000원

QUESTION 10

A토지의 가격을 노선가식평가법에 의해 구하되, 주노선가 및 측면노선가는 표준지 공시지가 및 분양사례자료를 활용하시오. 20점

자료 1 대상토지 현황

1. 소재지 : 제천시 A동 92번지
2. 지목 : 대
3. 면적 : 600㎡
4. 이용상황 : 업무용
5. 용도지역 : 일반상업지역
6. 기준시점 : 2025년 8월 30일

자료 2 지적개황도

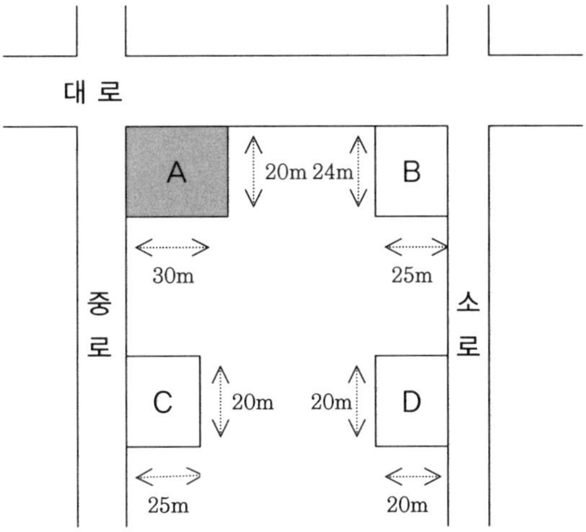

※ A 대상토지, B 분양사례, C · D 표준지

자료 3 공시지가조사 내용(2025.1.1.)

본건 토지기호	소재지	면적 (㎡)	지목	이용상황	용도지역	도로조건	공시지가 (원/㎡)
C	A동 100	500	대	업무용	일반상업	중로한면	1,150,000
D	B동 105	400	대	업무용	일반상업	소로한면	1,050,000

자료 4 분양사례(기호 B)

1. 건축공사비 : 평당 1,500,000원

2. 부대비용 : 건축공사비의 10%

3. 판매관리비 : 분양가액의 3%

4. 기업이윤 : 분양가액의 7%

5. 분양가액 : 1,800,000원/㎡(1층 전유면적기준임)

6. 전유면적 : 연면적의 80%

7. 건축규모 : 지하는 420㎡이나, 지상층은 건폐율(50%) 및 용적률(400%)의 최대한도로 건축하되, 지상층의 층별면적은 동일함.

8. 공사 및 분양계획

구분	기간
공사기간	2025.8.30.~2026.8.29.
분양기간	2026.8.30.~2027.5.31.

9. 공사비 및 분양대금조건
   (1) 건축비용(부대비용 포함)은 착공 시 30%, 완공시 70% 지불한다.
   (2) 판매관리비 및 기업이윤은 완공 시 지불하는 것으로 한다.
   (3) 분양대금은 분양개시 3개월 후 30%, 6개월 후 20%, 8개월 후 50%가 입금되는 것이 일반적이다.
   (4) 할인율 : 연 12%

자료 5 깊이가격체감률

깊이	체감률
15m 미만	1.00
15m~25m 미만	0.98
25m~35m 미만	0.96
35m 이상	0.94

자료 6 각지 영향가산율

1. 중로각지 가산율 : 12%

2. 소로각지 가산율 : 8%

자료 7 지가변동률(제천시 상업지역)

2025년 6월 누계	2025년 6월	2025년 7월
-3.013%	-0.354%	-

자료 8 층별 효용비율에 관한 자료

층별	월간실질임대료(원/㎡)
지하 1층	15,000
1층	25,000
2층	18,000
3층 이상	16,000

※ 위의 실질임대료는 인근지역의 표준적 임대사례에 의한 것으로 본건 분양사례에 적용하여도 무방함.

자료 9 표준지공시지가 자체를 해당 표준지의 시장가치로 본다.

QUESTION 11

감정평가사 A씨는 B국가산업단지 내 공업용토지에 대한 가치형성요인을 선형회귀방식에 따라 분석하기 위하여 감정평가선례를 수집하였다. 가치에 영향을 주는 독립변수를 확인하고 영향을 주는 요인에 따라 선형회귀방식에 의한 시산가액을 각각 산출하시오. 10점

자료 1 대상 토지의 현황

1. 소재지 : 경기도 A시 B동 200
2. 용도지역 및 이용상황 : 일반공업지역, 공업용
3. 토지의 면적 : 1,650㎡
4. 지하철역(A역)과의 거리 : 500m
5. 접한 도로의 너비 : 15m

자료 2 수집된 감정평가자료

구분	토지가격(원/㎡)	토지면적(㎡)	지하철역과의 거리(m)	도로접면의 너비(m)
본건	–	1,650	500	15
사례 1	780,000	1,100	350	25
사례 2	640,000	2,750	150	15
사례 3	590,000	3,500	320	6
사례 4	820,000	750	220	25
사례 5	700,000	1,900	290	20
사례 6	740,000	1,200	900	20
사례 7	730,000	1,430	500	20
사례 8	690,000	2,150	600	15
사례 9	650,000	2,600	550	15
사례 10	800,000	900	650	25

※ 각 감정평가선례는 모두 최근의 감정평가된 것으로 본다.
※ 모든 감정평가선례의 평가목적은 일반거래(시가참조)목적이다.

QUESTION 12

감정평가사 A씨는 B시 C동에 소재하는 공동주택(아파트)에 대한 시가참조목적의 감정평가를 의뢰받고 아래의 자료를 수집하였다. 「감정평가에 관한 규칙」에 의한 주된 감정평가방식에 의하여 감정평가하되, 가치형성요인의 비교 시에는 다른 거래사례의 가격을 대쌍으로 활용하여 평가하시오(기준시점 : 2025.6.1.). 10점

자료 1 본건 공동주택의 현황

소재지	단지명	동/호수	전유면적(㎡)
A시 B동 100	H아파트	103동 1604호	84.97
사용승인일	**향**	**관리상태**	**확장여부**
2006-12-01	동향	상	확장

자료 2 선정된 거래사례(H아파트 단지 내 거래사례)

동/호수	전유면적(㎡)	거래금액	거래시점
104동 501호	84.97	1,920,000,000	2024-12-05
사용승인일	**향**	**관리상태**	**확장여부**
2008-12-01	남동향	보통	×

자료 3 가치형성요인 보정을 위한 거래사례(H아파트 단지 내 거래사례)

연번	동/호수	전유면적(㎡)	향	관리상태	확장여부	거래금액
A	104-601	84.97	남동	보통	×	1,880,000,000
B	104-602	84.97	동	보통	×	1,840,000,000
C	101-1201	84.97	남동	상	×	1,990,000,000
D	101-1101	84.97	남동	보통	×	1,930,000,000
E	107-1202	84.97	동	상	확장	1,790,000,000
F	107-1302	84.97	동	상	×	1,750,000,000

※ 상기 거래사례는 모두 최근에 거래된 것으로 본다.

자료 4 그 밖의 통계자료

1. 아파트 매매가격지수

구분	2024-11	2024-12	2024-04
매매가격지수	114.9	115.5	115.6

※ 2025년 5월 지수는 미고시되었음.

2. 층별 효용격차

구분	1층	2층	3 ~ 5층	6 ~ 10층	11 ~ 15층	16층 이상
효용비	92	95	98	102	103	104

자료 5

1. 거래사례를 통한 요인의 비교는 비율보정방식에 의한다.

2. 감정평가액은 반올림하여 백만원단위까지 표시한다.

QUESTION 13

감정평가사 Y는 A 은행으로부터 담보목적을 위한 아래 부동산에 대한 평가의뢰를 받고 실지조사를 통하여 아래 자료를 수집하였다. 대상 부동산의 담보평가액을 평가하시오. 30점

자료 1 대상 부동산의 현황

1. 대상 물건의 내용
   (1) 토지 : A시 B동 100, 100-1(대)
   (2) 건물 : 100번지 위 지상 철근콘크리트조 5층 상업용 건물 연면적 3,500㎡
2. 기준시점 : 2025년 8월 31일
3. 평가목적 : 담보평가
4. 대상 부동산 개황

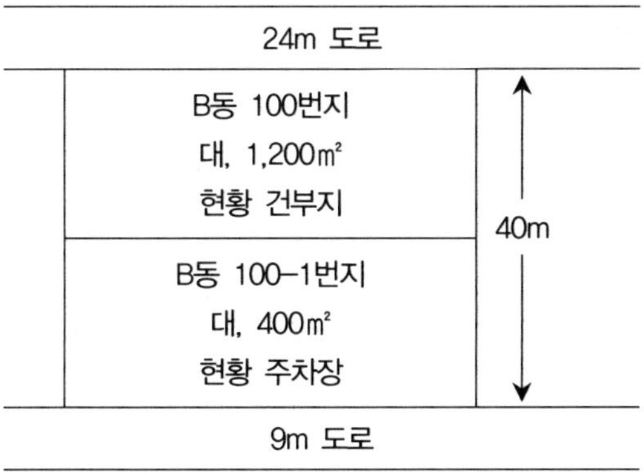

5. 토지소유자의 주장
   본건 토지소유자는 상업용 복합부동산을 매입 후 주차장부지가 부족하여 대상 부동산 후면의 주차장부지를 매입하여 주차장으로 이용 중이다. 이에 토지소유자는 주차장부지가 대상 부동산의 주차장으로 이용됨으로 인하여 대상 부동산의 수익성에 기여한다는 이유로 대상 부동산과 주차장부지를 일단지로 평가할 것을 요청하였다.
6. 기타사항
   대상 부동산은 일반상업지역에 있으며, 본건 토지 건물은 최유효이용의 상태에 있다. 100번지는 ○○역 북동 측 인근에 위치하여 근린상가가 밀집한 노선상가지대이며, 100-1번지는 후면상가지대이다.

자료 2 표준지공시지가 자료

2025.1.1. 기준

기호	소재지	면적 (원/㎡)	지목	용도지역	이용상황	도로교통	형상	공시지가 (원/㎡)
1	A시 B동	1,600	대	일반상업	상업용	소로각지	정방형	1,100,000
2	A시 B동	1,200	대	일반상업	상업용	중로한면	장방형	1,450,000
3	A시 C동	1,250	대	중심상업	상업용	소로한면	정방형	1,680,000

자료 3 거래사례자료

구분	거래사례 1	거래사례 2	거래사례 3
토지	A시 B동 대지 1,250㎡	A시 D동 대지 1,400㎡	A시 B동 나지 1,600㎡
건물	위 지상 철근콘크리트조 슬래브지붕 5층 상업용 건물 연면적 3,400㎡	위 지상 철근콘크리트조 지하 1층 지상 5층 상업용, 연면적 3,200㎡	-
거래시점	2025년 3월 31일	2024년 8월 1일	2024년 7월 1일
거래가격	3,400,000,000	3,500,000,000	2,500,000,000
용도지역	일반상업지역	일반상업지역	준주거지역
도로 및 형상	소로한면, 정방형	중로한면, 장방형	중로각지, 정방형
기타	거래가격은 사정이 개입되어 있으며, 정상적인 거래가액은 10% 정도 낮은 수준임	기존 대출(15억원)의 미상환잔액을 승계하는 조건으로 현금 20억을 지불함(2022년 8월 1일자 대출, 20년, 연리 12%, 매년 원리금균등상환).	시장상황을 반영한 정상적인 거래임.

자료 4 재조달원가 산정자료

대상건물의 신축 당시 재조달원가는 ㎡당 600,000원이 소요된 것으로 조사되었다. 건물의 신축단가는 2025년 3분기까지 보합세를 유지하고 있다.

자료 5 대상건물과 사례 #1 건물 관련 자료

구분		대상건물	사례 #1 건물	사례 #2 건물
준공일자		2020년 10월 1일	2020년 3월 31일	2019년 5월 28일
기준시점 잔존내용연수	주체	46	45	44
	부대	11	10	9
재조달원가 산정 시 개별요인		95	97	94
면적(㎡)		3,500	3,400	3,200
건물 및 부지의 적응성		최유효이용	최유효이용	최유효이용

* 감가수정은 주체와 부대설비 모두 만년감가에 의하여 정액법을 적용하고 주체와 부대의 비율은 7:3임

자료 6 각 동별 표준적 표준지단가(원/㎡)

동	2024년	2025년
B	1,310,000원/㎡	1,420,000원/㎡
C	1,450,000원/㎡	1,520,000원/㎡
D	1,300,000원/㎡	1,400,000원/㎡

자료 7 개별요인

1. 도로조건(각지의 경우 10% 가산함)

대로	중로	소로	세로(가)	세로(불)
110	105	100	95	90

2. 형상

정방형	장방형	제형	부정형
110	100	95	80

3. 기타 : 대상과 표준지 및 거래사례의 기타 개별요인은 동일하다고 봄

자료 8 상업지역 지가변동률(%)

2024년					2025년							
8월	9월	10월	11월	12월	1월	2월	3월	4월	5월	6월	7월	8월 (누계)
0.012	0.013	0.019	0.010	0.011	0.012	0.011	0.016	0.014	0.013	0.018	0.019	0.015 (0.118)

자료 9 기타사항

1. 건축물의 경우 지역 간의 건축비 차이는 없다고 본다.
2. 감정평가사 A가 대상 부동산을 조사한 결과 대상은 건축물이 준공된 이후에 후면에 있는 토지를 매입하여 부족한 주차장 용지로 이용하고 있음이 밝혀졌다.
3. 비교표준지 및 거래사례는 가장 적절한 것으로 1개만 선정한다.
4. 그 밖의 요인은 대등한 것으로 본다.
5. 시장이자율은 10%이다.
6. 비교표준지, 거래사례 등 선정 시 도로조건에 유의할 것

QUESTION 14

○○감정평가법인 소속 감정평가사 R씨는 (주)○○에셋으로부터 아래 부동산에 대한 매입과 관련한 일반거래목적의 감정평가를 의뢰받고 사전조사 및 실지조사를 착수하였으며 아래와 같이 처리계획을 수립하였다. 다음의 물음에 따라 감정평가액을 결정하시오. 35점

감정평가의뢰일 : 2025년 1월 11일
사전조사 및 현장조사 일정 : 2025년 1월 12일~1월 13일
의뢰인이 제시한 감정평가 기준시점 : 2025년 1월 15일
감정평가서 작성시점 : 2025년 1월 16일

1. 제시된 자료를 활용하여 토지의 평가액을 결정하시오.

2. 건물의 평가액을 결정한 후 본건의 감정평가액을 결정하시오.

자료 1 평가대상물건 현황

1. 토지 : 서울특별시 K구 B동 1597-24

2. 건물 : 위 지상건물

3. 구체적인 토지 및 건물의 확정은 아래 제시된 공부자료를 통하여 확인할 것

자료 2 인근의 표준지공시지가(공시연월일 : 2024년 1월 1일)

일련번호	소재지	면적(㎡)	지목	공시지가(원/㎡)	용도지역	이용상황	주위환경	도로교통	형상지세
1	K구 B동 1595-1	201.0	대	4,850,000	제2종일주	상업용	노선상가지대	광대세각	정방형평지
2	K구 B동 1596-1	168.3	대	5,260,000	제3종일주	상업용	노선상가지대	광대세각	가장형완경사
3	K구 B동 1597-1	700.6	대	6,990,000	제3종일주	상업용	노선상가지대	광대세각	가장형평지
4	K구 B동 1597-30	321.0	대	2,760,000	제3종일주	다세대	기존주택지대	세각(가)	세장형완경사

자료 3 인근지역 내 평가선례

구분	평가선례 A	평가선례 B	평가선례 C
소재지	K구 B동 1596-6	K구 B동 1597-17	K구 B동 596-4
평가목적	담보	일반거래	자산재평가
기준시점	2024년 1월 1일	2024년 1월 1일	2024년 1월 1일
지목/이용상황	대/상업용, 업무용	대/상업용	대/상업용
용도지역	제3종일반주거지역	제3종일반주거지역	일반상업지역
토지평가금액 (원/m²)	6,500,000	7,200,000	16,000,000
토지의 개별요인	광대한면, 세장형, 완경사지	광대한면, 세장형, 완경사지	광대각지, 사다리, 평지

자료 4 인근지역 내 거래사례

1. 거래사례 #1

(1) **소재지** : K구 B동 1596-5, 대, 284.9m², 광대한면, 완경사, 세장형

(2) **용도지역** : 제3종일반주거지역

(3) **거래물건** : 토지, 건물

(4) **지상건물의 현황**

이용상황	구조	건물등급	면적	사용승인일
업무시설 (업무시설)	철근콘크리트조	2등급	지상 : 631.5m² 지하 : 129.1m²	2014년 9월 2일

(5) **거래금액** : 2,600,000,000원

(6) **거래시점** : 2023년 6월 3일

2. 거래사례 #2

(1) **소재지** : K구 B동 1590-1, 대, 466.7m²(66.7m² 도시계획도로저촉, 광대소각, 평지, 사다리꼴)

(2) **용도지역** : 제3종일반주거지역

(3) **거래물건** : 토지, 건물

(4) 지상건물의 현황

이용상황	구조	건물등급	면적	사용승인일
근린생활시설	철근콘크리트조	4등급	지상 : 821.2㎡ 지하 : 60.1㎡	2004.2.5.

(5) **거래금액** : 4,300,000,000원

(6) **거래시점** : 2023년 7월 1일

(7) **거래조건** : 거래 당시 임차관계는 매수인이 승계하는 조건으로 거래함에 따라 임차보증금(725,000,000원)을 제외한 나머지 부분을 현금으로 납부하였으며, 보증금은 2년 후 임차인에게 지급될 것으로 예상된다.

3. 거래사례 #3

(1) **소재지** : K구 B동 1596-15, 대, 164.7㎡, 소로한면, 세장형, 완경사

(2) **용도지역** : 제3종일반주거지역

(3) **거래물건** : 토지, 건물

(4) 지상건물의 현황

이용상황	구조	건물등급	면적	사용승인일
근린생활시설(1층) 다세대주택 (지하 1층, 지상 2~4층) 혼용	철근콘크리트조	4등급	지하 : 105.1㎡ 지상 : 420.4㎡	2006.12.15.

(5) **거래금액** : 2,190,000,000원

(6) **거래시점** : 2024년 12월 3일

(7) 본 거래는 개인 간의 거래로서 매수인은 해당 건물을 통해 임대수익을 올리고자 매입한 사례인 것으로 확인되었다.

4. 거래사례 #4

(1) **소재지** : K구 B동 1597-23, 대, 631.3㎡, 광대로한면, 사다리꼴, 완경사

(2) **용도지역** : 제3종일반주거지역

(3) **거래물건** : 토지, 건물

(4) 지상건물의 현황

이용상황	구조	건물등급	면적	사용승인일
근린생활시설	철근콘크리트조	4등급	지상 1층 : 250㎡ 지상 2층 : 250㎡	2000.11.3.

(5) 거래금액 : 1,300,000,000원

(6) 거래시점 : 2022년 10월 13일

(7) 본건은 5명의 공유형태로 소유권이 등기되어 있으며, 상기 거래사례는 이 중 1명의 지분(5분의 1)에 대한 거래이다. 그리고 해당 지분에 대한 위치는 확인되지 않았다.

자료 5 인근지역 개황, 인근토지의 지가수준 및 본건의 개별분석

1. 인근지역의 개황

본건 인근은 지하철역을 중심으로 본건 전면의 도로(K로, 광대로)를 따라 형성되어 있는 상업지대로서 지하철역 방향인 본건의 북측으로는 중심상업지대가 형성되어 있고 본건의 남측을 따라서는 업무시설, 오피스텔 등이 혼재하고 있는 지역이다. K로를 기준으로 동측과 서측의 상권의 번화함 정도에서 큰 차이가 있는 것으로 조사되었다.

2. 본건 인근 토지의 지가수준

본건을 중심으로 북측의 경우 가격수준이 높은 상업지대로서 일반상업지역의 경우 17,000,000원/㎡~22,000,000원/㎡ 수준, 제3종일반주거지역의 경우 9,000,000원/㎡~12,000,000원/㎡의 수준이 형성되어 있음. 본건 남측의 경우 제3종일반주거지역의 경우 6,000,000원/㎡~8,000,000원/㎡의 수준이며, 제2종일반주거지역의 경우 5,000,000원/㎡~6,000,000원/㎡ 수준이다.

3. 본건의 토지 개별분석

본건은 인근 토지와 함께 완경사지로서 본건 서측의 30m 도로에 접해 있으며, 남측으로는 4m 도로에 접하고 있다.

4. 본건의 건물 개별분석

본건은 현재 근린생활시설 및 교육연구시설로 활용되고 있으며, 본건 건물의 현장조사결과 내용연수법에 따른 감가 이외의 기능적 감가가 재조달원가 대비해 10% 정도 더 존재하는 것으로 확인되었다. 이 기능적 감가는 증축부분에도 공히 발생하고 있다.

자료 6 본건 및 표준지 위치도

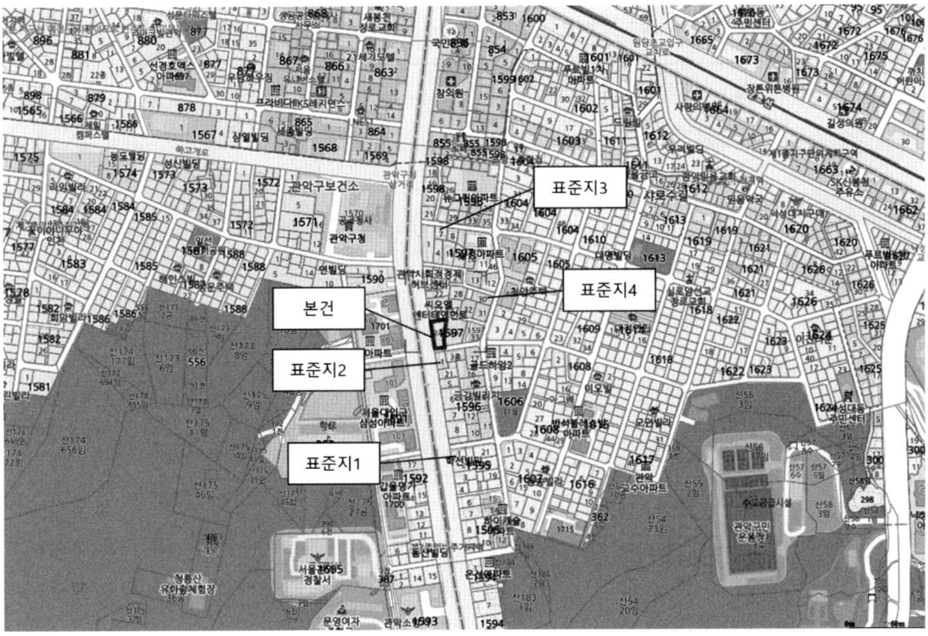

자료 7 본건, 거래사례 및 평가전례 위치도

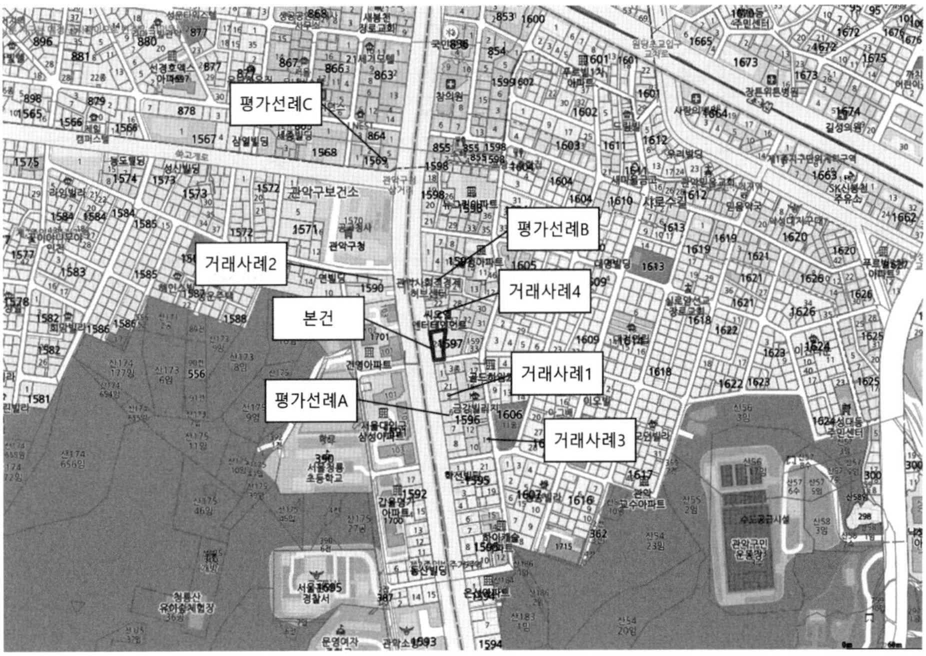

자료 8 건물의 재조달원가

1. 건물의 재조달원가(원/㎡, 기준시점 현재)

구분	이용상황	2	3	4	내용연수
철근콘크리트조	업무시설	900,000	800,000	700,000	50
	다세대주택	1,100,000	1,000,000	900,000	
	근린상가	700,000	600,000	520,000	
	본건	800,000			

2. 지하부분의 경우 지상부분의 재조달원가의 75%를 적용한다.

3. 상기 재조달원가에는 부대부분(설비)이 포함된 단가이다.

4. 최종잔가율은 0%이다.

자료 9 토지가격 비준표 등

1. 도로조건

구분	광대소각	광대세각	광대한면	중로소각	중로세각	중로한면
광대소각	1.00	0.97	0.95	0.90	0.85	0.75
광대세각	1.05	1.00	0.97	0.95	0.90	0.80
광대한면	1.07	1.05	1.00	0.97	0.95	0.95
중로소각	1.12	1.10	1.05	1.00	0.97	0.97
중로세각	1.17	1.15	1.10	1.12	1.00	1.00
중로한면	1.28	1.25	1.15	1.20	1.10	1.00

2. 형상

구분	정방형	가장형	세장형	사다리꼴	부정형
정방형	1.00	0.98	0.95	0.93	0.90
가장형	1.02	1.00	0.98	0.95	0.93
세장형	1.05	1.02	1.00	0.98	0.95
사다리꼴	1.08	1.05	1.02	1.00	0.98
부정형	1.10	1.08	1.05	1.02	1.00

3. 지세

구분	평지	완경사
평지	1.00	0.90
완경사	1.10	1.00

4. 도시계획시설

구분	일반
도로	0.85
공원	0.65

5. 그 밖의 조건은 모두 유사한 것으로 가정한다.

자료 10 지가변동률 및 생산자물가지수

1. 지가변동률(K구, %)

<table>
<tr><th>구분</th><th>2023년 6월</th><th>2023년 7월</th><th>2024년 11월</th></tr>
<tr><td rowspan="2">주거지역</td><td>-0.115</td><td>-0.098</td><td>0.069</td></tr>
<tr><td colspan="2">2023년 7월~2023년 12월 누계 :
0.912</td><td>2024년 11월 누계
(2024년 1월~2024년 11월) : 0.917</td></tr>
<tr><td rowspan="2">상업지역</td><td>-0.377</td><td>-0.187</td><td>0.107</td></tr>
<tr><td colspan="2">2023년 7월~2023년 12월 누계 :
-0.107</td><td>2024년 11월 누계
(2024년 1월~2024년 11월) : 0.674</td></tr>
</table>

2. 생산자물가지수

구분	2023년 5월	2023년 6월	…	2024년 12월
지수	121.7	122.9	…	132.6

자료 11 기타사항

1. 표준지공시지가 선정 시 표준지 선정기준 및 선정근거를 상세히 기술할 것

2. 토지가격을 평가하기 전에 본건의 가로조건, 형상, 지세를 먼저 판단하도록 한다.

3. 그 밖의 요인비교치 산정 시 격차율은 비교표준지를 기준한 방식에 의한다.

4. 시장할인율 : 6.0%

5. 거래사례는 가장 적정한 사례 하나를 선택하여 비교하도록 한다.

자료 12 본건의 공부자료

1. 토지이용계획확인원

소재지	서울특별시 K구 B동 1597-24		
지목	대	면적	503.7㎡
지역지구 등 지정 여부	「국토의 계획 및 이용에 관한 법률」에 따른 지역 · 지구 등	도시지역, 제3종일반주거지역, 일반미관지구, 학교시설보호지구(해제입안)	
	다른 법령 등에 따른 지역 · 지구 등	가축사육제한구역, 대공방어협조구역, 과밀억제권역, 상대정화구역	
「토지이용규제 기본법 시행령」 제9조 제4항 각 호에 해당되는 사항		-	

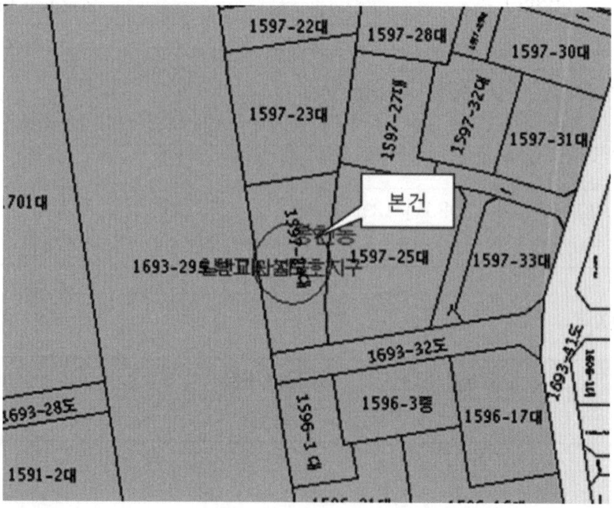

고유번호	4****41022-10072-00**		토지대장	도면번호	**	발급번호	20**0106-000*-00**
토지소재	서울특별시 K구 B동			장번호	1-1	처리시각	**시**분**초
지번	1597-24	축척 1:1200		비고		작성자	****

토지표시			소유자		
지목	면적(㎡)	사유	변동일자	주소	
			변동원인	성명 또는 명칭	등록번호
대	503.7		2002.5.1.	서울시 서초구 B동	
			소유권이전	유○○	8****- *******
-이 하 여 백-					

2. 일반건축물대장

대지위치	서울특별시 K구 B동		지번	1597-24	도로명주소	K로 ○○	
대지면적	503.7㎡	연면적	1,834.93㎡	지역	제3종일반주거지역	지구	
건축면적	250.77㎡	용적률 산정용 연면적	1,452.28㎡	주구조	철근콘크리트구조	주용도	근린생활시설 교육연구시설
건폐율	-	용적률	-	높이	21.1m	지붕	평 슬래브

건축물 현황					소유자 현황			
구분	층별	구조	용도	면적(㎡)	성명	주소	소유권 지분	변동일자
주1	지1	철근콘크리트구조	근린생활시설(식당)	198.24	유○○	서울시 서초구	1/1	2003. 8.23.
주1	지1	철근콘크리트구조	기계실	134.82				
주1	1층	철근콘크리트구조	교육연구시설	148.93				
주1	1층	철근콘크리트구조	주차장	49.59				
주1	1층	철근콘크리트구조	교육연구시설(출판사)	49.5				
주1	2층	철근콘크리트구조	교육연구시설(학원)	250.77				
주1	3층	철근콘크리트구조	교육연구시설(학원)	250.77				
주1	4층	철근콘크리트구조	교육연구시설(학원)	250.77				
주1	5층	철근콘크리트구조	교육연구시설(학원)	250.77				
주1	6층	철근콘크리트구조	교육연구시설(학원)	250.77				

변동사항		허가일자	2002.11.1.	관련지번
변동일자	변동내용 및 원인	착공일자	2002.12.1.	-
2014.9.5.	(증축) 지상 6층 철근콘크리트조 교육연구시설 250.77㎡	사용승인일자	2003.8.23.	

QUESTION 15

다음 각각의 평가의뢰 내용과 제시된 자료를 통해 복합부동산을 토지 · 건물 일체로 하여 평가하시오. 20점

자료 1 공통자료

1. 기준시점은 2025년 7월 1일이다.
2. 시가참조용 감정평가이다.
3. 평가물건 #1의 최종 감정평가액은 반올림하여 백만원단위까지 표시하며, 평가물건 #2는 반올림하여 억단위까지 표시한다.

자료 2 평가물건 #1 관련 자료

<자료 2-1>

평가의뢰 내용
1. 대상 부동산 토지 : 경기도 S시 Y동 248, 대, 205.4㎡, 제1종일반주거지역 건물 : 위 지상 철근콘크리트조 상가주택, 419.78㎡, 사용승인일 : 2024년 6월 1일 2. 구해야 할 가치 : 시장가치

<자료 2-2> 거래사례자료

1. 사례 부동산
   (1) **토지** : 경기도 S시 J구 Y동 333, 대, 247.4㎡, 제1종일반주거지역
   (2) **건물** : 위 지상 철근콘크리트조 상가주택, 492.1㎡, 2022년 5월 1일 준공
2. 거래가격 : 1,550,000,000원
3. 거래시점 : 2024년 12월 1일

<자료 2-3> 주변 시장환경

본건 인근은 S시청 남측에 새로이 조성된 택지지대로서 현재 인근에는 나대지 및 건부지가 혼재하고 있으며, 시장자료조사 결과 대지만의 가격수준 및 건물의 가격수준이 각각 존재하는 것으로 조사되었다.

<자료 2-4> 대상건물 및 사례건물에 관한 자료

구분		대상건물	건설사례	거래사례
준공연월일		2024년 6월 1일	2024년 6월 1일	2022년 5월 1일
부지면적(㎡)		205.4	250	247.4
건축연면적(㎡)		419.78	506	492.1
시공의 정도		중급	중급	중급
기준시점 현재 잔존내용연수	주체	49	–	47
	부대	14	–	12
설비의 양부		양호	양호	양호
건물・부지의 적응성		최유효이용	최유효이용	최유효이용
건물개별요인 비교평점 (잔가율 미포함)		100	101	104
건축비(건축시점)		–	715,000원/㎡	–

※ 주체부분과 부대설비부분의 재조달원가의 구성비는 7 : 3이다.
※ 감가수정은 정액법에 의한 만년감가에 의하되, 잔가율은 0으로 한다.
※ 건설사례의 건축비는 정상적이고 표준적인 것이다.

<자료 2-5> 지역요인 및 개별요인

1. 지역요인
   S시 Y동은 모두 인근지역으로 판단한다.

2. 대상토지는 사례토지보다 5% 열세함.

<자료 2-6> 지가변동률 및 건축비지수

1. S시 J구 주거지역의 지가변동률(단위 : %)
   (1) 2024년 12월
      1) 당월 : −0.126
      2) 누계 : 0.782
   (2) 2025년 5월
      1) 당월 : 0.312
      2) 누계 : 1.161

2. 건축비지수

시점	2024년 1월 1일	2024년 7월 1일	2025년 1월 1일	2025년 7월 1일
지수	103	105	108	111

자료 3 평가물건 #2 관련 자료

<자료 3-1>

평가의뢰 내용
1. 대상 부동산 토지 : 서울특별시 J구 S동 53, 2,732.2㎡, 일반상업지역 건물 : 위 지상 철근콘크리트조 업무시설, 34,172.72㎡(B6/F19), 사용승인일 : 2018년 1월 2일 2. 구해야 할 가치 : 시장가치

<자료 3-2> 거래사례

구분	거래사례 – 에이스타워
소재지	서울특별시 J구 S동 1-170
대지면적	4,104㎡
용도지역	일반상업지역
사용승인일	2002년 준공
층수	B5/21F
연면적	43,451.4㎡
전용률	53.0%
빌딩등급	A
거래대금(원)	189,170,500,000
거래일	2023년 10월 1일
매도자	M자산운용
매수자	S생명보험

<자료 3-3> 인근 시장자료

시장조사 결과 인근의 본건과 유사한 부동산의 경우 건물의 단위면적당 가격수준(토지 포함)이 존재하는 것으로 조사되었다.

<자료 3-4> 오피스의 가격변동률

서울특별시 J구의 오피스 가격변동률은 연간 2.5%인 것으로 판단한다(월할계산).

<자료 3-5> 거래사례와 본건의 비교

분류	가중치(%)	평점(비교요인치)	비고
입지성	0.4	1.10	본건은 사례대비 업무시설로서의 주위환경, 교통접근성에서 우세함.
물리적 특성	0.3	1.20	빌딩 노후도, 내외장 마감상태 등에 있어 본건이 우세함.
기능성	0.15	1.05	설비, 쾌적성 등에 있어 제반여건 다소 우세함.
관리수준	0.15	1.10	제반관리수준에 있어 본건이 사례대비 다소 우세함.

QUESTION 16

감정평가사 A씨는 물류창고(명칭 : M물류창고)에 대한 감정평가를 진행하고 있다. 아래의 물류창고에 대해서 일괄거래사례비교법에 의한 감정평가를 진행하시오. 15점

※ 기준시점 : 2025년 7월 15일

자료 1 본건의 내역

소재지	대지면적(m^2)	연면적(m^2)	건폐율	용적률	사용승인일
A동 100	16,000	45,000	60%	230%	2025-07-01

자료 2 본건 거래사례의 세부현황

구분	본건	거래사례 1	거래사례 2
명칭	M물류창고	G물류창고	K물류창고
용도지역	일반공업	일반공업	일반공업
소재지	A동 100	B동 200	C동 300
사용승인일	2025-07-01	2023-04-01	2005-07-01
대지면적(㎡)	16,000	13,000	5,000
연면적(㎡)	45,000	39,000	14,000
건폐율(%)	59%	58%	57%
용적률(%)	230%	226%	229%
창고유형	상온	상온	상온/냉장/냉동
규모	-2/4	-1/4	-2/3
거래시점	-	2024-01-01	2024-01-01
거래금액(천원)	-	78,000,000	16,800,000
건물 재조달원가(원/㎡)	-	1,200,000	900,000
비고	본건임	-	-

※ 거래사례 2의 상온창고의 면적비율은 전체의 20%임.

자료 3 통계자료

1. 지가변동률(해당권역)

구분	2024년 12월	2025년 5월	2025년 6월
당월(%)	0.232%	0.287%	미고시
누계(%)	3.687%	1.636%	미고시

2. 생산자물가지수

구분	2023년 12월	2025년 5월	2025년 6월
지수	114.32	116.29	미고시

자료 4 개별요인에 대한 평점(수량요소 제외)

구분	본건	거래사례 1	거래사례 2
토지	100	105	95
건물	100	103	85

※ 건물은 잔가율에 대한 비교치가 포함된 수치이다.

자료 5 그 밖의 자료

1. 건물의 경제적 내용연수는 50년이다.
2. 시점수정은 토지에 대해서는 지가변동률, 건물에 대해서는 생산자물가지수를 적용하도록 한다.
3. 개별요인에 비교는 토지, 건물의 가격구성비율을 나누어 비교하도록 한다.

QUESTION 17

Y감정평가법인 소속 감정평가사인 Y씨는 Y광역시청으로부터 Y시 소유토지상의 건물에 대한 일반시가평가를 의뢰받고 사전조사 및 현장조사를 통하여 아래와 같이 자료를 수집하였다. 평가대상건물에 대한 감정평가액을 결정하시오. 25점

자료 1 대상 부동산의 현황

1. 소재지 : Y광역시 Y군 O읍 E리 262
2. 토지사항 : 공장용지, 59,011.6㎡, 일반공업지역
3. 건물 : 위 지상의 건물(현황 공장)
4. 기타사항 : 본 건물은 건물의 소유자인 (주)Y금속이 Y광역시청 소유의 토지상에 지상권을 설정하고 이용 중인 건물로서 신축과 동시에 지상권이 설정되었으며, 건물의 존속 시까지 설정되어 있고 지료는 연간 1,500,000,000원이다.

자료 2 본건 공사비 관련

1. (주)Y금속 사옥 E리 사옥/공장 조성비 내역

구분	세부내역(원)	비고
부지조성비	6,700,000,000	-
건축공사비	3,700,000,000	-
구축물설치비	9,300,000,000	-
기계장치 구입 및 설치비	6,000,000,000	-
간접비 및 공통비용	1,100,000,000	각 공사별 금액비율별로 안분가능
TOTAL	26,800,000,000	-

※ 상기 공사원가에 포착되지 않은 원가로서 건축물에 대한 설계비(건축물 설계계약서 아래 참조)가 있음.

2. 건축물의 도급계약서

<table>
<tr><td colspan="2">

민간 표준도급계약서

* 공사장소 : Y광역시 Y군 O읍 E리 262
* 공사명 : (주)Y금속 사옥 신축공사
* 착공일 : 2021년 3월 15일
* 준공예정일 : 2021년 12월 5일
* 계약금액 : 일금 삼십칠억원정(3,700,000,000원)(VAT 별도)
* 계약보증금 : 계약금액의 5%(185,000,000원)
* 선금 : 계약금액의 30%(1,110,000,000원)
* 계약시점 : 2021년 3월 1일
* 도급인과 수급인은 합의에 따라 붙임의 계약문서에 의하여 계약을 체결하고 신의에 따라 성실히 계약상의 의무를 이행할 것을 확약하며, 이 계약의 증거로서 계약문서 2통 작성하여 각 1통씩 보관한다.
* 붙임서류 : 생략

</td></tr>
<tr><td>도급인
주소 : Y광역시 N구 Y동 1031
상호 : (주)Y금속
대표이사 : 김병수</td><td>수급인
주소 : Y광역시 N구 S동 1133-18
상호 : C종합건설(주)
대표이사 : 문건주</td></tr>
</table>

※ 상기의 계약관계에 따라 진행이 되었으며, 준공시점 등 일부를 제외하고는 공사가 진행 및 완료되었다.

3. 건축물의 설계표준계약서

1. 설계계약건명 : (주)Y금속 E리 공장신축
2. 대지위치 : Y광역시 Y군 O읍 E리 262
3. 설계개요
   1) 대지면적 : 59,011.6㎡
   2) 용도 : 공장
   3) 구조 : 철근콘크리트조
   4) 층수 : 지상 4층
4. 계약금액 : 일금 구천구백만원정(99,000,000원)(VAT 포함)

2021년 3월 1일

자료 3 신축단가표(2024년 4월 1일 기준)

1. 기본형 건축비

분류번호	용도	구조	급수	표준단가(㎡)	내용연수
6-1-5-6	일반공장	철근콘크리트조 슬래브지붕	2	817,000	40(35~45)

2. 부대설비 보정단가(일반공장 부문)

구분	일반공장, 냉동공장	비고
화재탐지설비(원/㎡)	7,000~11,000	중위치 적용할 것
위생설비, 급배수, 급탕설비(원/㎡)	20,000~30,000	중위치 적용할 것
냉난방시설(닥트)(원/㎡)	130,000~170,000	중위치 적용할 것

자료 4 본건 건축물대장 및 등기사항전부증명서

1. 건축물대장(일반건축물, 발췌)

건축물 현황				
구분	층별	구조	용도	면적(㎡)
주1	1층	철근콘크리트조	공장	1,205.25
주1	2층	철근콘크리트조	공장	557.25
주1	3층	철근콘크리트조	공장	1,006.11
주1	4층	철근콘크리트조	공장	951

허가일자	2021년 4월 29일
착공일자	2021년 5월 7일
사용승인일자	2022년 11월 1일

2. 등기사항전부증명서(표제부 생략)

갑구(소유권에 관한 사항)				
순위번호	등기목적	접수	등기원인	권리자
1	소유권보존	2022년 11월 26일 제105642호		소유자 주식회사 Y금속 Y광역시 N구 Y동 1031

자료 5 현장조사사항

1. 본건 건물의 구조, 용도, 용재, 부대시설, 시공 및 관리상태 등을 종합적으로 고려한 결과 신축단가표를 기준으로 2급에 해당하는 것으로 판단된다.

2. 본건 건물 중 건축물관리대장 2층의 경우 1층의 일부 중간층으로 이용되는 이른바 "중층"이다. 중층부분의 기본건축비는 기본단가의 60%를 적용한다.

3. 부대설비 설치현황

구분	화재탐지	위생설비	냉·난방설비
1층	○	○	×
2층(중층)	×	○	○(닥트)
3층	○	○	○(닥트)
4층	○	○	○(닥트)

4. 본건 건물 조사 시 추가확인사항

(1) 본건 공장의 Layout이 현재의 기계기구 배치와 맞지 않아 매일 1.5시간의 생산 차질이 빚어지고 있다. 본 공장에서는 1시간당 제품이 30단위씩 생산되고 있으며, 제품 1단위당 판매가격은 50,000원이다. 제품생산원가는 40%이며, 이러한 부분을 치유하는 데에는 2,000,000,000원이 소요된다(건물환원이율 15%, 연간 300일 가동, 1일 12시간 가동을 가정한다).

(2) 이러한 Layout 부분을 신축 시 정상적으로 설치했다면 해당 부분은 1,200,000,000원이 소요되었을 것으로 예상된다.

5. 본 건물은 신축건물을 기준으로 주체부분 및 부대설비 모두 포함하여 신축단가 자료에 비해 본건 건물이 10% 우세하다.

자료 6 생산자물가지수

구분	2021년 2월	2021년 3월	2024년 3월	2025년 6월	2025년 7월	2025년 8월
지수	110.6	110.71	111.12	111.95	112.99	114.01

자료 7 기타사항

1. 기준시점 : 2025년 8월 31일

2. 본 평가는 건축물을 대상으로 하며 구축물 및 기계기구는 평가대상에서 제외한다.

3. 본 건물의 잔가율은 0%이다.

4. 내용연수법에 따른 감가수정시 부대부분에도 동일한 경제적 내용연수를 적용한다.

QUESTION 18

K씨는 자신의 건물을 처분하기 위하여 S평가사에게 평가를 의뢰하였다. 이에 S평가사는 대상건물의 가격산정을 위한 자료를 수집 · 정리하였다. 다음 자료를 토대로 대상건물의 가격을 평가하시오. 20점

자료 1 평가의뢰 내용

1. 토지 : S시 A동 251번지, 대, 400㎡
2. 건물 : 위 지상 철근콘크리트조 슬래브지붕 5층 건물, 연면적 1,300㎡ (지층 : 300㎡, 1~5층 : 각 200㎡)
3. 임대가능면적 : 950㎡(지층 : 200㎡, 1~5층 : 각 150㎡)
4. 기준시점 : 2025년 9월 5일
5. 도시계획사항 등 : 일반상업, 장방형, 평지
6. 주변상황 : 최근 5층 사무실 건물을 신축하여 분양 및 임대하고 있으며, 거래는 매우 활발하여 분양개시 즉시 분양 및 임대가 완료되는 것으로 조사되었음.

자료 2 대상건물의 건축비 내역

1. 신축시점 : 2021년 9월 5일
2. 소요공사 내역(신축시점)

1. 직접비			
터파기 및 정지	1,390,000	내벽	36,400,000
기초	4,680,000	* 도장(내외부)	1,520,000
외벽	53,270,000	배관	6,570,000
지붕틀	7,900,000	* 배관설비	2,860,000
* 지붕마감	5,050,000	* 전기설비	5,600,000
골조	19,900,000	* 전기배선	3,150,000
바닥틀	13,000,000	* 난방환기조절기	13,850,000
* 바닥마감(카페트)	3,590,000	울타리, 조경공사	3,500,000
* 천장	5,500,000	계	187,730,000
2. 간접비 및 이윤	직접비의 27%		

* (주) 1 표는 소모성 항목임.
(주) 2 각 항목의 공사비는 적정한 것으로 판단되나 순수건축비와 관련 없는 항목은 제외할 것

3. 내용연수 : 내구성(50년), 소모성(15년)

4. 간접비 및 기업이윤을 소모성과 내구성으로 배분할 경우에는 직접비에서 차지하는 비율에 의한다.

자료 3 기준시점 현재 건축물의 상태

1. 대상물건은 내외부 도장상태가 불량하여 재도장이 요구되고 있으며 그 비용은 400,000원이 소요된다(재조달원가는 350,000원).

2. 대상건물의 2층에는 화장실이 없다. 이로 인해 임대료상에 연간 500,000원의 실질임대료 손실이 초래되고 있다. 현재 2층에 화장실을 부가하는 비용은 1,500,000원이 소요되며 기준시점 현재 대상건물을 신축한다고 가정했을 경우의 대체비용은 1,300,000원이 소요된다.

3. 대상건물의 전기설비 중 일부는 110V이나 주위 건물 등의 일반적인 설비규모는 220V이다. 이러한 규격차이로 인하여 연간 600,000원의 운영경비 추가지출이 나타나고 있다. 기준시점 현재 그 일부의 재조달원가는 2,000,000원이며, 220V로의 전환비용은 2,200,000원이 소요된다. 준공 당시 220V로 시공했다면 2,050,000원이 소요되었을 것이고 기준시점 현재 신축 시 220V로 시공하는 데에는 2,100,000원이 소요된다. 현 전기설비의 잔존 내용연수는 11년이고 신규설비의 전 내용연수는 기존설비와 동일하다.

4. 대상건물의 1층 복도에는 현재 12평짜리 흡연실이 있다. 그런데 흡연인구의 계속적인 감소로 인하여 이것의 규모를 6평으로 축소할 필요성이 생겼다. 줄어든 공간은 사무실로 개조하려고 한다. 사무실로 개조하는 비용은 1,000,000원이고 개조함으로 인해 연간 150,000원의 실질임대료를 추가로 누릴 수 있다. 흡연실 전체의 기준시점 재조달원가는 2,200,000원이고 기준시점 현재 대상건물을 신축한다고 할 때 적절한 부분을 사무실로 변경하는 비용은 800,000원이 소요된다.

5. 대상건물은 승강기가 없는 관계로 연간 2,000,000원의 실질임대료 손실을 보고 있다. 그러나 대상건물은 현재 구조적으로 승강기를 설치할 수 없다. 승강기의 신축 시 비용은 5,000,000원이 소요된다.

6. 대상건물은 층고가 약 5m인데, 이는 인근의 일반적인 층고인 3.5~4m보다 높아 연간 100,000원의 난방비가 더 소요된다. 이러한 층고차이 부분의 기준시점 현재 재조달원가는 15,000,000원이다.

7. 본건 건물의 인접 건물은 신축된 지 28년이 지났으며 관리소홀로 인하여 매우 노후화되어 본건 부동산에 불리한 영향을 주고 있으며 이로 인하여 대상 부동산의 순영업소득 수준은 인근 유사 부동산에 비해 연 121,000원 정도 낮게 형성되어 있고 대상토지 가격도 시장가치대비 1,000,000원 정도 낮게 형성되고 있다.

자료 4 기타사항

1. 부동산의 표준적 가격구성비율은 토지 : 건물 = 6 : 4이다.

2. 건물의 환원이율 : 12.5%

3. 시장의 전형적인 조소득승수 : 7

4. 토지의 환원이율 : 6.0%

5. 할인율 : 6.0%

6. 경제적 타당성 분석 시, 건물의 환원이율 또는 조소득승수에 의한 타당성을 검토하되 환원이율 적용시는 직접법으로 적용한다.

7. 건축비 상승률 : 최근 10년간 건축비는 연평균 5%씩 상승하였다.

QUESTION 19

R씨는 다음과 같은 부동산의 시장가치를 산정하고자 한다. 다음에 제시된 매매사례를 이용하여 대상 부동산을 평가하시오. 단 정확한 내용연수의 파악은 불확실하다. 10점

자료 1 대상물건

1. 토지
   (1) 면적 : 600㎡
   (2) 적용단가 : 1,200,000원/㎡
   (3) 이용상태 : 최유효이용

2. 건물
   (1) 연면적 : 1,000㎡
   (2) 재조달원가 : 120,000원/㎡
   (3) 경과연수 : 15년

자료 2 거래사례

구분	사례 1	사례 2	사례 3
매매가격	215,000,000	605,000,000	791,000,000
부지가격	15,000,000	100,000,000	125,000,000
건물재조달원가	230,000,000	627,000,000	934,000,000
경과연수	8	14	19

QUESTION 20

감정평가사 柳씨는 박○○씨 소유의 토지 및 건물에 대한 일반거래목적의 감정평가를 의뢰받고 아래의 자료를 사전조사 및 실지조사를 통하여 수집하였다. 아래의 물음에 답하시오. 35점

〈물음 1〉 평가대상건물의 재조달원가를 결정하시오. 15점

〈물음 2〉 평가대상건물의 발생감가상각액(Accrued Depreciation)을 산정하시오. 15점

〈물음 3〉 평가대상건물 및 토지의 가치를 결정한 후 복합부동산 평가액을 결정하시오. 5점

자료 1 대상 부동산 현황

1. 소재지 : S시 K구 A동 1069-1번지상 토지 및 건물
2. 토지의 면적 및 지목 : 1,500㎡, 대
3. 토지이용계획사항 : 도시지역, 제3종일반주거지역, 중심지미관지구, 대공방어협조구역
4. 기준시점 : 2025년 9월 4일
5. 대상토지의 개발 내역
   대상토지는 기존의 하천부지를 용도폐지한 후 새로 대지로 조성한 토지로서 해당 토지의 소유자는 상기와 같은 용도폐지를 전제로 해당 토지를 K구로부터 2017년 7월 1일에 불하받았으며, 당시 토지의 처분가격은 ㎡당 1,350,000원/㎡였다.

자료 2 대상건물의 상세 내역

1. 대상건물의 현장조사 현황

층	이용상황	바닥면적(㎡)	준공 / 증축일자	구조
B2	근린상가, 주차장, 기계실	800	2020년 7월 1일	철근콘크리트조
B1	근린상가, 주차장	800	2020년 7월 1일	철근콘크리트조
F1	근린상가	600	2020년 7월 1일	철근콘크리트조
F2	근린상가	600	2020년 7월 1일	철근콘크리트조
F3	근린상가	600	2020년 7월 1일	철근콘크리트조
F4~6	근린상가, 사무실	600	2020년 7월 1일	철근콘크리트조
F7	사무실	500	증축 / 2023년 12월 1일	경량철골조
합계		5,700		

2. 대상건물에 있어서 표준건축비상의 건물의 급수는 B2~F6(증축 전의 건물)의 경우 3등급이며, 증축부분은 2등급으로 판단된다.

자료 3 대상건물의 도급계약서 현황

1. 개요

대상건물의 평가에 있어서 대상토지를 지자체로부터 매수한 이후 건물의 신축공사에 대한 도급계약서 및 상세내역서가 아래와 같다. 증축부분에 대해서도 증축한 내역에 대한 명세가 아래와 같다.

2. 최초 건축 시 도급계약서

민간건설공사 표준도급계약서

1. 공사명 : ○○ 건물신축공사
2. 공사장소 : S시 K구 A동 1069-1번지
3. 착공연월일 : 2019년 8월 1일
4. 준공예정일 : 2020년 7월 1일
5. 계약금액 : 금 4,200,000,000원(노무비 800,000,000원 포함)

(중략)

계약일자 : 2019년 7월 1일

도급인 : 박○○

수급인 : △△ 종합개발(주)

세부공정별 내역

1. 대지조성공사비
   1) 하천 타설비용 : 150,000,000원
   2) 진입도로 개설비 : 100,000,000원
   3) 토지지지벽(옹벽) 설치비 : 300,000,000원
   4) 울타리 및 담장 : 10,000,000원
2. 직접공사재료비
   1) 토석채취 : 150,000,000원
   2) 철근 기초공사 : 550,000,000원
   3) 주체골조 공사 : 700,000,000원
   4) 콘크리트 공사 : 300,000,000원
   5) 외벽 공사 : 200,000,000원
   6) 마무리 공사 : 90,000,000원
   7) 석고, 절연 공사 등 : 100,000,000원
   8) 기타공사 : 400,000,000원
3. 노무비 : 800,000,000원
4. 간접공사비 : 350,000,000원

==

총 : 4,200,000,000원

3. 증축부분(7층) 증축시 도급계약서

민간건설공사 표준도급계약서
1. 공사명 : ○○ 건물 7층 사무실 증축공사 2. 공사장소 : S시 K구 A동 1069-1번지 3. 착공연월일 : 2023년 11월 1일 4. 준공예정일 : 2023년 12월 1일 5. 계약금액 : 금 200,000,000원 (중략) 계약일자 : 2023년 10월 1일 도급인 : 박○○ 수급인 : △△ 종합개발(주)

세부공정별 내역
상기 전 금액은 7층 경량철골조 사무실 증축공사에 투입되었음.

자료 4 시점수정치

1. 지가변동률(S시 K구)

구분	2024년 12월	…	2025년 6월	2025년 7월
상업 (누계)	−0.778 (0.117)	…	0.788	0.312 (2.974)
주거 (누계)	0.147 (0.012)	…	0.461	0.725 (3.195)

2. 건축비지수

시점	2019년 6월 1일	2019년 7월 1일	…	2023년 10월 1일	2023년 11월 1일	…	2025년 8월 1일	2025년 9월 1일
건축비지수	95.1	96.5	…	106.5	107.6	…	117.1	117.1

자료 5 건축물 신축단가표(기본형 건축비, 기준시점 기준)

1. 건축물 신축단가표

구조	용도	급수	표준단가(원/㎡)
철근콘크리트조 슬래브지붕	근린상가 및 사무소	3	650,000
		2	700,000
		1	750,000
	단독주택	3	750,000
		2	800,000
		1	900,000
	공장	3	400,000
		2	500,000
		1	600,000
경량철골조 철골지붕	근린상가 및 사무소	3	400,000
		2	450,000
		1	500,000
	공장	3	350,000
		2	400,000
		1	450,000

※ 지하부분은 지상부분의 신축단가의 80%를 적용한다.

2. 건물의 내용연수 및 잔가율은 구조를 불문하고 공히 50년, 0%를 가정한다.

자료 6 부대설비 보정단가 및 대상건물의 현장조사 내역

설비명	내역	보정단가(원/㎡)	비고
화재탐지설비	–	5,000	지상 및 지하부분 단가 전체에 적용
TV 공시청설비	–	1,000	
수변전설비	149 KVA	11,000	
위생설비, 급탕설비	–	35,000	
냉난방시설	닥트	90,000	
승강기	–	–	
옥내소화전설비	5개소	10,000	
주차설비	2단주차설비 8대	17,000	지하부분 단가에만 적용
소계		169,000	

※ 증축부분은 별도로 설비보정하지 않는다.

자료 7 거래사례 현황

1. 거래사례목록

구분	소재지	거래시점	거래가격	사례의 토지 및 건물의 면적(㎡)
거래사례 #1	K구 A동 1470	2024년 7월 1일	6,500,000,000원	토지 : 1,800 건물 : 6,100
거래사례 #2	K구 A동 246	2023년 6월 1일	300,000,000원	토지 : 600 건물 : 1,000
거래사례 #3	K구 A동 117	2023년 12월 1일	5,000,000,000원	토지 : 1,200 건물 : 4,100
거래사례 #4	K구 A동 792	2024년 12월 1일	7,000,000,000원	토지 : 1,900 건물 : 6,000
거래사례 #5	K구 B동 780	2022년 7월 1일	9,700,000,000원	토지 : 2,000 건물 : 7,900

2. 세부조사 내용

구분	사례건물의 신축시점	거래 당시 사례 건물의 재조달 원가(지상 및 지하) (원/㎡)	사례토지 가격 (원/㎡)	사례건물의 구조
거래사례 #1	2016년 9월 1일	752,000	1,600,000	철근콘크리트조
거래사례 #2	2021년 7월 1일	900,000	1,200,000	철근콘크리트조
거래사례 #3	2014년 7월 1일	700,000	2,500,000	철근콘크리트조
거래사례 #4	2024년 12월 1일	660,000	1,600,000	철근콘크리트조
거래사례 #5	2018년 5월 1일	680,000	2,500,000	철근콘크리트조

자료 8 표준지공시지가 현황(공시기준일 : 2025년 1월 1일)

일련번호	소재지	면적(㎡)	지목	이용상황	용도지역	도로교통	형상지세	공시지가 (원/㎡)
1	S시 K구 A동	1,500	대	상업용	제3종일반주거	중로한면	장방평지	1,200,000
2	S시 K구 A동	1,900	대	상업용	제3종일반주거	중로한면	장방평지	1,850,000
3	S시 K구 A동	1,000	대	상업용	일반상업지역	중로각지	장방평지	1,100,000

※ #1의 40%는 도시계획시설공원에 저촉되어 있으며, #2 지상에는 지상권이 설정되어 있다.

자료 9 지역 및 개별요인비교치 등

1. 지역요인
   대상 및 표준지는 인근지역에 위치하여 지역요인비교치는 대등하다.

2. 개별요인비교치

대상	표준지 #1	표준지 #2	표준지 #3
100	105	95	105

3. 공시지가를 활용함에 있어서 그 밖의 요인비교치는 1.00을 적용한다.

자료 10 기타사항

1. 재조달원가 산정 시 기존 건축부분과 증축부분의 재조달원가를 각각 산정한다.

2. 거래사례비교법에 따른 감가율은 주체부분 및 부대부분 혹은 증축 여부를 떠나서 전체 건물의 재조달원가에 적용이 가능하다.

QUESTION 21

감정평가사 Y씨는 충북 A시에 위치하는 "OOOO CC(대중제 27홀)" 골프장부지의 시가참조용 감정평가를 의뢰받고 사전조사 및 현장조사를 통하여 아래의 자료를 수집하였다. 의뢰인은 Y씨에게 본 골프장부지를 원가법을 통해 평가해줄 것을 요청하였다. 2025년 7월 1일을 기준시점으로 아래 골프장부지를 감정평가하시오. 20점

자료 1 본건의 현황

아래 필지는 골프장 수십필지 중 지목별 대표필지의 현황이다.

일련번호	소재지	지목	면적(㎡)	용도지역
1	충북 A시 D면 M리 577-1	전	450	계획관리
2	충북 A시 D면 M리 산38	임야	1,620	계획관리

※ 상기의 지목은 매입 당시의 지목이며 현재는 모두 체육용지로 지목변경이 된 상태이다.

※ 본 골프장부지는 전체가 계획관리지역에 속하고 있으며 상기 기호 1을 포함한 지목이 "전 또는 답"인 토지의 면적은 400,000㎡이고, 임야는 800,000㎡이다. "전 또는 답"의 매입 당시 토지단가는 기호 1의 토지단가(원/㎡)와 동일하며, "임야"의 매입 당시 토지단가는 기호 2의 토지단가(원/㎡)와 동일하다.

※ 본 골프장부지의 원형보전지 및 개발지를 포함한 등록면적은 1,200,000㎡이다.

자료 2 인근의 표준지공시지가 현황 등

1. 공시지가 현황(2025년 1월 1일)

구분	소재지	지목	용도지역	이용상황	도로조건	공시지가(원/㎡)
1	A시 D면 ○○○	체육용지	계획관리	골프장	세로(가)	50,000
2	A시 D면 ○○○	전	계획관리	전	세로(가)	18,000
3	A시 D면 산 ○○○	임야	계획관리	임야	세로(불)	4,600

2. 개별요인 격차

상기 공시지가 중 기호 1은 현재 본건 골프장부지를 기준으로 하여 15% 열세하며, 기호 2는 매입 당시의 대표필지 1에 비해 10% 열세하고, 기호 3은 매입 당시의 대표필지 2에 비해 5% 우세하다.

자료 3 지가변동률, 생산자물가지수

1. 지가변동률(단위 : %)

구분	2025년 5월(당월)	2025년 5월(누계)	비고
A시 관리지역	0.062	0.483	-
A시 계획관리	미공시	미공시	계획관리지역의 지변율은 별도로 공시되지 아니함.
A시 평균	0.019	0.078	-
J시 계획관리	0.179	1.782	J시는 A시의 인근 시・군・구임.
A시 전	0.141	1.117	-
A시 임야	-0.074	0.375	-

2. 생산자물가상승률

매월 0.3% 상승하는 것을 기준으로 한다.

자료 4 본건 골프장 개발 당시 개발비자료(출처 : 본건 골프장 개발업체 제공)

조성원가	비용	소계
재료비 노무비 경비	270억원 240억원 180억원	690억원
건물비용	**비용**	**소계**
클럽하우스 티하우스 라이트설비 카트 등 집기설비	60억원 30억원 10억원 5억원	105억원
일반비용	**비용**	**소계**
전체 설계비(토지+건물) 일반관리비(토지+건물)	30억원 40억원	70억원
소계	865억원	

자료 5 인근지역 및 유사지역 골프장의 조성사례

일련번호	골프장 유형	면적(㎡)	홀수	공사비(총액, 억원)	공사시점
A	회원제	1,137,000	27	900	2024.1.1.
B	대중제	1,230,000	27	810	2024.2.1.
C	회원제	1,311,000	27	950	2022.7.1.
D	대중제	799,000	18	530	2022.12.1.
E	대중제	1,478,000	36	972	2023.4.1.

자료 6 인근의 거래가격수준

구분		거래가격수준	비고
계획관리	농경지	24,000~36,000	근교 농촌지대
	임야	6,000~12,000	근교 산림지대

자료 7 적정이윤

공사비에 대한 투하자본수익률은 연간 5% 수준으로서 공사시간 및 자금투하기간에 대한 고려시 1.5년 정도 기간을 인정하는 것이 타당한 것으로 판단된다.

자료 8 기타자료

1. 공사비는 본건 공사비와 시장자료기준 공사비를 비교하여 검토하되, 격차율이 10% 미만인 경우 본건의 공사비 수준이 적정한 것으로 본다.
2. 본건 토지 매입 당시 대부분 개발업체가 보유한 토지로서 신규매입분은 약 25필지 정도이며, 지목이 "전 또는 답"의 경우 ㎡당 60,000원 수준이고 "임야"의 경우 6필지로서 ㎡당 30,000원 수준에 매입을 하였다. 하지만 이는 매도인이 매도의향이 없어 수차례 협의 끝에 성사된 거래인 것으로 확인되었다.
3. 그 밖의 요인비교치는 계획관리, 전이 40%, 계획관리, 임야가 60% 증액보정하는 것이 적정하다.
4. 조성공사비는 홀당 공사비를 기준으로 산정한다. 홀당 공사비는 반올림하여 백만원 단위까지 산정한다.

QUESTION 22

다음의 자료를 활용하여 대상 부동산의 수익가액을 산정하시오. 15점

자료 1 대상 부동산의 개황

1. 토지 : S시 S구 A동 100번지, 대, 500㎡, 일반상업지역
2. 건물 : 위 지상 철근콘크리트조 상업용 건물
   (1) 지하 1층(300㎡), 지상 1~2층(각층 320㎡)
   (2) 임대면적은 바닥면적의 80%임

자료 2 대상 부동산의 수입자료 등

1. 대상 부동산의 최근 임대료는 ㎡당 지상층은 연 177,000원이며, 지하층은 지상층 임대료의 70% 수준이다.
2. 필요제경비 자료
   (1) 공실 및 대손 등 : 연 5,000,000원
   (2) 유지관리비 : 6,000,000원
   (3) 각종 세금 : 4,500,000원(소득세 1,000,000원 포함)
   (4) 매년 5,000,000원의 화재보험료를 지불하기로 하고 계약을 체결하였다. 이에는 3년 뒤에 약정이자율 5%를 고려하여 50%가 환급되는 조건이 부가되어 있다.

자료 3 환원이율 산정자료

1. 사례 1
   인근지역에 소재하는 K은행에 의뢰한 결과 사례 1의 구입 시 70%의 저당대출이 가능하며 이는 연 10% 이자율로 25년 매월 원리금 균등상환조건이 부가된다. 사례 부동산의 임대자료를 분석한 결과 매년의 순영업소득은 150,000,000원으로 분석되며 이러한 이상의 금융조건자료를 분석한 결과 사례 1의 매년 저당원리금은 100,000,000원으로 분석된다.

2. 사례 2

복합부동산의 사례로서 건물은 기준시점 현재 신축되었으며 인근 시장을 분석한 결과 즉시 시장에 공급된다면 매년 120,000,000원의 임대료를 받을 수 있다. 사례부동산은 유지관리비로서 유효조소득의 15%가 지출된다. 사례 2를 기준시점 현재 시장에서 거래한다면 약 900,000,000원에 매도할 수 있으며 이는 적정한 것으로 판단된다. 다만, 공실 및 대손액은 연 3,000,000원이다.

3. 사례 3

사례 3을 매입할 경우 시중의 은행에서 대출할 수 있는 대출한도는 통상 부동산가치의 60%이다. 예상보유기간은 10년을 기준한 것이며 대출은 두 가지의 저당으로 이루어진다. 첫 번째 저당은 부동산가치의 40%를 20년간 10%로 저당원리금을 매년 균등상환하는 조건이고, 두 번째 저당은 부동산가치의 20%를 15년간 11%로 매년 균등상환하는 조건이다. 이때 자기자본수익률은 13%이며 10년 후 부동산가치는 현재의 115%로 예상된다.

4. 위 사례의 용도지역은 일반상업지역으로 다른 조건 등을 고려시 대상과 비교가능성이 인정되며 이는 기준시점을 기준으로 분석된 것이다.

5. 각 부동산에 대한 투자성 판단요인별 비교표

투자성 판단요인	구성비(%)	요인별 상대적 비율(%)			
		사례 1	사례 2	사례 3	대상
예상수익성	30	100	95	100	95
환가성	20	100	90	90	100
가격의 안정성	20	95	90	80	95
시장성	30	90	100	95	100
계	100				

자료 4 기타사항

1. 기준시점 : 2025년 9월 1일

2. 시장이자율 : 12%

3. 환원이율 산정 시 가능한 자료를 모두 이용하여 상각 전 환원이율을 구한 뒤 투자시장질적평점비교법을 이용하여 대상 부동산의 환원이율을 소수점 넷째자리까지 산정한다.

QUESTION 23

다음과 같이 예상되는 수익성 부동산에 대하여 아래의 물음에 답하여라.

5년 동안 순영업소득	190,000,000
6년째 예상 순영업소득	230,000,000
저당조건	1,500,000,000, 10.25%, 30년, 매월 상환
연간 저당지불액	161,298,000
5년 후 저당잔액	1,450,967,000
보유기간	5년
임대종료	5년째 말

부동산의 복귀액은 6년째 예상 순영업소득에 최종환원이율 10%를 적용하여 구한다. 판매비용은 재매도가치의 5%로 추정된다. 지분수익률(Y_E) 15%를 적용하여 부동산의 가치, 지분환원이율(R_E), 종합환원이율(R_O), 5년 기간 동안 부동산의 가치성장률을 구하라. 10점

QUESTION 24

R감정평가사는 ㈜88로지스틱스로부터 본사가 보유하고 있는 창고용 부동산에 대한 일반거래목적의 감정평가를 의뢰받고 사전조사 및 현장조사를 통하여 아래의 자료를 수집하였다. 아래의 물음에 답하시오. 25점

〈물음 1〉 보유기간 중의 현금흐름(NOI, ATCF)을 추계하시오.

〈물음 2〉 각 방법의 할인현금수지분석법(NOI기준, ATCF기준)에 따른 수익가액을 산정하고, 비교분석하시오.

자료 1 본건 부동산의 현황

1. 소재지 : 충청남도 A시 B읍 4-1, 창고용지
2. 건물 : 위 지상 철골조 창고, 13,000㎡ 2개동(창고 1동, 창고 2동)
3. 이용상황 : 물류창고

자료 2 본 물류창고의 임대차계약서 현황

1. 창고 1동

구분	내용
임대차 물건	창고 1동
임차인	A
보증금	㎡당 20,000원 20,000 × 13,000㎡ = 260,000,000원
월임대료	㎡당 10,000원 10,000 × 13,000㎡ = 130,000,000원
임대차기간	2024년 6월 30일~2027년 6월 29일(3년)
임대료상승률	총임대료 수준은 매년 3%씩 상승하는 것으로 계약함.

2. 창고 2동

구분	내용
임대차 물건	창고 2동
임차인	B
보증금	㎡당 18,000원 18,000 × 13,000㎡ = 234,000,000원
월임대료	㎡당 9,000원 9,000 × 13,000㎡ = 117,000,000원
임대차기간	2023년 6월 30일~2026년 6월 29일(3년)
임대료상승률	총임대료 수준은 매년 3%씩 상승하는 것으로 계약함.

자료 3 주변환경 및 본건에 대한 전망

1. 본건 인근은 **지방도를 따라 형성된 임야 및 전답, 창고, 점포 등이 혼재한 지대로서 최근 인근의 고속도로 개통으로 창고, 공장의 신설이 활발해지고 있다. 하지만 유사용도 부동산의 과잉공급 및 인근의 대체지역의 발달로 인하여 점차 공실률이 증가하고 있다.

2. 본건의 경우 향후 보유기간 동안 각 임차인과의 임대차관계가 종료되면 재계약에 있어 임차인 우위의 계약이 될 가능성이 높고, 공실이 생길 우려도 높다. 따라서 감정평가사 R씨는 현금흐름 분석 시 매 임차인과의 임대차 계약기간이 도과하면 이러한 점을 고려하여 현행 인근의 표준적인 공실률인 5%에 비해 5%p씩 높은 공실률(아래 표 참조)을 현금흐름에 적용하려고 한다.

보유기간	1	2	3	4	5
공실률	5%	10%	15%	15%	15%

3. 영업경비의 경우 전기세 등 실비의 상승으로 인하여 매년 EGI 대비 영업경비비율을 현행 20%를 기준으로 2%p씩 늘려나갈 계획(아래 표 참조)이다.

보유기간	1	2	3	4	5
영업경비율	20%	22%	24%	26%	28%

4. 6년차까지의 임대료상승률, 공실률 및 영업경비비율은 5년차의 비율을 유지하며, 6년차 이후의 임대료 상승률은 임대차계약서상 임대료 상승률에도 불구하고 안정성을 고려하여 연 1%를 가정한다.

자료 4 할인율 등

1. 세전자기자본비용 : 9.0%

2. 세전타인자본비용 : 5.0%

3. 기출환원이율 적용 시에는 가중평균자본비용에 1%p를 가산하여 적용할 것

4. 재매도 시 재매도비용은 재매도가치의 2% 정도가 소요될 것으로 예상된다.

자료 5 본건의 자본구조

1. 본건 평가선례(담보)

   본건은 건물 신축 후 대출을 위하여 2023년 6월 30일에 담보평가를 받은 선례가 있다. 평가내역은 아래와 같다.

구분	토지(원)	건물(원)	비고
평가액	10,000,000,000	16,000,000,000	건물의 내용연수는 50년이며 최종 잔가율은 0이다.

2. 당시 해당 담보평가금액의 50%가 대출승인되었으며, 대출조건은 매기 이자지급 후 만기시 일시상환하는 구조였다(이자율 : 연 5.0%).

3. 상기의 건물 평가액은 장부가격과 일치한다고 보며, 정액법으로 감가한다.

4. 본건의 대출에 적용된 담보인정비율(LTV)을 본 공장의 자본구조(자기지분 : 타인지분)로 본다.

자료 6 기타사항

1. 보유기간은 5년을 가정한다.

2. 보증금 운용수익은 연 4.0%를 적용한다.

3. 기준시점은 2025년 6월 30일이다.

4. 세율은 30%이다.

5. 본 공장의 경우 향후의 부정적인 현금흐름을 고려하여 세후지분현금흐름(ATCF)에 의한 기말복귀가치 산정 시 자본이득세는 고려하지 않는다.

QUESTION 25

감정평가사 R씨는 서울특별시 K구 S동에 소재하는 업무시설에 대한 시가참조목적의 감정평가를 의뢰받고 아래의 자료를 수집하였다. 평가대상 부동산에 대하여 〈물음 1〉 공시지가기준법 및 원가법에 의한 시산가액, 〈물음 2〉 거래사례비교법에 의한 시산가액, 〈물음 3〉 수익환원법에 의한 시산가액을 각각 산정하고 〈물음 4〉 시산가액 조정을 통한 최종 평가액을 결정하시오. 30점

자료 1 기준시점

2025년 8월 26일

자료 2 평가대상물건 현황

<table>
<tr><th colspan="7">서울특별시 K구 S동</th></tr>
<tr><td rowspan="4">토지</td><td>기호</td><td>지번</td><td>면적(㎡)</td><td>지목</td><td>이용상황</td><td>용도지역</td></tr>
<tr><td>1</td><td>154-11</td><td>590.7</td><td>대</td><td rowspan="3">일단의
업무용
건부지</td><td>제3종일주</td></tr>
<tr><td>2</td><td>154-12</td><td>600.1</td><td>대</td><td>제3종일주</td></tr>
<tr><td>3</td><td>154-14</td><td>302.7</td><td>대</td><td>제3종일주</td></tr>
<tr><td rowspan="4">건물</td><td>기호</td><td colspan="2">용도</td><td>구조</td><td>연면적</td><td>사용승인일자</td></tr>
<tr><td rowspan="3">가</td><td colspan="2">업무시설, 근린생활시설</td><td>철골철근
콘크리트조</td><td>11,826.74</td><td>2004년 9월 6일</td></tr>
<tr><td colspan="2">건폐율(%)</td><td>용적률(%)</td><td colspan="2">층수</td></tr>
<tr><td colspan="2">51.86</td><td>482.04</td><td colspan="2">지하 5층/지상 10층</td></tr>
<tr><th colspan="7">특이사항(공실률에 대한 검토)</th></tr>
<tr><td colspan="7">- 본건 현재 공실률은 약 48%(임대면적기준)임
- 5층, 8층, 9층(전체)을 임차하던 (주)S병원은 입원실 설치필요 등 사유로 인하여 2025년 4월 14일 계약만료시점에 S역 부근 이면도로로 이전, 6층(전체)을 임차하던 D(주)는 2024년 9월 14일 본사의 통합방침에 따라 인근 도시로 이전한 것으로 탐문조사되었음.</td></tr>
</table>

※ 본건의 인근은 서울특별시 K구 S동 소재(GBD) 지하철 S역 북서측 인근에 위치하며, 주위환경은 업무용, 상업용 건물이 노선(대로)을 따라 형성되고 있는 노선상가지대이며, 후면은 주로 상업용 및 소규모 사무실(근린생활시설) 위주의 점포지대이다.

※ 본건까지 차량출입이 가능하며 인접 토지 및 도로대비 등고평탄한 부정형이다.

※ 본건은 북동측 노폭 약 30m, 남동측 노폭 약 12m의 아스팔트 포장도로와 접하고 있다.

자료 3 인근의 표준지공시지가(공시기준일 : 2025년 1월 1일)

구분	소재지 지번	지목	면적 (㎡)	이용 상황	용도 지역	도로 교통	형상 지세	공시지가 (원/㎡)
A	S동 154-13	대	253	상업용	제3종 일주	광대소각	가장형 평지	19,300,000
B	S동 155-12	대	235.5	상업용	제3종 일주	중로한면	가장형 평지	13,750,000
C	S동 157-12	대	273	업무용	일반상업	중로한면	세장형 평지	17,200,000

자료 4 인근의 감정평가선례 및 거래사례

1. 평가선례 및 거래사례 – 1(그 밖의 요인 보정치 관련 자료)

구분	소재지 지번	면적 (㎡)	기준시점 (거래시점)	평가단가 (토지단가) (원/㎡)	용도 지역	이용 상황	토지특성
선례 1	S동 168-22	951.8	2024년 1월 1일	30,350,000	제3종 일주	업무용	중로각지 가장형 평지
선례 2	S동 158	728.8	2025년 1월 1일	27,500,000	일반상업	업무용	중로각지 가장형 평지
선례 3	D동 945-24	371.5	2025년 1월 1일	29,500,000	일반상업	업무용	세로(가) 세장형 평지
거래 1	S동 90-14	476.6	2024년 1월 1일	33,800,000	일반상업 제3종 일주	업무용	광대세각 사다리 평지
거래 2	S동 160-23	409.2	2024년 1월 1일	26,400,000	제3종 일주	업무용	광대한면 가장형 평지
거래 3	S동 71	1,154.1	2022년 1월 1일	26,000,000	제3종 일주	업무용	광대소각 사다리 평지

※ 거래사례의 단가는 배분단가임.

2. 거래사례 - 2

구분	거래사례 가	거래사례 나
건물명	(주)CC사옥	S아트센터
소재지	K구 D동 1008-3	K구 S동 151-7외
거래일자	2024년 9월 1일	2025년 2월 1일
준공연도	2007년 3월 25일	1997년 5월 1일
토지면적	1,900.7㎡	2,757.8㎡
건물연면적	11,385.21㎡	9,072.02㎡
도로조건 등	광대소각, 부정형, 평지	광대소각, 가장형, 평지
용도지역	제3종일주	제3종일주
건물용도	업무시설, 근린생활시설	업무시설, 운동시설, 근린생활시설
구조(층)	철근콘크리트조 (지상 5층/지하 6층)	철근콘크리트조 (지상 3층/지하 6층)
거래가액(원)	60,000,000,000	50,000,000,000
건물 거래단가(원/㎡)	5,270,000	5,510,000

자료 5 요인비교자료

1. 지가변동률(단위 : %)

구분	주거지역	상업지역
2025년 7월 당월	0.450	0.349
2025년 7월 누계	2.399	3.009
2024년 12월 당월	0.667	0.127
2024년 12월 누계	5.161	4.106
2023년 12월 당월	0.097	0.139
2023년 12월 누계	4.191	4.470
2022년 12월 당월	1.009	0.979
2022년 12월 누계	4.097	3.339

2. 비주거용(오피스빌딩) 투자수익률(서울특별시 K구)(단위 : %)

구분	2024년 3분기		2024년 4분기		2025년 1분기		2025년 2분기	
	서울특별시	GBD	서울특별시	GBD	서울특별시	GBD	서울특별시	GBD
소득수익률	1.15	1.20	1.20	1.15	1.32	1.11	1.31	1.12
자본수익률	0.19	0.24	0.56	0.51	0.32	0.40	0.40	0.67
투자수익률	1.34	1.44	1.76	1.66	1.64	1.51	1.71	1.79

3. 오피스빌딩의 Cap. Rate

구분	2025년 2분기	2025년 1분기	2024년 4분기	2024년 3분기	비고
서울특별시 평균	4.9%	4.7%	4.6%	4.9%	본건(중형)
GBD	4.5%	4.2%	4.4%	4.4%	

4. 토지요인 비교자료

(1) 가로조건

광대로	중로	소로	세로(가)	비고
120	100	90	75	각지는 5% 가산

(2) 접근조건 및 환경조건(평점)

구분	본건	표A	표B	표C	선례 1	선례 2	선례 3	거래 1	거래 2	거래 3	거래 "가"	거래 "나"
접근조건	100	98	100	97	105	100	90	95	104	101	95	97
환경조건	100	97	105	99	102	107	95	101	102	105	98	100

(3) 획지조건

가장형	정방형	세장형	사다리	부정형	자루형
105	103	98	95	90	85

(4) 용도지역(전국 공통비준표)

구분	일반상업	제3종일주
일반상업	1.00	0.80
제3종일주	1.25	1.00

5. 건물요인 비교자료

(1) 철골철근콘크리트조 건물은 철근콘크리트조 건물에 비해 5% 우세하다.

(2) 준공연도

2023년 이후 사용승인(100), 2018년 이후 사용승인(95), 2013년 이후 사용승인(90), 2008년 이후 사용승인(85), 2003년 이후 사용승인(80), 2003년 이전 사용승인(75)

(3) 건물의 규모

30,000㎡ 이상(100), 15,000㎡ 이상(95), 10,000㎡ 이상(90), 10,000㎡ 미만(85)

자료 6 인근 오피스의 임대료 수준

(단위 : 임대면적 당, 원/㎡)

구분	GBD(대형)	GBD(중형)	GBD(소형)	GBD(평균)	비고
보증금	220,000	205,000	180,000	210,000	본건은 중형에 속한다.
월임대료	22,000	20,500	18,000	20,000	
월관리비	10,000	9,000	7,000	9,500	

자료 7 본건 건물 관련 현황

1. 기본건축비 : 1,100,000원/㎡

2. 부대설비보정단가(화재탐지설비, 방송설비, 승강기, 위생설비 등) : 200,000원/㎡

3. 경제적 내용연수 : 55년

자료 8 기타자료

1. 그 밖의 요인비교를 위한 격차율을 산정하는 경우에는 비교표준지를 기준으로 하는 방식을 적용한다.

2. 건축물의 가격은 보합세이다.

3. 토지 및 건물의 단가(원/㎡)를 결정하는 경우 십만원 이상의 경우 유효숫자를 3자리, 십만원 미만인 경우 2자리까지 반올림하여 결정한다.

4. 각 평가방법별 시산가액 결정 시에는 십만원 단위에서 반올림하여 백만원 단위까지 표시한다.

5. 일괄거래사례비교법 적용 시 면적의 비교단위는 건물을 기준한다.

6. 보증금 운용이율은 연간 2.0%, 인근 건물의 표준적인 공실률은 10%이며 영업경비는 유효총수익의 15% 수준이다.

7. 해당 건물의 주차수입, 광고수입 등의 비율은 매우 적고 비정기적이다.

8. 시산가액의 조정을 가중치(%)로 하는 경우 결정하고자 하는 방법의 가중치(%)가 그렇지 않은 평가방법의 가중치(%)의 2배가 되도록 조정한다.

9. 본건의 개별물건 평가액에 의한 토지와 건물의 가격구성비는 본건의 가격구성비를 적절하게 반영한다.

QUESTION 26

감정평가사인 당신은 기준시점 현재 지상건물이 건축 중에 있는 토지에 대한 적정가격 평가를 의뢰받고, 가능한 가격자료를 수집하여 다음과 같이 정리하였다. 제시된 자료를 바탕으로 대상토지에 대한 다음 물음에 답하시오. 30점

(1) **적정한 비교표준지를 선정하고(선정사유 기재), 공시지가기준가액을 구하시오.**

(2) **거래사례비교법에 의한 비준가액을 구하시오.**

(3) **토지잔여법을 적용하여 수익가액을 구하시오.**

(4) **가산방식을 적용하여 적산가액을 구하시오.**

(5) **위 (1) ~ (4)에서 구한 시산가액을 조정하여 대상토지의 감정평가액을 결정하시오.**

자료 1 기본적 사항

1. 평가대상토지(지적공부상) : 아래 중 거래가능한 적정면적
   (1) S시 K동 113-1번지, 전, 420㎡
   (2) S시 K동 113-2번지, 전, 50㎡
2. 평가목적 : 일반거래
3. 기준시점 : 2025년 3월 1일

자료 2 대상토지

1. 용도지역 : 계획관리지역
2. 도로교통 : 세로(가)
3. 지형 및 지세 : 부정형 평지
4. 기타사항
   (1) 대상토지는 2022년 10월 20일 (주)K에서 공장신설용 부지로 사용하기 위해 현지인으로부터 250,000원/㎡에 매입한 것으로 전체 470㎡ 중 50㎡는 진입도로 개설을 조건으로 건축허가를 득하였다(도로개설 후 S시에 기부채납).
   (2) 현재는 토목공사 등 제반 조성이 완료되어 건물신축을 위한 기초공사가 진행 중이다.
   (3) (주)K는 2022년 10월 20일에 해당 토지를 구입하여 2022년 10월 20일자로 농지전용허가를 득하였으며, 2024년 4월 20일에 토지조성을 완료하여 2025년 1월 26일자로 착공신고를 하고 건축 중에 있다.

자료 3 인근 공시지가(공시기준일 : 2025년 1월 1일)

기호	소재지	면적(m²)	지목	용도지역	이용상황	도로교통	형상지세	공시지가(원/m²)
1	S시 K동 59-10	513	장	계획관리	공업용	세로(가)	사다리평지	490,000
2	S시 K동 71-3	328	전	계획관리	전	세로(불)	부정형평지	272,000
3	S시 K동 209-14	601	장	일반공업	공업용	세로(가)	사다리평지	650,000

자료 4 지가변동률(S시, 단위 : %)

구분	2024년 누계	2025년 1월
공업지역	1.025	0.149
관리지역	1.751	0.547

자료 5 거래사례

1. 거래사례 A
   (1) **소재지** : S시 K동 100-7번지, 전, 409m²
   (2) **거래시점** : 2024년 3월 3일
   (3) **거래가격** : 120,000,000원
   (4) 본 사례는 정상적인 거래로서, 거래 당시 현지인이 '전(田)'으로 사용 중이었음.
   (5) 계획관리지역(거래 당시 : 계획관리지역), 세로(가), 부정형 완경사

2. 거래사례 B
   (1) **소재지** : S시 K동 18-1번지, 공장용지, 520m²
   (2) **거래시점** : 2024년 5월 10일
   (3) **거래가격** : 346,000,000원
   (4) 본 사례는 실수요자 간의 정상거래된 사례임.
   (5) 계획관리지역(거래 당시 : 계획관리지역), 세로(가), 부정형 평지
   (6) 본 사례토지상에 블럭조 슬레이트 공장건물(연면적 300m²)이 소재하며, 이는 2018년 4월 10일에 신축된 것임(내용연수 : 40년).

자료 6 임대사례

1. 임대기간 : 2024년 1월 1일~2026년 12월 31일

2. 임대내역

(1) 토지 : S시 K동 36－4번지, 공장용지, 485㎡

(2) 건물 : 경량철골조 판넬지붕 공장(연면적 310㎡)

(3) 임대수입

1) 보증금 : 50,000,000원

2) 지불임대료 : 80,000,000원(3년)

* (주) 지불임대료는 3년치 일시불을 임대개시시점에 지불하는 조건임.

(4) 필요제경비(연간)

1) 보험료 : 1,300,000원(3년분 기초지급)

2) 공조공과 : 200,000원

3) 공실손실상당액 : 500,000원

4) 유지관리비 : 1,200,000원

3. 기타사항

(1) 본 건물은 2022년 12월 1일에 신축되어 (주)T에 임대 중이며, 임대료 수준은 적정한 것으로 판단됨(건물내용연수 : 30년).

(2) 토지환원이율 : 10.60%

(3) 건물환원이율 : 12.29%

(4) 임대사례 토지의 용도지역, 개별요인 등은 대상토지와 동일함.

자료 7 조성에 소요되는 비용자료

1. 토지조성비용 : 100,000원/㎡

2. 농지보전부담금 : 4,700,000원

3. 제세공과금 : 1,200,000원

4. 도급인의 정상이윤 : 조성비용의 15%

5. 공사비지급조건 : 공사비는 공사착공시 20%, 3개월 후 40%, 조성공사 완공 시 40%를 지급하며, 농지보전부담금 및 제세공과금 등은 공사착공 시, 이윤은 완공 시 발생하는 것으로 함(공사기간은 6개월임).

자료 8 건물신축단가(기준시점 현재기준)

구분	용도	신축단가(원/㎡)
블럭조 슬레이트	공장	400,000
경량철골조 판넬	공장	300,000

* (주) 건축비용은 지난 2년간 변동이 없음.

자료 9 기타사항

1. 시장이자율, 할인율 및 보증금 운영이율 : 8.5%

2. 건물은 일반적으로 내용연수 만료 후 잔존가치를 0으로 처리함.

3. 본건에서의 거래는 '공장부지로서의 유효이용부분'만을 그 대상으로 함.

4. 공시지가기준법 적용 시 그 밖의 요인비교치는 대등한 것으로 본다.

자료 10 가격요인별 비교치

1. 이용상황

구분	공장용지	전	대	임야
평점	110	60	100	40

2. 도로교통

구분	소로	세로(가)	세로(불)	맹지
평점	115	100	95	70

* (주) 각지는 한면에 비해 5% 우세함.

3. 지형·지세

구분	정방형	장방형	사다리	부정형	자루형
평점	100	100	90	85	70

* (주) 평지는 완경사에 비해 5% 우세함.

QUESTION 27

P감정평가법인의 평가사인 Y씨는 S은행으로부터 국가산업단지 내 공장부지에 대한 담보평가를 의뢰받고 사전조사 및 현장조사 등을 통하여 아래의 자료를 수집하였다. 아래의 평가절차에 따라서 대상토지의 시장가치를 결정하시오. 25점

〈물음 1〉 표준지공시지가를 기준으로 한 토지가액을 결정하시오.

〈물음 2〉 거래사례비교법을 통한 비준가액을 결정하시오.

〈물음 3〉 조성내역을 바탕으로 적산가액을 결정하시오.

〈물음 4〉 시산조정을 한 후 대상토지의 감정평가액을 결정하시오.

자료 1 대상 부동산의 현황

1. 소재지 : 경기도 A시 D구 M동 504번지, 504-1번지

2. 면적 : 12,620㎡(504번지), 15,726㎡(504-1번지)

3. 용도지역 : 일반공업지역

4. 지목 : 장

5. 지상의 건물현황
   본건 양 지상위 건물 1개동이 소재하고 있으나 가치는 희박한 것으로 판단된다(철근콘크리트조 건물, 공장, 3,000㎡, 1987년 5월 준공).

6. 본건은 일괄로 보증금 500,000,000원, 월 20,000,000원에 임대차가 되어 있음.

자료 2 공시자료

<자료 2-1> 공시지가자료

2025년 1월 1일 기준

기호	소재지	면적 (원/㎡)	지목	용도지역	이용상황	도로교통	공시지가 (원/㎡)
1	A시 M동	3,400	장	일반공업	공업용	소로각지	570,000
2	A시 M동	40,500	장	일반공업	공업나지	중로각지	605,000
3	A시 M동	700	대	준공업	상업용	광대한면	1,200,000
4	A시 M동	39,000	임야	자연녹지	임야	소로한면	75,000

※ 기호 #4는 도시계획시설 공원으로 지정되어 있음.

<자료 2-2> 지가변동률 등

1. 지가변동률(경기도 A시)(단위 : %)

구분	2024년 10월	2024년 11월	2024년 12월	2025년 1월	…	2025년 7월
녹지지역 (누계치)	-0.497	-0.174	0.376 (-2.114)	0.317	…	0.333 (1.767)
공업지역 (누계치)	-0.262	0.116	0.372 (-0.339)	0.399	…	0.629 (1.117)

2. 건축비지수(매월 초일기준)

구분	2024년 10월	2024년 11월	2024년 12월	…	2025년 6월	2025년 7월
지수	108.9	109.3	109.7	…	115.9	116.5

※ 미고시된 월에 대해서는 최근 고시된 월의 지수를 사용할 것

<자료 2-3> 토지가격비준표

1. 가로조건

구분(도로조건)	광대로	중로	소로	세로
광대로	1.00	0.94	0.85	0.75
중로	1.06	1.00	0.90	0.80
소로	1.15	1.07	1.00	0.93
세로	1.32	1.15	1.07	1.00

※ 각지는 5% 가산함.

2. 도시계획시설(도로)

구분	저촉	미저촉
도시계획시설도로	0.70	1.00

3. 기타 개별요인 평점(가로조건, 행정조건(도시계획도로)을 제외한 개별요인비교치)

구분	대상	표준지 1	표준지 2	표준지 3	표준지 4	거래사례 1	거래사례 2	거래사례 3	거래사례 4
평점	100	105	95	90	110	110	97	105	96

<자료 2-4> 건축물 신축단가표(2025.7.1.을 기준함)

구분	건축물 높이	재조달원가(원/㎡)	내용연수	기 타
일반철골조 (공장)	12m 이상	450,000	40	잔가율 0 만년감가기준 정액법
	9m 이상 12m 미만	400,000	40	
	6m 이상 9m 미만	350,000	40	
철근 콘크리트조	공장	350,000	50	잔가율 0 만년감가기준 정액법
	사무실	500,000	50	

자료 3 사전조사 구득자료

<자료 3-1> 거래사례자료

1. 거래사례 #1

(1) 등기부 열람내역(매도인 : 김◇◇, 매수인 : 박○○)

목록번호	2024-2578			
거래가액	금 32,000,000,000원			
일련번호	부동산의 표시	순위번호	예비란	
			등기원인	경정원인
1	[건물] 경기도 A시 D구 M동 499	9	2024년 12월 1일 매매	
2	[토지] 경기도 A시 D구 M동 499	10		

(2) 토지이용계획확인원 열람내역

1) 국토계획법상에 따른 지역 및 지구 등 : 일반공업지역, 도로(저촉)

2) 지적도를 통해 확인해본 결과 상기 도로의 저촉면적은 토지의 20%임.

(3) 토지면적 및 지목 : 27,000㎡, 장

(4) 건축물대장 확인사항(기준시점 현재기준)

1) A동 : 경량철골구조 공장, 25,000㎡, 2019년 3월 준공

2) B동 : 철근콘크리트조 사무실, 500㎡, 2022년 7월 준공

2. 거래사례 #2

(1) 등기부 열람내역(매도인 : (주)☆☆, 매수인 : 유○○)

목록번호	2021-748			
거래가액	금 17,800,000,000원			
일련번호	부동산의 표시	순위번호	예비란	
			등기원인	경정원인
1	[건물] 경기도 A시 D구 M동 387-1	4	2021년 5월 1일 매매	
2	[토지] 경기도 A시 D구 M동 387-1	5		

(2) 토지이용계획확인원 열람내역

국토계획법상에 따른 지역 및 지구 등 : 일반공업지역, 도로(접함)

(3) 토지면적 및 지목 : 21,000㎡, 장

(4) 건축물대장 확인사항(기준시점 현재기준)

1) A동 : 경량철골구조 공장, 19,000㎡, 2022년 3월 준공

2) B동 : 철근콘크리트조 사무실, 800㎡, 2022년 3월 준공

3) C동 : 경량철골조 공장(위험물 저장소), 2,000㎡, 2022년 3월 준공

3. 거래사례 #3

(1) 등기부 열람내역(매도인 : (주)□□, 매수인 : 최☆☆)

목록번호	2024-2448			
거래가액	금 40,000,000,000원			
일련번호	부동산의 표시	순위번호	예비란	
			등기원인	경정원인
1	[건물] 경기도 A시 D구 M동 512-1	7	2024년 10월 1일 매매	
2	[토지] 경기도 A시 D구 M동 512-1	8		

(2) 토지이용계획확인원 열람내역

국토계획법상에 따른 지역 및 지구 등 : 일반공업지역, 도로(접함)

(3) 토지면적 및 지목 : 33,000㎡, 장

(4) 건축물대장 확인사항(기준시점 현재기준)

1) A동 : 철근콘크리트구조 공장(반도체공장) 45,000㎡, 2019.05.01. 준공

2) B동 : 철근콘크리트구조 사옥, 사무실 및 기숙사 4,000㎡, 2019.05.01. 준공

4. 거래사례 #4

(1) 등기부 열람내역(매도인 : (주)○○, 매수인 : (주)○○○)

목록번호	2025-397			
거래가액	금 19,500,000,000원			
일련번호	부동산의 표시	순위번호	예비란	
			등기원인	경정원인
1	[건물] 경기도 A시 D구 M동 550	3	2025년 6월 1일 매매	
2	[토지] 경기도 A시 D구 M동 550	4		

(2) 토지이용계획확인원 열람내역

국토계획법상에 따른 지역 및 지구 등 : 일반공업지역, 도로(접함)

(3) 토지면적 및 지목 : 21,000㎡, 장

(4) 건축물대장 확인사항(기준시점 현재기준) : 건축물이 없는 것으로 확인됨.

<자료 3-2> 본건 조성비용 등

1. 개요

(1) 본건 토지는 기존의 해당 산업단지 내의 공공용 공장 지원시설로서 도시계획시설로 지정이 된 이후 현재의 소유자에게 수의계약의 형태로 불하된 토지 및 건물로서 현재의 소유자가 이를 조성하여 사용하고 있음.

(2) 토지 및 건물의 불하와 함께 해당 도시계획시설은 폐지가 되었음.

(3) 토지처분의 결정시점 : 2020년 4월 1일

(4) 토지조성의 완공시점 : 2024년 12월 31일

2. 토지처분가격 및 대금납부 일정

(1) 토지처분(매입)가격 : 400,000원/㎡

(2) 대금납부 일정

시점	2021년 4월 1일	2021년 10월 1일	2022년 3월 1일	2022년 5월 1일
납부비율	10%	30%	40%	20%

3. 토지의 조성내역

(1) 토지 평탄화작업

1) 전체 토지의 30% 면적이 완경사지의 토지임야로서 이를 평탄화하는데 ㎡당 50,000원의 비용이 소요됨.

2) 공사는 2023년 5월 1일 시작되어 2023년 12월 31일까지 진행되었으며, 공사 시작시점에 대금의 30%, 완료시점에 70%를 납부함.

(2) 바닥공사 등 기타공사 일체

1) 바닥공사 등 기타공사 일체는 총 20억원이 소요되었음.

2) 공사는 2024년 1월 1일에 시작하여 2024년 12월 31일에 완료하였으며, 공사대금은 시작시점에 대금의 10%, 완료시점(토지의 완공시점 및 준공시점)에 90%를 납부함.

자료 4 현장조사자료

<자료 4-1> 거래사례 토지 및 건물의 현황

구분	거래사례 #1	거래사례 #2	거래사례 #3	거래사례 #4
사례건물의 현황	- 공장동 건물의 높이 : 9M	- 공장동 건물의 높이 : 9M - 위험물처리장의 높이 : 6M	- 클린룸설비가 갖춰진 공장이 소재하고 있음.	- 현황 건물은 없음.
도로접면	소로한면	중로각지	중로한면	광대로한면
기타사항			기존 소유자의 부도로 부실채권에 매각된 사례임.	본건 거래는 계열사간 거래인 것이 현장조사결과 구득됨.

<자료 4-2> 대상토지의 접근성

대상토지는 전면에 차도 폭 10m, 인도 폭 2m에 접하고 있음.

자료 5 기타사항

1. 인근의 공단지역은 공장의 규모 및 면적에 따라서 수요층이 상이한 것으로 파악되었다.

2. 현장조사 완료일은 2025년 9월 4일임.

3. 공시지가를 기준으로 보정을 하는 경우 그 밖의 요인보정으로서 45%를 상향 보정한다.

4. 투하자본수익률은 연 12%(월 1%)임.

5. 본건 건물은 철거예정의 건물로서 담보가치가 희박하여 평가 외로 해줄 것을 요청했음.

6. 거래사례, 표준지공시지가는 대상과 모두 인근지역에 위치하고 있음.

7. 최유효이용 상태의 공장의 환원이율은 5.0%가 일반적임.

QUESTION
28

감정평가사 Y씨는 서울특별시 강남구 역삼동에 소재하는 나대지에 대한 일반거래목적의 감정평가의뢰를 사전조사 및 현장조사를 통하여 아래의 자료를 수집하였다. 제시된 자료를 통하여 적정한 감정평가액을 결정하시오. 40점

1. 본건 토지상 허가대상 부동산(건물) 준공시 부동산의 시장가치를 산정하시오.

2. 평가가능한 방법에 따라 토지의 시산가액을 결정하시오.

3. 시산가액 간 괴리의 이유를 설명하고 평가액을 결정하시오.

자료 1 본건의 현황

1. 소재지 : 서울특별시 강남구 역삼동 702-28

2. 지목 및 이용상황 : 대, 상업 및 업무용 나지

3. 용도지역 : 일반상업지역

4. 면적 : 1,453.7㎡

5. 지적도 및 토지이용계획

(1) 지적도

※ 본건은 평지이며, 세장형임.

(2) 세부 토지이용계획

「국토의 계획 및 이용에 관한 법률」에 따른 지역 · 지구 등	도시지역, 일반상업지역, 중심지미관지구, 지구단위계획구역, 도로(광대로)(접함), 도로(소로)(접함)
다른 법령 등에 따른 지역 · 지구 등	대공방어협조구역, 과밀억제권역
「토지이용규제 기본법 시행령」 제9조 제4항 각 호에 해당하는 사항	건축선지정(도로경계선에서 3미터 후퇴)

자료 2 건축허가사항

1. 건축허가 요약사항

건축구분	신축
허가번호	2024 - 건축과 - 신축허가 - 44(2024.7.31.)
건축주	○○
위치	서울특별시 강남구 역삼동 702-28
대지면적	1,453.7㎡
용도	업무시설, 근린생활시설
건축면적 / 건폐율	858.49㎡ / 59.0555%
연면적 / 용적률	18,525.85㎡ / 932.104%
건축규모	지상 17층, 지하 6층

2. 층별 허가내용 등

구분	허가용도	임대면적(㎡)	바닥면적(㎡)
지하 6층~지하 3층	주차장, 기계실 등	0	각 층별 768.9625
지하 2층	근린생활시설	1,187.5	950
지하 1층	근린생활시설	1,187.5	950
지상 1층	근린생활시설	300	750
지상 2층	근린생활시설	850.85	800
지상 3층~지상 17층	업무시설	각 층별 1,000	각 층별 800
소계		18,525.85	18,525.85

자료 3 현장조사사항

1. 본건은 현재 공사준비상태에 있으며 현황은 나지이다.

2. 본건은 최근 (주)○○가 상가 및 업무용시설을 건축하기 위하여 매입하였다.

3. 본건의 등기사항전부증명서(토지)

[표제부]					
표시번호	접수	소재지번	지목	면적	등기원인
1	1991년 6월 14일	서울특별시 강남구 역삼동 702-28	대	1,453.7㎡	

[갑구]				
순위번호	등기목적	접수	등기원인	권리자 및 기타사항
1	소유권이전	2025년 4월 1일	2025년 3월 15일 매매	소유자 (주)○○ 101-70-479*** 거래가액 금 65,000,000,000원

자료 4 공시지가자료

1. 공시지가자료(2025년 1월 1일)

구분	소재지	지목	면적(㎡)	용도지역	이용상황	도로교통	형상지세	공시지가(원/㎡)
1	역삼동 704-55	대	286.8	제2종일주	상업용	소로한면	세장형 평지	10,500,000
2	역삼동 705-18	대	751.3	일반상업지역	업무용	광대세각	세장형 평지	31,000,000
3	역삼동 702-21	대	1,277.1	일반상업지역	업무용	소로한면	가장형 평지	16,000,000
4	대치동 889-5	대	108.7 (일단지)	일반상업지역	상업용	광대한면	가장형 평지	29,100,000

※ 공시지가표준지는 모두 인근지역에 위치하고 있음.

2. 표준지 위치도

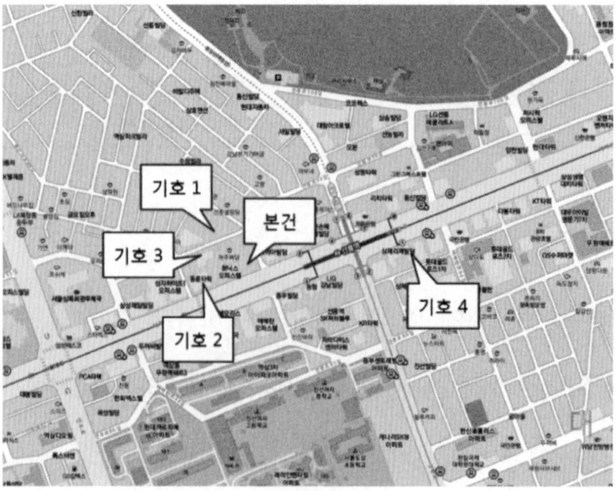

3. 그 밖의 요인보정치는 30%를 증액 보정한다.

자료 5 건축비 관련 자료

1. 건설사례의 건축비 자료(기준시점 현재)

구분	내용	단가(원/㎡)
표준단가	철골철근콘크리트조	1,050,000
설비보정	위생, 기계, 전기설비 등	400,000
재조달원가	사무실 및 근린상가부분(표준단가 + 설비보정)	1,450,000
	주차장 부분(표준단가 + 일부설비보정)	1,100,000

※ 본 건설사례는 본건 예상 부동산에 비해 개별요인에서 5% 열세하다.

2. 본건의 시공도급계약서
VAT를 제외하고 27,000,000,000원임.

자료 6 주요 매매사례 및 비교자료

1. 주요 매매사례

기호	빌딩명	주소	전체 연면적(㎡)	거래 연면적(㎡)	거래금액		거래시점
					총액(천원)	원/㎡	
A	테헤란 빌딩	역삼동 721-7	15,273.7	3,074.1	10,052,307	3,270,000	2024년 9월 1일
	✓ 본 거래사례는 법인이 매수한 사례로서 전체 건물 중 일부만 거래가 되었으며 세금목적 자산배분을 위한 거래로 거래가격을 조정하였다. 인근지역에 소재한다.						
B	플래티넘 빌딩	역삼동 750-1	16,256.3	16,256.3	75,022,608	4,615,000	2024년 6월 30일
	✓ 본건은 법인이 매수한 사례이다. 인근지역에 소재한다. 본 거래사례는 평가대상(예정부동산)과 비교하여 업무시설 및 근린생활시설의 비중 및 구성이 유사하다.						
C	신영빌딩	역삼동 740-27	35,261.6	35,261.6	180,363,237	5,115,000	2025년 3월 1일
	✓ 본건은 개인이 매수한 사례이다. 인근지역에 소재한다. 본 거래사례는 평가대상(예정부동산)과 비교하여 업무시설 및 근린생활시설의 비중 및 구성이 유사하다. ✓ 본 매매는 계약시점에 매매가의 10%, 1년, 2년, 3년 후에 각각 30%씩 지급하는 조건으로 거래하였고, 각 거래대금 지급 이후 미지급거래대금에 대한 이자는 없는 조건으로 거래하였다.						
D	스타팅 빌딩	논현동 227-7	4,371.0	537.4	1,128,540	2,100,000	2025년 3월 7일
	✓ 본건은 개인이 매수한 사례로서 유사지역에 속하고 있으며, 건물 중 근린생활시설 부분인 1, 2층을 제외하고 4층만을 매매한 사례임(업무시설).						

2. 비교자료

아래의 비교자료는 사례대비 본건을 기준으로 서술한 것으로서, 매우 우세는 110%, 우세는 105%, 대등은 100%, 열세는 95%, 매우 열세는 90%의 요인비교치를 적용하도록 한다.

구분	사례 A	사례 B	사례 C	사례 D
입지/접근성	우세	우세	열세	매우 우세
빌딩의 질/유지관리상태	대등	우세	우세	매우 열세
규모	대등	대등	열세	매우 열세
주차 등 편의성	매우 열세	열세	대등	대등
환경조건	매우 열세	대등	매우우세	대등
기타조건	대등	대등	대등	대등

자료 7 본건 예정 부동산 임대예상 내역 등

1. 본건의 기준임대료는 아래와 같으며, 할인임대 및 무료제공(Rent free)은 없는 것으로 가정한다.

2. 기준임대료

구분	보증금	월임대료(원/㎡)	월관리비(원/㎡)
업무시설부분	월임대료의 10배	35,000	8,000
근린생활시설	지상 1층은 업무시설 실질임대료의 180% 지상 2층은 업무시설 실질임대료의 130% 지하 1층은 업무시설 실질임대료의 120% 지하 2층은 업무시설 실질임대료의 90%		

3. 예상공실률

구분	1년차	2년차	3년차
공실률	20%	10%	5%(안정공실률)

4. 영업경비 : EGI 대비 10% 소요

5. 보유기간은 3년을 가정하며, 기출환원이율은 환원대상소득 대비 8%를 적용하고 매도비용은 재매도가격의 2%이다.

6. 보증금 운용이율 : 5%

7. 임대료의 변동은 없는 것으로 가정한다.

자료 8 요인비교자료

1. 지가변동률(강남구 상업지역 : %)

   2025년 6월 : 0.062(누계 0.863)

2. 오피스 가격지수(월할계산한다)

구분	2024년 6월 1일	2024년 7월 1일	…	2025년 3월 1일	2025년 5월 1일	2025년 6월 1일
지수	145.1	145.6	…	149.1	150.9	151.6

3. 비준표

(1) 가로조건

구분	광대소각	광대세각	광대한면	중로소각	중로한면	소로한면	세로(가)
광대소각	1.00	0.95	0.90	0.85	0.80	0.75	0.70
광대세각	1.05	1.00	0.95	0.90	0.85	0.80	0.75
광대한면	1.10	1.05	1.00	0.95	0.90	0.85	0.80
중로소각	1.15	1.10	1.05	1.00	0.95	0.90	0.85
중로한면	1.20	1.15	1.10	1.05	1.00	0.95	0.90
소로한면	1.25	1.20	1.15	1.10	1.05	1.00	0.95
세로(가)	1.30	1.25	1.20	1.15	1.10	1.05	1.00

(2) 획지조건

구분	가장형	정방형	세장형
가장형	1.00	0.98	0.96
정방형	1.02	1.00	0.98
세장형	1.04	1.02	1.00

자료 9 기타자료

1. 감정평가의 기준시점은 2025년 7월 29일이다.
2. 준공시 부동산가격은 토지와 건물을 일괄로 평가한다(백만원 단위까지 반올림하여 표시). 도출된 시산가액은 각각 50%의 가중치를 두어 조정하여 결정한다.
3. 준공시 부동산가격은 기준시점 현재 완공된다고 가정을 하고 평가한다.
4. 시장이자율 및 할인율은 연 8%를 적용한다.
5. 거래사례는 선택가능한 사례를 모두 선택하도록 한다.

QUESTION
29

(주)프라임컨설팅의 partner인 柳평가사는 다음과 같은 부동산의 평가를 (주)서울로부터 의뢰받아 관련 자료를 조사 · 분석하였다. 다음에 제시된 자료를 활용하여 토지 · 건물로 구성된 복합부동산의 가치를 산정하되, 환원율 산정 시에는 사례자료를 모두 이용하여 편의상 상각전 환원이율을 구한 뒤, 투자시장질적평점비교법을 이용하여 대상 부동산의 환원이율을 결정하시오. 35점

자료 1 대상 부동산 토지 · 건물자료

1. 토지 : 서울시 관악구 봉천동 00번지, 대, 500㎡
2. 건물 : 위 지상
   (1) 철근콘크리트조 슬래브지붕 건물
   (2) 지하 1층 바닥면적 300㎡
   (3) 지상 1층~2층 바닥면적 각 320㎡
   (4) 임대면적은 연면적의 80%
3. 용도지역 : 일반상업지역
4. 기준시점 : 2025년 9월 1일
5. 도로조건 : 소로한면
6. 형상 및 지세 : 정방형 · 평지

자료 2 인근지역의 사례 부동산 분석자료

1. 사례 1 부동산
   사례 1은 대상 부동산과 유사한 복합부동산으로 토지와 건물의 가격구성비율이 7 : 3이다. 사례 1 부동산의 각 구성부분에 대한 환원이율을 조사 · 분석해 본 결과 토지환원이율은 9%이고, 건물의 환원이율은 건물자료의 부족으로 상각후 환원이율만 산정이 가능하였다. 그 결과는 11%로 분석된다. 사례 1 부동산의 건물은 대상 부동산 건물의 건축업자가 동일한 시기에 동시 신축한 것으로 현재 대상건물과 동일한 상태이다.
2. 사례 2 부동산
   인근지역에 소재하고 있는 대표적인 시중은행인 K-BANK에 의뢰한 결과 사례 2의 구입 시에는 65%의 저당대출이 가능하며 이는 연이자율 10%로 25년 매월 저당

원리금을 균등상환하는 조건이 부가된다. 사례 부동산의 임대자료를 분석한 결과 매년의 순영업소득은 87,000,000원으로 분석되며, 이러한 이상의 금융조건자료를 분석한 결과 사례 2의 매년 저당원리금은 58,000,000원으로 분석된다.

3. 사례 3 부동산

사례 3은 토지와 건물로 구성된 복합부동산이다. 사례 3의 건물은 기준시점 현재 신축되었으며 인근 임대시장을 분석한 결과 즉시 시장에 공급한다면, 매년 118,000,000원의 임대료를 받을 수 있다. 사례 부동산은 유지·관리 등의 비용으로 유효조소득의 15%가 지출된다. 사례 3을 기준시점 현재 시장에서 거래한다면 850,000,000원에 매도할 수 있으며 이는 적정한 것으로 판단된다(공실 및 대손액은 연 6,000,000원이다).

4. 사례 4 부동산

사례 4는 (주)프라임컨설팅에서 투자 타당성을 분석하였던 부동산으로 그 분석자료는 다음과 같다. 사례 4를 매입할 경우 K−BANK에서 대출할 수 있는 대출한도는 통상 부동산가치의 60%이다. 예상보유기간은 10년을 기준한 것이며, 대출은 두 가지의 저당으로 이루어지는데, 첫 번째 저당은 부동산가치의 40%를 20년간 연 9%로 저당원리금을 매년 균등상환하는 조건이며, 두 번째 저당은 부동산가치의 20%를 15년간 연 11%로 저당원리금을 매년 균등상환하는 조건이 부가된다. 이때 사례 4에 대한 자기자본의 수익률은 13%이다. 또한 10년 후의 부동산가치는 현재 부동산가치의 110%로 예상된다.

5. 사례 5 부동산

사례 5는 20%만 현금으로 지불하고 나머지는 이자율 10%로 30년간 매월 저당원리금을 균등상환하는 조건으로 거래되었다. 이러한 거래는 타당성 분석을 통해 적정한 것으로 분석되었으며 이때 매수자의 자기자본환원율은 12%를 기준하였다.

6. 기타 사례 1~5 관련 공통자료

모든 사례의 용도지역은 일반상업지역으로 대상과 비교가능성이 있는 사례이며 상기의 사례 1~5의 모든 자료들은 기준시점을 기준하여 분석된 자료들로 모두 적정한 것으로 분석되었다.

7. 사례 6 부동산

(1) 서울시 관악구 봉천동 일반상업지역에 소재하는 부동산으로 6억 4천만원에 매매되었다. 거래시 사례토지 위에 내용연수가 만료된 노후건물이 존재하였으나, 이는 매수자가 철거하는 것으로 계약하고 거래되었다.

(2) 사례토지 위에는 300㎡의 단층건물이 존재하며 철거비는 ㎡당 3만원이 예상되었으나 실제로는 4만원이 발생하였다. 잔재가치는 60만원이 발생할 것으로 예상하고 거래하였다.

(3) 사례토지는 면적이 550㎡이고 세로(가)에 위치한 정방형 · 평지이다.

(4) 거래시점은 2025년 1월 31일이고 조사 · 분석 결과 사례 6은 적정한 사례인 것으로 조사되었다.

자료 3 대상 부동산 순수익 산정자료

1. 대상 부동산의 최근 임대료는 ㎡(임대면적)당 지상층은 연 163,000원이며, 지하층은 지상층 임대료의 75% 수준이다.
2. 대상 부동산의 필요제경비는 다음과 같다.

(1) 대상 부동산은 연 5,000,000원의 공실과 대손이 발생한다.

(2) 대상 부동산의 유지관리비는 연간 6,500,000원인데 이 중 1,200,000원은 자본적 지출이다.

(3) 대상 부동산에 부과되는 각종 세금은 연간 4,000,000원인데, 여기에는 소득세가 1,500,000원이 포함되었다.

(4) 대상 부동산은 매년 2,000,000원의 화재보험료를 지불키로 하고 계약을 체결하였다.

자료 4 각 부동산에 대한 투자성 판단요인별 비교표

투자성판단요인	표준적인 구성비(%)	요인별 상대적 평점					
		사례 1	사례 2	사례 3	사례 4	사례 5	대상물건
예상수익성	15	100	90	80	90	95	90
환가성	15	100	100	100	90	80	100
가격의 안정성	20	90	95	90	100	85	95
부동산의 시장성	25	90	85	90	90	100	100
증가성	15	80	90	80	90	90	80
기타	10	90	100	85	90	90	95
계	100						

자료 5 대상건물자료

1. 준공시점 : 2022년 8월 1일

2. 잔존내용연수 : 27년

3. 감가상각방법 : 내용연수법(정액법)

자료 6 인근지역의 표준지공시지가 자료(공시시점 2025년 1월 1일)

기호	소재지	지목	이용 상황	용도지역	도로교통	형상 · 지세	공시지가 (원/㎡)
1	관악구 봉천동	대	상업용	일반상업	중로각지	세장형평지	1,140,000
2	관악구 신림동	대	상업용	일반상업	소로각지	가장형평지	1,350,000
3	관악구 봉천동	대	주차장	일반상업	소로한면	정방형완경사	850,000

* (주) 표준지 1은 도시계획도로에 15% 저촉된 상태이다.

자료 7 대상건물자료

1. 지상층은 ㎡당 300,000원이 건축 시 투입되었으며 이는 표준적인 것으로 확인되었다.

2. 지하층은 지상층의 70% 수준이 통상적인 비용이다.

자료 8 지가변동률 및 건축비지수

1. 지가변동률(%)

2025년 7월	2025년 7월 누계	2025년 8월
0.345	2.245	미고시

2. 건축비지수

2022년 8월 1일	2023년 1월 1일	2024년 1월 1일	2025년 1월 1일	2025년 4월 1일	2025년 7월 1일
125	128	134	140	141	143

자료 9 기타 참고자료

1. 도로・형상・지세를 제외한 개별요인

대상	표준지 1	표준지 2	표준지 3	사례 6
100	105	103	95	101

2. 도로

맹지	세로가	소로한면	중로한면
60	80	90	100

* (주) 각지는 평점 5를 가산한다.

3. 형상

자루형	세장형	가장형	정방형
80	90	95	100

4. 평지는 완경사보다 5%의 증가요인이 있다.

5. 환원이율 산정 시는 소수점 넷째 자리까지만 산정하고 이하는 반올림한다.

6. 그 밖의 요인치는 대등한 것으로 본다.

QUESTION 30

감정평가사 Y씨는 다음 [甲] 내용과 같이 시내 중심가에 위치하는 대지 및 건물의 복합 부동산에 대한 감정의뢰를 받고, 대상 부동산의 감정가격을 산정할 계획을 세웠다. 제시된 각종 자료를 활용하여 감정평가사 Y씨가 산정하게 될 감정가격을 구하시오. 25점

[甲] 감정의뢰서 내용

1. 감정의뢰 물건의 공부 내용
   (1) 토지 : ○○시 B동 21번지, 대, 1,520㎡
   (2) 건물 : 위 지상
   철근콘크리트조 평슬래브 6층 사무실 1동
   연면적 8,350㎡,
   내역 1층～6층 각층 1,200㎡, 지하실 900㎡, 옥탑(기계실) 250㎡
   (3) 소유자 : K씨
2. 구하는 가격의 종류 : 시장가치
3. 감정목적 : 일반거래
4. 기준시점 : 2025년 9월 1일
5. 첨부서류
   1) 토지 및 건물에 대한 등기사항전부증명서 각 1부
   2) 토지이용계획확인원 1부
6. 감정의뢰인 : K씨

자료 1 대상 부동산에 관한 자료

1. 토지
   (1) 20m 대로변의 일반상업지역 방화지구에 위치하여 기타 공법상의 제한사항은 없음.
   (2) 건물과의 적합성을 검토, 분석한 결과 토지가격에 대하여 5% 정도의 건부감가를 행함이 타당할 것으로 판단됨.

2. 건물
   (1) 대상건물은 2019년 9월에 착공하여 2020년 8월 말에 준공하였음.
   (2) 준공 당시 대상건물의 건축제비용은 기계설비를 포함하여 건축연면적 평균 ㎡당 800,000원이 소요되었으며, 이 건축비는 당시의 표준적이고 객관적이라고 인정됨. 한편, 본건 인근에 최근 건축한 사례(본건에 비해 10% 우세)는 ㎡당 1,200,000원이 소요된 것을 도급계약서 등을 통하여 확인하였음.
   (3) 대지와의 관련성을 검토한 결과 건물 전체의 배치와 방향면에서 약간 부적합하여 건부감가의 요인이 발견되었음.

(4) 기준시점 현재 대상건물의 건물 본체와 기계설비에 대한 경제적인 장래보존연수와 재조달원가의 구성비율은 다음과 같음.

구분	건물 본체	기계설비부분
장래보존연수	45년	15년
재조달원가 구성비	70%	30%
최종잔가율	0%	0%
감가수정방법	정액법	정액법

3. 대상 부동산의 임대수지

(1) 대상 부동산은 전체를 임대 중으로 임대보증금 총액은 1,500,000,000원이고 월간 지불임대료 수입은 150,000,000원임(1기 NOI). 임대료는 매년 3%씩 인상됨.

(2) 인근 부동산의 공실률 수준은 5% 수준이며, 본건의 감가상각비를 제외한 필요제경비 합계액은 유효조소득의 20% 수준이고, 이 수준은 대상 부동산의 현황에 따른 객관적인 수준으로 인정됨.

(3) 임대보증금은 임대기간 만료와 함께 무이자로 일시에 반환하는 조건임.

4. 기타사항

토지 및 건물의 공부내용은 등기사항전부증명서에 의하였으며, 현황과 일치함.

자료 2 매매사례

동일수급권 내의 유사지역에 소재하는 유사 부동산의 매매사례를 수집한 결과 다음과 같다.

구분	가	나
1. 거래시점	2024년 3월 초	2024년 9월 초
2. 유형	토지, 건물의 복합부동산 (일반상업지역)	좌동
3. 거래가격	16,000,000,000원	24,000,000,000원
4. 수량 및 구조		
(1) 지적	1,480㎡	1,460㎡
(2) 건물면적	연면적 8,130㎡	연 8,200㎡
(3) 건물구조 및 용도	철근콘크리트조 평슬래브 6층 사무실	좌동
5. 기준시점 현재 건물의 장래보존연수	건물 본체 44년 기계설비 14년	건물 본체 41년 기계설비 11년
6. 건물 준공연월일	2018년 4월 말	2015년 8월 초
7. 토지의 가격요인 (대상 100)		

(1) 지역요인	98	95
(2) 개별요인	105	98
8. 건물과 부지와의 관련성	최유효이용	좌동
9. 거래사정	정상	정상
10. 비고	1) 거래시점에 있어서 이 부동산의 거래가격은 대상 부동산 100에 대하여 120(각종 가격요인 및 수량요소 포함)으로 판명되었음. 2) 최유효이용 상태에 있는 유사 부동산(토지, 건물 포함)의 월평균 가격상승률은 0.4%로 판명됨.	거래 당시 건물의 평가액은 18,270,000,000원임.

자료 3 지가 및 건축비 자료

대상 부동산이 소재하는 B동 상업지역에 대한 지가변동률 및 건축비지수는 다음과 같음.

1. 지가변동률 : 매월 0.05%씩 상승함.
2. 건축비지수(철근콘크리트조 기준, 매년 9월 1일 기준임)

연도	2019	2020	2021	2022	2023	2024	2025
건축비지수	100	116	142	184	268	298	320

자료 4 기타사항

1. 현상태기준 종합환원이율 : 10.0%, 5년 후 매각 시 기출환원이율 13.0%
2. 기말매도비용 : 매도가액의 2.0%
3. 부동산의 현금흐름의 위험을 반영한 할인율 : 8.0%
4. 일시금의 운용이율 : 연 5.0%
5. 토지의 감정평가는 거래사례비교법에 의한다.
6. 수익환원법 적용 시 직접환원법과 할인현금수지분석법을 활용하되, 양 방법 간 유사성이 인정되는 경우 직접환원법에 의한 가액을 시산가액으로 본다.

Chapter

03 임대료 및 임대차 감정평가

QUESTION 31

R감정평가법인은 I광역시 B구 B동에 소재하는 ☆☆빌딩 내 일부에 대한 임대료 감정평가를 의뢰받고 아래의 자료를 수집하였다. 다음 자료를 이용하여 시장임대료를 결정하시오. 10점

자료 1 평가의뢰 내용

1. **평가목적**

   I광역시 B구 B동 828-9번지 지상 빌딩의 일부에 대한 임대료감정평가이다.

2. **평가대상 전체건물 부동산의 내용**

   (1) **토지** : 인천광역시 B구 B동 828-9번지, 대, 4,145m², 중로한면, 정방형, 평지

   (2) **건물** : 위 지상 철골철근콘크리트조 슬래브지붕 지하 4층, 지상 15층, 근린생활시설 및 업무시설, 연면적 26,129m²

   (3) 용도지역 등 일반상업지역, 노선상가지대

3. 연간 실질임대료를 산정하도록 한다.

4. **기준시점** : 2025년 8월 15일

5. **평가대상 부분**

층별	용도	전용면적(㎡)	공용면적(㎡)	임대면적(㎡)	비고
2층	근린생활시설	646.14	714.41	1,360.55	평가대상
7층	업무시설	293.48	324.46	617.94	평가대상

자료 2 임대사례 A

1. **소재지** : 인천광역시 B구 B동 830-253소재 근린생활시설

2. **용도지역** : 일반상업지역

3. 임대내역 : 철골철근콘크리트조 슬래브지붕 14층 건물 중 제3층, 근린생활시설, 전유면적 330㎡

4. 임대내용 : 전세보증금 900,000,000원

5. 임대사례의 분석
임대사례는 2024년 2월 5일부터 2년간 임대차계약한 사례로서 정상적인 임대차계약이다.

자료 3 임대사례 B

1. 소재지 : 인천광역시 B구 B동 830-136번지 서울법증권 사옥 내 일부

2. 용도지역 : 일반상업지역

3. 임대부분 : 철골철근콘크리트조 슬래브지붕 13층 건물 중 7층 사무실 전유면적 720㎡

4. 임대내용 : ㎡(전유면적)당 전세보증금 575,000원

5. 임대개시시점 : 2023년 6월 30일

자료 4 층별 효용비율표

층별	고층 시가지 및 중층 시가지		저층 시가지	주택지
	A형	B형		
10층 이상	44	53		
9	44	53		
8	44	53		
7	44	53		
6	44	53		
5	44	53	45	
4	48	53	49	
3	55	53	56	
2	69	53	68	100
지상 1	100	100	100	100
지하 1	42	46	47	–
2	–	–	–	–

자료 5 생산자물가지수

2023년 6월	2024년 1월	2025년 6월	2025년 7월
112.68	114.26	116.25	미고시

자료 6 기타자료

1. 보증금 운용이율 및 전월세전환율 : 공히 6.0%이다.
2. 대상 및 사례의 인근지역은 상층부 일정층까지 임대료수준의 차이를 나타내는 유형으로 보는 것이 타당하다.
3. 전유면적당 시산임대료는 반올림하여 천원 단위까지 표시한다.

자료 7 요인비교(층별 효용격차 제외)

구분	지역요인	토지개별요인	건물개별요인
대상	100	90	90
임대사례 A	100	100	100
임대사례 B	100	95	95

QUESTION 32

대상 부동산의 연간 실질임대료를 임대사례비교법 및 적산법으로 평가하라. 25점

자료 1 대상 부동산 자료

1. **토지** : 서울시 S구 A동 100번지, 대, 400㎡ 중 88㎡

2. **건물** : 위 지상 철근콘크리트조 슬래브지붕 지상 4층 지하 1층 상업용 건물 중 2층 전용면적 220㎡

구분	연면적(㎡)	전유면적(㎡)
4	350	220
3	350	220
2	350	220
1	350	200
지하 1	350	140
계	1,750	1,000

3. **기준시점** : 2025년 3월 1일

4. 대상 부동산이 속하는 용도지역은 일반상업지역임.

자료 2 임대사례자료

1. **토지** : 서울시 S구 B동 50번지, 대, 450㎡ 중 99.5㎡

2. **건물** : 위 지상 철근콘크리트조 슬래브지붕 지상 4층 지하 1층 상업용 건물 중 3층 전용면적 250㎡

구분	연면적(㎡)	전유면적(㎡)
4	370	250
3	370	250
2	370	250
1	370	220
지하 1	370	160
계	1,850	1,130

3. 임대시점 : 2025년 1월 1일

4. 임대내역 : 보증금 20,000,000원, 전유면적 ㎡당 월 지불임대료 17,000원, 정상임대하의 표준적 임대료로 판단됨.

자료 3 분양사례자료

최근 서울시 S구에서 분양완료된 상업용 건물의 층별 분양가는 다음과 같다(대상 부동산 및 임대사례 부동산의 층별 효용비(율)자료로서 적용가능함).

구분	전유면적(㎡)	분양가격(원)
4	200	260,000,000
3	200	280,000,000
2	200	320,000,000
1	170	340,000,000
지하 1	120	204,000,000
계	890	1,404,000,000

자료 4 공시지가자료(공시기준일 2025년 1월 1일)

기호	소재지	면적(㎡)	지목	이용상황	용도지역	공시지가(원/㎡)
1	S구 A동	260	대	주상용	제2종일주	1,000,000
2	S구 A동	400	대	상업용	준주거	1,150,000
3	S구 A동	387	대	상업용	일반상업	1,800,000

자료 5 지가변동률(%)

2025년 1월 1일~2025년 3월 1일 : 2.610%

자료 6 임대료지수

2025년 1월 1일	2025년 3월 1일
100	105

자료 7 지역요인 비교

구분	A동	B동
평점	100	95

자료 8 개별요인 비교

구분	대상	임대사례	표준지 1	표준지 2	표준지 3
토지	90	100	95	90	100
건물	100	106	−	−	−

자료 9 기타자료

1. 대상건물은 2022년 9월 1일에 신축한 건물로 신축 당시의 표준적 건축비는 ㎡당 450,000원임.
2. 연간 건축비상승률은 10%임(1년 미만 해당 분은 월단위로 고려할 것).
3. 감가수정은 정액법(내용연수 50년, 잔가율 10%)에 의한 만년감가로 할 것
4. 기초가액은 전체 부동산가격을 층별 효용비율로 배분하여 구할 것
5. 기대이율은 12%임.
6. 감가상각비를 제외한 대상 부동산의 필요제경비는 연간 3,500,000원임.
7. 보증금용이율은 10%임.
8. 그 밖의 요인은 대등한 것으로 본다.

QUESTION 33

감정평가사 R씨는 서울○○지방법원 제○○부 재판장으로부터 아래 제시된 두 개의 물건에 대한 부당이득금의 감정평가를 의뢰받았다. 제시된 자료를 통하여 각 물건의 부당이득금을 각각 감정평가하시오. 30점

(사건 1)

1. 사건 등
 가. 사건번호 : 2024가단○○○ 건물인도 및 부당이득금
 나. 의뢰인 : 서울○○지방법원 민사○단독 재판장
 다. 원고 : ○○○
 라. 피고 : ○○○

2. 감정목적 등
 가. 감정목적물
  S시 K구 ○○동 ○○아파트 제○○○동 제○○○호
  [도로명주소 : S시 K구 ○○○로 ○○○]
  1동 건물의 표시
  S시 K구 ○○동 ○○아파트
  전유부분의 건물의 표시
  제○층 제○○○호
  철근콘크리트구조 95.26㎡
  대지권의 목적인 토지의 표시 ○○동 ○○○ 대 8,593㎡
  대지권의 종류 : 소유권 대지권
  대지권의 비율 : 8,593분의 13.28
 나. 감정사항
  위 감정목적물에 대하여 임대차보증금이 없는 월차임이 얼마인지
  감정기준일은 2024년 5월 15일부터 현재까지
  현재는 감정조사 완료일인 2025년 1월 8일로 함

3. 현장조사일
 2025년 1월 7일

(사건 2)

1. 사건 등
 가. 사건 : 2024가합 ○○○ 부당이득금
 나. 의뢰인 : 서울○○지방법원 제○○민사부
 다. 원고 : ○○○
 라. 피고 : ○○○

2. 감정할 목적물
 S시 G구 ○○동 ○○○ 대지 3,519㎡ 중 일부

3. 감정할 사항
상기 감정목적물 중 원고의 지분비율(308.6/3519)에 대한 2022년 4월 5일부터 2023년 6월 30일까지의 과거사용료

4. 조사시점 : 2025년 8월 31일

5. 평가조건 및 참고사항
가. 본 임대료는 임대보증금 없는 상태에서 실질임대료를 평가하도록 한다.
나. 본건 지상에는 아파트 건물이 소재하나 건물이 없는 상태대로 평가한다.

자료 1 사건 1 관련

<자료 1-1> 대상 부동산의 개황

1. 토지

(1) 위치 및 주위환경
본건은 S시 ○○구 ○○동소재 "지하철 ○○역" 북동측 인근에 위치하고 주위는 중・소규모의 점포 및 근린생활시설, 일부 업무용빌딩, 쇼핑센터, 금융기관 등이 소재하는 노선상가지대임.

(2) 교통상황
본건까지 차량의 출입이 가능하고, 인근에 노선버스와 지하철역(○○역)이 소재하여 대중교통상 이용상황은 양호함.

(3) 토지의 형상 및 지세
본건은 사다리형의 평지이고, 주상용의 부지로 이용되고 있음.

(4) 토지이용계획관계
일반상업지역, 중심미관지구, 가축사육제한구역, 대공방어협조구역, 비행안전3구역(전술), 재정비촉진지구, 과밀억제권역, 상수원보호기타, (한강)폐기물매립시설 설치제한지역

2. 건물의 구조 및 이용상황

(1) 건물의 내역
철골철근콘크리트 및 철근콘크리트 구조, (철근)콘크리트 지붕 지하 7층 지상 제22층 중 제○층 제○○○호로서(사용승인일자 : 2017년 3월)

(2) 이용상황 : 오피스텔

<자료 1-2> 거래사례

소재지	주택명	동	호수	전유면적(㎡)	대지권	거래액(천원)	거래일	전유면적가격(원/㎡)	거래구분
○○동 ○○○	대우○○ (본건과 같은 단지)	102	806	47.28	6.59	225,000	2024년 3월 31일	4,759,000	실거래

<자료 1-3> 매매가격 대비 전세가액 비율(단위 : 만원)

주택명	면적(㎡)	매매가			전세가			전세가 비율
		하위 평균	일반 평균	상위 평균	하위 평균	일반 평균	상위 평균	
두산○○	102.47	21,000	22,000	23,000	18,000	19,500	21,000	0.89
○○태영	82.64	32,000	33,750	34,750	25,000	26,000	27,000	0.78
○○동아	92.56	27,000	28,000	28,750	18,500	20,000	21,000	0.71
○○위브	85.95	31,000	31,750	32,500	24,500	25,500	26,500	0.80
평균	-	-	-	-	-	-	-	0.80

<자료 1-4> 보증금비율 및 전월세전환율

주택명	면적(㎡)	전세금대비 보증금비율	전월세전환율
두산○○	102.47	0.154	0.0690
○○태영	82.64	0.385	0.0560
○○동아	92.56	0.252	0.0650
○○위브	85.95	0.196	0.0640
평균		0.270	0.0630

<자료 1-5> 보증금 운용수익에 대한 자료(단위 : %)

구분	2024년 1월	2024년 2월	2024년 3월	2024년 4월	2024년 5월
정기예금	2.77	2.75	2.72	2.71	2.69
주택담보대출	3.75	3.71	3.69	3.69	3.63

※ 2024년 4월의 자료를 기준으로 정기예금금리와 주택담보대출의 금리를 평균하여 결정한다(백분율 기준 소수점 첫째 자리).

<자료 1-6> 비교 관련 자료

1. 주택형별 개별요인 격차

전유면적	95.26㎡형	43.7~55.24㎡형
평점	0.75	1.00

2. 전세가의 변동률
   (1) 2024년 3월 31일~2024년 5월 15일 : 0.139%
   (2) 2024년 3월 31일~2025년 1월 8일 : 0.499%

<자료 1-7> 기타사항

1. 대상 부동산은 오피스텔로 임대자료가 공시되지 않고 있음. 동 유형의 오피스텔이 대부분 주거용으로 이용되고 있는 것으로 판단되는 바, 부동산의 가액을 분석하여 아파트의 전세비율을 적용하여 평가하도록 한다.
2. 필요제경비는 고려하지 않는다.
3. 전세가능가격 및 매매가능가격은 반올림하여 백만원 단위까지 표시하도록 한다.
4. 1개월간의 실질임대료를 결정한 이후에 제시된 기간을 고려하여 기간임대료를 결정하도록 한다.
5. 본 오피스텔은 일반적으로 일부 보증금과 월차임의 형태로 임대차가 된다.

자료 2 사건 2 관련

<자료 2-1> 대상 부동산의 개황

1. 위치 및 주변환경
   본건은 서울시 G구 ㅇㅇ동 소재의 "서울ㅇㅇ초등학교" 서측에 인접하여 소재하고, 주위는 중소규모의 아파트와 다세대주택이 소재하는 공동주택지대임.
2. 교통상황
   본건은 중로, 소로에 접하고 대중교통의 이용은 양호한 편임.

3. 토지의 형상 및 지세

본건의 형상은 부정형이고 지세는 평지임.

4. 이용상황

대상토지는 아파트 건물의 부지로 이용되고 있음(용적률은 250%임).

5. 본건 지상의 아파트 현황

(1) 아파트명 : ○○○○5차 아파트

(2) 입주일 : 2000.07

(3) 총세대수 : 80세대(규모 : 분양면적 105.78㎡, 전용면적 : 84.72㎡)

(4) 층수 : 10층과 15층이 있음

6. 토지이용계획관계

도시지역, 제3종일반주거지역, 도로(접함)

가축사육제한구역, 대공방어협조구역, 과밀억제권역, 학교환경위생 정화구역, (한강)폐기물매립시설 설치제한지역

<자료 2-2> 비교표준지공시지가 현황

구분	소재지	면적(㎡)	이용상황	용도지역	도로교통	형상지세	공시지가		
							2024	2023	2022
가	○○동 520-2	13,074	아파트	제3종일주	광대소각	부정형평지	4,850,000	4,770,000	-
나	○○동 587-2	1,271.8	아파트	제2종일주	소로각지	부정형평지	4,150,000	4,060,000	4,000,000
다	○○동 581-11	276.1	단독주택	제3종일주	세로(가)	사다리평지	2,990,000	2,900,000	2,800,000
라	○○동 553-588	374.0	상업용	제3종일주	중로각지	사다리평지	5,040,000	5,000,000	4,900,000
마	○○동 516	16,472	아파트	제3종일주	소로각지	부정형평지	-	-	4,100,000

※ 아파트인 표준지의 용적률은 아래와 같다.

표준지 가	표준지 나	표준지 마
240%	200%	225%

<자료 2-3> 지가변동률(○○구 주거지역)

구분	지가변동률(단위 : %)	비고
2025년 7월	0.044	당월
	0.179	누계
2024년 12월	0.074	당월
	2.100	누계
2024년 4월	0.010	당월
	0.054	누계
2024년 3월	0.009	당월
	0.044	누계
2023년 12월	0.311	당월
	2.798	누계
2023년 4월	0.209	당월
	0.192	누계
2023년 3월	0.110	당월
	-0.017	누계
2022년 12월	2.771	당월
	0.374	누계
2022년 4월	0.050	당월
	0.194	누계
2022년 3월	0.077	당월
	0.144	누계

<자료 2-4> 개별요인 비교자료

1. 도로조건

광대로	중로	소로	세로(가)
105	100	95	90

※ 각지는 3% 가산한다.

2. 용적률 차이에 대한 보정치

용적률 차이 보정치 = 1 + 용적률 차이 × 0.4

3. 획지조건

아파트의 특성상 대규모단지의 개별요인이 우세하며, 아래와 같이 결정한다.

구분	평점
5,000㎡ 이하	96
10,000㎡ 이하	98
15,000㎡ 이하	100
15,000㎡ 이상	102

<자료 2-5> 아파트의 매매금액대비 전세비중 및 전월세전환율

구분	2022년 4월	2023년 4월	2024년 4월	2025년 4월	2025년 7월
매매가대비 전세가비중	65%	70%	75%	80%	82%
전월세전환율	8.1%	7.6%	7.0%	6.1%	5.9%

<자료 2-6> 기타사항

1. 아파트는 대지권을 포함하여 일체로 거래되는 것이 일반적이다.
2. 비교표준지를 불문하고 그 밖의 요인보정치는 55% 상향 보정한다.
3. 필요제경비는 고려하지 않는다.
4. 임대초일의 기초가액을 산정하도록 한다(매년 4월 5일).
5. 기대이율은 주거용 부동산의 경우 아파트 매매가 대비 연간 실질임대료의 비율을 기준으로 산정한다.

QUESTION 34

감정평가사 K씨는 서울특별시 ㅁㅁ관리청으로부터 서울특별시 △△구 K동에 소재한 ㅁㅁ유원지 T지구 인근 공영주차장에 대한 임대료의 감정평가(민간임대 대상 목적물)를 의뢰받고 아래의 자료를 수집하였다. 관련 법령 및 본건의 특성에 근거하여 감정평가방식을 결정한 후 적정한 임대료를 결정하시오. 20점

자료 1 본건의 현황

1. 소재지 : 서울특별시 △△구 K동 643

2. 주차장의 현황

주차장명	ㅁㅁ공원 T지구 주차장				
구분	공영주차장	주차면수	250	급지	3
토지의 면적(㎡)	27,000				
토지이용계획현황	도시지역, 자연녹지지역, 제1종지구단위계획구역, 공원, 도로(저촉), 하수도(저촉), 대공방어협조구역, 과밀억제권역, (한강)폐기물매립시설설치제한지역				

3. 임대차 목적물
   - 토지 : ㅁㅁ공원 T지구 주차장
   - 시설물 : 임대인 설치 시설물 일체(건축물 및 조명설비)

※ 건축물에 대한 정보

용도	구조	층	면적(㎡)	내용연수	사용 승인일	재조달원가 (원/㎡)
자동차관련 시설(주차장)	철근콘크리트 구조	1	100	50	2025.7.15.	2,000,000

자료 2 공영주차장 주차요금표 : 10분당 500원

자료 3 주차면 예상활용방법

1. 주차면수 : 250면 활용

2. 모든 주차면은 시간주차로 이용되고 있음(정기주차는 없음).

3. 연중무휴이다.

4. 해당 주차장 연간 운영성과

1일 운영시간	실요금비율*	평균점유율
12시간 (주중 및 주말 평균)	80%	30%(주중, 주말 포함, 운영시간 중에 한함)

* 실요금비율은 국가유공자, 친환경차량, 다자녀 등 감면대상차량에 대한 할인을 고려한 정가대비의 실제 매출액 비율이다. 계약조건에 의하여 감면대상차량은 감면을 해야 하는 것으로 조건이 부가되어 있다.

자료 4 연간 예상 운영비용

1. 인건비

주중관리인원	주말 및 공휴일 추가관리인원	추가관리인원 소요일수
2명(직원 1명, 대표 1명)	4명(주차혼잡으로 주차통제인원 고려)	110일

- 주중관리인원 임금(원/월) : 2,500,000원
- 주차장업 대표자 평균 급여(원/월) : 3,500,000원
- 주말관리인원 인건비(원/일) : 100,000원

2. 유지관리비 : 월평균 비용 1,000,000원(주차장 운영에 소요되는 전기료, 주차시설 소모품비, 주차선 도색비용 등)

3. 주차장 운영업 보험료 : 월 800,000원

4. 운영업자 이윤 : 예상 총 매출액의 20%

5. 주차시설 중 차단기 및 결제시스템은 임차인이 설치하였으며, 외부기관의 설비를 임차하여 사용하고 있다. 이에 대한 연간 사용료는 15,000,000원인 것으로 조사되었다.

6. 주차장에 설치된 조명설비는 임대인이 설치 후 임대하였으며, 조명설비에 대한 취득가는 40,000,000원(내용연수 10년)이다.

7. 해당 토지는 매년 재산세 및 각종 공조공과가 연간 5,000,000원이 발생된다.

8. 주차장시설 외곽에 설치된 펜스시설은 임차인이 직접 설치하였으며, 설치비는 6,000,000원이 소요되었다(내용연수 10년).

자료 5 그 밖의 사항

1. 본건 인근의 주차장은 대부분 한강유역관리청에서 직영하고 있는 형태이며, 일부는 공익적인 목적으로 임대하고 있는 사례들도 존재하고 있다.
2. 본건 인근의 본건과 유사한 토지의 거래사례는 없으며, 공유지로서 이와 유사한 표준지 공시지가가 존재하지 않는다.
3. 임대차 계약시점은 2025년 7월 15일이며, 5년간 운영이 보장된다.

QUESTION 35

(주)하늘은 A씨가 소유하고 있는 상업용 부지를 10년 전에 기간 45년으로 장기임대차하였다. 대상부지의 순임대료는 1,800만원으로 매년 말에 지불되는 것으로 되어 있으며, 기말에 토지는 A씨에게 귀속된다. (주)하늘은 대상부지 위에 3년 전에 현대식 사무실 건물을 건립하고 건립과 동시에 전국적으로 명성이 있는 금융회사에게 순임대료 1억원에 기간 38년간 재임대하였다. 현재시점에서 대상 부동산이 동일한 정도의 우량고객에게 임대될 경우, 시장의 순임대료는 연 1억 1,800만원인 것으로 판단되고 있다. 건물의 잔존 경제적 수명은 35년이며 기간 말 건물의 잔존가치는 없다고 가정할 때 다음의 각 물음에 답하시오. 10점

(할인율은 8%를 적용한다. 토지의 현시점에서의 가치는 6억원이며, 향후 매년 3%씩 가치가 상승할 것으로 예상한다.)

(1) 대상 부동산(토지 및 건물)의 시장가치를 평가하시오.

(2) A의 임대권의 가치를 평가하시오.

(3) (주)하늘이 보유(임차자개량물을 포함함)하고 있는 임차권(전대권)의 가치를 평가하시오.

(4) 소유권의 가치에서 임대권과 임차권의 가치를 뺀 것이 전차권의 가치가 된다고 가정하고, 전차권의 가치추계에 적용되는 할인율을 구하시오.

Chapter
04
구분소유권 및 구분지상권 감정평가

QUESTION
36

감정평가사 Y씨는 甲씨로부터 아래 부동산에 대한 거래목적으로 감정평가를 의뢰받고 사전조사 및 현장조사를 통하여 아래의 자료를 수집하였다. 본건의 시장가치를 결정하시오. 30점

자료 1 본건의 개황

1. 소재지 등 : 서울특별시 S구 K동 27-5번지 K역 2차 A아파트 지하층 제101호
2. 이용상황 : 판매시설
3. 평가목적 : 일반거래
4. 현장조사일 : 2025년 3월 24일
5. 소유자 : 甲(1/2), 乙(1/2)

자료 2 본건의 공부서류

1. 건축물대장(표제부)

대지면적	3,322.5㎡	연면적	19,140.55㎡	건축면적	1,759.73㎡
용적률산정용 연면적	11,388.43㎡	주구조	철근콘크리트조	지붕	콘크리트슬래브

건물 현황		사용승인일
지하 3층	계단실, 창고, 주차장, 기계실	2018년 8월 25일
지하 2층	계단실, 창고, 주차장, 기계실	
지하 1층	판매시설, 계단실, 주차장	
1층	판매시설, 계단실	
2층	판매시설, 계단실	
3층~15층	아파트(70세대)	

2. 건축물대장(전유부)

명칭	K역 2차 A아파트		호명칭	B101호
대지위치	서울특별시 S구 K동		지번	27-5
도로명주소	서울특별시 S구 O로 512			
전유부분				
구분	층별	구조	용도	면적(㎡)
주	지 1	철근콘크리트조	판매시설(상점)	835.04

공용부분				
구분	층별	구조	용도	면적(㎡)
주	지 3	철근콘크리트조	기계실	43.18
주	지 1	철근콘크리트조	주차장	393.3
주	지 1	철근콘크리트조	계단실, 복도	125.07

3. 등기사항전부증명서 - 집합건물

(1) 표제부와 관련된 사항

표제부 - 1동의 건물의 표시			
표시번호	접수	건물내역	등기원인 및 기타사항
1	2018년 9월 29일	철근콘크리트구조 (생략)	도면편철장 제3책 81장

대지권의 목적인 토지의 표시			
표시번호	소재지번	지목	면적
1	서울특별시 S구 K동 27-5	대	3322.5㎡

표제부 - 전유부분의 건물의 표시				
표시번호	접수	건물번호	건물내역	등기원인 및 기타사항
1	2018년 9월 29일	제지하층 제101호	철근콘크리트 구조 835.04㎡	도면편철장 제3책 81장

대지권의 표시			
표시번호	대지권 종류	대지권비율	등기원인 및 기타사항
1	소유권대지권	3322.5분의 245.08	2018년 9월 29일 대지권

(2) 소유지분 현황(갑구)

등기명의인	(주민)등록번호	최종지분	주소	순위번호
甲(공유자)	*****	1/2	****	****
乙(공유자)	*****	1/2	****	****

(3) (근)저당권 및 전세권 등(을구)

순위번호	등기목적	접수번호	주요등기사항
6	근저당권 설정	2022년 2월 1일	채권최고액 1,560,000,000원 근저당권자 수산업협동조합중앙회
7	전세권 설정	2022년 3월 29일	전세금 200,000,0000원 전세권자 S주식회사

자료 3 거래사례 및 해당 거래사례의 등기부등본

1. 거래사례 #1

(1) **소재지** : 서울특별시 S구 K동 27-5 제101호(본건 건물 내)

(2) 물건요약

구분	전유면적(㎡)	공유면적(㎡)	이용상황	비고
제101호	24.6	16.55	판매시설	-

(3) 등기사항전부증명서 요약

순위번호	등기목적	접수	등기원인	권리자 및 기타사항
5	소유권이전	2021년 12월 1일 제75425호	2021년 2월 1일 매매	EDR ****-** 거래금액 200,000,000원

2. 거래사례 #2

(1) **소재지** : 서울특별시 S구 K동 27-5 제1101호(본건 건물 내)

(2) 물건요약

구분	전유면적(㎡)	공유면적(㎡)	이용상황	비고
제1101호	84.98	30.79	아파트	방 3개

(3) 등기사항전부증명서 요약

순위번호	등기목적	접수	등기원인	권리자 및 기타사항
5	소유권이전	2023년 12월 1일 제45545호	2023년 2월 1일 매매	FGH ****-** 거래금액 560,000,000원

3. 거래사례 #3

(1) **소재지** : 서울특별시 S구 K동 27-5 제903호(본건 건물 내)

(2) 물건요약

구분	전유면적(㎡)	공유면적(㎡)	이용상황	비고
제903호	84.98	30.79	아파트	-

(3) 등기사항전부증명서 요약

순위번호	등기목적	접수	등기원인	권리자 및 기타사항
5	병씨지분(1/2) 소유권이전	2025년 4월 1일 제4745호	2024년 7월 1일 매매	ASD ****-** 거래금액 620,000,000원

4. 거래사례 #4

(1) 소재지 : 서울특별시 S구 K동 27-5 제202호(본건 건물 내)

(2) 물건요약

구분	전유면적(㎡)	공유면적(㎡)	이용상황	비고
제202호	121.2	81.51	판매시설	-

(3) 등기사항전부증명서 요약

순위번호	등기목적	접수	등기원인	권리자 및 기타사항
2	소유권이전	2024년 8월 1일 제14745호	2023년 11월 1일 매매	CVB ****-** 거래금액 650,000,000원

5. 거래사례 #5

(1) 소재지 : 서울특별시 S구 K동 30-5 제B101호(인근 유사 건물 내)

(2) 물건요약

구분	전유면적(㎡)	공유면적(㎡)	이용상황	비고
제B101호	563.5	326.9	판매시설	-

(3) 등기사항전부증명서 요약

순위번호	등기목적	접수	등기원인	권리자 및 기타사항
5	소유권이전	2024년 6월 1일 제75625호	2024년 3월 1일 매매	ABC ****-** 거래금액 2,870,000,000원

(4) 평가대상 본건은 거래사례 #5 소재 토지대비 입지조건 등에서 5% 우세하며, 건물의 연식 등에서 3% 우세하다.

(5) 조사결과 거래사례 #5의 실제 이용상황은 대형판매시설(마트)인 것으로 조사되었으며, 외부에서 직접 진입하는 계단은 없고, 건물 내부의 통로를 통해 진입가능하다.

자료 4 본건의 수익 관련 자료 등

1. 본건의 임대차계약 현황
   (1) **임차인** : S주식회사(대형마트업종)
   (2) **임대개시시점** : 2020년 3월 31일
   (3) **임대기간** : 10년(2020년 3월 31일~2030년 3월 30일)
   (4) **임대계약시점의 최초 임대료 현황**
   보증금 200,000,000원, 월차임 30,000,000원(부가세 제외)
   (5) **매년 임대료 상승률** : 매년 3%씩 총임대료가 상승하는 것으로 임대인과 협의하였다.

2. 기간 말 매각 시 조건
   (1) 본건 상가는 임대기간 말까지 보유한다고 가정한다. 즉, 현 임차인과 계약 종료 시점까지 임대차계약을 유지함.
   (2) 기출환원이율은 10%를 적용하며, 현 임차인과의 마지막 연도의 순수익을 기준으로 환원한다.
   (3) 매도비용은 2%가 소요된다.

3. 월차임의 10%는 비용으로 소요됨.

4. 할인율은 연 6.0%를 적용하며, 보증금 운용수익은 연 4.0%를 적용한다.

자료 5 층별 효용격차자료

1. 본건 인근에 본건과 유사한 상가가 현재 분양 중에 있으며, 해당 분양가의 수준이 본건의 층별 격차를 판단함에 있어 중요한 자료가 될 것으로 판단됨.

2. 인근 상가의 분양가 현황

구분	전유면적(㎡)	분양가(원)	비고
지하 101호	181.18	600,000,000	호별 효용격차는 없는 것으로 본다.
101호	46.5	380,000,000	
201호	125	451,300,000	
301호	125	361,000,000	

3. 본건의 경우 지하층의 성큰계단(지상층과 지하층을 바로 연결시키는 계단통로)이 3곳에 설치되어 있어 외부로부터 바로 진입할 수 있는 장점이 있어 상기 분양상가의 지하층보다 10%p 층별 격차가 우세할 것으로 판단된다.

자료 6 비교요인치

1. 본건 및 분양상가의 경우 전유면적이 100㎡ 이상인 경우에는 층별 효용격차 이외에도 5% 정도 열세한 것으로 판단된다.

2. 생산자물가지수

2023년 9월	2023년 10월	2023년 11월	2023년 12월	2024년 1월	2024년 2월	2024년 3월	2024년 4월
113.7	114.9	115.2	117.4	118.9	119.3	120.1	121.7
2024년 5월	**2024년 6월**	**2024년 7월**	**2024년 8월**	**…**	**2025년 1월**		
121.9	122.8	123.3	124.7	…	126.2		

3. 자본수익률(한국부동산원, 단위 : %)

구분	매장용(중대형)	매장용(집합)
2023년 4분기	0.10	0.05
2024년 1분기	0.20	0.15
2024년 2분기	0.25	0.20
2024년 3분기	0.10	0.10
2024년 4분기	0.15	0.05
2025년 1분기	0.25	0.15

※ 2025년 2분기는 미고시됨.

자료 7 기타사항

1. 거래사례는 요인보정이 가능한 사례를 최대한 선택하도록 한다.

2. 최종 감정평가액은 백만원 단위까지 표시한다.

3. 1층의 층별 효용비를 100으로 할 것

QUESTION 37

감정평가사인 당신은 S시 K구 B동에 소재하는 상가빌딩 3층의 감정평가를 의뢰받고 필요한 자료를 수집, 정리하였다. 다음 자료를 활용하여 다음에 제시된 자료에 의하여 원가법에 따른 대상 부동산의 감정평가액을 산정하시오. 30점

<의뢰대상 집합건물의 표시>

1. 등기사항전부증명서 – 집합건물

표제부			
접수 번호	표시란 (1동의 건물의 표시)	표시 번호	표시란 (대지권의 목적인 토지의 표시)
1	접수 2020년 10월 20일 서울특별시 K구 B동 1693 동소 1693－1,2,3 115동(상가동) 철근콘크리트조 평슬래브지붕 지층 300.0㎡ 근린생활시설 1층~4층 각 250.0㎡ 근린생활시설 계 1,300.0㎡ 근린생활시설 도면편철장 3책 352장, 353장 도시재개발사업시행으로 등기	1	1. 서울시 K구 B동 1693 대 251.8㎡ 2. 동소 1693－1 대 14.1㎡ 3. 동소 1693－2 대 17.0㎡ 4. 동소 1693－3 대 23.0㎡ 2020년 10월 20일

표제부			
접수 번호	표시란 (전유부분 건물의 표시)	표시 번호	표시란 (대지권의 표시)
1	접수 2020년 10월 20일 철근콘크리트조 3층 200.0㎡ 도면편철장 3책 352장, 353장	1	1. 내지 4. 소유권 305.9 분지 58.8 2020년 9월 25일 대지권 2020년 10월 20일

2. 건축물관리대장(일부발췌)

구분	구조	주용도	각층 면적				사용 승인일
			지층	1층	2~4층	계	
표 제 부	철근 콘크리트 슬래브	근린생활 시설	300.0㎡ (점포)	250.0㎡ (점포)	각 층 250㎡ (점포)	1,300㎡	2020년 10월 20일
전 유 부	–	–	전유부분	공용부분	용도	공용세부 내역	변동사항
			3층 200.0	50.0	근린생활 시설	주차장, 계단, 기계실, 주차통로	–

* 각층별 전유면적과 공유면적의 비는 3층의 전유면적과 공유면적의 비와 동일함.

3. **기타사항** : 4필 1단의 제2종일반주거지역 내 건부지로서 남측으로 노폭 8m의 포장도로에 접함.

자료 1 공시지가자료(공시기준일 : 2025년 1월 1일)

일련번호	소재지	면적(㎡)	지목	이용상황	용도지역	형상지세	도로교통	공시지가(원/㎡)
1	K구 B동 10	210	대	단독주택	제2종일주	장방형평지	소로한면	1,200,000
2	K구 B동 20	250	대	상업용	제2종일주	장방형평지	소로각지	1,520,000
3	K구 C동 30	190	대	업무용	제2종일주	세장형평지	중로한면	1,600,000

* 일련번호 1 표준지는 건부감가요인이 10% 존재함.

* 일련번호 2는 일부도시계획도로에 저촉됨(저촉면적 50㎡), 저촉부분은 시장가치대비 30% 정도 감가됨.

자료 2 거래사례자료

1. 거래사례 A
   (1) **소재지** : S시 K구 A동 35, 나지, 310㎡
   (2) **거래시점** : 2025년 7월 1일
   (3) **도시계획내용 및 도로조건** : 제2종일반주거지역, 소로한면
   (4) **거래가격 및 기타사항** : 채권최고액 200,000,000원의 근저당이 설정되어 있으며, 매수인이 저당대부를 인수하는 조건으로 344,000,000원을 현금으로 지급함.
      1) **피담보채권액** : 150,000,000원
      2) **대출기간** : 2018년 1월 1일~2027년 12월 31일
      3) **대출이자율** : 12%/년
      4) **원리금상환방법** : 3개월 단위로 원리금 상환조건

2. 거래사례 B
   (1) **소재지** : S시 K구 C동 113, 대, 328㎡
   (2) **거래시점** : 2025년 8월 1일
   (3) **거래가격** : 407,000,000원
   (4) **도시계획내용 및 도로조건** : 제2종일반주거지역, 세로한면
   (5) **기타사항** : 매도인이 토지상에 소재하는 목조슬레이트지붕 건물(연면적 100㎡)을 철거한 후 매수인에게 인도하는 조건으로 거래되었으며, 철거비는 6,000원/㎡으로 예상됨.

자료 3 분양사례

인근지역에서 최근 분양된 사례를 수집한 바, 대상과 분양사례의 층별 효용비는 동일한 것으로 판단됨.

층	전유면적(㎡)	분양가격(원)	비고
4	180	131,000,000	2층의 분양가는 정상분양가보다 10% 저가로 분양됨.
3	200	160,000,000	
2	200	183,000,000	
1	200	290,000,000	
B1	240	209,000,000	

자료 4 시점수정자료

1. 지가변동률(%)

구분	2025년 7월 누계	2025년 7월
주거지역	2.581	0.038
상업지역	1.287	0.012

2. 건축비지수

2023.1.1.	2024.1.1.	2024.7.1.	2025.1.1.	2025.7.1.
100	105	115	120	128

* 2025.7.1 이후는 직전기간의 변동추세와 동일한 것으로 추정됨.

자료 5 건물 관련 자료

구분		건설사례	거래사례 B	대상 부동산
준공연월일		2025년 7월 1일	1998년 3월 20일	–
연면적		2,000㎡	100㎡	–
기준시점 현재의 경제적 내용연수	주체	50		46
	부대	15		11
건물과 부지의 적응성		양호	불량	양호
개별적 요인의 평점		100	–	98
건축비(건축시점)		900,000,000원	–	460,000,000원

* 건설사례의 건축비는 인근지역에 있어서 표준적인 건축비로 판단되며, 주체부분과 부대설비부분의 비율은 7 : 3이며, 주체부분의 최종잔가율은 10%이고, 부대설비부분의 최종잔가율은 0%임.

* 대상 부동산의 옥상에는 물탱크가 있으나, 용량이 작아 입주자들이 불편을 겪고 있으며 이로 인하여 전유면적당 월 지불임대료를 70원/㎡ 낮추어 임대하고 있음. 물탱크의 교체비용은 3,000,000원이 소요되고 현재 사용 중인 물탱크는 200,000원에 처분이 가능하며 물탱크의 재조달원가 및 신축 시의 설치비용은 2,500,000원임(물탱크는 부대설비임).

* 대상건물은 소유자의 친척에 의하여 건축된 것으로 다소 낮은 비용으로 건축됨.

자료 6 개별요인 및 지역요인

1. B동은 지역의 성숙도 등에서 C동보다 3% 우세하며, C동은 A동보다 2% 열세임.

2. 대상과 사례토지의 개별적 특성은 다음과 같음(도로조건 제외).

구분	대상토지	표준지 1	표준지 2	표준지 3	거래사례 A	거래사례 B
평점	100	98	102	101	95	–

* 도시계획도로의 저촉으로 인한 개별요인은 고려하지 아니한 것임.

* "거래사례 B" 토지는 아래와 같은 자루형 토지로서 해당 지역에서 전면너비 18m, 깊이 21m인 정형획지의 평점을 100으로 볼 경우, 노지상부분 ⓐ는 80, 유효택지부분 ⓑ는 95로 평점됨.

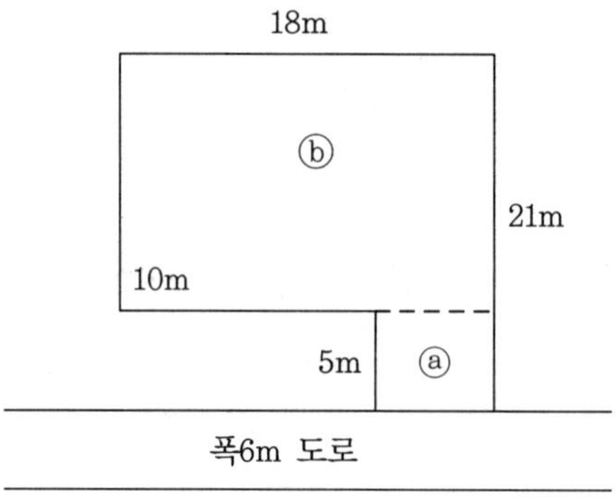

3. 도로조건

대로한면	중로한면	소로한면	세로한면	맹지
130	120	115	105	100

* 각지는 한면보다 10% 우세함.

자료 7 기타

1. **기준시점** : 2025년 9월 1일

2. 인근지역 내 임대건물의 표준적 필요제경비비율은 지불임대료의 30% 수준임.

3. **시장이자율** : 16%

4. 감가수정은 정액법으로 하되 만년감가함.

5. 그 밖의 요인은 대등한 것으로 본다.

6. 거래사례로서 적정한 사례는 최대한 선택한다.

QUESTION 38

감정평가사 유씨는 서울특별시 K구 D동에 소재하는 현황 공실인 구분상가에 대한 시가참조용 목적의 감정평가를 의뢰받고 현장조사 및 사전조사를 통하여 아래의 자료를 수집하였다. 2025년 4월 15일에 현장조사를 완료한 유평가사는 현재 본인의 사무실에서 감정서를 작성하고 있다. 아래의 수집된 자료를 활용하여 본 물건을 감정평가하고 해당 물건의 매입 및 설비투자에 대한 타당성을 검토하시오. 25점

자료 1 감정평가 및 타당성 분석의 대상

1. 소재지 : 서울특별시 K구 D동 953번지 S르네상스플러스 제113호 외

2. 세부평가내역

연번	호	층	구조	용도	전유 면적(㎡)	공용 면적(㎡)	비고
1	제113호	1층	철근콘크리트조	근린생활시설	37.44	30.78	종전에 노래방으로 이용 중이었음.
2	제114호	1층	철근콘크리트조	근린생활시설	37.44	30.78	
3	제115호	1층	철근콘크리트조	근린생활시설	37.44	30.78	
4	제116호	1층	철근콘크리트조	근린생활시설	20.64	16.40	

자료 2 설비투자계획 등

1. 설비투자비용

   본건 건물의 전유면적(㎡)당 800,000원 수준의 비용이 소요될 것으로 판단된다.

2. 설비투자 후 임대료

   (1) 본건 설비투자 후에는 새로운 임차인을 유치할 수 있을 것으로 판단되며, 보증금은 50,000,000원이며, 월임대료는 5,000,000원(VAT 별도, 관리비는 실비정산)이 될 것으로 판단된다.

   (2) 임대료 중 보증금은 수령 즉시 설비투자비용을 회수하는 것으로 가정하며, 5년간 임대료는 동일할 것으로 예상된다. 한편, 설비개량과 동시에 임대차계약이 이루어질 것으로 판단된다.

3. 개량된 설비의 유효경과연수는 5년이며, 5년 후에는 새로운 설비의 투자가 다시 필요하다. 하지만 재투자하지 않을 경우 유치가능한 임대료의 80% 수준에 재임대할 수 있을 것으로 판단된다.

4. 임대기간이 종료된 후 새로운 임대차를 위해서 전유면적당 50,000원/㎡의 비용이 소요될 것이다.

5. 할인율은 6.0%이며, 기출환원이율은 8.0%이다. 보증금 운용이율은 5.0%이다.

자료 3 가격자료

연번	소재지	기준시점	평가 목적 등	건물면적 (전유)(㎡)	평가(거래)금액(원)
A	서울특별시 K구 D동 953 제101호	2024년 12월 31일	담보	60.42	345,000,000
	본건과 같은 건물 내 소재하는 사례로서 전면에 소재하는 상가이다. 본건의 임대료는 담보평가서의 임대차내역을 통하여 확인할 수 있었으며, 보증금 200,000,000원에 월 1,500,000원에 임대되어 있었다.				
B	서울특별시 K구 D동 953 제108호	2024년 6월 30일	담보	41.00	140,000,000
	본건과 같은 건물 내 소재하는 사례로서 후면에 소재하는 상가이다. 본건의 임대료는 담보평가서의 임대차내역을 통하여 확인할 수 있었으며, 보증금 100,000,000원에 월 300,000원에 임대되어 있었다.				
C	서울특별시 K구 D동 952-8	2024년 12월 31일	실거래가	241.1	900,000,000
	본건 동측에 위치하는 토지로서 후면상가지대이다.				
D	서울특별시 K구 D동 953 제105호	2024년 8월 1일	실거래가	107.15	600,000,000
	본건과 같은 건물 내 소재하는 사례로서 전면에 소재하는 상가이다.				
E	서울특별시 K구 D동 953 제111호	2023년 12월 1일	실거래가	62.70	90,000,000
	본건과 같은 건물 내 소재하는 사례로서 후면에 소재하는 상가이나, 관계인 간에 거래되어 낮은 금액에 매매되었다.				

자료 4 시점 관련 자료

1. 지가변동률(K구 주거)

구분			지가변동률(%)
K구 주거지역	2024년 12월	당월	0.128
		누계	2.171
	2025년 2월	당월	0.387
		누계	0.987

2. 생산자물가지수

구분	2023년 12월	2024년 5월	2024년 6월	2024년 7월	2024년 12월	2025년 2월	2025년 3월
생산자물가지수	118.97	120.77	121.11	121.42	126.21	127.01	미고시

자료 5 본건 건물 지상 1층의 층별평면도

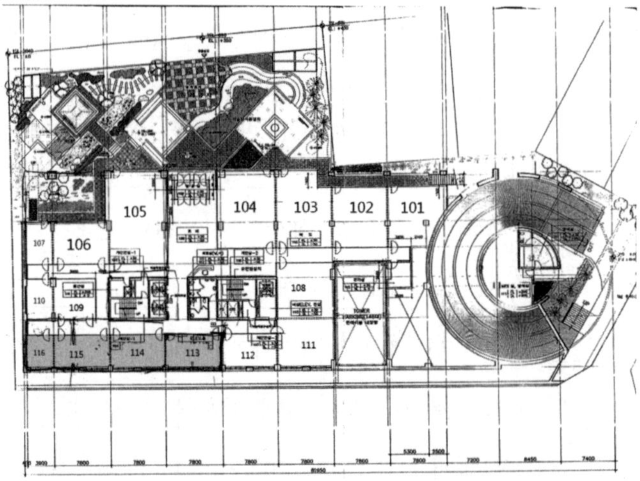

※ 본건은 음영표시되어 있음.

자료 6 기타사항

감정평가액은 반올림하여 백만원 단위까지 표시한다.

QUESTION 39

감정평가사인 당신은 다음과 같은 토지의 감정평가의뢰를 받고 사전조사와 실지조사를 한 결과 다음의 자료를 얻었다. 이를 활용하여 구분지상권 설정에 따른 지하토지의 영구사용에 대한 시가참조목적의 감정평가액을 구하시오. 25점

자료 1 평가의뢰토지

1. 소재지 : A시 B구 C동 111번지

2. 물건의 종류

 (1) 토지 : 대, 400㎡, 정방형, 평지, 소로각지

 (2) 건물

구조 등	위 지상 철근콘크리트조 슬래브지붕 지상 16층 지하 1층
이용상황	상업 및 업무용 복합빌딩 소재 1층부터 4층까지는 판매시설, 5층 이상은 사무실임.
내용연수 등	경제적 내용연수는 60년에 장래보존연수가 42년이고 정상관리됨.

3. 소유자 및 감정의뢰자 : K씨

4. 감정목적 : 시가참조목적

5. 기준시점 : 2025년 9월 5일

6. 토지에 관한 자료

 (1) 도시계획사항 : 일반상업지역, 도시철도 저촉

 (2) 지하 10m 위치에 터널직경 9m의 지하철도가 통과한다는 것이 확인되었음.

 (3) 대상토지의 지반구조는 풍화토(PD-2) 패턴임.

7. 지역개황

 상업지역의 대로변은 상업·업무용 복합용도 건물들이 주종을 이루고 있으며, 행정기관에 조사한 바 건축허가 가능용적률은 1,000%이고 건폐율은 50%이며, 최유효 층수는 지하 2층에 지상 20층이다.

자료 2 거래사례자료

1. 소재지 : A시 B구 D동 111번지

2. 물건내용 : 일반상업지역, 대, 350㎡, 소로한면 가장형 평지

3. 거래일자 : 2025년 5월 1일

4. 거래가격 : 983,000,000원

5. 기타사항 : 동일수급권 내의 유사지역에 소재하는 거래사례로 상업・업무용 건부지로 이용함이 최유효이용으로 판단되고, 나지로서 급매로 인하여 10% 정도 저가로 거래되었음.

자료 3 표준지공시지가 자료(공시기준일 : 2025년 1월 1일)

기호	소재지	지목	용도지역	이용상황	도로교통	공시지가(원/㎡)
1	A시 B구 D동	대	일반주거	상업용	소로각지	1,500,000
2	A시 B구 C동	대	일반상업	상업용	중로한면	3,500,000
3	A시 B구 C동	대	일반상업	주상용	소로한면	2,500,000
4	A시 B구 D동	대	중심상업	상업용	중로한면	3,100,000

※ 기호 1은 도시계획도로에 20% 저촉됨(저촉부분의 감가율 30%)

※ 기호 2는 지상권이 설정된 토지임(지료는 월 3,000,000원, 잔존계약기간 10년)

자료 4 건설사례

1. 물건의 내용
   (1) 토지 : A시 B구 C동 115번지, 대, 650㎡
   (2) 건물 : 위 지상 철근콘크리트조 슬래브지붕 20층 점포 및 사무실 건축연면적 6,000㎡

2. 건축공사비 : 제곱미터당 344,000원

3. 기타 : 기준시점 현재 준공된 건설사례로서 객관적이라고 인정됨.

자료 5 지가변동률(B구)

2025년 5월 : 0.105%(누계치 : 3.032%)

2025년 6월 : 0.093%(누계치 : 3.128%)

자료 6 지역요인 및 개별요인

1. 지역요인

구분	B동	C동	D동
평점	95	100	94

2. 토지개별요인

대상	표준지 1	표준지 2	표준지 3	표준지 4	거래사례	임대사례
100	96	110	99	95	97	98

자료 7 입체이용률 배분표

해당 지역	고층시가지	중층시가지	저층시가지	주택지	농지 · 임지
용적률 / 이용률	800% 이상	500~800% 미만	200~500% 미만	100~200% 미만	100% 미만
건물 등 이용률	0.80	0.75	0.70	0.70	0.80
지하 이용률	0.15	0.10	0.10	0.15	0.10
그 밖의 이용률	0.05	0.15	0.15	0.15	0.10
그 밖의 이용률의 상하배분비	1:1~2:1	3 : 1	3 : 1	3 : 1	4 : 1

※ 이용저해심도가 높은 터널 토피 20m 이하의 경우에는 그 밖의 이용률의 상하배분비율의 최고치를 적용한다.

자료 8 터널공법 토질패턴별 건축가능 층수(풍화토(PD-2) 패턴)

(단위 : 층)

토피(m)	10	15	20	25
지상	12	15	18	22
지하	1	2	2	3

자료 9 심도별 지하이용저해율표

토피심도 \ 한계심도	40m	35m	30m	20m
0~5m 미만	1	1	1	1
5~10m 미만	0.875	0.875	0.833	0.750
10~15m 미만	0.750	0.714	0.667	0.500
15~20m 미만	0.625	0.571	0.500	0.250
20~25m 미만	0.500	0.429	0.333	–
25~30m 미만	0.375	0.286	0.167	–
30~35m 미만	0.250	0.143	–	–
35~40m 미만	0.125	–	–	–

자료 10 층별 효용비

층별	고층 및 중층시가지			저층시가지			주택지
	A형	B형	A형	B형	A형	B형	
20	35	43					
19	35	43					
18	35	43					
17	35	43					
16	35	43					
15	35	43					
14	35	43					
13	35	43					
12	35	43					
11	35	43					
10	35	43					
9	35	43	42	51			
8	35	43	42	51			
7	35	43	42	51			
6	35	43	42	51			
5	35	43	42	51	36	100	
4	40	43	45	51	38	100	
3	46	43	50	51	42	100	
2	58	43	60	51	54	100	100
1	100	100	100	100	100	100	100
지하 1	44	43	44	44	46	48	–
지하 2	35	35	–	–	–	–	–

※ 각 층의 전용면적은 동일한 것으로 가정한다.

※ 이 표의 지수는 건물가격의 입체분포와 토지가격의 입체분포가 같은 것을 전제로 한 것이다.

※ A형은 상층부 일정층까지 임대료수준에 차이를 보이는 유형이며, B형은 2층 이상이 동일한 임대료수준을 나타내는 유형이다.

자료 11 임대사례자료

1. 물건내용
   (1) **토지** : A시 B구 D동, 6번지, 대, 520㎡
   (2) **건물** : 위 지상 철근콘크리트조 슬래브지붕 20층 점포 및 사무실, 건축연면적 5,060㎡, 준공시점은 2021년 9월 5일이며, 경제적 내용연수는 60년임.

2. 임대내역(임대시점 : 2025년 9월 5일)

층	바닥면적	전유면적	월지불임대료 (원/전유㎡)	보증금	비고
1	315	280	14,000	층별 월지불임대료의 12개월 분임	필요제경비는 1년 실질임대료의 45%임
2	315	280	–		
3~20	각 215	각 196	–		
지하 1~2	각 280	각 200	–		
계	5,060	4,488	–	–	–

※ 각 층별 실질임대료는 층별 효용비를 이용하여 사정할 것

자료 12 기타사항

1. 토지환원이율 : 5%
2. 보증금 운용이율 및 시장이자율 : 12%
3. 건물환원이율 : 7%
4. 대상 및 건설사례, 임대사례건물의 개별요인은 동일하다.
5. 감가수정은 정액법, 만년감가, 잔가율은 0임.
6. 토지의 평가는 법령에 규정된 방법을 적용하되, 기타 방식을 통해 적정성을 검토한다.
7. 대상토지상의 건물은 최유효이용과 유사하여 철거 타당성이 없다.
8. 인근은 수요가 풍부하여 건폐율, 용적률 제한 최대한도까지 건축함이 최유효이용인 것으로 조사되었다.
9. 그 밖의 요인은 대등한 것으로 본다.

QUESTION 40

다음 자료를 기초로 하여 A씨가 소유하고 있는 토지의 구분지상권의 가치를 산정하고 구분지상권 설정 후의 토지가치를 평가하시오(기준시점 : 2025년 8월 31일). 15점

자료 1 대상토지자료

1. **소재지** : 서울특별시 구로구 항동 ○○번지

2. **용도지역 및 이용상황 등** : 준공업지역(용적률 300% 가능), 나대지, 500㎡

3. **최유효이용층수** : 지상 8층, 지하 2층

4. 본건 토지소유자인 A씨는 한국가스공사가 지하부분의 일정부분을 이용하도록 하는 계약을 체결하고 토지등기사항전부증명서에 구분지상권을 설정하였으며, 이로 인해 대상토지는 지상 3층밖에(지하층 건축불가) 건축할 수 없는 것으로 판단됨.

※ 토지등기사항전부증명서(발췌)

【을구】	(소유권 이외의 권리에 관한 사항)			
순위번호	등기목적	접수	등기원인	권리자 및 기타사항
2	구분지상권 설정	2024년 9월 5일 제7417호	2024년 8월 31일 설정계약	목적 : 가스탱크의 소유 범위 : 토지 전체 존속기간 : 지하구조물 존속기간 지료 : 일시금 1,000,000,000원 지상권자 한국가스공사 114671-********

5. **나지상태의 토지평가액** : ㎡당 3,000,000원

6. **설치 지하구조물의 용도 및 존속기간**

   (1) **용도** : 지하저장탱크

   (2) **존속기간** : 존속기간은 20년으로서 계속 보완하여 사용이 가능하며, 특별한 상황이 없는 한 영구적으로 존속하는 것으로 판단한다.

자료 2 인근 부동산의 최근 신규임대자료

구분	월 지불임대료(원/㎡)	보증금(원/㎡)
1층	80,000	160,000
2층	60,000	110,000
3~5층	50,000	100,000
6~17층	35,000	75,000
지하 1~2층	50,000	100,000

자료 3 입체이용률 자료

1. 입체이용배분

해당 지역	고층시가지	중층시가지	저층시가지	주택지	농지 · 임지
용적률 이용률 구분	800% 이상	550~750%	200~500%	100% 내외	100% 이하
건물 등 이용률(α)	0.8	0.75	0.75	0.7	0.8
지하이용률(β)	0.15	0.10	0.10	0.15	0.10
그 밖의 이용률(γ)	0.05	0.15	0.15	0.15	0.10
(γ)의 상하 배분비율	1 : 1 -2 : 1	1 : 1 -3 : 1	1 : 1 -3 : 1	1 : 1 -3 : 1	1 : 1 -4 : 1

* 1. 이 표의 이용률 및 배분비율은 통상적인 기준을 표시한 것이므로 여건에 따라 약간의 보정을 할 수 있다.

2. 이용저해심도가 높은 터널 토피 20m 이하의 경우에는 (γ)의 상하배분비율을 최고치를 적용한다.

2. 심도별 지하이용저해율표

한계심도(M)	40m		35m		30m			20m	
체감률(%) / 토피심도(m)	P	β×P	P	β×P	P	β×P		P	β×P
		0.15 ×P		0.10 ×P		0.10 ×P	0.15 ×P		0.10 ×P
0~5 미만	1.000	0.150	1.000	0.100	1.000	0.100	0.150	1.000	0.100
5~10 미만	0.875	0.131	0.857	0.086	0.833	0.083	0.125	0.750	0.075
10~15 미만	0.750	0.113	0.714	0.071	0.667	0.067	0.100	0.500	0.050
15~20 미만	0.625	0.094	0.571	0.057	0.500	0.050	0.075	0.250	0.025
20~25 미만	0.500	0.075	0.429	0.043	0.333	0.033	0.050		

25~30 미만	0.375	0.056	0.286	0.029	0.167	0.017	0.025		
30~35 미만	0.250	0.038	0.143	0.014					
35~40 미만	0.125	0.019							

* 1. 지가형성에 잠재적 영향을 미치는 토지이용의 한계심도는 토지이용의 상황, 지질, 지표면하중의 영향 등을 고려하여 40m, 35m, 30m, 20m로 구분한다.
2. 토피심도의 구분은 5m로 하고, 심도별 지하이용효율은 일정한 것으로 본다.
3. 지하이용저해율 = 지하이용률(β) × 심도별 지하이용효율(P)

3. 건축가능층수 기준표

건축구분 \ 토피	5m 이상	10m 이상	15m 이상	20m 이상	25m 이상
지상	6 이하	10 이하	13 이하	15 이하	18 이하
지하	1 이하	1 이하	2 이하	2 이하	3 이하

자료 4 기타자료

1. 일시금의 운용이율(예금금리)은 6.0% 적용하되, 구분지상권의 지난 1년간 가격변동률은 −5%이다.

2. 현금흐름에 대한 할인율 : 8.0% 적용

3. 본건 토지의 토피는 16.7m임.

4. 본건의 구분지상권은 설정기간 동안의 지료의 현가로서 평가할 수 있으며, 최종 구분지상권의 가치는 입체이용저해율에 의한 평가액 70%, 설정계약기준으로 평가된 평가액 30%를 가중평균하여 결정하도록 한다.

QUESTION 41

감정평가사인 당신은 한국전력공사로부터 아래의 내용과 같은 보상평가를 의뢰받았다. 관계법령 및 지침 등에 의거 다음 물음에 답하시오. 15점

(1) 「**송전선로부지 등 보상평가지침**」**에서 입체이용저해율 이외의 추가보정률 산정 시의 저해요인을 약술하시오.**

(2) **제시된 조건에 부응하는 평가액을 산정하시오.**

자료 1 기본적 사항

1. 대상물건 : A시 B구 C동 100, 대, 650㎡
2. 가격시점 : 2025년 8월 20일
3. 평가목적 : 구분지상권 설정대가
4. 의뢰 내용 : 대상토지의 21m 상공으로 송전선(54KV)이 통과하게 되어 구분지상권(존속기간 30년)을 설정하기 위한 목적으로 의뢰됨
5. 평가조건
   1) 송전선이 대상토지의 중심부를 지나게 되어 선하지의 면적을 산정한 결과 해당 필지 전체가 선하지 면적에 포함됨.
   2) 토지공간의 입체적 이용에 따른 필요제경비는 구분지상권자가 부담함.
   3) 송전선 통과로 인한 입체이용저해 외에 추가보정률은 10%로 판단됨.

자료 2 인근지역 및 대상토지 현황

1. C동은 A시 중심으로부터 6km 떨어진 일반상업지역으로 상가 및 사무실용 건물이 주로 형성된 지역임.
2. 대상토지 북측이 중로에 접하고 주변 부동산의 표준적 이용과 동일하게 상업용 건부지로 이용하는 것이 최유효이용이라 판단됨.

자료 3 공시지가자료(2025년 1월 1일)

기호	소재지	면적(㎡)	지목	이용상황	도로교통	용도지역	공시지가(원/㎡)
1	B구 C동	500	대	상업용	중로	일반상업지역	1,950,000
2	B구 E동	680	대	주차장	소로	일반상업지역	1,100,000
3	B구 D동	720	대	나대지	중로	일반상업지역	1,800,000

자료 4 거래사례(그 밖의 요인비교치 산정 관련)

1. 토지 : A시 B구 D동 20, 대, 500㎡

2. 건물 : 위 지상 철근콘크리트조 슬래브지붕 5층 건물(연면적 1,830㎡)

3. 거래일자 : 2024년 7월 31일

4. 거래금액 : 1,670,000,000원

5. 건축시점 : 2024년 7월 1일

6. 기타 : 일반상업지역, 중로, 상업용으로서 최유효이용상태임

자료 5 시점수정자료

1. 시점수정치

   2025.01.01.~2025.08.20. : 1.02000

   2024.07.31.~2025.08.20. : 1.05200

2. 건축비 변동 : 보합세임.

자료 6 요인비교자료

1. D동은 C동보다 10% 열세함.

2. 토지개별요인 평점

대상	표준지 1	표준지 2	표준지 3	거래사례
100	110	115	110	90

3. 건물개별요인 평점

거래사례	건설사례
95	100

* 건설사례의 건축비(기준시점 현재)는 460,000원/㎡임

자료 7 인근지역의 표준적인 층별 지가배분비(㎡당)

지하 1층	지상 1층	2층	3층~6층
64	100	64	각 32

* 1층을 기준층으로 한 것이며 대상토지에 적용하여도 무방함

자료 8 대상지의 최유효이용을 상정한 건축내역

층별	바닥면적(㎡)	전용면적(㎡)
2~6층	각 455	각 390
1층	455	390
지하 1층	455	390
계	3,185	2,730

* 층별높이 : 3.5m

자료 9 이격거리

전압 35KV 이하는 3m 이격, 35KV를 넘으면 넘는 매 10KV마다 15cm씩 이격함.

자료 10 대상토지의 입체이용률 배분

건물이용률	그 밖의 이용률	비고
0.9	0.1	그 밖의 이용률 상하배분비는 1:1

자료 11 기타

1. 기대이율 : 10%
2. 일시금 운용이율(할인율로 써도 무방) : 13%
3. 건물가격 산정시 정액법(잔가율 0, 만년감가) 적용
4. 별도의 필요제경비 고려하지 아니할 것
5. 그 밖의 요인비교치는 격차율 기준으로 5% 단위로 내림하여 결정할 것(예 1.482 → 1.45로 결정).

QUESTION 42

감정평가사 김합격 씨는 K시 Y구 J동에 소재하는 실외 골프연습장에 대한 C은행 ㅁㅁ금융센터로부터 담보취득목적의 감정평가를 의뢰받고 2025년 8월 10일에 현장 조사를 완료하고 2025년 8월 11일부터 2025년 8월 12일까지 감정평가서를 작성하였다. 아래 제시된 물건에 대한 담보취득목적의 감정평가액을 평가하시오. 25점

자료 1 본건의 현황

1. 토지 및 건물의 현황

소재지	지번	지목/구조	면적(㎡)	용도지역 / 이용상황	소유자	비고
K시 Y구 J동	350-1	대	1,262	제2종일반주거지역	김도전	골프연습장
K시 Y구 J동	350-1 위 지상	철골조	896	골프연습장	김도전	2010.5.1. 사용승인
K시 Y구 J동	350-2	잡	4,316	제2종일반주거지역 자연녹지지역	구분지상권 설정(설정권자 : 한국전력공사, 기간 : 시설물 존속시까지)	골프연습장

※ K시 Y구 J동 350-2의 경우 구분지상권 가액을 배제한 토지가치를 산정한다.

2. 건물의 층별 현황

층	이용상황	면적(㎡)	비고
1층	상가 및 접수대 등	200	-
2층	샤워실 및 락커룸 등	200	-
3~6층	타석	각 층별 124	6층 타석은 2018년 10월 1일에 증축

3. 지적현황

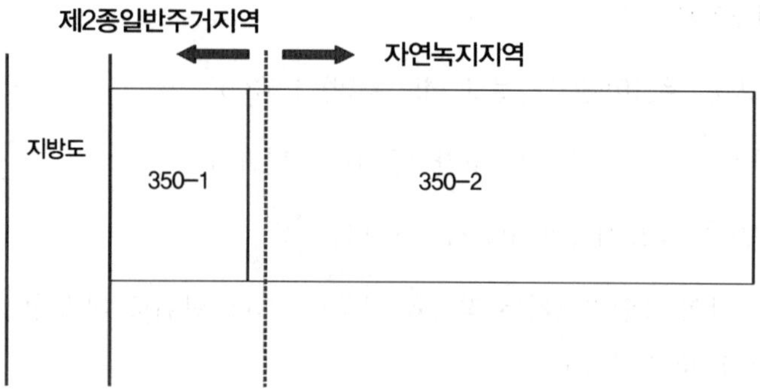

자료 2 인근지역의 표준지공시지가(2025년 1월 1일)

기호	소재지/지번	지목	면적(㎡)	용도지역	이용상황	도로조건	공시지가(원/㎡)
1	K시 Y구 J동 110-4	대	413.7	제2종 일반주거지역	상업용	광대한면	1,500,000
2	K시 Y구 J동 478-2	대	781.8	자연녹지지역	주거용	소로한면	450,000

※ 그 밖의 요인비교치는 대등한 것으로 본다.

자료 3 현장조사사항

1. 본건 토지 중 K시 Y구 J동 350-2 부분은 지하에 한국전력공사의 변전관련 시설이 설치되어 있으며, 지하부분 전체에 관련시설 및 부대시설이 설치되어 있다.
2. 지상 부분은 김도전씨가 모두 사용이 가능하나 지하부분의 매설물로 인하여 현실적으로 건축물을 축조한다면 단층의 구조물만 축조할 수 있다.
3. 본건 토지 중 K시 Y구 J동 350-1이 접한 토지는 일반주거지역으로서 노선상가지대(지방도)에 소재하고 있으며 후면의 토지는 자연녹지지역으로서 전, 답, 임야 및 주택부지, 주상용 건부지가 혼재되어 있다.
4. 전면의 도로(지방도)로부터 현실적으로 진출입이 용이한 후면의 토지는 주로 주상용 건부지로 이용이 되고 있으며, 주거용이나 전, 답, 임야의 경우 주로 전면의 지방도에서 소로 및 세로를 따라 진입을 해야 접근이 가능한 위치에 소재하고 있는 경우가 많다.

자료 4 인근지역의 개발사례

1. 개발사례의 소재지 등 : K시 Y구 J동 470-1, 대, 1,300㎡
2. 용도지역 : 자연녹지지역
3. 개발사례의 현황
   개발사례는 자연녹지지역으로서 전면의 지방도에서 진입로를 통하여 진출입이 용이하며 이러한 점으로 인하여 지하 1층, 지상 4층의 주상용 건축허가를 득한 토지이다. 본 허가용도는 해당 개발사례 대상토지에 있어 최유효이용인 것으로 판단이 되며, 개발사례토지의 분양가 수준은 인근의 수직적인 가격층화수준을 잘 반영하고 있다.

4. 본 개발사례의 각 층별 분양가 수준

층	이용상황	전유면적(㎡)	분양가(원)
지하 1층(B01호)	상업용	250.0	250,000,000
1층(101호)	상업용	160.0	320,000,000
2층(201호)	다세대주택	150.0	150,000,000
3층(301호)	다세대주택	150.0	180,000,000
4층(401호)	다세대주택	100.0	120,000,000

자료 5 요인비교 관련 자료

1. 요인비교치

구분	K시 Y구 J동 350-1	K시 Y구 J동 350-2
표준지 1	5% 열세하다.	40% 열세하다.
표준지 2	30% 우세하다.	10% 우세하다.

※ 상기 요인비교치와는 별도로 자연녹지지역의 주상용인 경우 주거용인 경우보다 15%가 추가로 우세하다.

2. 지가변동률(Y시)

구분	2025년 6월	2025년 7월
주거지역	-0.006 (-0.076)	미고시
녹지지역	0.116 (0.346)	미고시

3. 건축비는 보합세임.

자료 6 건물 재조달원가(2025년 4월 1일 기준)

1. 철골조 근린상가 일반 : 600,000원/㎡

2. 철골조 골프연습장 타석부분 : 400,000원/㎡

3. 경제적 내용연수 : 40년

4. 거래사례비교법에 의한 합리성 검토는 생략한다.

자료 7 입체이용배분율표

해당 지역	고층시가지	중층시가지	저층시가지	주택지	농지 · 임지
용적률 / 이용률구분	800% 이상	550~750%	200~500%	100% 내외	100% 이하
건물 등 이용률 (α)	0.8	0.75	0.75	0.7	0.8
지하이용률 (β)	0.15	0.10	0.10	0.15	0.10
그 밖의 이용률 (γ)	0.05	0.15	0.15	0.15	0.10
(γ)의 상하 배분비율	1 : 1 -2 : 1	1 : 1 -3 : 1	1 : 1 -3 : 1	1 : 1 -3 : 1	1 : 1 -4 : 1

※ 그 밖의 이용저해율은 지상부분 저촉의 경우 지상부분 최대치를, 지하부분 저촉의 경우 지하부분 최대치를 적용한다.

자료 8 기타사항

1. K시 Y구 J동 350-2 위 지상의 구축물은 담보취득대상이 아니다(토지는 정상적으로 평가함).

2. 지하이용저해율(P)은 50%이다(입체이용배분 반영 전).

Chapter

05 유형별 감정평가

QUESTION 43

감정평가사 Y씨는 전라남도 S시 H동에 소재하는 종합병원에 대한 자산재평가 목적의 감정평가를 의뢰받고 사전조사 및 현장조사를 통하여 아래의 자료를 수집하였다. 각 물음에 답하시오. 35점

1. 일단지의 개념 및 평가시 유의사항에 대하여 기술하시오.

2. 본건 토지의 감정평가액을 결정하시오.

3. 본건 건물의 감정평가액을 결정하시오.

4. 최종감정평가 결론을 내리시오.

자료 1 본건의 현황

1. 소재지 : 전라남도 S시 H동 40-3, 40-4, 40-5 및 40-4, 40-5 위 지상건물

2. 기준시점 : 2025년 6월 10일

3. 대상토지의 현황

구분	용도지역	지목	면적(㎡)	이용상황
S시 H동 40-3	중심상업지역	차	393.7	병원 부속 주차장
S시 H동 40-4	중심상업지역	대	393.6	병원 부속 주차장
S시 H동 40-5	중심상업지역	대	1,637.7	병원 건물 소재

4. 지적 및 건물개황도

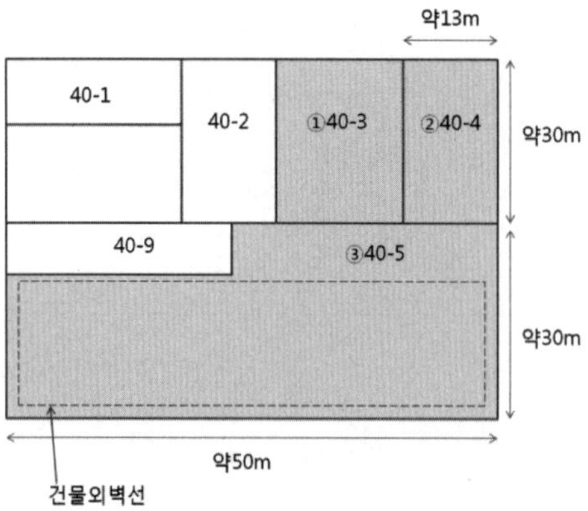

※ 평가대상은 음영표시되어 있음.

5. 상세위치도

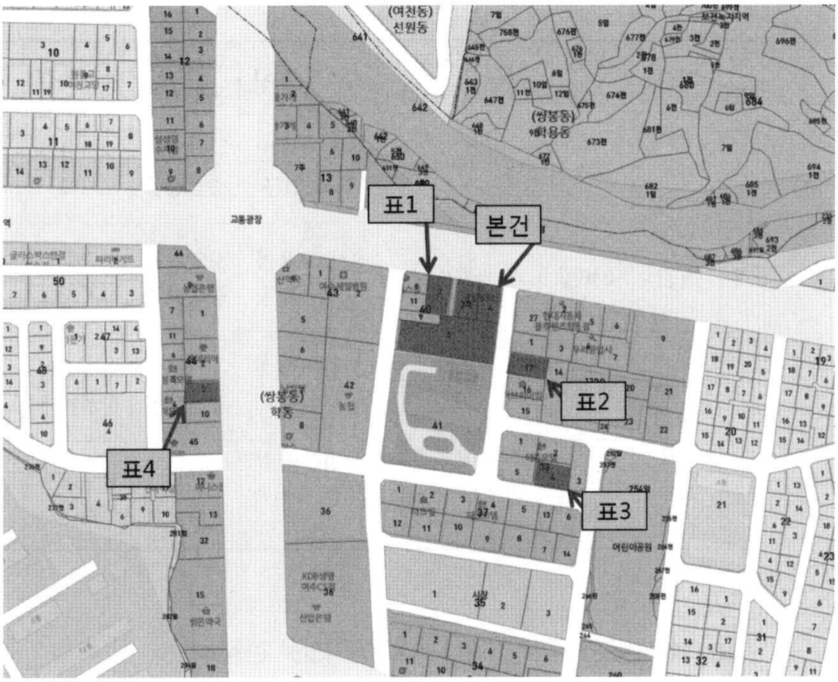

6. 위 지상건물의 현황

(1) 소재지 : 전라남도 S시 H동 40-5(관련지번 : H동 40-4)

(2) 각 층별 면적 등

<table>
<tr><th>구분</th><th>층별 면적(㎡)</th><th>현장조사사항 등</th></tr>
<tr><td>지하 1층</td><td>1,469.76</td><td rowspan="9">구조 : 철근콘크리트조 슬래브지붕
본건 건물 중 일부에 대하여 최근(2023년 12월 1일) 증축을 하였다.
※ 지하층 면적(㎡) : 1,469.76
※ 지상기존부분 면적(㎡) : 4,666.50
※ 지상증축부분 면적(㎡) : 4,934.66

합계 : 11,070.92㎡</td></tr>
<tr><td>지상 1층</td><td>1,464.45</td></tr>
<tr><td>지상 2층</td><td>1,464.45</td></tr>
<tr><td>지상 3층</td><td>1,464.45</td></tr>
<tr><td>지상 4층</td><td>1,225.85</td></tr>
<tr><td>지상 5층</td><td>1,110.48</td></tr>
<tr><td>지상 6층</td><td>1,153.09</td></tr>
<tr><td>지상 7층</td><td>1,028.80</td></tr>
<tr><td>지상 8층</td><td>689.59</td></tr>
<tr><td>합계</td><td>11,070.92</td><td>-</td></tr>
</table>

자료 2 인근지역의 공시지가 현황(공시기준일 : 2025년 1월 1일)

구분	소재지	면적 (㎡)	지목	공시지가 (원/㎡)	지리적 위치	이용상황 용도지역	주위환경	도로 교통	형상 지세
1	S시 H동 40-2	390.5	대	936,000	S시 교육청 북측 인근	상업용 중심상업	노선상가 지대	광대한면	정방형 평지
2	S시 H동 39-17	346.2	대	756,000	S시 교육청 동측 인근	상업나지 중심상업	성숙중인 상가지대	소로한면	가장형 평지
3	S시 H동 38-4	405.1	대	756,000	J시장 북측 인근	상업용 중심상업	성숙중인 상가지대	소로한면	가장형 평지
4	S시 H동 44-3	331.0 (일단지)	대	1,730,000	산업은행 Y 지점 북서측 인근	상업용 중심상업	중심상가 지대	광대한면	사다리 평지

자료 3 인근의 주요 거래사례 및 평가선례 현황

1. 시장가격자료 A - 거래사례
   (1) **소재지** : 전라남도 S시 H동 40-13, 35㎡, 대, 중심상업, 상업나지
   (2) **거래가격** : 56,000,000원
   (3) **거래시점** : 2021년 7월 1일
   (4) **거래내역** : 거래대상은 현재 H동 40-4번지에 합병된 필지로서 거래 당시 본건(H동 40-4, 5) 토지소유자가 병원건물의 건축과 관련한 진입로 개설을 위하여 매입한 사례이다. 본건(H동 40-4, 5) 토지소유자는 병원건축을 위해서는 해당 거래대상 필지가 반드시 필요한 상황이었다.

2. 시장가격자료 B - 평가선례(자산재평가)
   (1) **소재지** : 전라남도 S시 H동 39-9, 대, 중심상업, 상업나지
   (2) **평가대상** : 전체 필지 856.5㎡
   (3) **획지조건** : 가장형
   (4) **기준시점** : 2025년 3월 1일
   (5) **평가액** : 1,060,000원/㎡

3. 시장가격자료 C – 거래사례
   (1) 소재지 : 전라남도 S시 H동 43-2, 대, 1,974.4㎡, 중심상업, 상업용, 정방형
   (2) 거래시점 : 2025년 4월 1일
   (3) 거래가격 : 34억원
   (4) 위 지상건물의 현황 : 철골조 슬래브 근린상가, 지상 3층건물, 3,200㎡(2021년 2월 준공)
   (5) 거래사례는 최유효이용이다.

자료 4 현장조사사항

1. 본건의 경우 북측의 광대로를 따라 노선상가지대가 형성되어 있으며, 후면으로는 교육청을 배후로 하는 업무시설 및 전통시장 상권이 형성되어 있음.
2. S시 H동 40-3번지는 세장형 토지이다.
3. 본건 건물의 외벽은 물리적으로 S시 H동 40-5번지 상에만 소재하고 있다.

자료 5 노선가 및 가격체감률 등

1. 주요 노선가

구분	도로너비	노선가(원/㎡)	가산율
본건 북측의 노선가	광대로	700,000	-(주노선)
본건 서측의 노선가	소로	400,000	0.1
본건 동측의 노선가	소로	450,000	0.1

2. 깊이가격체감률

구분	20m 미만	20m 이상 30m 미만	30m 이상 40m 미만	40m 이상 50m 미만	50m 이상
체감률	1.00	0.95	0.90	0.86	0.82

3. 전면너비 협소보정률(주노선의 노선가에만 적용하도록 한다)

전면너비(m)	지수
5m 미만	0.80
5m 이상 15m 미만	0.95
15m 이상 25m 미만	1.00

자료 6 본건 건물 관련 자료 등

1. 사용승인일 : 2022년 10월 1일

2. 재조달원가

이용상황	철근콘크리트조(원/㎡)	철골조(원/㎡)	비고
병원	800,000	700,000	지하층은 지상층의 70% 수준으로 판단하도록 함.
근린상가	650,000	550,000	
내용연수	50	40	잔가율 0

※ 건축비는 보합세로 판단함.

3. 본건 건물을 증축(지상부분 증축)하면서 소요된 비용은 해당 병원의 브랜드 이미지 제고를 위한 고가의 원자재 활용으로 인한 점과 증축으로 인한 비효율성으로 인하여 기본적인 재조달원가의 30% 정도가 추가로 소요되었다. 그중 원자재의 우수성으로 인한 부분은 기본 재조달원가의 10% 정도인 것으로 판단된다.

자료 7 비교요인치

1. 개별요인

(1) 획지요인

구분	정방형	장방형	자루형	부정형
평점	100	103	–	85

※ 자루형의 경우 유효택지부분은 70, 진입로부분은 95를 기준으로 평점을 산정한다.

(2) 기타 개별요인

구분	H동 40-3	H동 40-4	H동 40-5	H동40-4,5 (일단지 기준)	H동40-3,4,5 (일단지 기준)
평점	115	125	70	90	100

구분	표준지 1	표준지 2	표준지 3	표준지 4	거래사례 A	평가선례 B	거래사례 C
평점	110	90	100	130	110	120	105

2. 지가변동률(S시 상업지역, %)

(1) 2025년 4월 : 당월 0.269, 누계 1.155

(2) 2025년 3월 : 당월 0.429, 누계 0.884

자료 8 기타사항

1. 본건 평가 시 병원이 소재하는 토지에 대하여 우선 평가를 하며, 필지 중 부속필지가 생기면 해당 필지에 대해서는 공시지가기준법으로만 평가한다.

QUESTION 44

감정평가사 Y씨는 A씨가 약 1년 전 경락받은 토지에 대한 시장가치의 평가를 의뢰받고 다음과 같은 자료를 수집하였다. 아래 자료를 활용하여 대상토지의 가격을 산정하시오. 20점

자료 1 평가대상자료

1. 대상물건

(1) 토지대장

소재지	지번	지목	면적(㎡)	소유자
T구 C동	11	대	400	A

(2) 건축물관리대장

소재지	용도	구조	면적(㎡)	소유자	이동사항
T구 C동 11	단독	벽돌슬래브 2층	280	K	2025년 6월 1일 소유권 보존

※ 본 건물은 종전의 무허가건축물로서 감정평가사 Y씨는 해당 지방자치단체로부터 무허가건축물관리대장(과세대장)을 열람한 결과 본 건물의 신축일은 2010년 8월 1일이라는 사실을 확인받았다.

(3) 토지등기사항전부증명서

갑구	
순위번호	사항란
1번	보존 접수 : 2000년 1월 31일 제137호 소유자 : 김○○
2번	소유권이전 접수 : 2024년 7월 19일 제13111호 원인 : 2024년 7월 1일 임의경매(2024타경21402) 소유자 : A

※ A씨는 해당 토지를 경매를 통하여 취득하였으며, 낙찰가액은 132,672,000원이다.

(4) 건물등기사항전부증명서

갑구	
순위번호	사항란
1번	보존 접수 : 2025년 6월 5일 제741호 소유자 : K

(5) 기타사항

1) 본건 토지는 제2종일반주거지역 내 토지로서 소로한면 장방형 평지임.

2) 도시계획도로에 50㎡가 저촉되나 건물에는 영향이 없음.

2. 평가목적 : 매매참고용

3. 기준시점 : 2025년 8월 31일

자료 2 공시지가자료(공시기준일 : 2025년 1월 1일)

기호	소재지	지목	면적(㎡)	이용상황	용도지역	도로	형상/지세	공시지가(원/㎡)
1	T구 Q동	대	300	주거나지	제2종 일반주거	소로한면	정방 평지	750,000
2	T구 C동	대	420	주거용	제2종 일반주거	소로각지	장방 평지	800,000
3	T구 C동	잡	950	잡종지	제2종 일반주거	세로한면	장방 평지	600,000

자료 3 거래사례

1. 토지 : T구 C동 대, 360㎡, 제2종일반주거지역, 세로각지, 장방형, 평지

2. 건물 : 위 지상 벽돌조 2층 단독주택 연면적 250㎡, 2016년 7월 1일 신축

3. 거래시점 : 2024년 12월 1일

4. 거래가격 : 350,000,000원

자료 4 토지요인자료

1. **지역요인** : 같은 동끼리의 지역요인 동일함.

2. **개별요인**

 (1) **도로** : 소로(100), 세로(90), 각지는 한 면에 비해 5% 우세

 (2) **형상** : 정방형(100), 장방형(95)

자료 5 건물 관련 자료

1. **표준적 건축비(벽돌조 슬래브지붕)** : 기준시점 현재 500,000원/㎡

2. **재조달원가 산정시 개별요인**
 대상(96), 거래사례(98), 표준사례(100)

3. **경제적 내용연수** : 40년

4. **감가수정** : 직선법, 잔존가격 0, 만년감가

5. 건축비는 보합세임.

자료 6 지가변동률

구분	2024년 12월		2025년 7월	
주거지역(%)	당월	-0.071	당월	0.057
	누계	0.152	누계	1.292

자료 7 기타사항

1. 기대이율은 4%로 하며 필요제경비는 기초가액의 2% 수준으로 결정한다.
2. 시장이자율(할인율)은 10%(연)로 한다.
3. 도시계획도로에 저촉되는 경우 30% 감가된다.
4. 상기 토지상에는 법정지상권이 설정되어 있다.
5. 법정지상권에 대한 지료는 없는 것으로 본다.
6. 그 밖의 요인은 대등한 것으로 본다.

QUESTION 45

S감정평가법인에 근무하는 감정평가사 Y씨는 H은행 D금융센터지점의 담보취득을 목적으로 충청북도 C시 주덕읍에 소재하는 "◎◎골프클럽"에 대한 감정평가를 의뢰받고 아래의 자료를 수집하였다. 제시된 절차에 따라 관련 법령 및 규칙을 준수하여 감정평가하시오. 40점

1. 토지(공시지가기준방법) 및 건물의 감정평가액 합계를 평가하시오.
2. 토지(조성원가법) 및 건물의 감정평가액 합계를 평가하시오.
3. 거래사례비교법에 따른 감정평가액을 결정하시오.
4. 수익환원법에 따른 감정평가액을 결정하시오.
5. 시산조정하여 최종 감정평가액을 결정하시오.

(현장조사 완료일 : 2025년 4월 16일)

자료 1 본건의 현황

1. 골프장 개요

구분	내용
골프장 명칭	◎◎골프클럽
위치	충청북도 C시 J읍 H리 1097 외 12필지
주요사업내역	골프장 운영
주요시설	대중제골프장(18홀), 72파, 6,705m, 클럽하우스, 티하우스, 관리동 등
골프장부지면적	870,252.5㎡
체육시설업등록시기	2025년 3월

2. 사업계획승인 토지내역

구분	지번	지목	용도지역	공부면적 (㎡)	편입면적 (㎡)	도로 교통	형상 지세	2025년 개별지가 (원/㎡)
충청북도 C시 J읍 H리								
1	1087	임야	자연녹지	29,359.9	29,359.9	광대한면	부정형 완경사	미고시
2	1088	임야	자연녹지	38,713.9	38,713.9	광대한면	부정형 완경사	미고시
3	1089	임야	자연녹지	7,079.7	7,079.7	광대한면	부정형 완경사	미고시

4	1090	임야	자연녹지	19,116.0	19,116.0	광대한면	부정형 완경사	미고시
5	1091	임야	자연녹지	14,389.3	14,389.3	광대한면	부정형 완경사	미고시
6	1092	임야	자연녹지	31,628.2	31,628.2	광대한면	부정형 완경사	미고시
7	1093	임야	자연녹지	19,141.9	19,141.9	광대한면	부정형 완경사	미고시
8	1094	임야	자연녹지	1,833.1	1,833.1	광대한면	부정형 완경사	미고시
9	1095	임야	자연녹지	4,131.2	4,131.2	광대한면	부정형 완경사	미고시
10	1096	임야	자연녹지	12,521.2	12,521.2	광대한면	부정형 완경사	미고시
11	1097	체육용지	자연녹지	638,055.1	638,055.1	광대한면	부정형 완경사	미고시
12	1098	임야	자연녹지	52,843.0	52,843.0	광대한면	부정형 완경사	미고시
충청북도 C시 K면 Y리								
13	640-1	임야	자연녹지	1,440.0	1,440.0	광대한면	부정형 완경사	미고시

3. 건물개요

구분	지번	용도	구조	층수	연면적(㎡)	사용승인일
충청북도 C시 J읍 H리						
가	1097 외 12필지	운동시설(클럽하우스)	철근콘크리트조 구조	B1/2층	5,004.90	2025년 2월 19일
나	1097 외 12필지	휴게실(티하우스)	철근콘크리트조 구조	1층	75.73	2025년 2월 19일
다	1097 외 12필지	휴게실(티하우스)	철근콘크리트조 구조	1층	75.73	2025년 2월 19일
라	1097 외 12필지	창고	일반철골조(싱글)	2층	849.00	2025년 2월 19일
마	1097 외 12필지	창고	일반철골조(싱글)	1층	145.36	2025년 2월 19일
바	1097 외 12필지	경비실	철근콘크리트조 구조	1층	20.25	2025년 2월 19일

4. 사업계획승인내역

구분	승인내역	
	면적(㎡)	비율(%)
계	870,252.5	100.0
체육시설용지	273,938	31.47
건축시설용지	13,472	1.55
공공시설용지	104,516	12.01
녹지용지	478,326.5	54.97

5. 본건은 C기업단지 내에 소재한 골프장으로서 평지형에 속한다.

자료 2 충청북도 C시의 골프장 표준지 현황(인근지역)

1. 표준지 목록(공시기준일 : 2025년 1월 1일)

구분	소재지	용도지역	면적(㎡)	지목	이용상황	도로교통	형상지세	공시지가(원/㎡)
가	J읍 H리 1092	자연녹지	일단지 31,628.2	임야	골프장	광대한면	부정형 완경사	40,000 (본건)
나	N면 S리 501	계획관리	일단지 6,746	체육용지	골프장	소로한면	부정형 완경사	39,000
다	N면 S리 558	계획관리	일단지 2,367	체육용지	골프장	소로한면	부정형 완경사	44,000
라	S면 D리 산 12	계획관리	일단지 48,793	임야	골프장	소로한면	부정형 완경사	41,000
마	K면 Y리 산 98	계획관리	일단지 38,790	임야	골프장	소로한면	부정형 완경사	45,000

2. 표준지공시지가와 본건의 접근조건, 행정조건 비교치

구분	표준지 가	표준지 나	표준지 다	표준지 라	표준지 마
접근조건	1.00	1.10	0.95	1.00	0.95
행정조건	1.00	1.00	1.00	1.00	1.00

※ 가로조건, 환경조건, 기타조건은 토지특성에 따라 결정되며, 별도 비교를 요함.

자료 3 골프장의 평가선례

1. 평가선례자료

구분	평가선례 1	평가선례 2
소재지	충청북도 C시 N면 S리 486-2 외	충청북도 C시 Y면 J리 산93 외
골프장 명칭	□□ CC	△△ CC
골프장 유형	27홀(회원 18홀/대중 9홀)	대중 제18홀
기준시점	2024년 6월 21일	2023년 12월 1일
평가단가(원/㎡)	100,000	79,500
면적(㎡)	1,250,237.1	921,561
평가목적	담보	담보
용도지역	계획관리	계획관리
이용상황	골프장	골프장
토지특성	소로한면, 부정형, 완경사	소로한면, 부정형, 완경사
본건과의 거리	32km	12.5km

※ 적절한 평가선례를 선정하여 활용하도록 한다.

2. 평가선례와 본건의 개별요인 격차

비교항목	평가선례 1	평가선례 2
접근조건	1.10	1.05
행정조건	1.00	1.00

※ 본건은 C기업도시 내에 소재하여 평가선례들에 비해 접근조건이 우세하다.

자료 4 건물 관련 현황

1. 재조달원가(건물신축단가표 기준, 기준시점)

구분	구조	표준단가(원/㎡)	비고
레저시설	철근콘크리트조 슬래브지붕	1,625,000	1급
레저시설	철근콘크리트조 슬래브지붕	1,470,000	2급

2. 현장조사 결과

(1) 클럽하우스를 제외한 기타 건물은 클럽하우스 평가액의 5% 수준인 것으로 판단된다.

(2) 내용연수는 50년이며 잔가율은 0%이다.

(3) 현장조사시 클럽하우스는 신축단가표기준상 2급에 해당한다.

(4) 담보평가의 안정성을 고려하여 본건 건물에 적용할 재조달원가는 신축단가표 기준 재조달원가 대비 85%를 적용률로 한다.

자료 5 본건 토지의 매입가격

1. 소유자 제시자료

구분	면적(㎡)	매입가격(원)	단가수준(원/홀)
대상토지 일단	870,252.5	35,000,000,000	약 19.4억/홀 (약 40,218원/㎡)

2. 골프장 사업부지 가격자료(C시 S면 골프장 사업부지 매입사례)

소재지	매입계약면적(㎡)	골프장 유형/규모	사업계획상 총 토지매입금액	토지단가(홀당 매입비용)
C시 S면 D리 182 외, ◇◇CC	1,200,267	회원제 18홀	약 242억원	약 13.4억/홀

3. 본건의 경우 골프장에 대한 사업계획승인 및 지구단위계획에 따라 골프장으로 지정된 토지를 매입한 것이며, 사례 사업부지의 매입가격은 골프장 지정 전에 토지를 매입한 사례임.

자료 6 골프장 조성 관련 자료

1. 골프장 홀당 조성공사비 수준

구분	코스공사비	기타비용	금융비용 추정	총 조성공사비 추정액
평지형	14~16억	4~5억	3~4억	21억~25억
산악형	18~20억	6~7억	3~4억	27억~31억

2. 상기 금액에 포함되는 항목

구분	세부항목
직접비용	토목공사, 조경 및 잔디공사, 토목설계 및 감리, 조경설계, 진입도로공사, 진입도로감리, 관개용수공사, 저류조 설계, 저류조 공사, 지하수 개발, 수목이식, 전기통신, 환경시설, 묘지이장비, 각종 부담금, 광업권 보상비, 대민지원사업, 제세공과 등
간접비용	금융비용, 인건비/경비

자료 7 골프장 거래사례

1. 포착된 거래사례

비교적 최근에 거래된 충청지역권의 대중 제18홀 골프장에 대한 거래사례를 아래와 같이 선정하였으며, 거래금액의 출처는 등기사항전부증명서를 기준으로 하였음.

(충청남도 D시 소재)

소재지	골프장 명칭	골프장 유형	계약시점	거래금액 (천원)	용도 지역	이용 상황	비고
S면 M리 458-1 외	□□CC	대중제 18홀	2023년 12월 1일	115,553,000	계획 관리	골프장	골프빌라 포함 일괄매각

※ 사례토지의 사업승인면적 : 686,891㎡

※ 사례는 광대한면, 부정형, 평지이다.

2. 해당 거래사례의 담보목적 평가선례

구분	기준시점	평가금액(원)	가격비율(%)
골프장(토지/건물)	2022년 5월 6일	74,273,000,000	약 70%
골프빌라 등 기타부분(골프장과 무관)	2022년 5월 6일	31,830,000,000	약 30%
합계		106,103,000,000	100%

※ 상기 평가선례의 가격구성비는 적정한 것으로 판단된다.

3. 본건 골프장은 사례 골프장에 비해 지역요인에서 5.0% 열세하다.

4. 본건과 사례 골프장의 접근조건 및 행정조건은 유사하다. 또한 이와는 별도로 사례 골프장은 염전매립지상에 조성된 골프장으로서 본건에 비해 원형보전지비율이 적어 본건보다는 5% 우세하다.

자료 8 매출액 추정자료

1. 내장고객수 추정치

구분	연간 내장고객수 총계	입장료 수입(그린피)(원/명)
주중 내장고객수	39,000명	100,000
주말 내장고객수	28,000명	140,000

※ 상기의 연간 내장고객수는 연간 운영가능한 날 수에 일일 가능라운딩 명수에 적정한 점유율을 고려하여 추정한 내장고객수로서 적정한 것으로 판단된다.

2. 카트료, 식・임대료비, 프로숍 등 용역수수료 수입 등은 입장료 수입의 30% 정도로 예상된다.

자료 9 골프장 경비추정자료

1. 개요

골프장 경비는 각종 원가상승에 따라 상승하고 있는 것으로 예상된다. 이러한 추세는 앞으로 당분간 계속 이어질 것으로 추정된다. 한편, 골프장의 공급과다 및 수요정체로 입장료 수입은 경쟁에 따라 정체되어 있는 것으로 추정되어 골프장의 영업이익률은 아래와 같이 선형(linear) 형태로 떨어지고 있다. 따라서 골프장의 영업이익률 추정 시 이러한 추세를 반영하여 회귀분석을 통해 결정하도록 한다.

2. 대중제 골프장의 영업이익률 추이

구분	2019년 (t = 1)	2020년 (t = 2)	2021년 (t = 3)	2022년 (t = 4)	2023년 (t = 5)	2024년 (t = 6)
영업이익률(%)	60.0	59.4	57.3	54.8	52.6	49.2

자료 10 요인비교자료

1. 지가변동률

구분		2023년 12월	2024년 12월	2025년 2월	2025년 3월
충북 C시	녹지	0.123 (1.274)	−0.077 (0.971)	0.085 (0.090)	미고시
	계획관리	0.166 (2.257)	−0.125 (1.482)	0.102 (0.160)	미고시
충남 D시	녹지	0.028 (1.012)	−0.061 (0.777)	0.213 (0.321)	미고시
	계획관리	0.105 (1.174)	−0.031 (1.444)	0.151 (0.253)	미고시

2. 가로조건비준표

구분	광대한면	중로한면	소로한면
광대한면	1.00	0.97	0.92
중로한면	1.03	1.00	0.95
소로한면	1.08	1.03	1.00

※ 각지는 5% 가산한다.

3. 토지의 환경조건에서는 골프장의 경우 대중제 골프장과 회원제 골프장으로 구분이 되며, 대중제 골프장은 회원제 골프장에 비해 환경조건에서 10% 열세하다.

4. 골프장 면적에 따른 격차율(획지조건)

구분	700,000㎡ 이하	700,000㎡~900,000㎡	900,000㎡ 이상
700,000㎡ 이하	1.00	0.95	0.90
700,000㎡~900,000㎡	1.05	1.00	0.95
900,000㎡ 이상	1.10	1.05	1.00

자료 11 기타자료

1. 골프장의 환원이율은 5.5%이다.

2. 골프장의 경우 행정적으로 골프장 승인을 득한 토지로서 용도지역에 따른 행정적인 격차는 미미하다.

QUESTION 46

A감정평가법인의 감정평가사 P씨는 경상북도 Y시에 소재하는 광천지에 대하여 ○○ 중앙회로부터 담보취득목적의 감정평가를 의뢰받고 현장조사 및 실지조사를 통하여 아래의 자료를 수집하였다. 각 물음에 답하시오. 25점

1. 광천지평가방법에 대하여 기술하시오. 3점

2. 3방식에 따라 광천지를 평가하면서 발생할 수 있는 문제점에 대하여 기술하시오. 5점

3. 아래 광천지의 감정평가액을 결정하시오. 17점

자료 1 평가의뢰 내용 등

1. 의뢰인 : ○○중앙회

2. 평가목적 : 담보

3. 기준시점 : 2025년 4월 30일

자료 2 대상 광천지 내용

1. 소재지 : 경상북도 Y시 S동 123

2. 면적 : 9㎡

3. 용도지역 및 지목 : 계획관리, 광천지

4. 대상토지는 광천지로서 심도는 320m, 용출량은 330ton/일, 용출온천수의 온도는 43℃로 조사되었다.

자료 3 C군 소재 표준광천지

1. 소재지 : 경상북도 C군 H읍 S리 929

2. 면적 : 3㎡

3. 용도지역 및 지목 : 계획관리지역, 광천지

4. 표준광천지는 심도 300m, 용출량 350ton/일, 온도는 41℃로 조사되었다. 일일 판매량은 189ton/일로 조사되었으며, 표준광천지는 최근에 개발된 것이다.

5. 개발비용 명세(전체)

a. 허가 및 지질조사비용 : 2,000,000원	d. 배관 및 저수조시설 : 3,500,000원
b. 착정 및 그라우팅 : 16,500,000원	e. 일반관리비 및 이윤 : 4,050,000원
c. 펌프(수중모터)시설 : 5,000,000원	f. 토지매입가격(1㎡당) : 450,000원

자료 4 표준지공시지가 자료(2025년 1월 1일)

일련번호	소재지	면적(㎡)	지목	공시지가(원/㎡)	용도지역	이용상황
A	경상북도 Y시 S동 123	1,502	임	14,300	계획관리	임야
	주위환경		주위환경	도로조건	형상	지세
	마을주변임야지대		마을주변임야	세로(불)	부정형	완경사
B	경상북도 K시 N면 S리 529	3	광	21,000,000	계획관리	광천지
	주위환경		주위환경	도로조건	형상	지세
	S관광호텔 내		온천휴양지대	세로(가)	정방형	평지

※ 일련번호 B 표준지의 광천지 세부내용은 심도 320m, 용출량 350ton/일, 온도 55℃인 것으로 확인되었다.

자료 5 온도에 따른 용출량보정률

구분	45℃ 미만	50℃ 미만	60℃ 미만
보정률	0.80	0.90	0.95

자료 6 용출량지수

구분	282ton 미만	334ton 미만	370ton 미만
지수	2.50	3.00	3.40

자료 7 비교요인자료

1. K시 관리지역 지가변동률(2025년 3월, %)
   당월 : 0.319, 연간 누계 : 1.005

2. 지역요인비교치
   표준지 A는 인근지역에 위치하며, 표준개발사이트는 본건의 인근지역은 아니나 지역요인은 유사한 것으로 판정되었다. 표준지 B의 경우 인근의 지가수준(중위치)을 통하여 지역요인비교치를 산출하는 것이 적정한 것으로 판단되며, K시 N면 S관광호텔 인근의 지가수준은 150,000원/㎡~200,000원/㎡ 수준이며, 본건 인근의 지가수준은 250,000원/㎡~270,000원/㎡ 수준이다.

3. 표준지공시지가 및 표준개발사이트와 본건의 개별요인 비교는 보정률을 고려한 용출량 지수로서 파악되는 것으로 본다.

자료 8 기타사항

1. 온천수의 판매단가 : 430원/ton

2. 양탕비용 : 256원/ton

3. 종합환원이율 : 15%

4. 공시지가기준법으로 평가 시 그 밖의 요인은 대등함.

QUESTION 47

아래 그림과 같이 도로에 접한 장방형의 획지 A와 그 후면에 인접한 B가 있다. 획지 B는 도로에 접하지 아니한 맹지(甲씨 소유)이므로 건축허가가 나지 않는다. 甲씨는 획지 A의 일부에 사도를 개설하여 건축허가를 받고자 한다. 다음 자료를 보고 아래 물음에 답하시오. 20점

(1) **甲씨는 획지 A의 소유자에게 최소한 얼마를 지불해야 하는가?**

(2) **사도를 개설한 후 사도를 포함한 획지 B의 감정평가가격을 구하시오.**

(3) **결국 甲씨는 사도를 개설하여 얼마의 이익을 보았는가?**

자료 1 평가의뢰서 발췌내용

1. 획지 A의 공부내용
   (1) 토지 : 서울시 관악구 신림동 50번지, 대, 240㎡
   (2) 소유자 : A씨
   (3) 일반상업지역, 업무지구에 소재하며 기타 공법상 제한사항은 없음.
   (4) 실지조사 결과 토지현황은 등기사항전부증명서 및 의뢰목록 내용과 일치함.
   (5) 지역 및 개별요인은 **자료 6** 참조

2. 기준시점 : 2025년 8월 31일

3. 대상토지 현황

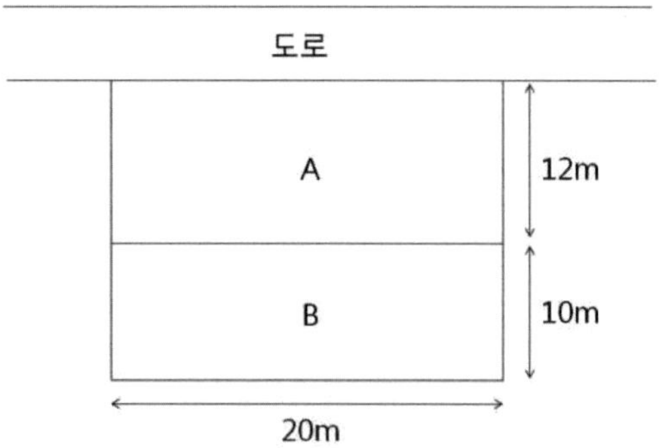

자료 2 획지별 시장가치

1. 획지 A의 가격 : 별도평가

2. 획지 B의 가격 : 53,000,000원이며 시장가치로 인정된다.

3. 사도부분은 도로에 접한 인접 획지 A의 1/3 가격이며 사도가 개설된 후 획지 B의 가격은 획지 A에 비해서 30% 열세라고 판단된다.

4. 획지 A의 소유자는 시가보다 10% 비싼 값이 아니면 팔지 않겠다고 함. 또한 사도를 개설하기 위한 부대비용은 100,000원이다.

자료 3 관련규정

1. 건축법 제33조(대지와 도로의 관계)
   건축물의 대지는 2m 이상을 도로(자동차만의 통행에 사용되는 도로를 제외한다)에 접하여야 한다. 다만 다음 각호의 1에 해당하는 경우에는 그러하지 아니하다.
   (1) 해당 건축물의 출입에 지장이 없다고 인정되는 경우
   (2) 건축물의 주변에 대통령령이 정하는 공지가 있는 경우

2. 건축물의 대지가 접하는 도로의 너비, 그 대지가 도로에 접하는 부분의 길이 기타 그 대지와 도로의 관계에 관하여 필요한 사항은 대통령령이 정하는 바에 의한다.

막다른 도로의 깊이	도로의 폭
10m 미만	2
10m 이상 35m 미만	3
35m 이상	6

자료 4 거래사례자료

1. 거래사례 1
   (1) **부동산의 내용** : 서울시 관악구 신림동 45번지, 대, 300㎡, 일반상업업무지구
   (2) **거래가격** : 161,100,000원
   (3) **거래시점** : 2024년 10월 1일
   (4) **기타사항** : 나지로서 인접지 소유자가 자기토지와 병합해야 할 불가피한 사유가 있어 시장가치보다 10% 고가로 거래되었다.

2. 거래사례 2

(1) **부동산의 내용** : 서울시 관악구 봉천동 12번지, 대, 280㎡, 일반상업업무지구

(2) **거래가격** : 243,100,000원

(3) **거래시점** : 2024년 10월 31일

(4) **기타사항** : 거래사례 2는 북측 인접지의 지주가 중고층 건축물의 신축을 위하여 병합이용을 목적으로 고가 매수한 사례이다. 거래가격은 거래당사자 쌍방이 의뢰한 현지의 감정평가사의 감정평가결과에 의하면 당사자 간에서만 경제적 합리성이 인정되는 적정가격으로 판단되었으며 사정보정을 위한 참고자료는 다음과 같다.

1) 북측 인접지와 병합 후 획지의 획지조건과 각 획지의 지적 이외의 평점은 다음과 같다.

구분	평점	면적(㎡)
사례	100	280
북측 인접지	60	350
병합 후 획지	103	630

2) 병합에 의하여 발생하는 증분가치의 사례에 대한 배분금액은 종전지의 나지로서의 총액비로 한다. 또 총액비에 의한 배분율을 구할 때에는 평점점수에 의하여 평가할 것

자료 5 지가지수

연. 월. 일	2022.10.01.	2023.10.01.	2024.10.01.	2024.10.31.	2025.8.31.
지가지수	283	315	375	375	380

* 본 통계자료는 관악구 상업지역에 관한 것이다.

자료 6 토지에 대한 지역 및 개별요인

1. 지역요인을 종합적으로 비교할 때 거래사례 2가 소재하는 봉천동은 신림동에 비해 15% 우세함.

2. 면적을 제외한 개별요인을 종합적으로 비교하면 거래사례 1은 대상토지보다 10% 열세하고, 거래사례 2는 대상보다 5% 우세함.

QUESTION 48

맹지인 B토지의 소유자 羅씨는 건축법에서 정하는 도로의 폭을 확보하여 주거용 건물을 신축하고자 감정평가사인 당신에게 컨설팅을 의뢰하였다. 羅씨는 B토지를 최근에 9,600,000원에 매입하였으며 A토지의 일부에 사도를 개설하여 건축허가를 받고자 한다. 다음 자료를 보고 제시된 물음에 답하시오. 10점

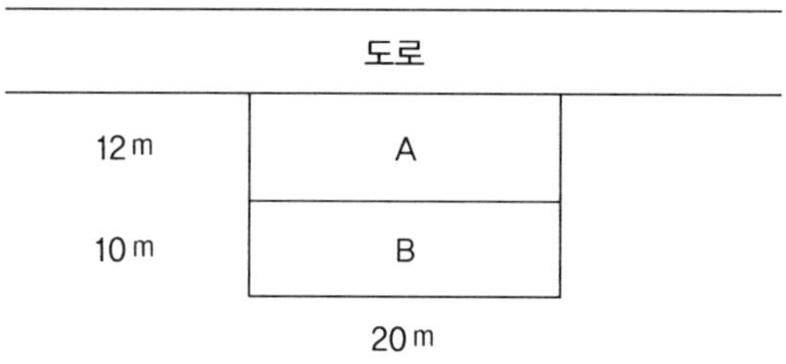

(1) **羅씨는 획지 A의 소유자에게 최소한 얼마를 지불해야 하는가?**

(2) **사도를 개설한 후 사도를 포함한 B토지의 감정평가가격을 평가하시오.**

(3) **결국 羅씨는 사도를 개설하여 얼마의 이익을 보았는가?**

자료 1 획지가격 등

1. A토지가격 : 28,800,000원

2. B토지가격 : 9,600,000원

3. 사도부분은 도로에 접한 인접획지 A의 3분의 1 가격이며 사도가 개설된 후 획지의 B의 가격은 획지 A에 비해 30% 열세이다.

자료 2 기타자료

1. A토지 소유자는 시가보다 10% 비싼 값이 아니면 팔지 않겠다고 하고 있으며, 사도를 개설하기 위한 부대비용은 1,000,000원이 드는 것으로 조사된다.

2. 건축법에서는 「건축물의 대지는 2미터 이상을 도로(자동차만의 교통에 제공하는 것을 제외한다)에 접하여야 한다. 다만, 건축물의 주위에 대통령령으로 정하는 공지가 있거나 기타 보안상 지장이 없을 때에는 그러하지 아니한다.」고 규정하고 있으며 대통령령인 건축법 시행령에서는 이에 대하여 「막다른 도로는 계단 기타 이와 유사

한 시설로 인하여 차량통행이 불가능한 구조로 된 것이 아니어야 하고(깊이 35미터 미만인 경우는 그러하지 아니하다) 그 폭은 깊이에 따라 다음 표에 정하는 것 이상이어야 한다.」고 규정하고 있다.

3. 막다른 도로의 폭

막다른 도로의 깊이	도로의 폭
10m 미만	2
10m 이상 35m 미만	3
35m 이상	6

QUESTION 49

감정평가사인 당신은 Y씨로부터 다음 부동산의 평가를 의뢰받았다. 그런데 현지답사를 한 결과, 대상 부동산은 Y씨와 K씨, L씨가 공유하고 있는 토지임을 확인하였다. 다음 자료로부터 Y씨의 지분가격을 산정하시오. 10점

자료 1 대상 부동산

1. 등기부상 : C시 H구 S동 444, 답, 400㎡

2. 토지대장상 : 등기부상 내용과 동일함

3. 기준시점 : 2025년 8월 20일

자료 2 환지예정지 설명서

종전의 토지내역					환지예정면적(㎡)		비고
소재지	지번	면적(㎡)	지목	소유자	권리면적	환지면적	
S동	222	100	대	K	–	–	–
S동	333	300	답	L	–	–	–
S동	444	400	답	Y	–	–	–
					500	550	10BL25LT

* 해당 사업은 환지방식에 의한 도시개발사업이다.

자료 3 종전 토지의 평가내역

종전의 토지는 대지의 경우 ㎡당 200,000원, 전 및 답의 경우 50,000원에 평가가 이루어졌다.

자료 4 표준지공시지가(공시기준일 : 2025년 1월 1일)

일련번호	소재지	면적(㎡)	지목	용도지역	공시지가(원/㎡)
1	S동 200	500	전	자연녹지	100,000
2	S동 300	600	대	자연녹지	350,000

자료 5 녹지지역의 지가상승률(%)

2025년 6월	2025년 6월 누계	2025년 7월	2025년 8월
0.912	7.251	미고시	미고시

자료 6 요인비교치

1. 지역요인 : S동 일대는 인근지역이다.
2. 개별요인 : 대상은 공시지가 1보다는 5% 우세하고, 2보다는 10% 열세하다.
3. 그 밖의 요인은 대등하다.
4. 청산금은 환지처분시점에 확정되어 청산할 예정이다.

QUESTION 50

감정평가사인 당신은 다음과 같은 도입기계를 평가하게 되었다. 다음에 제시된 자료를 참고하여 대상물건을 평가하시오. 10점

자료 1 대상물건의 수입신고서

수입신고서

(신고필증) (갑지)

①신고번호	②신고일	③세관.과	⑥입항일	※ 처리기간 : 3일
10520-00-0003***	2021/06/08	151-10	2021/05/30	

④B/L(AWB)번호	⑤화물관리번호	⑦반입일	⑧징수형태
1809960***	07KE0EA5VS9-000*	2021/06/01	11

⑨신 고 자 주&리관세사무소 고○○ ⑩수 입 자 (주)충북Co. (23021024 A) ⑪납세의무자 ((주)충북Co.-1-00-1-01-* / 305-81-36****) (주소) 충북 청주 상당구 K동100 (상호) (주)충북Co. (성명) LHK ⑫무역대리점 ( ) ⑬공 급 자 KAPA MACHINES LTD. (GB) / GBDEK0279F	⑭통관계획 D 보세구역장치후	⑱원산지 증명서 유무 X	⑳총중량 1,100.0 KG
	⑮신고구분 B 일반서류신고	⑲가격신고서 유무 X	㉑총포장갯수 2 CT
	⑯거래구분 11 일반형태수입	㉒국내도착항 CHE 청주공항	㉓운송형태 40-ETC
	⑰종류 K 일반수입(내수용)	㉔적출국 GB (U.K) ㉕선기명 KE508	
	㉖MASTER B/L 번호	1809960186*	㉗운수기관부호

㉘검사(반입)장소 15111016-010003** (청주보세장치장)

● 품명·규격 (란번호/총란수 : 001/001)

㉙품 명	Injection Molding M/C	㉛상 표	
㉚거래품명	Injection Molding M/C		

㉜모델·규격	㉝성분	㉞수량	㉟단가(USD)	㊱금액(USD)
SERIAL NO. 272151/100000		1 SET	125,000	125,000

㊲세번 부호	8479.89-9099	㊴순중량	1,060.0 KG	㊷C/S 검사	Y 청CS기준검사	㊹사후확인기관
㊳과세가격(CIF)	$125,000	㊵수 량	1 U	㊸검사변경		
	₩150,226,250	㊶환급물량		㊻원산지표시	GB-E-_	㊼특수세액
㊺수입요건확인 (발급서류명)						

㊽세종	㊾세율(구분)	㊿감면율	(51)세액	(52)감면분납부호	감면액	* 내국세종부호
관	8.00(A 기가)	50.00	6,009,050	A095000103	6,009,050	
농	20.00(A)		1,201,810			
부	10.00(A)		15,743,710			

(53)결제금액(인도조건-통화종류-금액-결제방법)	CIF - USD - 125,000 - LS	(55)환 율	1,201.8100

(54)총과세가격	$125,000	(56)운임	7,679,565	(58)가산금액		(63)납부번호	151-10-00-1-014233-0
	₩150,226,250	(57)보험료	85,268	(59)공제금액		(64)부가가치세과표	157,430,710

(60)세 종	(61)세 액	※관세사기재란	(65)세관기재란
관 세	6,009,050		
특 소 세			
교 통 세			
주 세			
교 육 세			수입신고수리
농 특 세	1,201,810		대전세관장
부 가 세	15,743,710		
신고지연가산세			

(62)총세액합계	22,954,570	(66)담당자	주○○ 86196*	(67)접수일시	2021/06/08, 14:05	(68)수리일자	2021/06/09

세관·과 : 150-10 신고번호 : 10645-00-1200266 Page : 1/1

*수입신고필증의 진위 여부는 수출입통관정보시스템(KCIS)에 조회하여 확인하시기 바랍니다(http://kcis.ktnet.co.kr).
*본 수입신고필증은 세관에서 형식적 요건만을 심사한 것이므로 신고내용이 사실과 다른 때에는 신고인 또는 수입화주가 책임을 져야 합니다.

자료 2 도입부대비용

1. 관세율(기본관세, %)

2021	2022	2023	2024	2025
8	8	8	7	6

2. 관세감면부호 및 관세감면율(%)

대상품목	관세감면부호	관세감면율(%)	
		2020 ~	2024~
1. 오염물질의 배출방지 또는 처리를 위하여 사용하는 기계 등으로 기획재정부령이 정하는 것	A095000101	50	60
2. 폐기물처리를 위하여 사용하는 기계 등으로 기획재정부령이 정하는 것	A095000102	50	30
3. 기계·전자기술 등을 응용한 공장자동화 기계 등으로 기획재정부령으로 정하는 것	A095000103	50	40
4. 방위산업에 소요되는 시설기계류 등	A095000105	50	–

3. 기타부대비용

기타부대비용 즉 L/C개설비, 하역료 통관비, 창고료, 육상운송비 등은 통상 수입가격의 3%를 적용함.

4. 설치비 : 동종기계의 통상적 설치비는 15,000원/10kg

자료 3 감가수정자료

1. 내용연수

분류기호	설비의 종류(영명) 및 세목	내용연수	표준산업분류
16-2	전선 및 케이블 제조시설		31301
	반사로(Reverberratory Furance)	25	31302
	번칭머신(Bunching M/C)	12	
	구출기	12	
	케이블 연합기	20	
	사출기(Injection Molding M/C)	15	

2. 경제적 내용연수 : 15년

3. 최종잔가율 : 10%

자료 4 일반기계가격보정지수

구분	2025년 8월	2025년 1월	2024년	2023년	2022년	2021년
미국	1.0000	1.0040	1.0141	1.0292	1.0441	1.0625
영국	1.0000	1.0064	1.0204	1.0309	1.0407	1.0690
이태리	1.0000	0.9959	0.9878	0.9740	0.9799	0.9730
네덜란드	1.0000	0.9911	1.0104	1.0356	1.0566	1.0745

자료 5 외화환산율 등

1. 주요국의 대미화환산율

구분	2025년 8월	2021년 6월	2021년 5월
영국(£/$)	0.6607	0.6267	0.6190
이태리(Lit/$)	2,100.2	1,865.7	1,822.0
네덜란드(D.FL/$)	2.389	2.123	2.073
한국(₩/$)	1,230.36	1,168.45	1,196.75

2. 2025년 8월 기준한 최근 15일간의 기준환율

구분	해당 통화당 미국$	미국$당 해당 통화	해당 통화당 ₩
미국($)	1	1	1,205.30
영국(£)	0.630	1.5873	1,930.17
이태리(Lit)	0.00047	2,127.66	0.5857
네덜란드(D.FL)	0.4288	2.3320	518.84

자료 6 기타자료

1. 평가목적 : 「동산 · 채권 등의 담보에 관한 법률」에 따른 담보취득목적

2. 기준시점 : 2025년 8월 25일

3. 감가상각 : 정률법에 의한 만년감가

QUESTION 51

G감정평가법인의 감정평가사 Y씨는 S은행 역삼동 기업금융센터장으로부터 (주)K해운이 소유하고 있는 선박에 대한 담보취득목적의 감정평가를 의뢰받고 아래의 자료를 수집하였다. 담보평가 시 「감정평가에 관한 규칙」에 따른 원칙적인 평가방법으로 평가하되, 기타방법으로 적정성을 검토하도록 한다. 15점

자료 1 선박의 개요

본 선박은 228 Teus Full Container Carrier(화물선 일종)으로서 2008년 한국대선조선에서 건조된 선박이다.
본 선박은 종전 베트남 자국 내 화물운송을 하였던 선박이나 현재는 임시 항행검사를 받아 한국에서 인도되어 선급검사를 받고 있으며, 검사완료 후 한국과 일본 간 컨테이너 운반 예정임.
본 선박의 국적은 현재 대한민국임.

자료 2 본 선박의 내용

1. 선박명칭 : K비너스
2. 선박번호 : 2400B-PEXT
3. 선적항 : 제주

	종류	용도	등급	선질	컨테이너 용량	총톤수 (G/T)	순톤수 (N/T)	적화톤수 (W/T)	척도 (m)
선체	화물선	컨테이너 운반선	NK+VR	STEEL	338Teus	3,994	2,017	5,946	길이 : 97.5 폭 : 17.2 높이 : 8.3
선체	선창	객실	승무원	조선지	조선소	건조일	진수일	비고	
선체	6	-	16	한국	대선조선	2008.3.	2008.3.	-	

	종류	실마력	공칭마력	형식	기통수	회전수	MODEL	제작소	제조일자번호
기관	디젤	5,320 BHP	-	single acting, two stroke crosshead type	2	RPM 200	SSHI-MAN-B&W 7L35MC	쌍용중공업	-
기관	속력	추진기의 종류 및 수량			보조기계 및 기관의 종류와 수량			비고	
기관	14.95KT	나선형 1기			의장품 명세			2021년 7월 오버홀	

자료 3 유사선박 매매사례

건조연도	Gross Tonage(G/T)	제작국	가격(USD)	거래시점	비고
2008.3.	3,994	한국	2,750,000	최근	본건
2010.9.	5,500	일본	3,800,000	최근	Bulk Carrier

자료 4 신조단가

선체(유조선 및 화물선, 3,000~10,000 G/T)의 경우 1,500,000원~2,500,000원/GT 수준이며, 기관(Marine Diesel Engine) 경우 220,000원~380,000원/HP 임. 평가시에는 중위치를 적용할 것

자료 5 의장품 목록 및 재조달원가

1. **항목** : Rubber, Steering gear, Anchor chain, Life Saving Equipment, Fire Fighting Equipment, Ventilation equipment, Navigation Equipment, Hatch, 기타장치
2. **총 재조달원가** : 1,500,000,000원
3. **의장품 오버홀 시점** : 2023년 5월

자료 6 감가수정

1. 감가상각은 정률법을 적용하고, 내용연수는 선체 및 기관은 20년, 의장품은 5년을 적용하고, 최종잔가율은 선체의 경우 20%, 기관 및 의장품은 10%를 기준으로 감가수정을 한다.
2. 오버홀을 한 경우 오버홀 시점에 유의한다.

자료 7 기준시점 : 2025년 8월 31일

자료 8 환율(기준시점 현재) : 1USD = 1,300원

QUESTION **52**

감정평가사 柳씨는 충청북도 진천군 소재 (주)D세라믹 공장에 대한 현물출자목적의 감정평가를 (주)SI 회계법인으로부터 의뢰받고 사전조사 및 실지조사를 통하여 아래의 자료를 수집하였다. 본 감정평가 시 특별한 조건은 부가되지 않았으며, 아래의 절차를 통하여 본 공장의 시장가치를 평가하시오. 35점

1. 공장재단의 물건별 감정평가액 합을 구하시오.

2. 공장재단을 일괄로 감정평가하되, 수익환원법을 활용하시오.

3. 상기 시산가액을 조정하여 공장재단의 최종 감정평가액을 결정하시오.

자료 1 평가대상 공장재단 현황

1. 소재지 등

(1) 충청북도 진천군 K면 Y리 297-5, 297-6, 297-7번지

(2) 지목 및 면적

구분	K면 Y리 297-5	K면 Y리 297-6	K면 Y리 297-7
용도지역	계획관리지역		
지목	장	장	장
면적(m²)	17,450	23,700	28,850
일단의 면적	소계 : 70,000m²		

2. 건물목록

연번	소재지	용도	건물 번호	구조	높이	면적 (m²)	층	사용 승인일
1	K면Y리 297-5외 2 필지 (297-6, 297-7)	주공장	가동	철골조	15M	17,500	지상 1층	2022년 5월 1일
2		부공장	가-1동	철골조	9M	4,000	지상 1층	2024년 5월 1일
3		사무실 및 경비동	나동	철근 콘크리트조	6M	750	지상 2층	2022년 5월 1일

※ 가-1동은 가동에 부속된 건물로서 2024년 5월 1일에 증축되었음.

3. 주변환경

본건 공장은 세라믹타일을 생산하는 공장으로서 제조과정의 특성상 다량의 먼지 및 유해물질 등으로 인하여 인근의 P지방산업단지 내에 입지하지 못하고 단독으로 임

야지대 내에 설치되었다. 인근은 자연림 상태이며, 본건은 지방도로부터 약 800m 정도 진입도로를 따라 진입할 수 있다.

4. 기계기구목록
후면 참조

5. 2024년 12월 31일 수정 재무상태표(대차대조표) 현황

자산	단위 : 원
토지	3,000,000,000
건물	3,800,000,000 (감가 누계액 : 440,000,000)
기계기구	1,400,000,000 (감가 누계액 : 461,000,000)
유동자산	750,000,000
무형고정자산	0
자산소계	8,049,000,000
부채	
단기부채	1,200,000,000
장기부채	4,300,000,000
부채소계	5,500,000,000
자본	
자본금	1,000,000,000
주식발행초과금	1,300,000,000
이익잉여금 등	249,000,000
자본소계	2,549,000,000
부채 및 자본소계	8,049,000,000

6. 2025년 예상 손익계산서(pro-forma income statement)
(1) 매출액 : 월평균매출 320,000,000원 예상
(2) 매출총이익 비율 : 매출액의 55% 예상
(3) 판관비비율 : 매출총이익의 30% 소요 예상

7. 비고
본건 충북 진천 공장은 별도의 법인으로서 상기의 재무제표는 대상 공장만의 재무상태를 반영하고 있다.

자료 2 공시지가자료(공시기준일 : 2025년 1월 1일)

1. 인근지역의 표준지

연번	소재지	지목/면적(㎡)	이용상황	용도지역	도로조건	형상지세	공시지가(원/㎡)
1	K면 Y리	16,700	자연림	보전관리	맹지	부정형 완경사	17,000
2	K면 Y리	64,970	자연림	계획관리	세로(불)	부정형 완경사	21,000
3	K면 H리	3,470	전	계획관리	세로(가)	부정형 평지	47,000
4	K면 P리	47,570	자연림	농림	맹지	부정형 급경사	9,700

2. 동일수급권 내 유사지역 표준지(진천군 T면)

연번	소재지	지목/면적(㎡)	이용상황	용도지역	도로조건	형상지세	공시지가(원/㎡)
5	T면 Y리	700	상업용	제2종 일반주거지역	중로한면	가장형 평지	275,000
6	T면 Y리	69,000	공업용	계획관리	소로한면	가장형 평지	72,000
7	T면 Y리	350	단독주택	제2종 일반주거지역	세로(가)	부정형 평지	115,000
8	T면 Y리	200	공업용	계획관리	소로한면	가장형 평지	88,000

3. 인근지역 및 동일수급권 내 유사지역의 표준적인 이용상황에 따른 표준지공시지가의 평균은 아래와 같으며, 공시지가의 평균 평점을 지역요인비교치로 활용한다.

구분	인근지역	진천군 T면
평점	100	115

자료 3 거래사례자료

1. 소재지 : K면 Y리 540
2. 토지이용계획사항 등 : 계획관리지역, 자연림
3. 거래시점 : 2020년 12월 1일
4. 토지면적 : 125,000㎡

5. 거래가격 : 2,900,000,000원
6. 본 거래사례는 지상의 건물은 없고, 본건의 인근지역에 위치하고 있으며 정상적인 거래사례임.

자료 4 건물공사비 내역서(2022년 5월 1일 준공시점 작성)

구분	비용(원)	비고
가설 및 토공사비용	600,000,000	
터파기비용	300,000,000	
철골공사비용	2,500,000,000	
자재 및 운반비용	150,000,000	
옹벽공사비	1,000,000,000	
조경 및 바닥포장공사	100,000,000	바닥포장공사는 건물 내부의 바닥이 아님.
소계	4,650,000,000	
기타 간접비	900,000,000	상기 비용에 적절히 배분되어 있음.
전체 소계	5,550,000,000	

※ 주공장(가동) 만의 공사비 내역이며, 부공장(가-1동) 및 사무실(나동) 부분의 공사비 내역서는 구득하지 못하였음.

자료 5 현장조사시 확인 내용

1. 본 공장은 설립 이후 생산라인의 증감과정을 거쳐 현재는 과잉기계나 설비 없이 운영되고 있다.
2. 본 공장은 인근 공장에 비해 높은 수익력을 보이고 있으나 수익이 안정적이지 않아 의뢰인은 무형고정자산에 대해서는 평가하지 말아줄 것을 요청하였다.
3. 유동자산은 장부가치가 시장가치를 잘 반영하고 있다.

자료 6 건물신축단가표(기준시점)

구분	높이	신축단가(원/㎡)	내용연수	잔가율
철골조 공장	15M 이상	250,000	40	0
	9M 이상 15M 미만	210,000	40	0
	9M 미만	180,000	40	0
철근콘크리트조 사무실	-	450,000	50	0

자료 7 기계기구목록 등

1. 기계기구목록

구분	품목명	수량	구입가격 (1대당)	최종 잔가율	현재경과연수 / 내용연수	매입 / 신고시점	비고
국산기계 #1	○○○	32대	12,000,000	10%	3/15	2022년 5월 1일	
국산기계 #2	☆☆☆	17대	30,000,000 (중고품 가격)	15%	5/15(매입 당시 2/15였음)	2022년 5월 1일	중고품 매입
도입기계	◇◇◇	13대	EUR 30,000	20%	2/10	2023년 1월 1일	원산지 : 독일

※ 상기 기계들은 현시점의 신품조달 시세가 존재하지 않는다.

2. 기계가격지수

(1) 국산기계

구분	2022년 5월 1일	2025년 5월 1일
가격지수	112.6	131.5

(2) 기계가격보정률(독일)

매입(신고)시점	기계가격보정률
2023년 1월 1일	1.08151

3. 원/유로환율(KRW/EUR)

(1) 2023년 1월 1일 : 1,429.2

(2) 2025년 5월 1일 : 1,532.6

4. 도입기계의 관세 및 부대비용 등 : 도입가격의 5%

자료 8 할인율 결정

할인율은 자기자본과 타인자본의 장부가치 비율로 각각의 자본 원천별 할인율의 가중평균하여 구하며, 세전자기자본의 경우 17.5%, 세전타인자본의 경우 8.5%를 적용한다. 할인율은 백분율로 반올림하여 소수점 둘째자리까지 표시한다.

자료 9 본 공장의 향후 영업상황 예측

1. 본 공장의 향후 영업이익은 연간 5%씩 5년간 증가할 것으로 판단된다. 이후에는 연 2%씩 안정성장한다.
2. 본 공장은 5년 후 매각하는 것으로 가정하며, 향후의 안정성장을 고려하여 현 할인율의 150% 수준으로 산정된 환원이율로 환원하여 기말매각가액을 산출한다.

자료 10 요인비교치

1. 개별요인비교치

(1) 기준시점기준, 본건의 이용상황은 공업용

구분	본건(일단)	표준지 1	표준지 2	표준지 3	표준지 4	표준지 5	표준지 6	표준지 7	표준지 8
평점	100	70	75	80	85	120	95	115	100

(2) 본건 토지 매입 당시 기준, 본건의 이용상황은 임야

구분	본건(일단, 자연림 기준)	거래사례
평점	95	103

2. 지가변동률(괄호 안은 연간 누계)

구분(용도지역)	2024년 12월	2025년 1월	2025년 3월
계획관리	0.296 (3.781)	0.117 (0.117)	0.511 (1.297)
보전관리	0.711 (2.741)	0.377 (0.377)	0.471 (1.447)
농림	0.741 (3.774)	0.316 (0.316)	0.611 (1.364)

※ 2023년 12월 이전은 매월 0.4%씩 지가가 상승하는 것으로 가정함.

3. 건축비는 매월 0.3%씩 상승하는 것으로 가정한다.

자료 11 토지조성공사비 내역 등

1. 본건의 조성내역

시점 및 사건	추가사항
2020년 12월 1일 : 토지매입	토지매입가격 : 1,400,000,000
2021년 1월 1일 : 착공	-
2021년 7월 1일 : 토지조성공사 완료 및 건물공사 착공	토지조성공사비는 ㎡당 35,000원이 소요되었으며, 토지공사 착공 시 50%, 토지조성공사 완성 시 50%가 소요됨.
2022년 5월 1일 : 건물 준공 및 생산개시	-

2. 투하자본수익률은 월 0.6%를 가정함.

자료 12 기타자료

1. 의뢰된 기준시점 : 2025년 5월 1일, 현장조사 완료일 : 2025년 4월 29일
2. 토지단가는 유효숫자를 세자리까지 표시한다.
3. 기계기구는 정률법으로 감가상각한다.
4. 본건 조성과정의 소지매입가격(임야)은 공장 소유주가 구두로 전달한 금액으로서 그 적정성이 의문시된다. 따라서 본 소지매입가격의 적정성을 거래사례를 기준으로 한 가격과 비교하여 검토하도록 하며, 소지매입가격과 거래사례를 기준으로 한 가격의 격차율이 10% 미만인 경우에 소지매입가격이 적정한 것으로 본다.
5. 그 밖의 요인은 대등한 것으로 본다.

QUESTION 53

감정평가사 R씨는 "(주)B의자"의 영업권에 대한 시가참조목적의 감정평가를 담당하고 있다. 감정평가사 R씨는 관련 규정에 의하여 영업권을 평가할 계획이며, 본 감정평가의 실지조사를 2025년 7월 11일부터 2025년 7월 22일까지 완료하였다. 한편, 의뢰인은 본 영업권 감정평가서의 기준시점을 2025년 7월 1일로 의뢰한 상태이다. 아래 회사의 영업권에 대한 감정평가액을 결정하시오. 15점

자료 1 회사개요

상호	(주)B의자
대표자	박○○
설립일자	2013년 3월 27일
사업자번호	127-40-66***
주요제품	의자, 침대, 매트리스
주요거래처	(주)바디○○○
주요연혁	(2014년) 회사설립 (2016년) 전자상거래업 진출, 온라인사업팀 신설 (2021년) 상표등록 (2023년) 자기사업장 준공

자료 2 주요가정 및 전제사항

구분	가정	내용	
추정기간	5년	추정기간이란 할인현금수지분석법 적용에 있어 현금흐름을 직접 추정하는 기간임. 추정기간 중 매출액은 연간 2%씩 증가함.	
영구성장가치	무성장 모형	추정기간 이후에 기대되는 현금흐름의 합계로서 보수적인 관점에서 6기의 현금흐름이 지속되는 것으로 가정함.	
현금흐름	기말 발생	현금흐름은 편의상 기말에 발생하는 것으로 가정함(회계기말 : 매년 6월 30일).	
비영업용 자산	없음	비영업용 자산이란 영업활동과 직접 관련되어 있지 않은 자산으로서, 본건의 현금흐름 추정 시 비영업용 자산에 의한 수익, 비용을 배제하였으므로, 대상 사업부의 비영업용 자산은 없는 것으로 판단됨.	
금융부채 및 순자산	귀 제시 재무 상태표 및 시장 가치 평가	토지의 시장가치	2,000,000,000원
		건물의 시장가치	600,000,000원
		기계기구의 시장가치	400,000,000원
		소계	3,000,000,000원

		이자지급부 부채	1,200,000,000원
		순자산가치	1,800,000,000원

자료 3 기타 영업 관련 자료

1. 추정매출액 : 연간 28억원
2. 매출원가비율 : 60%
3. 판매관리비

구분	구성항목	추정치
노무비	직원급여, 퇴직급여, 복리후생비	매출액의 10%
판매고정비	시설 : 세금과 공과, 전력비, 보험료, 지급임차료 차량 : 차량유지비, 수선비 사무 : 통신비, 소모품비 등 용역 : 지급수수료 접대 : 접대비	
판매변동비	운반비, 광고선전비	
기타비용	잡급, 대손상각비	
감가상각비	감가상각비	

4. 향후 지출 예상되는 감가상각비 및 자본적 지출액에서 각각 매출액의 5%와 3%가 소요될 것임.

5. 법인세율

법인세율	= 1) 법인세 + 2) 지방소득세
1) 법인세	· 과세표준 2억원 이하 : 100분의 10(본 기업에 해당) · 과세표준 2억원 초과 : 2천만원 + (초과금액의 100분의 20) · 과세표준 200억원 초과 : 39억 8천만원 + (초과금액의 100분의 22)
2) 지방소득세	법인세의 100분의 10

6. 본 기업의 경우 향후 매출채권과 재고자산의 합계와 매입채무와의 차액은 큰 변동이 없을 것으로 가정한다.

자료 4 원천별 자본비용 등

1. 자본시장 관련 자료

구분	무위험률	적용베타	시장수익률	비상장위험가산율
내용	1.406%	1.28	9.1%	6.34%
비고	국고채금리 (5년)	유사기업 무부채베타 기준 적용베타 산출	주가지수변동률 (1996-2023)	비상장(소기업)

2. 차입 관련 비용자료

타인자본비용 = 상장기업 타인자본비용 + 비상장위험률		
구분	상장기업 타인자본비용	비상장위험가산율
내용	3.27%	6.34%
참조	대기업 대출금리(신규)	비상장(소기업)

자료 5 기타사항

1. 본 기업의 자본구조는 영업권을 제외한 자산가액 및 부채가액의 시장가치의 비율을 기준으로 결정한다.

QUESTION 54

감정평가사 甲씨는 (주)○○카(프랜차이즈 사업자)가 보유한 상표권에 대한 시가참조 목적의 감정평가를 의뢰받고 아래의 자료를 수집하였다. 해당 자료는 (주)○○카에서 제시한 실적자료를 기준으로 작성되었다. (주)○○카 대표이사는 2025년 1월 1일을 기준으로 하는 상표권의 감정평가액을 산출해주기를 원하고 있으며, 甲씨는 2024년 회계결산이 마무리되는 시점인 2025년 3월 4일에 해당 감정평가서를 작성하고 있다. (주)○○카 상표권에 대한 감정평가액을 결정하시오. 20점

자료 1 해당 사업자의 개요

1. (주)○○카의 기업현황

구분	내용
상호/대표자/설립일	(주)○○카 / 乙(대표이사) / 2020년 7월 1일
사업장소재지	서울특별시 ○○구 ○○동 100
사업의 종류	업태 : 도소매, 제조업 / 종목 : 자동차용품 프랜차이즈

2. 기업 연혁

2020년 7월 1일 : (주)○○설립

2021년 1월 1일 : 프랜차이즈 1호점 오픈(상표권 등록)

2025년 현재 : 전국 프랜차이즈 약 58호점 운영 중

자료 2 평가대상의 수명 관련 자료

1. 「상표법」상 상표권의 발생 및 소멸에 대한 규정

상표권은 설정등록에 의하여 발생하며(제41조), 상표권의 존속기간은 설정등록이 있은 날로부터 10년이며, 상표권의 존속기간은 갱신등록출원에 의하여 10년간씩 그 기간을 갱신할 수 있다. 상표권은 존속기간의 갱신을 하지 않아 존속기간이 만료하거나 스스로 상표권을 포기하는 경우에 소멸하며, 또한 상표권자의 사망일로부터 3년 이내에 상속인이 그 상표권자의 이전등록을 하지 아니하는 경우에도 소멸된다.

2. 프랜차이즈업체 가맹본부 평균 영업기간

업종	가맹본부수	브랜드수	가맹점 수	직영점수	가맹본부 평균영업기간
자동차용품 관련업종	34	46	2,471	59	9년

자료 3 해당 기업의 과거 매출관련 자료

구분	2022년	2023년	2024년
매출액	17,500,000,000원	18,200,000,000원	19,292,000,000원
매출액 성장률	5.0%	4.0%	6.0%

※ 매출액 성장률은 전년도 대비 성장률을 의미한다.

자료 4 로열티율 산정 관련 자료

1. 업종별 로열티율 범위의 통계(단위 : %)

구분	비상장기업		
	최소값(Y_L)	중앙값(Y_M)	최대값(Y_U)
도매 및 소매업(해당 업종)	2.0%	3.1%	5.0%

2. 로열티 영향요인 평점표

구분	검토항목 등	평점
권리적 속성	권리강도, 권리안정성, 침해대응용이성, 라이센스 우위성	12/20
기술적 속성	기술완성도, 기술혁신성, 기술경쟁성	6/10
시장적 속성	수익성, 수요부합성, 시장경쟁성	7/15
평점합계		25/50

3. 로열티율 산정함수

$$R = Y_L + (Y_U - Y_L) \times \frac{(X-20)}{(50-20)} \text{ (X : 평점)}$$

자료 5 시장자료 등

1. 세율은 편의상 20%를 기준한다.
2. 해당 기업 및 유사기업의 자본구조는 자기자본 60%, 타인자본 40%가 표준적이다.
3. 해당 업체의 평균 차입금리는 3.5%이다.
4. 국고채금리는 1.50%이다.
5. 해당 회사의 비상장 규모(중기업) 위험프리미엄은 5.0%이다.
6. 해당 회사 보유 기술사업화 위험프리미엄은 5.0%이다.
7. 자동차용품업체 상장기업의 평균적인 베타는 1.30이며, 해당 기업과 자본구조는 유사하다.
8. 장기 평균 코스피 수익률은 연간 13.5%이다.

QUESTION 55

감정평가사 R씨는 (주)D테크로부터 "안테나 마스트장치와 관련된 특허(특허 제 17-0639123)"에 대한 감정평가를 의뢰받고 아래의 자료를 수집하였다. 제시된 자료 및 관련 감정평가법령과 규칙에 근거하여 아래 특허권의 시장가치를 제시된 절차에 따라 감정평가하시오. 30점

1. **특허권의 경제적 수명을 결정하여 현금흐름 잔여추정기간 및 잔여추정기간 중 기업의 잉여현금흐름을 산정하시오.** 12점
2. **해당 기업의 가치평가에 귀속되는 할인율을 결정하시오.** 6점
3. **기술기여도를 결정하시오.** 6점
4. **특허권의 시장가치를 평가하시오.** 6점

자료 1 감정평가대상 특허권

구분	발명의 명칭	등록일	등록번호
1	안테나 마스트장치	2018년 6월 1일	18-0639123

발명의 명칭	안테나 마스트장치
출원번호(일자)	18-2011-******(2018년 2월 1일)
등록번호(일자)	18-0639123(2018년 6월 1일)
출원인	홍길동
발명자	홍길동

자료 2 경제적 수명의 결정 관련 자료

1. 경제적 수명결정방법

기술의 경제적 수명은 기술수명에 부정적인 영향을 미치는 요인들이 발생하여 기술이 시장에서 경쟁우위를 잃게 되는 미래의 평균시점까지를 말하며, 다음과 같이 결정한다.

2. 경제적 수명결정의 산식

개별기술의 경제적 수명(ELT : Economic Life Time)

$$= Q1 + (Q2 - Q1) \times \frac{\text{획득값} - \text{최솟값}}{\text{기준값} - \text{최솟값}}$$

※ 최댓값은 100%, 최솟값은 20%, 기준값은 60%를 초깃값으로 설정한다.
※ 획득값은 백분율로 환산한다.

3. 인용특허수명

구분(USPC)	TITLE	평균	Q1	Q2	Q3
74	machine element or mechanism	15.9	5.0	11.0	21.0

※ Q2는 중앙값, Q1은 일사분위수, Q3은 삼사분위수임.

4. 기술수명영향요인 평가

구분	영향요인	가중치	배점	점수
기술요인	대체기술 출현 가능성	5	3.0	15
	기술적 우월성	7	3.0	21
	유사 경쟁기술 존재성	4	2.5	10
	모방 난이도	3	2.5	7.5
	권리 강도	3	3.0	9
시장요인	시장집중도	4	2.5	10
	시장경쟁의 변화	4	3.0	12
	시장경쟁강도	4	3.0	12
	예상 시장점유율	4	3.5	14
	신제품 출현빈도	3	3.0	9
획득값(점수)			점수합계 : 119.5점	
			119.5점 / 205점 × 100	

* 배점은 매우낮음(1), 낮음(2), 보통(3), 높음(4), 매우높음(5)임

5. 경제적 수명은 연단위로 산정하며 절사하여 결정한다.

자료 3 (주)D테크의 영업 관련 자료

1. 매출액 추정치
   2025년 6월 1일부터 2026년 5월 31일까지의 매출액은 1,260,000,000원이 될 것으로 추정되며, 잔여추정기간 중 매년 매출액은 20%씩 상승하는 것으로 가정한다.

2. 매출액 대비 영업이익률은 30%이다.

3. 감가상각비와 자본적 지출은 서로 상계되는 것으로 본다.

4. 매출액의 규모나 순운전자본의 규모는 서로 관련성이 없는 것으로 보이므로 계속하여 사업을 운영하기 위한 적정 규모의 운전자본은 보유하고 있는 것으로 판단되므로 순운전자본의 증감을 고려하지 않는다.

5. 법인세는 기업 전체의 한계세율로 보아 20%(2억 초과)로 적용하며, 법인세의 10%는 주민세로서 이를 추가로 고려한다.

자료 4 할인율 산정 관련 자료

1. (주)D테크의 표준산업분류

표준산업분류	내용	비고
C29	기타 기계 및 장비제조업	−

2. 제조업 산업별 할인율 산출표

산업	자기자본비용							자기자본비율	세전타인자본비용				
	CAPM	기술사업화 위험 프리미엄	안정성	비상장기업 규모 프리미엄									
				대	중	소	창업		상장	대	중	소	창업
C29	10.50	직접 산정	3	0.43	1.41	2.76	3.91	0.52	7.04	10.09	11.41	15.34	17.51

3. 기술사업화 위험프리미엄 관련 자료

(1) 기술사업화 위험 체크리스트

구분	평가항목	평점						
		매우미흡	미흡		보통		우수	매우우수
기술위험	기술우수성	1	2	2.5	3	3.5	4	5
	기술경쟁성	1	2	2.5	3	3.5	4	5
	기술모방용이성	1	2	2.5	3	3.5	4	5
	기술사업화 환경	1	2	2.5	3	3.5	4	5
	권리의 안정성	1	2	2.5	3	3.5	4	5
시장 및 사업위험	시장성장성	1	2	2.5	3	3.5	4	5
	시장경쟁성	1	2	2.5	3	3.5	4	5
	시장진입 가능성	1	2	2.5	3	3.5	4	5
	생산용이성	1	2	2.5	3	3.5	4	5
	수익성 및 안정성	1	2	2.5	3	3.5	4	5
종합평점	30점							
위험 프리미엄	11.03%							

평점	50	49	48	47	46	45	44
위험프리미엄	0.10%	0.54%	0.98%	1.43%	1.89%	2.36%	2.84%
평점	43	42	41	40	39	38	37
위험프리미엄	3.33%	3.83%	4.35%	4.88%	5.42%	5.98%	6.55%
평점	36	35	34	33	32	31	30
위험프리미엄	7.13%	7.74%	8.36%	8.99%	9.65%	10.33%	11.03%
평점	29	28	27	26	25	24	23
위험프리미엄	11.76%	12.51%	13.29%	14.10%	14.94%	15.81%	16.72%
평점	22	21	20	20 미만			
위험프리미엄	17.67%	18.67%	19.71%	NR			

4. 해당 기업은 소형기업이다.

자료 5 기술기여도 산정 관련 자료

1. 결정방법

기술기여도는 기술의 산업기술요소(Industry factor, %)에 개별기술강도(Technology factor, %)를 곱하여 결정한다.

2. 산업기술요소 결정방법

표준산업 분류	산업업종	최대무형자산 비율(%)	기술비중 (%)	산업기술요소 (%)
C28	전기장비 제조업	90.4	75.3	68.1
C29	기타 기계 및 장비 제조업	94.7	73.3	69.4
C30	자동차 및 트레일러 제조업	46.2	81.1	37.4

※ 산업기술요소(%) = 최대무형자산비율(%) × 기술비중(%)

3. 개별기술강도(개별기술특성점수)

구분	기술성	사업성
개별기술특성점수	32.5점	36.5점
가중치	1	1
개별기술강도 (기술성 및 사업성 강도의 합산)	69.0점(%)	

자료 6 기타사항

1. 감정평가의뢰서상 시점

감정평가 기준시점 제시일	조사기간	감정평가서 작성일
2025년 6월 1일	2025년 5월 15일~2025년 6월 4일	2025년 6월 23일

2. 본 감정평가의 목적은 일반거래(시가참조용)이다.

QUESTION 56

아래 기업에 대한 특허권 가치 및 영업권가치의 감정평가에 대하여 각 물음에 답하시오(기준시점 : 2024년 12월 31일). 10점

※ 영업권이나 특허권 등 감정평가 시 총액은 반올림하여 백만원단위까지 표시한다.

1. 특허권 가치를 감정평가하시오.

2. 영업권 가치를 감정평가하시오.

※ 영업권가치는 해당 기업이 가진 전체 무형자산가치 중 특허권에 귀속하는 가치를 차감한 값을 말한다.

자료 1 해당 기업의 수익관련 현황

1. 기업잉여현금흐름 추정치(2025년 귀속분) : 200,000,000원(영업관련 현금흐름)
2. 해당 현금흐름은 물가상승수준인 3.0%로 상승할 것으로 추정된다.
3. 원천별자본비용은 11%인 것으로 조사되었다.

자료 2 해당 기업의 재무상태표(당기, 단위 : 천원)

자산	유동자산	당좌자산 등	200,000
	비유동자산	유형자산	1,300,000
		투자자산	500,000
부채	유동부채	미지급금	200,000
	비유동부채	장기차입금	1,000,000
자본	자본금	–	500,000
	이익잉여금	–	300,000

※ 상기 내역 중 투자자산의 50%는 영업과 관련이 없는 자산인 것으로 파악되었다.

자료 3 특허권 감정평가 관련 자료

1. 특허권의 잔존 내용연수 : 법정내용연수 10년, 경제적 내용연수 5년
2. 해당 특허의 산업기술요소 : 60%
3. 해당 특허의 개별기술강도 : 50%
4. 할인율은 원천별자본비용에 의한다.

QUESTION 57

감정평가사 K는 A기업으로부터 적정시설을 보유하고 정상적으로 가동 중인 석탄광산에 대한 감정평가를 의뢰받고 사전조사 및 현장조사를 한 후 다음과 같이 자료를 정리하였다. 주어진 자료를 활용하여 광업권의 시장가치를 감정평가하시오. 10점

자료 1 연간 수지상황

사업수익	소요경비		
정광판매수입 월간생산량 50,000ton 판매단가 5,000원/ton	채광비		500,000,000원
	선광제련비		350,000,000원
	일반관리비, 경비 및 판매비		총매출액의 10%
	운영자금이자		별도고려
	감가상각비	건물 기계기구	30,000,000원 70,000,000원

※ 감정평가대상 광산의 연간수지는 장래에도 지속될 것으로 예상됨.

자료 2 자산명세서

자산항목	장부가격	시장가치
토지	400,000,000원	600,000,000원
건물	150,000,000원	300,000,000원*
기계장치	350,000,000원	600,000,000원**
차량운반구	300,000,000원	150,000,000원
기타 상각자산	300,000,000원	150,000,000원
무형 고정자산(광업권)	100,000,000원	–
합계	1,500,000,000원	1,800,000,000원

* 상기 건물의 재조달원가는 400,000,000원으로서 타용도로 전용 불가능하며, 전체 경제적 내용연수 : 40년이고 경과연수 10년이다.

** 기계기구는 타용도로 전용 불가능하며, 전체 경제적 내용연수 15년, 경과연수 7년이다.

자료 3 광산 관련자료

1. 매장광량

확정광량 : 5,500,000ton, 추정광량 : 8,000,000ton

2. 가채율

구분	일반광산	석탄광산
확정광량	90%	70%
추정광량	70%	42%

3. 투자비(장래소요기업비)

적정생산량을 가행최종연도까지 유지하기 위한 제반 광산설비에 대한 장래총투자소요액으로서 정광판매수입의 10%가 매년 소요된다.

4. 각종이율

(1) 유사업종의 배당률 및 세율

배당률 : 15.0%
(법인)세율 : 35.0%

(2) 축적이율(1년만기 정기예금금리) : 4.0%

(3) 당해 광산의 위험을 고려한 할인율 : 6.0%

5. 기타자료

(1) 가격산정 시 천원미만은 절사함

(2) 생산량은 전량 판매됨.

(3) 가행연수(n) 산정 시 연 미만은 절사함.

(4) 기준시점은 현시점(2024.12.31.)이다.

QUESTION 58

상장회사인 (주)단양은 최근 다음과 같은 조건으로 "전체지분의 25%"를 (주)Lee에게 양도하기로 하였는바, 이와 관련하여 양도가액의 결정을 위한 영업권의 평가와 주식가치의 평가를 감정평가사인 당신에게 의뢰하여 왔다. 다음의 자료에 의하여 "양도가액"을 평가하시오. 25점

자료 1 양도조건

1. 양도가액은 "순자산가치 : 주식가치"를 "1:2"의 비율로 가중산술평균한 가액으로 한다.
2. 자산가치 : 토지와 건물은 일반적인 감정평가방법에 의한 평가액으로 하며, 영업권을 인정하되 그 기간은 10년으로 한다. 그 외에는 장부상가액으로 한다.
3. 주식가치 : 양도계약체결일을 기준으로 「감정평가에 관한 규칙」의 평가방법에 의한다.
4. 계약체결일 : 2025년 1월 1일

자료 2 토지와 건물의 자료

1. 토지 : 공업지역 내 공장용지로서 15,000㎡이며, 인근 유사토지의 2024년 1월 1일 기준 공시지가가 600,000원/㎡로서, 2024년 한 해 동안 5.305%의 지가상승이 있었다. 대상토지는 제시된 비교표준지보다 2% 정도 우세하다.
2. 건물 : 건물은 2015년 1월 1일에 준공되었으며 철근콘크리트조 슬래브지붕의 건물로서 연면적 22,500㎡이다(기준시점 현재 재조달원가는 750,000원/㎡이다).

자료 3 수정 전 잔액시산표(단위 : 원)

잔액시산표			
(주)단양		2024년 12월 31일 현재	
차변		대변	
현금 및 현금등가물	7,000,000,000	매입채무	8,000,000,000
매출채권	12,300,000,000	단기차입금	8,000,000,000
유가증권	12,000,000,000	대손충당금	200,000,000
이월상품	2,500,000,000	감가상각누계액	3,037,500,000
토지	9,400,000,000	퇴직급여충당금	7,000,000,000
건물	13,500,000,000	자본금(액면가 ₩5,000)	14,000,000,000
매입	14,000,000,000	이익준비금	4,100,000,000
기타판매관리비	2,000,000,000	차기이월이익잉여금	1,862,500,000
이자비용	800,000,000	이자수익	1,200,000,000
투자자산처분손실	500,000,000	유형자산처분이익	600,000,000
		매출	26,000,000,000
합계	74,000,000,000	합계	74,000,000,000

자료 4 (주)단양주식의 증권거래소 거래자료

구분	거래량	거래대금 총액
30일간	85,000	2,050,965,000
20일간	59,500	1,439,470,000
10일간	24,350	897,570,000

자료 5 기말정리사항

1. **기말재고액** : 3,000,000,000원

2. 매출채권에 대해 5%의 손실충당금을 설정함.

3. 건물의 감가상각은 정액법으로 하며, 전체 내용연수는 40년임.

4. 퇴직급여충당금은 퇴직급여규정에 따라 당기 말에 총 8,000,000,000원으로 계상함.

자료 6 기타

1. 해당 영업은 특허권 등에 의하여 동종 유사기업에 비해 일정액의 초과수익을 누리고 있으며, 이러한 초과수익에 대하여 계약당사자는 앞으로 10년간 지속될 것으로 인정하고 계약하였다.
2. 동종업종의 정상영업수익률은 영업권을 제외한 자산의 8%로 판단된다.
3. 초과수익은 2024년 영업이익을 기준으로 산정하며, 기준시점 현재의 초과수익이 장래에도 지속된다고 본다.
4. 초과수익의 할인율은 연 10%를 적용한다.
5. 금액계산 시 천원 단위 미만에서 반올림한다.

QUESTION 59

감정평가사인 당신에게 (주)Lee와 (주)柳에서 기업가치평가를 의뢰하였다. 다음 자료를 이용하여 평가대상기업의 가치를 2025년 1월 1일을 기준으로 평가하시오. 25점

1. (주)Lee의 안정기업가치를 평가하시오. 10점

자료 1 재무제표(F/S)에 관한 자료

1. 2024년 영업이익은 15억원이다.
2. 2024년 자본적 지출은 6억 6천만원이고 감가상각비는 5억 5천만원이다.
3. 2024년 운전자본은 1억 5천만원만큼 증가했고, 2025년 운전자본은 1천7백50만원만큼 증가할 것으로 기대된다.

자료 2 할인율 추정에 관한 자료

1. 장기채권수익률은 기준시점 현재 연 7.5%이며, 시장 전체의 포트폴리오 수익률은 연 13%이며, 법인세율은 36%이다.
2. 자산구성항목

자산항목	부채구성비율	우선주자본금	보통주자본금
구성비율(%)	23.67	20	56.33

3. 상기 부채에 대한 세전 이자율은 8.50%이다.
4. (주)Lee와 자본시장 전체의 수익률의 상관관계(시장수익에 대한 해당 회사의 민감도)

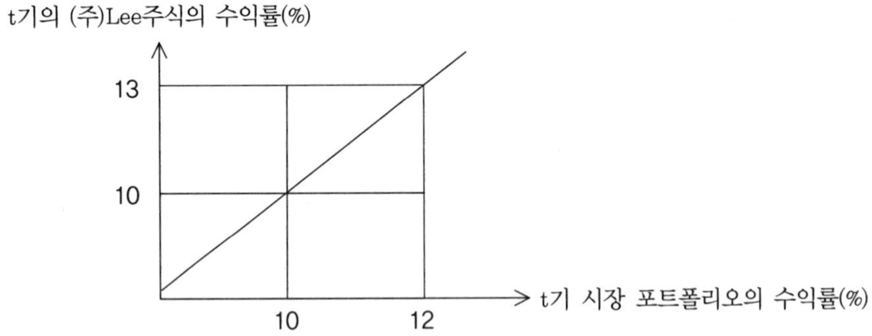

자료 3 기타자료

1. (주)Lee의 영업이익, 자본적 지출 및 감가상각비는 매년 5%씩 성장할 것으로 기대된다.
2. 기업잉여현금흐름(FCFF)은 장기적으로 매년 5%씩 성장할 것으로 기대된다.

2. (주)柳 기업의 2단계 성장기업 가치를 평가하시오. 15점

자료 1 기준연도 정보

1. 2025년 예상 매출액은 1,500,000,000원이다.
2. 영업이익률은 40%를 가정한다.
3. 현금흐름 참고사항은 아래와 같다(매출액 대비 비율임).

구분	고속성장기	안정성장기
자본적 지출	30%	20%
감가상각비	20%	20%
운전자본비율	10%	10%

4. 법인세율은 20%이며, 국고채 등 안전채권의 수익률은 3.5%, 시장위험프리미엄은 5.5%, 해당 회사 고유의 위험 프리미엄은 5.0%를 적용한다.

자료 2 고속성장단계의 투입변수

1. 고속성장기간은 5년이다.
2. 성장률은 연 5.0%이다.
3. 보통주베타는 1.25이다.
4. 세전이자율은 6.0%이다.
5. 전체 자산가치대비 부채구성비율은 50%이다.

자료 3 안정성장단계의 투입변수

1. 성장률은 연 3.0%이다.
2. 보통주베타는 1.00이다.
3. 세전이자율은 5.0%이다.
4. 전체 자산가치대비 부채구성비율은 60%이다.

QUESTION 60

감정평가사 겸 재무분석사인 Y평가사는 인수기업인 (주)R로부터 피인수기업 (주)HLA의 지분 100%의 인수와 관련하여 (주)HLA에 대한 기업가치 평가 및 계상될 영업권에 대한 가액 산정을 의뢰받고, (주)HLA에 대한 영업현황에 대한 실지조사 및 현장조사를 통하여 아래의 자료를 수집하였다. 의사결정의 시점은 2025년 1월 1일이다. 각 물음에 답하시오. 25점

1. **수익환원법에 의한 기업가치를 평가하시오.**
2. **유사기업이용법에 의한 기업가치를 평가하시오.**
3. **최종 기업인수목적의 기업가치를 결정하고, 제시된 조건에 따라 영업권 가액을 산정하시오.**

자료 1 평가대상기업의 현황

1. (주)HLA는 현재로부터 3년간은 고속성장이 예상되며, 이후에는 안정적인 성장을 이룰 것으로 보이고 가까운 장래에 청산되지 않을 것으로 판단된다.
2. 매출규모 : 연 760,000,000원(2024년 말 정산기준)
3. 성장단계별 매출 등 재무현황 예측치

구분	고속성장단계 예측사항	안정성장단계 예측사항
연매출규모 성장	연 10%	연 2%
수익구조(EBIT/매출)	55%	65%
감가상각비	연매출액의 5%	연매출액의 4%
한계세율	25%	35%
자본적 지출	매출액의 10%	매출액의 5%
순운전자본	매출액의 20%	매출액의 10%

※ 기존 자산에 대한 중간단계의 처분은 없다고 가정한다.

자료 2 (주)HLA 요약 재무제표(재무상태표) 등

1. 재무상태표(2024년 12월 31일)

구분	계정과목	(단위 : 원)
자산	토지	2,500,000,000
	건물 (감가상각누계)	2,000,000,000 (400,000,000)
	기계기구 (감가상각누계)	1,200,000,000 (600,000,000)
	유동자산	100,000,000
	무형고정자산	250,000,000
	자산 계	5,050,000,000
부채	단기부채	500,000,000
	장기부채	2,000,000,000
	부채 계	2,500,000,000
자본	자본금	1,000,000,000
	주식발행초과금	600,000,000
	이익잉여금	950,000,000
	자본 계	2,550,000,000
부채 및 자본 계		5,050,000,000

※ 부채항목의 계정과목은 2024년 12월 31일을 기준으로 현금성부채에 대한 최종잔액을 표기한 것임.
※ (주)HLA의 자본은 보통주만으로 구성되어 있다고 가정함.
※ (주)HLA의 보통주당 액면가격은 5,000원이다(발행주식수 : 200,000주).

2. (주)HLA의 자산항목 중 토지의 공정가치는 2024년 12월 31일을 기준으로 5,000,000,000원인 것으로 평가되며, 기타 자산의 경우 장부가치와 공정가치가 동일하다.

자료 3 유사기업의 현황 등

1. 감정평가사 Y씨는 (주)HLA가 비상장기업인 관계로 시장에서의 주가가 존재하지 아니하여 거래사례비교법을 사용하기 어려운 것을 깨닫고, (주)HLA 기업과 사업의 유형, 규모, 성장률, 영업환경 등이 유사한 아래 4개의 기업을 선정하였다. 각 기업의 재무 관련 자료는 다음과 같다.

2. 선정된 상장기업의 자료

구분	A기업	B기업	C기업	D기업	대상 기업 ((주)HLA)
주가	26,100	42,900	98,500	119,200	비상장기업 (발행주식수 : 200,000주)
EPS(Earning per share)	2,610	4,110	10,200	12,100	2,500
BVPS (Book Value per share)	8,200	14,100	36,600	39,700	8,400
SPS(Sales per share)	11,100	17,900	40,400	51,000	10,500

자료 4 유사기업비교법 처리방침

1. 각 유사기업의 주가비율에 근거한 배수(Multiples)에 의하여 비교하도록 한다.

2. 구체적인 비교절차

(1) 비교항목

유사기업의 평균 PER (Price-Earning ratio)	유사기업의 주가 / EPS(Earning per share)
유사기업의 평균 PBR (Price-Book value ratio)	유사기업의 주가 / BVPS(Book Value per share)
유사기업의 평균 PSR (Price-Sales ratio)	유사기업의 주가 / SPS(Sales per share)

(2) 비교절차

1) 대상기업의 EPS × 유사기업의 평균 PER = 대상 기업의 총 자본가치(시가총액)

2) 대상기업의 BVPS × 유사기업의 평균 PBR = 대상 기업의 총 자본가치(시가총액)

3) 대상기업의 SPS × 유사기업의 평균 PSR = 대상 기업의 총 자본가치(시가총액)

4) 상기의 세 가지 방법에 의한 시가총액을 구하며, PER에 의한 방법에 50%, PBR에 의한 방법에 30%, PSR에 의한 방법에 20%에 따라 가중평균하여 유사기업비교법에 의한 평가액을 산출한다.

자료 5 영업권 가액 산정방법

1. (주)R은 (주)HLA의 지분 100%를 인수하는 과정에서 (주)HLA의 적정가치보다 높은 통제권/경영권 프리미엄이 발생하며, 이를 반영한 가격으로 기업을 인수하는 것으로 가정한다.

2. 영업권 가액 산정방법

인수목적 평가액 = 대상 기업의 평가액 × 120% 영업권 가액 = 인수목적 평가액 − 인식가능한 자산의 총 공정가격 ※ 인식가능한 자산이란 무형자산을 제외한 기타 자산을 의미한다.

3. 대상 기업의 평가액의 결정에 있어서 〈물음 1〉에 의한 수익환원법에 70%, 〈물음 2〉에 의한 유사기업이용법에 30%의 가중치를 두어 시산조정한다.

자료 6 기타사항

1. (주)HLA의 베타 및 부채 − 총자산비율

구분	고속성장기 (2025년~2027년)	안정성장기 (2028년 이후)
Debt-to-Asset Ratio	30%	50%
보통주 베타	1.50	1.30
평균 타인자본비용(세전)	8.00%	5.00%

2. 기타이율 등

(1) **무위험이자율** : 연 4.50%

(2) **시장수익률**(Market portfolio의 수익률) : 9.00%

QUESTION 61

감정평가사 송씨는 전라북도 J시에 소재하는 (주)D전자부품에 대한 ○○지방법원의 채무변제 협정과 관련된 기업가치평가를 의뢰받고 각종 조사를 통하여 아래의 자료를 수집하였다. 2025년 8월 17일을 기준시점으로 하여 아래의 각 상황에 따른 기준가치를 판단하고 감정평가액을 결정하시오. 40점

1. 본 기업의 계속기업가치(Going-concern Value)를 감정평가하시오.
2. 본 기업이 청산절차에 들어간다고 가정하여 청산가치(Liquidation Value)를 감정평가하시오.

자료 1 대상 사업체의 개요

1. 사업체의 기본현황
   (1) 회사개요
   본 업체는 자동차 전장부품 및 전자부품을 생산 및 판매 등을 목적으로 하는 공장으로서 전신 D마루코전자(주)인 기업이다.
   (2) 회사연혁
   1) 본점소재지 : 전라북도 J시 D동 19번지
   2) 대표이사 : 서○○
   3) 생산설비의 변동 : 현재 정상가동 중인 업체이다.

2. 원료수급관계 및 제품의 시장성
   공정은 재료입고, 프린트, 경화, 패시브트리밍, 검사 등의 공정으로 이루어져 있으며, 원료는 한국델파이 등 각종 기업에서 조달하고 있고 생산된 제품은 대신기계 등으로 납품되며 시장성은 무난한 상황이다.
   한편, 본 기업은 각종 주문기계를 제작하는 업을 하고 있으며 주로 자동차 전장부품을 제작하는 기계를 주문받아 납품하고 있다.

3. 생산 관련 현황
   본 기업체는 D동 공장 한 곳에서 생산, 판매 등 모든 관련 기업경영이 이루어지고 있다.

자료 2 영업실적자료(단위 : 원)

1. 영업실적자료 개황

구분	2022	2023	2024
매출액	4,000,000,000	4,200,000,000	4,400,000,000
매출원가	2,100,000,000 (매출액 대비 52.5%)	2,200,000,000 (매출액 대비 52.4%)	2,300,000,000 (매출액 대비 52.3%)
매출총이익	1,900,000,000	2,000,000,000	2,100,000,000
판관비	400,000,000 (매출액 대비 10%)	400,000,000 (매출액 대비 9.5%)	450,000,000 (매출액 대비 10.2%)
법인세	200,000,000	300,000,000	300,000,000
당기순이익	1,300,000,000	1,300,000,000	1,350,000,000
평균발행주식수 (단위 : 주)	100,000	110,000	110,000

※ 현재의 유통주식수는 2024년 기말시점과 동일하다.
※ 영업외손익은 없는 것으로 가정한다.

2. 세율은 20%이다.

3. 감가상각비는 매출액의 5%이다.

4. 매출액상승률은 과거 매출액 변동추이에 따른다.

5. 자본적 지출은 매출액의 10%가 소요된다.

6. 순운전자본(유동자산과 유동부채의 차액)의 증가분은 매년 매출액 증가분의 20%씩 증가한다.

자료 3 기업의 자산 및 부채현황(단위 : 백만원)

구분	2022	2023	2024	비고
총자산	25,000	33,000	35,000	-
총부채	8,000	9,000	10,000	평균차입이자율은 연 8%이다.
순자산	17,000	24,000	25,000	
목표부채비율	해당 기업은 매기 자기자본과 타인자본의 비율이 변동되나 장기적인 순자산과 부채의 비율을 7:3이다.			

※ 현 시점의 자산과 부채의 현황은 2024년도 회계연도 말의 상태와 동일하다.

자료 4 유형자산의 명세

1. 토지

소재지	전라북도 J시 D동 19번지 외 4필지
용도지역	계획관리지역

세부현황			
지번	지목	면적(㎡)	
D동 19	공장용지	130,860	총 147,294
Y동 422-2	공장용지	643	
Y동 442	공장용지	11,082	
D면 W리 607	공장용지	4,500	
D면 W리 1009	공장용지	209	

- 본건은 J 제1공단 내 농공단지에 위치하고 있으며 부근은 중소규모의 공장 등이 주를 이루는 공장지대로서 남서측으로 보도분리된 왕복 6차선의 아스팔트 포장도로가 개설되어 있음.
- 5필지 일단의 부정형 평지로서 공업용 부지로 활용되고 있음.

2. 건물(총 19개동)

소재지	전라북도 J시 D동 19번지 외 4필지
건물구조 등	(메인공장) 철근콘크리트조 컬러지붕강판(주공장) 21,627㎡, 2013년 9월 5일 준공 (부속공장 등) 철근콘크리트조 슬래브지붕, 3,472㎡, 2016년 9월 5일 준공 외 17개동

※ 부속공장 등 기타건물의 평가액은 메인공장 평가액의 30% 수준이다.

3. 기계기구

본 공장의 기계기구는 생산목적의 기계기구(메인기계) 외 다수가 있으며, 별도로 타 공장에서 발주되어 생산 중인 기계가 소재하고 있다.

생산목적의 기계기구의 경우 메인기계를 제외한 기계기구의 평가액은 메인기계의 30% 수준인 것으로 판단된다.

자료 5 현장조사사항

현재 본 공장의 가동은 예측가능한 시점에 계속적으로 가능한 상황으로 판단된다.

자료 6 기계기구 관련 자료

1. 기계기구(메인기계)의 도입가격 등
   원산지는 미국이며, 도입가격은 CIF 기준으로 USD 2,000,000이다. 신고시점은 2021년 6월 1일로서 신품을 도입하였다.

2. 기계기구(메인기계)의 최종잔가율 : 15%

3. 기계기구(메인기계)의 경제적 내용연수 : 15년

4. 기타(도입가격 대비, 메인기계)

(1) 도입 관련 비용

구분	관세	감면율	농특세	부가세	부대비용
세부내용	6.0%	30.0%	20.0%	10.0%	10.0%

(2) 환율 및 기계가격지수 자료

구분	신고시점	기준시점
환율(KRW/USD)	1,260	1,150
기계가격보정지수	1.0651	1.000

5. 주문제작기계의 현황
   주문제작기계는 자동차 전장 관련 용품을 제작하는 기계로서 (주)S로부터 주문되어 제작 중에 있으며 현재 본 공장 내에 보관되어 있다. 주문가격은 2,000,000,000원(부가세 제외)이며, 현재 (주)S가 도산하여 본 기계는 생산 중에 방치가 되어 있다.

구분	투하비용의 현재가치	부품별 처분가격
세부내용	1,200,000,000원	800,000,000원

자료 7 토지 관련 시장자료

1. 비교표준지 현황

소재지		전라북도 J시 D동 20-6
면적(㎡)		4,667
지목		공장용지
용도지역		계획관리
이용상황		공업용
도로조건		광대소각
형상/지세		삼각형/평지
공시지가	기준일	2025년 1월 1일
	단가(원/㎡)	57,000

2. 지가변동률(전라북도 J시, %)

구분	2025년 6월(누계)	2025년 6월(당월)
계획관리	0.601	−0.079
공장용지	0.574	0.058

3. 개별요인 관련 항목

조건	항목	세항목	비교치 (대상/표준지)	비고
가로조건	가로의 폭, 구조 등의 상태	가로의 폭, 포장, 계통 및 연속성 등	1.00	유사함.
접근조건	교통시설과의 거리	교통시설과의 거리, 철도전용 인입선, 전용부두 등	1.00	유사함.
환경조건	공급 및 처리시설의 상태	공급 및 처리시설의 상태, 자연환경, 동력자원, 공업용수, 공장배수, 지반, 지질 등	1.00	유사함.
획지조건	면적, 형상 등	면적, 형상, 접면도로의 상태, 이용상황 등	0.93	형상 및 접면도로의 상태 등에서 열세함.
행정적조건	행정상의 조장 및 규제 정도	행정상의 조장 및 규제정도	1.00	유사함.
기타조건	기타	장래의 동향, 이용상황, 기타	1.00	유사함.

4. 인근 평가선례의 분석

소재지	지목	면적 (m^2)	용도 지역	이용 상황	평가 시점	평가가격 (원/m^2)	평가 목적
D면 W리 607-12	공장 용지	2,193	계획 관리	공업 나지	최근	60,000	경매평가
비교표준지와의 비교	본건 동측 인근에 위치한 토지로서 비교표준지 대비 획지조건에서 5% 열세하나, 가로조건에서 5% 우세한 선례이다.						

자료 8 건물 관련 가격자료

1. 메인공장의 재조달원가

표준단가는 370,000원/m^2이며, 부대설비는 80,000원/m^2 정도이다.

2. 경제적 내용연수는 40년을 적용한다.

자료 9 기준가치 관련 자료

1. 전라북도 J시의 지난 1년간 경매 낙찰가율

구분	낙찰가			낙찰건		
	총감정가	총낙찰가	율(%)	총건수	낙찰건수	율(%)
상가	2,337,312,000	1,169,689,000	50%	11	3	27.3
공장	26,718,985,215	18,703,289,650	70%	5	2	40
토지	5,658,283,779	5,137,262,460	90.8%	577	246	42.6

2. 인근의 공장의 급매수준의 매각가는 정상적인 거래가(감정평가액) 대비 90% 수준이다.

자료 10 기타자료

1. 본 기업의 2025년 매출액은 백만원 단위까지 결정하되 과거 회계연도 간 상승률을 고려하여 결정한다.

2. 각 기업가치는 억 단위까지 반올림하여 결정한다.

3. 계속기업가치는 원가법을 통하여 판단하기는 어려울 것으로 판단된다.

4. 〈물음 1〉과 〈물음 2〉의 감정평가시 각각의 기준가치를 언급하도록 한다.

5. 수익환원법 적용 시 환원대상 1기 수익은 2025년 12월 기말의 수익이다.

6. 각종 비율

(1) 국고채수익률 : 3.5%

(2) 시장평균수익률 : 8.0%

(3) 해당 기업의 베타 : 1.5

(4) 유사기업(계속기업)의 PER(Price Earning Ratio) : 13x

QUESTION 62

감정평가사 Y씨는 (주)A의 사외이사인 P씨로부터 비상장기업인 (주)A의 기업가치와 관련한 평가를 의뢰받고 사전조사 및 실지조사를 통하여 아래의 자료를 수집하였다. 아래의 물음에 대하여 답하시오. 35점

1. (주)A 기업의 영업자산을 판단하고, 해당 영업(유형)자산에 대하여 물건별로 평가하시오. 20점

2. (주)A 기업의 특허권(기타 영업권 포함) 가치를 평가하시오. 10점

3. (주)A의 주당 주식의 적정가치를 평가하시오. 5점

자료 1 평가의뢰서 발췌내용

1. 평가의뢰서

(1) (주)A의 기업가치 평가와 관련하여 해당 기업이 보유하고 있는 기술에 대한 특허권을 포함하여 평가하도록 의뢰받음.

(2) 기준시점 : 2025년 9월 4일

2. (주)A의 2024년도 결산 재무제표자료

(1) 재무상태표(단위 : 백만원)

토지 40,000 건물(net) 17,775 기계기구(net) 3,900 특허권 2,500
부채(장, 단기) 40,000
자본 24,175

(2) 손익계산서(단위 : 백만원)

구분	2024년	2023년	2022년
매출액	12,000	11,300	10,000
매출원가	3,900	3,700	3,100
판관비	1,600	1,300	1,200
영업이익	6,500	6,300	5,700
영업외수익	5,100	4,900	4,600
영업외비용	1,500	1,300	1,100
당기순이익	10,100	9,900	9,200

3. 재무상태표 자산목록 관련 주석(footnote)사항

구분	소재지	수량	장부가치 (취득가치, 원)	비고
토지	K도 A시 D동	20,000㎡	10,000,000,000	일반공업지역
토지	S시 K구 Y동	2,000㎡	30,000,000,000	일반상업지역
건물	K도 A시 D동	15,000㎡	4,500,000,000	철골조 철골지붕, 공장 및 자가 사무실, 2015년 8월 31일 신축
건물	S시 K구 Y동	20,000㎡	16,000,000,000	철근콘크리트조, 업무용, 2020년 8월 31일 신축
기계기구	K도 A시 D동	350점	5,000,000,000	
무형자산	K도 A시 D동		2,500,000,000	특허권

※ 상기 특허권은 특허를 출원하는 시점부터 자본화(Capitalization)시켰음.

자료 2 A의 기업분석

1. 주요 생산 업종

(주)A는 건전지를 주로 생산하는 업체로서 K도 A시 D동에 공장 및 사무실이 소재하고 있으며, 2019년 취득한 S시 K구 Y동 토지에 사무용 건물을 신축하여 전체를 임대수익을 위하여 활용하고 있음. S시 K구에 위치한 사무용 건물은 공장 생산시설과는 무관하며, 임대수익을 제외한 모든 수입은 건전지 생산으로 인하여 창출되고 있다.

2. 특허권에 대한 사항

(주)A는 건전지 생산과 관련한 연구활동을 2015년부터 진행해 왔으며 2020년 8월 31일에 특허를 인정받아 왔고 특허의 배타적인 존속기간은 10년인 것으로 확인된다. 따라서 2030년 8월 31일에 해당 특허권은 장부에서 완전상각(Impairment)될 것으로 판단된다. (주)A는 특허를 출원하면서 해당 특허가 시장성 및 배타성 등이 있다고 판단하여 비용처리하지 않고 자본화시켜 장부에 계상하였다.

자료 3 공시지가자료(공시기준일 : 2025년 1월 1일)

1. K도 A시 D동 공시지가자료

일련번호	소재지	면적(m^2)	지목	이용상황	용도지역	도로교통	공시지가(원/m^2)	비고
1	A시 D동 65	2,500	잡	임야	일반공업	대로한면	150,000	공원 100%
2	A시 D동 94	500	대	상업용	준공업	대로한면	1,500,000	-
3	A시 D동 140-1	22,000	장	공업용	일반공업	중로한면	593,000	-
4	A시 D동 178-4	5,000	장	공업용	일반공업	대로한면	690,000	-

※ 기호 1번 토지는 도시계획시설공원에 저촉되어 있음.

2. K도 A시 D동 인근 평가선례

연번	소재지	평가시점	평가목적	평가금액(원/m^2)	평가시점최근 개별공시지가(원/m^2)	비고
A	A시 D동	2024년 7월 1일	일반거래	860,000	550,000	일반공업, 공업용
B	A시 D동	2020년 5월 1일	담보	690,000	440,000	일반공업, 공업용
C	A시 D동	2024년 12월 1일	일반거래	800,000	500,000	일반공업, 공업용

※ 상기 평가선례를 검토한 결과 그 밖의 요인으로서 60%를 증액보정한다.

자료 4 거래사례자료

1. 거래사례 #1
   (1) 소재지 : S시 K구 Y동 740-1번지, 1,900m^2, 대, 일반상업지역
   (2) 건물 현황 : 철근콘크리트조 슬래브지붕, 사무용 건물, 16,900m^2
   (3) 거래시점 : 2025년 1월 1일
   (4) 거래금액 : 66,459,000,000원(3,930,000원/m^2)
   (5) 기타사항 : (주)A 기업 소유의 업무용 부동산에 비해 5% 우세함(수량요소 제외).

2. 거래사례 #2
   (1) 소재지 : S시 K구 Y동 700-5번지, 300m^2, 대, 일반상업지역
   (2) 건물 현황 : 철근콘크리트조 슬래브지붕, 숙박시설, 1,000m^2

(3) **거래시점** : 2024년 12월 1일

(4) **거래금액** : 6,000,000,000원

(5) **기타사항** : 숙박시설에 대한 거래사례로서 내부 인테리어 및 집기에 대한 부분이 포함되어 거래되었다.

3. 거래사례 #3

(1) **소재지** : K도 A시 D동 561-1번지, 26,000㎡, 장, 일반공업지역

(2) **건물 현황** : 10,000㎡ 철골조 공장(2014년 1월 1일 준공) 및 3,000㎡ 철근콘크리트조 사무동(2017년 3월 1일 준공)

(3) **토지면적** : 26,000㎡

(4) **거래시점** : 2025년 4월 1일

(5) **거래금액** : 31,000,000,000원

(6) **기타사항** : 인근의 거래관행으로 보아 본건의 철골조 공장의 경우 ㎡당 재조달원가 450,000원/㎡, 철근콘크리트조 사무동의 경우 ㎡당 600,000원/㎡의 수준으로 정액감가하여 건물가격을 인정하여 거래하였을 것으로 판단됨.

4. 거래사례 #4(낙찰사례)

(1) **소재지** : K도 A시 D동 700-1번지, 25,000㎡, 장, 일반공업지역

(2) **건물 현황** : 건축 중인 건물(18,000㎡ 철골조 공장으로서 50% 정도의 공정률을 보이고 있음.)

(3) **토지면적** : 27,000㎡

(4) **거래시점** : 2024년 7월 1일

(5) **거래금액** : 19,000,000,000원

(6) **기타사항** : 상기 낙찰사례는 건축대금 미납으로 인한 유치권이 반영된 상태에서 낙찰된 사례임.

자료 5 재조달원가 및 감가수정

1. **본건 공장(철골조) 재조달원가** : 550,000원/㎡

2. **내용연수** : 철골조 40년, 철근콘크리트조 50년

3. **잔가율** : 0

자료 6 기계기구

1. 처리방침

기계기구의 경우 대표적인 기계(도입기계)를 평가한 후 기타 기계는 대표적 기계의 일정률로서 평가하도록 한다.

2. 대표기계의 현황

(1) 품목명 : XXX Silo Machine

(2) 도입/신고시점 : 2023년 5월 1일

(3) 도입가격 : CIF USD 2,000,000

(4) 내용연수 및 최종잔가율 : 15년 / 15%

3. 환율자료

(1) 신고시점(2023년 5월 1일) 환율 : 1,350원/$

(2) 기준시점(2025년 9월 4일) 환율 : 1,080원/$

4. 도입 관련 사항

(1) 관세 : 현행 8%, 신고시점 6%(감면율 : 현행 50%, 신고시점 30%)

(2) 농특세 : 20%

(3) 부가세 : 10%

(4) 설치비 : 도입가격의 1.5%

(5) L/C개설비 등 부대비용 : 도입가격의 3%

5. 상기 대표기계가격의 30%를 기타 기계들의 가격 총액으로 본다.

6. 기계가격보정지수

구분	2022	2023	2024
미국	1.1001	1.0606	1.0000

자료 7 대상 및 유사 업종의 영업이익자료

1. (주) A의 영업이익

최근 3년치 영업이익의 평균을 적용하도록 한다.

2. 유사업종 기업의 재무비율(2024년)

구분	ABC기업	DEF기업	GHI기업
총자산회전율 (매출/총자산)	1.30	3.15	1.80
영업이익률 (영업이익/매출)	9.0%	7.8%	6.5%
총자산규모	250억	200억	350억

※ 상기 총자산에는 무형자산이 포함되어 있지 않음.

※ ABC, GHI기업은 안정단계에 접어든 기업들이며, DEF기업은 신생기업으로서 2024년 결산이 첫 산인 기업임.

※ 산출된 비율은 산술평균하여 최종 결정하도록 한다.

※ 상기 비율을 조합하여 정상적인 총자산대비 영업이익률을 결정하도록 한다.

자료 8 (주) A의 자사주 변동사항

시점	수권주식수	발행주식수	액면가(원/주)	비고
2014.3.31.	5,000,000	3,000,000	5,000	-
2020.3.31.	7,000,000	3,000,000	5,000	-
2021.3.31.	7,000,000	6,000,000	2,500	주식분할
2022.3.31.	7,000,000	5,000,000	2,500	자사주 소각 (1,000,000주)
2023.3.31.	7,000,000	5,000,000	2,500	자사주 매입 및 보유 (1,000,000주)

자료 9 개별요인 등

1. 토지의 개별요인

대상 (공장부지)	표준지 1	표준지 2	표준지 3	표준지 4	표준지 5	거래 사례 3	거래 사례 4
100	90	85	95	105	100	105	105

2. 가격변동률

(1) **지가변동률**(%, 일반공업, K도 A시)

구분	2024년 누계	2025년 3월 누계	2025년 7월 누계	2025년 7월	2025년 4월 1일 ~ 2025년 7월 31일
지가변동률	−0.176	0.762	0.987	0.125	0.297

(2) 업무용 부동산(S시 K구 소재)의 가격변동은 최근 1년간 없는 것으로 판단됨.

(3) 건축비는 최근 1년간 보합세임.

자료 10 기타자료

1. 초과이익에 대한 할인율 : 20%

2. 사무용 건물에 대해서는 토지 및 건물을 일체로 평가한다(수량은 건물의 연면적을 기준으로 비교함).

3. 비상장주식의 주당 감정평가액은 반올림하여 백원 단위까지 표시한다.

QUESTION 63

감정평가사 합격예감 씨는 한국자산관리공사로부터 세금체납으로 인하여 丙씨가 가진 비상장주식 중 (주)A도료의 주식에 대한 공매처분을 위한 감정평가를 의뢰받았다. 아래의 물음에 따라 의뢰된 비상장주식에 대한 감정평가액을 결정하시오(기준시점 : 2024년 12월 31일). 35점

1. 해당 기업((주)A도료)의 가치를 감정평가하시오.

2. 의뢰된 비상장주식에 대한 감정평가액을 결정하시오.

자료 1 기업개요

1. 회사명 : (주)A도료

2. 대표이사 : 甲

3. 본사 및 공장소재지 : I시 S구 K동 100

4. 종업원수 : (주)A도료 전체 약 50명

5. 제품의 시장성 : 주요생산품인 도료는 주로 국내 주요 섬유업체로 납품하는 것으로 조사됨.

6. 자본금 : 1,000,000,000원

7. 발행주식수 : 200,000주(액면가 : 5,000원/주)

8. 상장 여부 : 비상장

9. 해당 기업의 지배구조

구분	甲	乙	丙
지분비율	51%(최대주주)	30%	19%
주식수	102,000	60,000	38,000

※ 상기 주주 중 丙씨의 지분이 감정평가의 대상이다.

10. 업체의 설립일 : 2019년 1월 1일

자료 2 2024년 12월 31일 결산재무제표 요약

1. 해당 기업의 주요자산
   (1) 토지(본사 및 공장소재 부지)
      1) 용도지역 : 일반공업지역
      2) 면적 : 3,000㎡
   (2) 건물(위 지상의 건물)
      1) A동, 철근콘크리트조, 600㎡(본사)
      2) B동, 철골조, 4,500㎡(공장)
   (3) 기계기구(도료생산기계 일체)
   (4) 상기의 자산을 제외한 기타 자산은 없는 것으로 가정함.

2. 해당 기업 주요 수익현황
   (1) 2024년 결산매출액 : 2,500,000,000원
   (2) 매출원가 및 판관비비율 : 매출액 대비 각각 30% 및 25%

3. 해당 기업의 부채구조(이자부부채)

구분	금액	이자율
부동산담보대출	1,200,000,000	4.20%
신용대출	300,000,000	6.20%
회사채발행	500,000,000	6.50%
총액	2,000,000,000	

자료 3 향후 영업개황 전망

1. 업계현황
   (1) 도료 납품시장은 몇 기업의 과점적 지위가 있는 시장이며, 이 시장구조는 예측 가능한 기간 내 계속 유지될 것으로 판단됨.
   (2) 이와 같은 특징으로 인하여 향후 해당 시장규모는 물가상승분에 따라 업계 시장 규모가 팽창 및 수축하며, 본 기업도 전체 업계의 매출액 규모를 따라갈 것으로 추정됨.

2. 본 기업의 지속적인 R&D 및 고도정밀기계의 재투자를 위해 매년 매출액의 10%를 자본적 지출로서 재투자하고 있음.
3. 해당 기업의 순운전자본은 매출액의 20%를 항상 유지하고 있음.
4. 해당 기업의 한계세율은 30%이다.
5. 해당 기업의 차년도 잉여현금흐름 추정 시 감가상각비는 기준시점의 감가상각비를 통하여 산정하되, 향후 매출액 성장률에 따라 같이 상승하는 것으로 가정한다.

자료 4 주식시장 동향

1. 대상기업 및 유사기업의 시장베타

유사기업의 베타 평균	유사기업의 부채비율(D/E)	대상기업의 부채비율(D/E)
3.20	200%	50%

2. 무위험수익률 : 국고채금리인 연 3.20%
3. KOSPI 지수 장기 평균수익률 : 연 6.00%
4. 해당 기업의 비상장 및 규모 등의 위험프리미엄은 고려하지 않는다.
5. 유사업종의 주가 등 분석자료

본 기업을 포함한 도료시장의 과점적 지위를 가지고 있는 기업들의 분석자료이다.

구분	X기업	Y기업	Z기업	해당 기업
상장 여부	상장	상장	비상장	비상장
거래가격(원/주)	42,500	26,250	32,620	-
주당이익 (Earning Per Share, EPS)	3,500	1,520	2,900	4,100
주당장부가격 (Book Value Per Share, BVPS)	26,500	14,230	26,200	35,390

※ Z기업의 경우 거래가격은 최근 거래된 금액을 조사한 자료이다.

자료 5 유동성 프리미엄

X기업 및 Y기업은 최근에 기업공개(IPO)를 한 기업으로서 기업공개 이후의 주식가격은 기업공개 이전의 주식가격의 30% 정도 프리미엄이 발생하는 것으로 확인되었다.

자료 6 재무제표의 주석사항 및 평가자의 판단사항

1. 토지
   (1) **소재지** : I시 S구 K동 100
   (2) 일반공업지역, 3,000㎡
   (3) **장부가격** : 4,500,000,000원(㎡당 1,500,000원)
   (4) 상기의 장부가격은 2024년 1월 1일을 기준으로 자산재평가를 한 평가금액이다.
   (5) **평가자의 판단사항** : 해당 토지가격의 평가액 수준은 적정하며, 가격의 변동은 지가변동에 따르는 것으로 판단된다.

2. 건물
   (1) **소재지** : I시 S구 K동 100번지 위 지상 A동 및 B동
   (2) **장부가액**
      1) A동 : 300,000,000원(감가상각누계액 : 24,000,000원)(취득원가 : ㎡당 500,000원)(2020년 12월 31일 준공)
      2) B동 : 1,800,000,000원(감가상각누계액 : 180,000,000원)(취득원가 : ㎡당 400,000원)(2020년 12월 31일 준공)
      3) 내용연수는 A동 50년, B동 40년이며, 공히 최종잔가율은 0%이다.
   (3) **평가자의 판단사항** : 해당 건물은 재평가의 대상은 아니었으나 장부가격이 시장가치를 적절하게 반영하고 있는 것으로 조사되었다.

3. 기계기구
   (1) 기계기구는 도료생산과 관련된 기계 및 장치 일체이며, 기계기구의 장부가치는 순액기준으로 700,000,000원이다(본 기계기구의 계속적인 사용에는 문제가 없으나, 세법상 내용연수가 만료되어 감가상각비는 발생하지 않는다).
   (2) **평가자의 판단사항** : 해당 기계기구는 재평가의 대상은 아니었으나 장부가격이 시장가치를 적절하게 반영하고 있는 것으로 조사되었다.

4. 무형고정자산가액

본 기업의 경우 무형자산이 있을 것으로 추정되지만 별도로 등재된 권리가 없으며, 그 가액의 추정이 어려워 별도로 산정하지 않는 것으로 한다.

자료 7 기타자료

1. 가중평균자본비용 산정시에는 해당 기업의 평균부채비율을 고려한다.
2. 생산자지수를 기준으로 추정한 장기적인 물가상승률은 연 2.5%가 될 것으로 추정된다.
3. 지가변동률(2024년 1월 1일~2024년 12월 31일, I시 S구, 공업지역) : −0.367%
4. 각종 지수결정 시 산술평균하여 결정한다.
5. 모든 율은 백분율로 소수점 이하 둘째 짜리까지 반올림하여 표시한다.
6. 기업가치의 최종 감정평가액은 억 단위까지 반올림하여 표시한다.
7. 기업가치 평가 시 수익환원법 이외에 PER(Price−Earning Ratio) 및 PBR(Price Book−value Ratio)를 활용한 거래사례비교법, 물건별 평가액 합을 통한 원가법을 병용하며, 거래사례비교법에 의한 가격은 PER에 의한 가격과 PBR에 의한 가격을 산술평균하여 결정한다.

QUESTION 64

감정평가사 Y씨는 한국자산관리공사로부터 (주)W푸드시스템의 비상장주식 중 일부(박대한 지분)에 대한 공매목적의 감정평가를 의뢰받고 아래의 자료를 수집하였다. "감정평가에 관한 규칙" 및 "감정평가실무기준" 등 관련 규정에 근거하여 의뢰된 비상장주식에 대한 시장가치를 감정평가하시오. 25점

자료 1 발행회사의 개요

상호명	(주)W푸드시스템		
법인등록번호	*******-******	대표자	허○○
사업자등록번호	***-**-*****	회사설립일	2019년 4월
사업의 종류	도소매, 제조, 농축산물 식자재, 식품 외(151301)		
본점 및 사업장소재지	경기도 H시 향남읍 동오2길 74		
사업의 내용	농축산물의 제조, 가공, 판매 및 식품제조, 가공, 운반, 보존 판매업 등을 사업목적으로 함.		

자료 2 주식발행 현황

주주	주식수(주)	지분율(%)	비고
송경○	8,400	21.0	
강계○	7,600	19.0	
전재○	6,000	15.0	
김현○	6,000	15.0	
박대한	6,000	15.0	평가대상
송영○	3,000	7.5	
송현○	3,000	7.5	
합계	40,000	100.00	1주당 액면가 : 5,000원

자료 3 요약 재무상태표(단위 : 원)

과목		2024년 결산자료(2024년 12월 31일)
자산	Ⅰ. 유동자산	4,700,000,000
	Ⅱ. 비유동자산	7,500,000,000
	1. 투자자산	4,500,000,000
	2. 유형자산	2,500,000,000
	3. 기타비유동자산	500,000,000
자산총계		12,200,000,000

부채	Ⅰ. 유동부채	2,000,000,000
	Ⅱ. 비유동부채	100,000,000
부채총계(이자지급부부채)		2,100,000,000
자본금	Ⅰ. 자본금	200,000,000
	Ⅱ. 이익잉여금	9,900,000,000
자본총계		10,100,000,000
부채 및 자본총계		12,200,000,000

자료 4 유동자산에 대한 조사결과

유동자산은 현금성자산, 단기금융상품, 미수금, 매출채권 등으로 구성되어 있으며, 단기금융상품의 시장가치, 매출채권 및 미수금의 대손 및 손실가능성을 고려할 때 약 600,000,000원의 평가손실이 있을 것으로 판단된다.

자료 5 (주)W푸드시스템의 투자자산(매도가능증권)의 구성

(주)W푸드시스템은 관계사 지분을 전부 혹은 일부 보유하고 있으며, 구체적인 매입원가 및 세부 가격조사내역은 아래와 같다.

회사명	지분비율(%)	취득가액(천원)	피투자회사의 순자산장부가액	조정순자산*
(주)W푸드투어	75.0	750,000	1,000,000	1,900,000
(주)W푸드	100.0	1,500,000	1,500,000	4,600,000
(주)W홀딩스	100.0	2,250,000	2,250,000	3,600,000
-	-	4,500,000	4,500,000	10,100,000

* 조정순자산가액은 피투자회사의 총자산가치(시장가치)에서 부채가액을 차감한 금액이다.

자료 6 유형자산의 조정내역

과목	세과목	항목	장부가액(원)	감정가액(원)	조정가(원)
Ⅱ. 비유동자산	2. 유형자산	토지	1,500,000,000	5,000,000,000	3,500,000,000
		건물	500,000,000	400,000,000	(100,000,000)
		기타자산	500,000,000	200,000,000	(300,000,000)
		소계	2,500,000,000	5,600,000,000	3,100,000,000

* 기타 비유동자산의 경우 장부가액과 시장가치가 일치한다.

자료 7 부채항목 조정내역

과목	장부가액(원)	조정사항(원)	부채잔액(원)
Ⅰ. 유동부채	2,000,000,000	(400,000,000)	1,600,000,000
Ⅱ. 비유동부채	100,000,000	–	100,000,000
–	2,100,000,000	(400,000,000)	1,700,000,000

자료 8 당사의 최근 손익계산서 변동추이(단위 : 천원)

구분	2020	2021	2022	2023	2024
매출액	25,276,000	26,717,195	29,549,218	22,377,016	23,630,129
매출액성장률	–	5.7%	10.6%	−24.3%	5.6%
매출원가	19,134,264	20,598,958	24,604,782	18,148,992	19,613,007
매출총이익	6,142,175	6,118,238	4,944,435	4,228,024	4,017,122
매출총이익률	24.3%	22.9%	16.7%	18.9%	17.0%
판관비	700,208	929,972	1,421,196	2,529,096	1,285,479
판관비/매출총이익	11.4%	15.2%	28.7%	59.8%	32.0%
영업이익	5,441,967	5,188,266	3,523,238	1,698,927	2,731,643

※ 2023년의 경우 농축산물 관련 질병의 유행으로 일시적으로 매출액이 급감하였고 판매관리비가 상승하였던 것으로 조사되었다.

자료 9 당사의 영업실적 및 향후 전망

1. 당사는 2020년까지 지점을 확보해 가면서 판매의 범위를 넓혀 나가다가 2021년부터는 새로운 점포 없이 안정적인 매출을 올리고 있는 것으로 조사되었고, 예측가능한 미래에도 점포의 확장 등 대규모 자본적 지출은 없을 것으로 판단된다.

2. 안정화 이후 예상 현금흐름 시 과거(안정화된 2021년 이후)의 원가비율 및 경비비율 등을 산술평균하여 활용한다.

3. 본 기업의 업종은 극심한 시장경쟁이 있는 업종으로서 앞으로의 영업전망은 어려운 상태이다. 따라서 2025년까지의 매출액 성장은 2021년 이후 매출액 성장률을 산술평균하여 결정하되, 2026년 이후에는 아래의 기준을 따른다.

매출총이익률	40% 이상	25% 이상	25% 미만
장기성장률	연평균 3.0%	연평균 2.0%	연평균 0.0%

4. 당사의 법인세비용 추정
   현행 세법에 따라 누진세를 고려하여 2억원 초과는 22%, 2억원 미만은 11%의 법인세(주민세 포함)를 납부하며, 당사는 평균적으로 21%의 세율을 적용받는 것으로 판단된다.

5. 매년 감가상각비는 영업이익의 5% 수준이며, 자본적 지출은 영업이익의 3% 수준이다. 추가점포 확장이 예상되지 않는 한 추가운전자본은 필요하지 않고 현행의 상태를 유지할 것으로 예측된다.

6. 당사의 자산가치의 변동성은 일반 증권시장의 변동성과 유사한 것으로 판단된다.

7. 당사의 목표 순자산과 부채비율은 8 : 2 정도로서 자본비용 산정시 목표비율을 활용한다.

자료 10 자본시장자료

1. 시장의 무위험이자율과 관련된 벤치마크수익률은 아래와 같다.

구분(평균)	2019년	2020년	2021년	2022년	2023년	2024년	평균
국고채(3년)	5.27	4.04	3.72	3.62	3.13	2.87	3.78
통안증권(1년)	5.33	2.98	3.03	3.55	3.14	2.65	3.45
회사채 (장외3년, AA- 등급)	7.02	5.81	4.66	4.41	3.77	3.24	4.82

※ 무위험이자율은 상기의 율을 산술평균하여 구한다.

2. 시장기대수익률은 유가증권시장의 1992년 1월으로부터 2024년 12월(33년간)까지 종합주가지수의 연평균수익률 등을 고려하여 결정하도록 한다.

구분(연)	종합주가지수(평균)	연평균 수익률(r)
2024년 12월	1,884.41	$(1+r)^{33} \fallingdotseq 18.8441$ (r = 연평균수익률)
1992년 1월	100	

3. 비상장주식의 위험프리미엄은 6퍼센트 포인트이다.

자료 11 당사의 차입현황 및 차입금리

해당 회사의 평균 차입금리는 4.5%이다.

자료 12 기업가치는 반올림하여 백만원 단위까지 표시한다.

자료 13 기준시점 : 2025년 1월 1일

자료 14 기타자료

투자자산(매도가능증권)은 본 기업의 영업과 직접적으로 연관된 자산이다.

QUESTION
65

감정평가사 K씨는 최근 기름누출사고로 오염된 토지에 대한 가치하락분에 대하여 손해배상청구소송과 관련하여 직접적인 정화비용 외 무형의 가치하락 손실분인 스티그마 효과(Stigma Effect)에 관하여 감정평가를 의뢰받았다. 이에 주어진 자료를 활용하여 적정한 무형의 손실액을 평가하시오. 25점

자료 1 대상 부동산

1. 소재지 : 경기도 K시 G동 320번지

2. 용도지역 및 이용상황 : 일반상업지역, 상업용

3. 면적 : 900㎡

4. 본건은 인근의 노선을 따라 형성된 기존 상가지대로서, 최근(2025년 4월 20일~30일 사이) 인근의 주유소의 지하 유류저장탱크 교체작업 중 사고로 인하여 기름누출사고가 일어나 대상토지의 지하부분까지 오염이 된 것으로 확인되었다.

5. 가치판단의 기준시점 : 2025.8.31.

6. 본건의 건축허가 내역

   (1) 본건은 오염발생 이전에 건축허가를 득한 상태였으며, 곧 착공을 예정하고 있었다.

   (2) 건축허가사항

대지위치	경기도 K시 G동 320		
건축허가용도	근린생활시설		
규모	지하 1층 / 지상 4층		
면적	지하부분	600㎡	총 3,700㎡
	지상부분	3,100㎡	

자료 2 대상 부동산 가치손실의 구성내용

1. 오염에 의한 대상 부동산의 가치손실은 1) 오염을 관리 및 복구하는 데 소요되는 유형적인 직접 비용과 2) 오염에 대한 시장성이 저하됨으로써 발생하는 무형적인 효과의 손실(스티그마 효과)에 의한 임대료 감소 및 점유율 감소, 비용증가의 형태로 나타난다고 조사·판단하였다.

2. 대상 부동산의 오염에 따른 시장성의 변화

구분	시기	내용
복구이전	오염 1,2,3년 후	대중의 오염의 인식시기로 가치가 급격히 감소
복구단계	오염 4,5,6년 후	복구과정에 따른 가치 개선
복구이후	오염 7년 이후	위험요소의 제거 이후 조절 불가능한 비자발적 위험의 특성과 관련된 불확실성이 존재하는 기간

자료 3 인근지역 내 동일상가지대 내 거래사례

1. 거래사례 # 1
   (1) **소재지 등** : K시 G동 113, 대, 760㎡, 일반상업지역, 대, 소로각지, 장방형 평지
   (2) **지상건물의 현황** : 철근콘크리트조 슬래브지붕, 근린생활시설, 3,200㎡, 사용승인일 : 2012.5.1.
   (3) **거래가격** : 4,500,000,000원
   (4) **거래일자** : 2025.1.1.
   (5) **기타사항** : 거래사례는 최유효이용인 것으로 판단된다.

2. 거래사례 # 2
   (1) **소재지** : K시 G동 127, 대, 960㎡, 일반상업지역, 대, 중로한면, 장방형 평지(나지)
   (2) **거래가격** : 2,700,000,000원
   (3) **거래일자** : 2025.5.15.
   (4) **기타사항** : 본건 인근에 위치하여 본건의 오염에 따른 영향을 받은 것으로 보인다.

자료 4 본건 준공 시 수익현황

1. 오염 전 근린생활시설의 수익예상 현황
   (1) **임대료 수준** : 본건 건물의 준공을 완료한 경우 임대면적당(㎡) 14,000(가능 실질임료기준, 월당)원 수준이다.
   (2) **예상공실률** : 5.0%
   (3) **경비비율** : 20.0%(유효조소득 대비)

2. 오염 후 근린생활시설의 수익예상 현황

(1) **임대료 수준** : 임대료 수준은 직접적인 소득손실 등으로 인하여 ㎡(임대면적)당 500원이 감소할 것으로 예상된다.

(2) **예상공실률** : 5.0%

(3) **경비비율** : 오염치유비용 등 복구비용 등으로 인하여 25.0% 소요된다.

자료 5 오염에 따른 직접비용(단위 : 천원)

년	소득손실	복구비용	위험 대비 보증비용
1	11,000	6,000	0
2	13,000	6,500	0
3	15,000	7,000	0
4	50,000	100,000	0
5	55,000	120,000	0
6	60,000	150,000	0
7	7,000	7,000	10,000
8	8,500	8,000	11,000
9	9,000	8,000	12,000
10	9,000	8,000	12,000
11	9,000	8,000	13,000
현가합(12%)	139,574	237,317	20,894
현가합(10%)	152,182	260,174	24,535

※ 상기 비용은 모두 오염의 해소에 따른 직접 비용임

자료 6 지가변동률 등

1. 지가변동률(K시, %)

구분	2024년 12월(누계)	2025년 5월(누계)	2025년 6월(누계)	2025년 7월(누계)
상업지역	0.379 (4.314)	0.429 (3.132)	0.331 (3.574)	0.342 (3.917)

2. 개별요인비교치

구분	거래사례 1	거래사례 2	본건
평점	95	98	100

※ 상기 비교요인치에는 오염으로 인한 가치하락은 반영되어 있지 않다.

자료 7 건축비용(철근콘크리트조)

1. 근린생활시설 : 600,000원/㎡

2. 최근 건축비는 보합세이다.

3. 지상 및 지하부분의 건축비는 동일한 것으로 본다.

4. 경제적 내용연수 : 50년

5. 최종잔가율 : 0%

자료 8 기타사항

1. 분리환원이율

구분	토지	건물(상각전)
오염전 환원이율	6.0%	10.0%
오염후 환원이율	7.0%	11.0%

2. 시장할인율 : 12%

3. 무위험이자율 : 10%

QUESTION 66

Y감정평가사는 ○○청으로부터 아래와 같은 내용의 입목에 대한 감정평가의뢰를 받았다. 제시자료를 검토하여 입목의 취득가격을 결정하시오(단, 입목의 평가방법은 제시된 자료에 타당한 합리적이고 보편적인 방식을 선택하여 평가할 것). 15점

자료 1 감정평가의뢰 내역

1. 개요
   (1) 평가목적 : 조림대부지 내 입목의 취득(매수)
   (2) 소재지 : ○○○도 ○○군 ○○면 ○○리 산21
   (3) 지목 : 임야
   (4) 면적 : 1,000,000㎡

2. 입목의 현황

임종	수종	식재면적(㎡)	임령	경급(cm)	수고(m)	ha당 재적(㎥)	등급 기준
천연림 (자연림)	참나무	700,000	$\frac{29}{15-45}$	$\frac{18}{8-35}$	$\frac{10}{8-18}$	75	중
인공림 (조림)	소나무	300,000	$\frac{35}{25-45}$	$\frac{20}{10-36}$	$\frac{11}{8-19}$	95	중

※ 참고사항
1. 조림대부지로서 입목의 관리상태는 양호함.
2. 경급(cm) : $\frac{\text{평균경급}}{\text{최저경급}-\text{최고경급}}$

자료 2 입목평가자료

1. 원목시장가격(기준시점 현재)

등급기준	흉고직경(경급)	원목가격(원/㎥)	
		참나무	소나무
상	30cm 이상	105,000	110,000
중	16cm 이상	90,000	95,000
하	16cm 미만	85,000	85,000

2. 조재율(단위 : %)

등급기준	활엽수	침엽수
상	90	90
중	85	85
하	80	80

3. 생산비용

(1) 벌목조재비

1일노임/인		기계상각비 및 연료비	1일 작업량/인
벌목비	조재비		
80,000원	80,000원	30,000원	10.0㎥

(2) 산지집재비(소운반 포함)

1일 노임은 80,000원/인이며 1일 작업량은 10.0㎥/인임.

(3) 운반비

구분	1일 노임/인	1일 작업량/인
상하차비	80,000원	10.0㎥
자동차운반비	110,000원	10.0㎥

(4) 임도보수 및 설치비

1일 노임/인	1일작업량/인	소요임도
90,000원	0.3km	2.1km

(5) 잡비 : 생산비용의 10%

4. 이자율 및 기업자 이윤 등

(1) 자본회수기간은 6개월 정도이며, 이자율은 금융기관 대출금리기준 연 7.0%를 적용한다.

(2) 기업자 이윤은 10%, 산재보험을 포함한 위험률은 5.0%로 적용한다.

자료 3 참고사항

1. 현장조사시 확인사항

일부 참나무는 참나무 시들음병에 걸려 있으며 이에 대한 평가액과 수량은 아래와 같다.

피해도	평가액	조사결과
중	0(비용도 발생하지 않음.)	참나무 수량의 50%
경	정상입목의 90%	참나무 수량의 20%

2. 단가의 계산은 원단위는 절사하고 십원 단위까지만 표시한다.

QUESTION 67

(주)오륜감정평가법인 소속평가사인 H씨는 N은행 시화금융센터로부터 동산·채권 등의 담보에 관한 법률에 의한 재고자산의 감정평가를 의뢰받고 사전조사 및 현장조사를 통하여 아래의 자료를 수집하였다. 아래의 제시된 조건에 따라 평가대상 재고자산의 적정한 담보평가금액을 산정하시오. 15점

자료 1 감정평가의뢰서

1. 평가의뢰목록

기호	종류	규격	수량	단위	용도	비고
1	비철(스텐)	400계열	조사요망	kg	담보	–
2	비철(스텐)	200계열	조사요망	kg	담보	–
3	비철(스텐)	304(스크랩)	조사요망	kg	담보	–
4	비철(스텐)	304(분철)	조사요망	kg	담보	–
5	비철(스텐)	316(스크랩)	조사요망	kg	담보	–

2. 보관장소 : 경기도 시흥시 정왕동 1263-3 M스텐 공장 야적장 내

3. 상기 의뢰목록에 대한 감정평가를 의뢰합니다.

자료 2 재고자산(원재료)에 대한 수급관계 및 제품시장성

본 재고자산은 스텐레스 스틸 스크랩 및 분철 원자재로서, 자성유무 및 니켈함유량에 따라서 200계열, 300계열(304(스크랩), 304(분철), 316(스크랩)), 400계열 등으로 구분되며, 본 업체의 제품은 상기 원자재를 혼합하여 포스코 등에 납품하고 있음.

자료 3 과거 1년 동안의 재고자산 변동내역

1. 기호 #1(비철-스텐, 400계열)

시점	2024년 9월	2024년 10월	2024년 11월	2024년 12월	2025년 1월	2025년 2월
재고자산 (kg)	1,557,000	1,678,000	2,110,000	2,220,000	1,770,000	1,570,000

시점	2025년 3월	2025년 4월	2025년 5월	2025년 6월	2025년 7월	2025년 8월
재고자산 (kg)	1,490,000	1,460,000	1,470,000	1,557,000	1,690,000	1,800,000

2. 기호 #2(비철-스텐, 200계열)

시점	2024년 9월	2024년 10월	2024년 11월	2024년 12월	2025년 1월	2025년 2월
재고자산 (kg)	557,000	600,000	535,000	620,000	597,000	563,000
시점	2025년 3월	2025년 4월	2025년 5월	2025년 6월	2025년 7월	2025년 8월
재고자산 (kg)	610,000	630,000	651,000	664,000	598,000	547,000

3. 기호 #3(비철-스텐, 304(스크랩))

시점	2024년 9월	2024년 10월	2024년 11월	2024년 12월	2025년 1월	2025년 2월
재고자산 (kg)	4,678,000	4,874,000	5,175,000	5,012,000	4,987,000	4,663,000
시점	2025년 3월	2025년 4월	2025년 5월	2025년 6월	2025년 7월	2025년 8월
재고자산 (kg)	4,556,000	4,500,000	4,970,000	5,377,000	5,110,000	5,003,000

4. 기호 #4(비철-스텐, 304(분철))

시점	2024년 9월	2024년 10월	2024년 11월	2024년 12월	2025년 1월	2025년 2월
재고자산 (kg)	3,010,000	3,664,000	3,179,000	3,675,000	3,220,000	3,000,000
시점	2025년 3월	2025년 4월	2025년 5월	2025년 6월	2025년 7월	2025년 8월
재고자산 (kg)	3,679,000	4,110,000	4,137,000	3,970,000	3,654,000	3,121,000

5. 기호 #5(비철-스텐, 316(스크랩))

시점	2024년 9월	2024년 10월	2024년 11월	2024년 12월	2025년 1월	2025년 2월
재고자산 (kg)	1,000	1,200	2,570	800	1,370	2,230
시점	2025년 3월	2025년 4월	2025년 5월	2025년 6월	2025년 7월	2025년 8월
재고자산 (kg)	3,370	3,670	2,000	1,470	0	300

6. 평가대상의 재고량은 각 계열별 금속의 지난 1년간의 재고자산 수량의 변동성을 고려하여 최저 재고량의 65% 수준으로 확정한다.

자료 4 최근 1년간 제품 출고단가

구분	2024년 12월	2025년 2월	2025년 4월	2025년 5월	2025년 6월	2025년 8월
400계열	751	716	721	733	-	-
304계열 (스크랩)	2,240	2,150	2,660	-	-	2,550

※ 200계열, 304계열(분철), 316계열은 최근 출고내역이 없음.

자료 5 시장가격수준

품명	400계열	200계열	304(스크랩)	304(분철)	316계열
단가(원/kg)	500	500	2,500	1,500	2,800

자료 6 기타자료

1. **현장조사 완료일** : 2025년 8월 20일

2. 적용단가의 결정은 출고단가와 시장가격 수준을 비교하여 결정하되, 보수적인 차원으로 결정하며 결정된 가격의 80% 수준으로 평가 시 활용하도록 한다.

Chapter

06 부동산투자 타당성 및 최고최선 이용의 분석

QUESTION

68

투자안의 현금흐름 추정과 경제성 분석에 사용되는 도구에는 1) 할인현금흐름법인 순현가법, 내부수익률법, 수익성지수법과 2) 비할인현금흐름법인 회계적이익률법과 회수기간법이 있다. 15점

1. NPV법의 개념을 설명하고, 복수의 투자대안에서 투자안 간의 상호관계에 따라 어떻게 분류되는지를 기술하시오.
2. 다음의 현금흐름이 예상되는 두 투자안을 NPV법으로 평가한다고 할 때 물음에 답하시오. 단, 자본비용은 10%이다.

시점	투자안 A	투자안 B
0	−1,000만원	−200만원
1	500만원	100만원
2	800만원	200만원

(1) 두 투자안의 NPV를 구하시오.

(2) 두 투자안이 독립적이라면 어떤 투자안을 채택해야 하는가?

(3) 두 투자안이 상호 배타적이라면 어떤 투자안을 선택해야 하는가?

(4) 두 투자안에 결합투자할 경우의 현금흐름을 추정하고 이를 이용하여 결합투자안의 NPV를 구하라. 이 값을 각 투자안의 NPV를 단순합계한 값과 비교하고 그 의미를 설명하라.

QUESTION
69

A씨는 투자대상 부동산을 100,000원에 매입하기로 계약하였다. 투자대상 부동산은 임차인 B로부터 매년 4,000원의 임대료를 수취하기로 계약되어 있는 부동산이다. A씨는 해당 부동산을 5년간 보유할 계획이며, 5년 후에는 해당 자산을 120,000원에 매각할 수 있는 것으로 가정한다. 매년 임대료는 아래와 같이 수취할 계획이다. A씨는 해당 투자에 대하여 5%의 요구수익률을 가정하고 있으며, 차입을 할 경우 7%의 요구수익률을 가정하고 있다. 15점

※ NPV는 원단위까지 산정하며, IRR은 백분율 기준으로 소숫점 2자리까지 산정한다.

구분	1년차	2년차	3년차	4년차	5년차
임대료	4,000	4,200	4,500	4,800	5,100

1. 상기와 같을 때 해당 자산의 투자가치를 산정하고 매입가격에 매입할 경우의 NPV와 IRR을 산정하고 투자타당성을 결정하시오.

2. 매입금액의 60%를 차입한다고 가정할 경우, 매입가격에 매입할 경우의 자기자본에 대한 NPV와 IRR을 산정하고 투자타당성을 결정하시오.

※ 차입조건

- 이자율 : 4.0%
- 이자납입 후 만기일시상환조건
- 부동산이 매각되는 경우에는 반드시 상환되어야 하며, 별도의 만기전변제벌금은 없는 것으로 본다.

QUESTION 70

다음과 같은 현금흐름이 예상되는 부동산이 있다. 각 부동산에 대한 투자금액이 2억 원이라고 가정할 때 각 물음에 대하여 답하시오. 20점

자료 1 현금흐름(단위 : 천원)

	A부동산	B부동산
1	45,000	8,000
2	45,000	14,000
3	45,000	28,000
4	30,000	28,000
5	20,000	28,000
6	9,000	28,000
7	5,000	32,000
8	3,000	32,000
9	2,000	34,000
10(복귀가치)	200,000	270,000

자료 2 물음

1. 투자액의 회수기간을 기준으로 할 때 어떤 부동산에 투자하겠는가?

2. NPV법에 의할 때 어떤 부동산에 투자하겠는가?(할인율 : 10%)

3. IRR법에 의할 때 어떤 부동산에 투자하겠는가?

4. 위의 기법들이 어떻게 다른 결과를 나타내는지 비교하고 이러한 모순을 해결할 수 있는 방법을 설명하시오.

5. 재투자수익률을 10%로 가정하여 각 부동산의 수정 내부수익률(MIRR)을 산정하고 타당성을 검토하시오.

QUESTION 71

타당성 분석(Feasibility Analysis)과 관련된 각 물음에 답하시오. 25점
(기준시점 : 현시점)

1. 10억원으로 평가되는 건물을 구입하고자 하는 한 투자자가 2억원을 투자하여 현대화를 하고자 한다. 5년 후 현대화한 건물의 잔존가치(재매도가치)가 8억원이고, 5년간의 순이익이 다음의 표와 같을 때 이 투자안의 평균이익률(ARR ; Average Rate of Return)을 구하고 현대화하지 않을 경우의 ARR과 비교하여 현대화의 타당성 여부를 판정하시오(현대화하지 않을 경우 5년 후 건물의 잔존가치는 6억원이고, 5년간의 순이익은 다음 표와 같음).

구분	1	2	3	4	5
현대화 하지 않음	60,000,000원	50,000,000원	40,000,000원	30,000,000원	20,000,000원
현대화 하는 경우	100,000,000원	95,000,000원	90,000,000원	85,000,000원	80,000,000원

2. 상장기업인 X주식회사는 5년 후 매각을 전제로 다음 수익용 부동산을 6억원(융자금 1억원 및 취득 관련 제세 포함)에 2024년 9월 4일자로 구입하고자 한다. 순현재가치(NPV)를 이용하여 매입 타당성을 검토하시오.

자료 1 부동산 현황

1. 토지 : S시 D구 P동 108번지, 대, 300㎡, 상업용 건부지

2. 건물 : 벽돌조 슬래브지붕 3층 건물, 연면적 700㎡

건물과 부지의 적응성		부적합
기준시점 대비	잔존내용연수	5
	경과연수	45
추정건축비(기준시점 현재)		330,000원/㎡
기타		정액법, 잔가율 0%

자료 2 운영상황 및 시장상황 분석

1. 임대상황

초년도 임대상황은 다음과 같으며 매년 5%씩 상승하는 것으로 전제함.

구분	임대면적(m^2)	월 지불임대료(원/m^2)	보증금(원/m^2)
1층	200	–	5,000,000
2층	200	50,000	500,000
3층	200	40,000	400,000
총계	600	90,000	5,900,000

2. 운영경비 : 실질임대료의 40% 수준임

3. 금융조건 : 매입할 경우 대상 부동산을 담보로 은행으로부터 1억원을 연리 12%로 10년간 연납으로 분할하여 상환하는 조건으로 차입할 수 있다.

4. 연간 법인세율 : 30%

자료 3 매각 관련 자료

1. 5년 후 추정 매각가액은 토지의 경우 3,000,000원/m^2이나 건물은 별도의 자산가치를 가지지 못할 것으로 판단함.

2. 매각과 관련된 특별부가세 및 법인세의 산정은 편의상 추정매각 가격에 당초 구입비의 107%를 공제한 후 연간 법인세율을 곱하는 것으로 할 것

자료 4 할인율 산정 기초자료

시장의 무위험이자율(1년 만기 은행정기예금 금리)은 10%이고 주식시장의 종합주가지수(KOSPI 200 INDEX)를 기초로 산정한 시장(포트폴리오)의 기대수익률은 15%이다. 또한 시장의 기대수익률과 X주식회사 주식의 기대수익률과 회귀분석(Regression Analysis)결과 β 계수는 1.5로 조사되었다.

자료 5 보증금의 운용은 안전한 투자자산을 통하여 운용함.

QUESTION 72

A씨는 B씨가 소유하고 있는 평가의뢰 대상 부동산을 매입하려 하고 있다. 따라서 A씨는 감정평가사인 당신에게 시장가치의 평가와 매입 타당성을 검토해주기를 바란다. 이에 감정평가사인 당신은 사전조사와 실지조사를 통하여 아래의 자료를 수집하였는바, 아래의 물음에 답하도록 하여라. 30점

1. 대상 부동산의 시장가치를 평가하시오.

2. 매수자 A씨가 대상 부동산의 매입(시장가치로 매입)을 통해 얻을 수 있는 기대수익률(지분수익률)을 계산하여 투자 타당성을 검토하라.

자료 1 평가의뢰물건

1. 대상 부동산
   (1) **토지** : S시 A구 B동 64번지, 대, 300㎡, 일반상업지역
   (2) **건물** : 위 지상 철근콘크리트 슬래브지붕 3층, 상업용 건물, 연면적 720㎡

2. **평가시점** : 2025년 8월 19일

3. **평가목적** : 매매참고용

자료 2 표준지공시지가 자료

(공시기준일 : 2025년 1월 1일)

기호	소재지	면적(㎡)	지목	이용상황	용도지역	공시지가(원/㎡)
1	S시 A구 B동 50	180	대	단독주택	일반상업	1,800,000
2	S시 A구 B동 101	330	대	상업용	일반상업	2,510,000
3	S시 A구 C동 67	270	대	업무용	일반상업	2,400,000

자료 3 거래사례자료

1. 사례 #1
   (1) **토지** : S시 A구 B동 56번지, 대, 370㎡, 일반상업
   (2) **건물** : 위 지상 철근콘크리트 슬래브지붕 3층, 상업용 건물, 연면적 900㎡
   (3) **현금지급액** : 980,000,000원
   (4) **거래시점** : 2024년 11월 1일

(5) **거래내역** : 매수인은 거래 당시에 이미 설정되어 있던 임차권에 대한 보증금 100,000,000원을 인수하고 또한 대출잔금(대출일 2019.1.1, 대출금 300,000,000원, 대출기간 15년, 대출이자율 연 15%, 매월 원리금균등 상환조건)도 중도상환이 불가능한 바, 인수하기로 하였다(전세보증금은 별도의 현가처리를 하지 않도록 한다).

2. 사례 #2

(1) **토지** : S시 A구 B동 99번지, 대, 320㎡, 일반상업

(2) **거래금액** : 890,000,000원

(3) **거래시점** : 2025년 2월 25일

(4) **거래내역** : 본 거래사례는 친인척간의 거래사례로 인접한 토지(A동 98번지)의 토지소유자가 병합사용을 목적으로 매수한 것으로서, 증분가치 중 60%를 본 사례토지의 시장가치에 가산하여 지급하였다. 그리고 지급조건은 거래시점에 40%를 지급하고 6개월 후에 60%를 지급하는 조건이다.

자료 4 대상건물의 임대내역 등

1. 평가시점 현재의 임대내역

층	바닥면적(㎡)	임대면적(㎡)	월 지불임대료(원/㎡)	보증금(원)
3층	240	200	10,000	50,000,000
2층	240	200	11,000	60,000,000
1층	240	190	14,000	75,000,000
계	720	590		

2. 평가시점 현재의 임대내역은 1년 전에 기간 3년으로 B씨가 임차인과 계약한 것으로서, 계약기간 만료 시에는 실질임대료를 10% 증가하여 다시 3년간 계약의 연장이 가능한 조건이 부가되어 있다. 그리고 A씨는 연장한 계약이 만료되는 즉시 대상부동산을 매각할 예정이고 이때의 매각가격은 매입가격(시장가치)보다 20% 정도 상승할 것으로 판단된다.

3. 감가상각비를 제외한 필요제경비는 연간 실질임대료의 35% 수준이다.

4. A씨는 평가대상 부동산을 매입하는 경우 저당대부액 150,000,000원, 저당이자율 연 13%, 저당기간 20년, 매월원리금 균등상환조건의 저당대부를 받을 예정이다.

자료 5 건물에 대한 자료

구분	대상건물	거래사례 1	건설사례
구조 및 용도	철근콘크리트조 슬래브지붕	철근콘크리트조 슬래브지붕	철근콘크리트조 슬래브지붕
준공 연월일	2022년 8월 1일	2019년 9월 1일	2025년 1월 1일
기준시점 현재 잔존내용연수	37년	35년	40년
건축비(건축시점)	–	–	490,000(원/m^2)

※ 건설사례의 건축비는 인근지역의 표준적인 것으로 판단됨.

※ 내용연수 만료 시 잔가율은 재조달원가의 10%이며, 감가상각은 만년감가에 의한 정액법으로 할 것

자료 6 시점수정자료

1. 지가변동률(S시, 단위 : %)

구분	주거지역	상업지역	공업지역
2024년 누계치	1.000	1.540	1.234
2025년 7월	0.123	0.234	0.124
2025년 7월 누계치	0.567	1.345	1.123

2. 건축비지수

2023년 1월 1일	2023년 7월 1일	2024년 1월 1일	2024년 7월 1일	2025년 1월 1일
110	115	120	125	130

※ 건축비는 월할계산한다.

자료 7 지역요인 및 개별요인

1. 지역요인

A동	B동	C동
100	105	99

2. 개별요인

대상토지	표준지 1	표준지 2	표준지 3	사례 1	사례 2
100	101	98	100	102	99

3. 건물의 개별요인은 동일함

자료 8 기타 관련 자료

1. 각종 이율 및 투자자의 요구수익률
   (1) 보증금 운용이율 : 10%
   (2) 시장이자율 : 12%
   (3) 요구수익률 : 10%
2. 시장가치를 평가할 경우에는 물건별 평가액을 통하여 결정한다.
3. 타당성 판단 시 세금효과는 고려치 아니한다.
4. 그 밖의 요인은 대등한 것으로 본다.

QUESTION
73

저금리 기조와 함께 수익성 부동산에 대한 관심이 대두되고 있다. 하지만 부동산의 수익은 다른 자산에 비해 그 위험(risk)이나 불확실성(uncertainty)을 계량적으로 측정하기 어렵고, 따라서 다양한 투자실패가 일어나는 원인으로 분석되고 있다. 15점

1. **아래 부동산에 대하여 부동산 위험측정지표 중 하나인 듀레이션(Duration)을 산정하시오.**
2. **아래 부동산을 900,000,000원에 매입한다고 가정하고 NPV, IRR을 구하고 재투자수익률의 가정을 현실화한 MIRR(Modified Internal Rate of Return)을 산정하여 투자 타당성을 분석하시오.**

자료 1 분석 대상 부동산

분석 대상 부동산은 서울특별시 강남구에 소재하는 근린생활시설로서 최근 10년간의 임대차내역을 분석해보건대 그 수익의 실현은 거의 확실시되는 것으로 판단되었다.

자료 2 대상 부동산의 연간 현금흐름

1. 보유기간 중 현금흐름 : 대상 부동산의 총임대료에서 각종 경비 및 제세공과를 제외한 현금흐름의 예상치는 다음과 같다.

구분	1차 연도	2차 연도	3차 연도
현금흐름	50,000,000	60,000,000	70,000,000

2. 대상 부동산은 보유기간 후(3년 후) 1,000,000,000원에 매각될 것이 확실시된다.

자료 3 재투자시장수익률 : 연 6.0%로 재투자함을 가정한다.

자료 4 듀레이션 산정식(3년물)

$$Duration = 1 \times \frac{\frac{Cash\,flow\,1}{(1+r_1)}}{V} + 2 \times \frac{\frac{Cash\,flow\,2}{(1+r_2)^2}}{V} + 3 \times \frac{\frac{Cash\,flow\,3}{(1+r_3)^3}}{V}$$

QUESTION
74

가용투자자금으로 2,000만원을 소유한 투자자 병은 투자대안 A와 B를 놓고 어느 대안을 선택하여 투자할 것인지에 대하여 고심하고 있다. 이에 감정평가사 Y에게 투자의 타당성 분석을 의뢰하였다. 10점

1. 투자대안을 NPV법과 PI법을 이용하여 타당성 분석을 하시오. 만약, 분석결과가 상반될 경우 그 이유에 대하여 서술하시오.

2. 상반된 결과에 대한 해결방법으로 가중평균수익성지수(WAPI)법의 의의를 간략히 서술하고 이 방법에 의해 투자대안의 타당성 분석을 행하시오.

자료 1 투자대안의 현금흐름 (단위: 만원)

구분	0기	1기	2기
A	−1,000	700	700
B	−2,000	1,300	1,300

자료 2 투자 관련 사항

1. 할인율 및 정기예금이자율 : 12%

2. 투자예산 2,000만원

3. WAPI에 의할 때 유휴자금은 투자자의 요구수익률을 반영한 PI가 “1”인 곳에 투자한다고 가정한다.

QUESTION 75

P감정평가법인 감정평가사 甲씨는 자산규모가 500억 정도 되는 개인의 펀드 중 부동산 부분의 자산관리를 담당하고 있다. 감정평가사 甲씨는 투자여력이 생긴 펀드에 새로운 부동산을 편입시키기 위해 서울시 전역을 탐색하던 중 동시에 나온 두 매물의 매입 타당성을 검토하고 있다. 아래의 절차에 따라 투자자의 목표수익률과 최저 수용위험을 고려하여 적절한 투자의견을 제시하도록 한다. 25점

1. 각 투자대안 부동산 중 투자자의 판단준거에 따라 적정한 대안을 선택하시오.
2. 〈물음 1〉에 의하여 투자된 부동산을 (자료 4)에 따른 차입을 통해 매수할 경우 수익률과 위험이 어떻게 변하는지 검토 및 분석하시오(의사결정시점 : 2025년 8월 31일).

자료 1 투자대상 부동산의 현황

1. 소재지 등

구분	투자대상 부동산 A	투자대상 부동산 B
소재지	K구 M동 48-14	K구 M동 48-15
대지면적(㎡)	620	620
용도지역	일반상업지역	일반상업지역
지목	대	대
건물구조	철근콘크리트조	철근콘크리트조
주용도	근린생활시설, 교육연구시설	업무시설
연면적(㎡)	3,162.74	3,273.47
건폐율/용적률(%)	58.35 / 431.53	59.71 / 435.74
사용승인일	2003.7.6.	2003.10.7.

※ 양 대안은 상호 배타적인 투자안이다.

2. 투자대상 부동산의 임대차 현황

(1) 투자대상 부동산 A

호수	임차인	이용상황	임대면적(㎡)	보증금	월임대료	비고(계약기간)
1층 1호	대중음식점	근린생활시설	131.78	230,000,000	11,000,000	2년
1층 2호	소매점	근린생활시설	131.78	230,000,000	12,000,000	2년
1층 3호	소매점	근린생활시설	131.79	250,000,000	11,000,000	2년
2층	체육도장	근린생활시설	395.34	100,000,000	6,000,000	2년

3층	제조업소	근린생활시설	395.34	100,000,000	5,000,000	2년
4층	의원	근린생활시설	395.34	120,000,000	3,000,000	2년
5층	의원	근린생활시설	395.34	100,000,000	3,300,000	2년
6층	학원	교육연구시설	395.34	150,000,000	3,000,000	2년
7층	학원	교육연구시설	395.34	100,000,000	3,000,000	2년
8층	학원	교육연구시설	395.34	120,000,000	2,700,000	2년
소계	-		3,162.74	1,500,000,000	60,000,000	현재는 100% 임대 중

(2) 투자대상 부동산 B

호수	임차인	이용상황	임대면적(㎡)	보증금	월임대료	비고(계약기간)
1층	㈜ KS	업무시설	3,273.47	1,000,000,000	40,000,000	2024년 8월 31일 ~ 2031년 8월 30일
2층						
3층						
4층						
5층						
6층						
7층						
8층						
소계	-	-	3,273.47	1,000,000,000	40,000,000	7년 계약

3. 투자대상 부동산 매수가능금액

각 부동산은 현재 토지면적을 기준으로 건물을 포함하여 ㎡당 10,000,000원에 매도 제안을 각각 받은 상태이다.

자료 2 각 부동산의 과거 5년간 운영실적

1. 공실(Vacancy) 및 손실(Loss)률의 현황

구분	2020년	2021년	2022년	2023년	2024년
A부동산 공실률	10%	5%	20%	15%	0%
B부동산 공실률	4%	3%	2%	5%	0%

2. 영업경비비율(유효조소득 수입 대비)

구분	2020년	2021년	2022년	2023년	2024년
A부동산 경비비율	25%	10%	15%	20%	5%
B부동산 경비비율	6%	5%	7%	9%	8%

3. 운영실적 및 미래의 현금흐름 예측 관련

(1) 2025년 실적은 아직 집계되지 않아서 구득하지 못하였다.

(2) 각 부동산별로 향후의 현금흐름 변동은 과거의 운영실적을 통하여 판단하도록 한다.

1) 과거 5년간 가장 높은 공실률과 과거 5년간 가장 높은 경비비율(각각 다른 연도에서 추출 가능)을 불황시점에 실현될 수 있는 운영실적으로 본다.

2) 과거 5년간 중간값의 공실률과 과거 5년간 중간값의 경비비율(각각 다른 연도에서 추출 가능)을 중립시점에 실현될 수 있는 운영실적으로 본다.

3) 과거 5년간 가장 낮은 공실률과 과거 5년간 가장 낮은 경비비율(각각 다른 연도에서 추출 가능)을 호황시점에 실현될 수 있는 운영실적으로 본다.

(3) 최근 부동산 경기침체에 따라 호황·중립·불황의 확률은 각각 30%·30%·40%로 안분하여 본다.

자료 3 의사결정기준

1. 투자자의 목표수익률 및 위험감내도

최저수익률 : 7.00%
수용가능 최대위험 : 1.00%
판단기준 : 평균 – 분산기준

※ 투자자가 생각하는 수익률이란 부동산가치 대비 순영업소득의 비율이다(Unlevered Return).

※ 〈물음 2〉와 관련하여, Leverage를 고려한다면 자기자본에 대한 투자비용과 세전지분현금흐름의 비율이 수익률이 된다(Levered Return).

자료 4 매입에 따른 차입조건

1. 차입규모 : 매입자금의 50%
2. 대출금리 : 매년 고정으로서 4.0%
3. 이자는 매년 납부하며 원금은 대출 만기(5년)에 일시 상환한다.

자료 5 기타사항

1. 각 부동산의 총수익은 매기 일정하다고 본다.
2. 각 부동산의 부동산가치 변동은 없다고 본다.
3. 〈물음 1〉의 대안 선택 시 시장상황에 따른 수익률의 가중평균치를 판단기준으로 활용한다.
4. 보증금에 대한 운용이율 : 연 3.5%
5. 모든 율의 표시는 백분율로 소수점 두 번째 자리까지 표시한다.

QUESTION 76

Huff의 상권분석모형을 통해 다음 상권의 규모에서 대상 점포의 가능 판매액을 분석하시오. 10점

자료 1 대상 부동산 인근의 상권현황

1. 인근 주거지대의 현황

(1) 주거지대별 인구현황

구분	주거지대 #1	주거지대 #2	주거지대 #3
인구 수	135,000	140,000	155,000

(2) 각 주거지대 내 인구의 평균소득에 비추어 대상과 유사한 상품군에 소비되는 소득의 규모는 연 1,500,000원/인이고, 이 중 10%를 대상과 동종의 점포에서 소비하는 것으로 가정한다.

2. 각 점포의 위치 및 면적

구분	점포 A	점포 B	대상 점포
매장의 면적(㎡)	4,500	6,000	8,000
주거지대 #1과의 거리(km)	2.0	5.0	4.0
주거지대 #2과의 거리(km)	2.0	2.0	3.0
주거지대 #3과의 거리(km)	5.0	3.0	2.0

3. 점유율을 파악함에 있어서 각 주거지대 내 소득수준 및 대상 유형 상품군에 대한 연간 가처분소득이 동일하므로 각 주거지대별 대상 점포의 점유율을 산출한 후 이를 합산하여 시장점유율을 결정하도록 한다.

자료 2 상권분석 및 시장점유율 분석방법

1. 개요

상권분석기법 중 중력모형에 기초하여 시장점유율을 추정하도록 한다. 중력모형을 사용함에 있어서 각 주거지대별 각 점포의 총 유인력지수를 판단하되, 대상 점포의 유인력지수의 비율을 대상 점포가 해당 주거지대에서 가지고 있는 시장점유율로 인식하도록 한다. 유인력지수는 아래와 같이 설정하도록 한다.

2. Huff의 중력모형모델(확률모델)

점포의 유인력 = 매장면적(㎡) / 거리$(km)^2$

QUESTION 77

甲은 지상건물의 잔존수명이 채 5년도 남지 않은 토지 · 건물 복합부동산을 소유하고 있다. 그는 얼마 전 乙로부터 대상 부동산을 현상태 그대로 22억원에 매도하지 않겠느냐는 제의를 받고 고심 중에 있다. 이에 甲은 결국 감정평가사인 당신에게 이러한 문제의 합리적 해결을 문의하기에 이르렀다. 아래에 제시된 자료를 바탕으로 합리적인 의견을 제시하시오. 25점

자료 1 평가개요

1. 토지 : K시 S구 J동 244-43, 대, 660㎡

2. 건물 : 위 지상 철근콘크리트 지상 3층(각층 400㎡, 연면적 1,200㎡)

3. 기준시점 : 2025년 9월 1일

4. 평가목적 : 일반매매가능가격 평가

자료 2 지역개황

대상 부동산이 속한 지역은 대규모 도로확장과 더불어 용도지역이 "근린상업지역"에서 "중심상업지역"으로 변경되어 건물이 고층화되고 있으며 금융기관 등의 진출이 활발하게 진행되고 있다.

자료 3 거래사례

인근지역 내에 소재하는 유사 부동산(대지 600㎡, 건물연면적 1,080㎡, 3층)이 최근에 매수자 부담의 철거를 전제로 하여 명목상 2,175,000,000원에 거래되었다. 거래내역을 조사한 결과 매매가격의 40%인 저당을 떠안은 것으로 나타났다. 금융조건은 "20년간 연 6% 이자율로 매년 원리금 균등상환조건"이다.

자료 4 임대사례

해당 사례의 지상건물 규모는 비록 인근의 이용에 비해 과소한 상태이나, 사례(구분소유건물의 3층)의 임대료 수준은 "인근지역의 표준적 수준"을 나타내고 있다. 아래는 "사례의 임대시점"에서의 자료이다.

1. 임대기간 : 2024년 7월 1일~2026년 6월 30일

2. 임대조건 : 필요경비는 임대인이 부담하는 조건이다.

3. 자본회수방법 : 직선회수법을 사용하며 경제적 수명말 잔존가치는 "0"으로 간주한다.

4. 임대료 내역 등

층	지하 1층	1층	2층	3층	4~5층	합계
용도	주차장	점포	사무실	사무실	사무실	–
바닥면적(㎡)	550	550	550	480	480	3,090
임대면적(㎡)	(22대)	380	380	330	330	1,750
월 지불임대료	90,000원/대	(×××)	(×××)	1,950,000원	(×××)	(×××)
보증금	–	월 지불임대료 × 24월분				(×××)
권리금	–	월 지불임대료 × 12월분				(×××)

자료 5 대상토지에서 최유효이용시 층별 이용내역

층	지하 2층	지하 1층	1층	2층	3~10층	합계
용도	주차장	주차장	점포	사무실	사무실	–
바닥면적(㎡)	520	520	520	520	460	5,760
임대면적(㎡)	(20대)	(20대)	360	360	320	3,280(40대)

자료 6 건물개요

구분	대상지 상정 건물	임대사례
건축시점	2025년 9월 1일 준공간주	2024년 1월 1일
부지면적(㎡)	660	660
건축면적(㎡)	520	550
연면적(㎡)	5,760	3,090
임대면적(㎡)	3,280	1,750
기준시점 현재 잔존경제적 수명	50년	48년
건물 개별요인평점 **	100	98
표준건축비(원/㎡)	450,000	–

* (주) 대상지 상정 건물의 표준적 건축비는 인근지역에서의 전형적 건축비이다.

** 잔가율 포함, 주차요금(원/대)은 임대사례와 본건이 대등한 것으로 판단한다.

자료 7 대상 최유효이용(건물준공 시)의 임대 시 필요경비

1. 유지수선비 : 표준건축비의 1%

2. 관리비 : 총수익의 1%

3. 공조공과 : 30,000,000원

4. 손해보험료 : 표준건축비의 0.3%

5. 손실충당금 및 공실손실상당액 : 총수익의 5%

자료 8 인근지역의 표준적 층별 효용비

층	1층	2층	3층	4층	5층 이상
층별 효용비	170	120	100	60	50

자료 9 신규 임대료지수

2024년 1월 1일 : 97

2024년 7월 1일 : 100

2025년 1월 1일 : 105

자료 10 지가변동률

2024년 누계 : 1.581%

2025년 7월 : 0.943%

2025년 7월 누계 : 0.059%

자료 11 요인비교자료

1. 매매사례, 임대사례는 인근지역 내 사례로서 지역요인은 동일하다.

2. 토지개별요인 평점(상대적 비교치)
   (1) 대상(최유효이용 상정) : 100
   (2) 매매사례 : 102
   (3) 임대사례 : 97

자료 12 기타

1. 권리금 미상각액 운용이율 : 연 5%
2. 일시금 운용이율 : 연 5%
3. 토지환원이율, 건물의 상각후 환원이율 : 5%(자본회수는 직선법에 의한다)
4. 철근콘크리트조 건물철거비(기준시점 현재) : 75,000원/㎡
5. 주차요금은 임대료와 동일한 변동 추이를 갖는다고 가정한다.
6. 시장할인율 : 5%

QUESTION 78

감정평가사 Y는 아래 부동산에 대한 평가의뢰를 받고 감정평가가격을 산정하고자 한다. 주어진 자료를 활용하여 아래의 물음에 답하시오. 35점

(1) **대상 부동산의 지역요인과 형상에 대한 개별요인 평점을 결정하라.**

(2) **대상 부동산의 시장가치를 평가하라.**

(3) **대상 부동산 매입비용의 현금등가(Cash Equivalence)를 산정하고 매입의 타당성을 판단하라.**

자료 1 대상 부동산의 개황

1. 소재지 : T시 S구 C동 920번지

2. 용도지역 : 제2종일반주거지역

3. 지목, 면적 : 대, 500㎡

4. 지역특성 및 개별특성 : 이하 참조

5. 평가목적 : 일반거래목적

자료 2 지역개황

대상토지가 속해 있는 인근지역은 최근 임대수요 상승으로 인한 부동산 개발이 가속화되어 5층 내외의 상업용·업무용 건물이 밀집하여 형성된 전형적인 상업지대로써 전면노선상가지대인 것으로 조사되었다. 또한 기존 건물들의 임대료는 하락하고 있으며, 인근지역 주민들을 대상으로 표본조사를 실시한 결과 급속한 상업지로의 이행이 진행됨에 따라 공개공지 및 근린공원 등의 부족으로 주거지로서의 기능은 대체로 상실된 것으로 조사되었다. 또한 최근 해당 지역의 표준지공시지가를 평가한 담당 감정평가사의 T시 S구 지역분석 보고서에서도 이러한 지역상황이 재확인되었다.

자료 3 공시지가자료(2025년 1월 1일 기준 공시)

(단위 : 원/㎡)

기호	소재지	면적(㎡)	이용 상황	용도 지역	도로 교통	주변환경	형상 지세	공시지가
1	A동	510	주거용	제2종 일주	중로 한면	연립주택지대	가장형 평지	1,410,000
2	B동	483	상업용	제2종 일주	소로 한면	후면노선상가지대	세장형 평지	1,340,000
3	C동	451	상업용	제2종 일주	중로 한면	전면노선상가지대	정방형 평지	1,500,000
4	D동	3,135	상업용	제2종 일주	소로 각지	전면노선상가지대	세장형 평지	1,420,000
5	E동	420	상업용	일반 상업	중로 각지	전면노선상가지대	부정형 평지	1,710,000

※ 기호 2는 문화재보호구역임.

※ 일련번호 3의 소유자는 2025년 5월 1일에 인접 토지를 구입한 후, 기준시점 현재 두 필지에 하나의 건물을 신축하기 위해 건축허가를 필한 후 기초공사 중에 있다.

자료 4 거래사례자료

1. 사례 #1

(1) **토지** : T시 S구 A동 221번지, 대, 460㎡
상업용 나지, 중로한면, 가장형 평지

(2) **용도지역** : 제2종일반주거지역

(3) **거래내역** : 2025년 5월 12일에 7억 8천만원에 거래된 사례로써 이 중 70%는 3개월 후에, 30%는 6개월 후에 지불하기로 하였다.

2. 사례 #2

(1) **토지** : T시 S구 B동 121번지, 제2종일반주거지역, 대, 510㎡
주거용 나지, 소로각지, 가장형 평지

(2) **건물** : 위 지상 철근콘크리트조, 지하 2층 지상 6층, 연면적 2,510㎡

(3) **매매가격** : 12억(50%는 거래 즉시 지급하고 50%는 1년 후에 지급하기로 했다)

(4) **거래시점** : 2025년 4월 4일

(5) **기타** : 상기 부동산은 정상적인 사례로써 토지 및 건물의 가격구성비는 6 : 4이다.

3. 사례 #3

(1) **토지** : T시 S구 B동 121번지, 제2종일반주거지역, 대, 540㎡
상업용 나지, 중로한면, 세장형 평지

(2) **건물** : 위 지상 철근콘크리트조, 지하 1층 지상 3층, 연면적 1,320㎡

(3) **매매가격** : 8억 2천만원

(4) **거래시점** : 2025년 1월 1일

(5) **기타** : 지상 위의 노후한 건축물에 대한 철거가 타당하나 이에 대한 합의 내역은 구득하지 못하였다.

4. 사례 #4

(1) **토지** : T시 S구 C동 221번지, 대, 490㎡
상업용 나지, 소로한면, 장방형 평지

(2) **용도지역** : 제2종일반주거지역

(3) **거래가격** : 8억 7천만원

(4) **거래시점** : 2025년 1월 1일

(5) **거래내역** : 소유자의 해외이주로 시장 노출시간이 충분하지 않은 사례이다.

5. 사례 #5

(1) **토지** : T시 S구 D동 201번지, 대, 510㎡
상업용 나지, 소로한면, 장방형 평지

(2) **용도지역** : 제2종일반주거지역

(3) **거래가격** : 8억

(4) **거래시점** : 2025년 1월 1일

(5) **거래내역** : 정상적인 거래사항임.

6. 사례 #6

(1) **토지** : T시 S구 E동 214번지, 대, 450㎡
상업용 나지, 중로각지, 세장형 평지

(2) **용도지역** : 제2종일반주거지역

(3) **거래가격** : 7억 5천만원

(4) **거래시점** : 2025년 1월 1일

(5) **거래내역** : 정상적인 거래사항임

자료 5 수익사례자료

1. 수익사례자료

구분	수익사례 #1	수익사례 #2	수익사례 #3	수익사례 #4	수익사례 #5	수익사례 #6
소재지	T시 S구 A동	T시 S구 B동	T시 S구 C동	T시 S구 C동	T시 S구 C동	T시 S구 D동
용도지역	제2종일주	제2종일주	제2종일주	제2종일주	일반상업	제2종일주
이용상황	상업용	상업용	상업용	상업용	업무용	주거용
EGI(총액)	2억 3천	2억 5천	2억 7천	3억	2억 8천	2억
OER(%)	40%	45%	40%	50%	60%	50%
거래가격	12억 5천만	12억 5천	14억	14억	18억	10억

2. 적정한 수익사례를 선정하여 종합환원이율 산정에 활용하도록 한다.

자료 6 조성사례자료

1. 소재지 등 : T시 S구 C동 670번지, 잡종지 600㎡, 제2종일반주거지역, 소로한면, 정방형 평지

2. 조성 전 토지매입가격 : 600,000,000원

3. 조성공사비 : 200,000,000원(매분기 말 균등분할지급)

4. 일반관리비 : 조성공사비 상당액의 10%(공사준공 시 일괄지급)

5. 적정이윤 : 조성공사비 상당액과 일반관리비의 합계액의 8%(공사준공 시 일괄지급)

6. 공사일정 등
   (1) 조성 전 토지매입시점 및 공사착공시점 : 2025년 1월 1일
   (2) 공사준공시점 : 2025년 6월 30일

7. 할인율은 월 1%를 적용함.

8. 상기 사례는 상업용으로의 조성사례임.

자료 7 대상 부동산의 최유효사용 건물을 상정한 경우 임대내역

1. 면적 및 임대내역

층	용도	바닥면적 (㎡)	전유면적 (㎡)	연 지불임대료 (전유면적당)	보증금
지하 2층	주차장, 기계실	330	10대	70,000원/대	
지하 1층	점포	330	281	100,000원/㎡	100,000,000
지상 1층	점포	330	281	300,000원/㎡	300,000,000
지상 2층	점포	330	281	150,000원/㎡	150,000,000
지상 3층	점포	330	281	100,000원/㎡	100,000,000
지상 4층	점포	330	281	100,000원/㎡	100,000,000
지상 5층	점포	330	281	100,000원/㎡	100,000,000
지상 6층	점포	330	281	100,000원/㎡	100,000,000
계		2,640	1,967		

* 1) 계약기간은 2년이다.
2) 지불임대료는 매월 말에 지급한다.
3) 공익비에 관해서는 별도의 실비상당액을 지불한다.
4) 보증금은 임대차계약을 해제할 때는 직접 전액 반환되지만 이자는 없다.
5) 지불임대료수준 및 보증금에 관해서는 지역에 있어 표준적인 것으로 인정된다.

2. 필요제경비

대상토지상 상정된 최유효사용의 건물	가. 감가상각비 : 정액법을 채용 시 잔가율 0 나. 유지수선비 : 건축비 표준견적액의 1% 다. 공조공과 : 7,644,000원 라. 손해보험료 : 건축비 표준견적액의 0.3% 마. 공실 및 불량부채 : 실질임대료의 5%

3. 상기 임대내역은 기준시점 현재 신축 시 별도의 마찰비용 없이 곧바로 실현 가능한 것으로 인정된다.

4. 상기 상정된 건물은 철근콘크리트조 구조이다.

자료 8 지역요인 분석자료

1. 평가대상 및 거래사례의 인근지역과 동일수급권 내 유사지역의 수익성 부동산을 조사한 결과 건물바닥면적당 연간 평균소득과 평균 영업경비에 대한 조사가 다음과 같이 이루어졌다. 단위면적당 순영업소득은 인근지역의 지가수준을 대표하는 것으로 본다.

구분	A동	B동	C동	D동	E동
순영업소득(원/㎡)	15,300	14,700	15,000	13,400	17,100

2. 각 동별로 개발시기 및 생애주기가 상이하여 소득과 경비에서 차이가 있음.

3. 같은 동내의 지역요인은 동일함.

4. C동의 지역평점을 100으로 봄.

자료 9 대상토지의 개별요인자료

1. 대상토지의 현황(부정형) 및 부정형 보정평점

현황

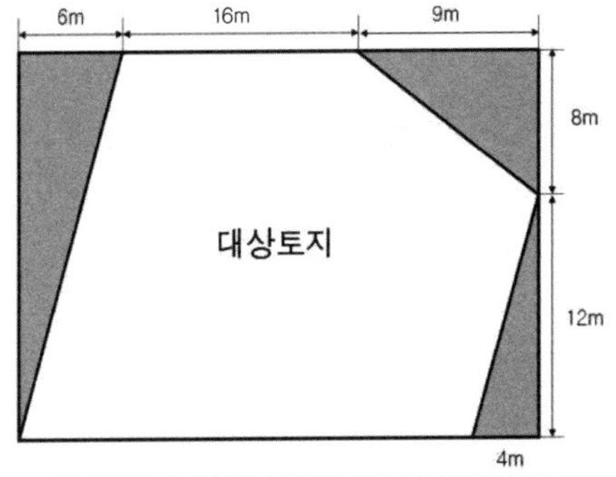

부정형 보정평점	
적용면적비율	부정형 보정평점
5% 미만	100
5% 이상 10% 미만	98
10% 이상 15% 미만	96
15% 이상 20% 미만	94
20% 이상 25% 미만	93

※ 산식 : 적용면적비율 = 삼각형부분면적합(음영부분) / 장방형토지면적 × 100

2. 대상토지는 12m 도로에 접하고 있다.

자료 10 대상 및 사례토지의 개별요인

1. 도로조건에 대한 개별요인

세로한면	세로각지	소로한면	소로각지	중로한면	중로각지
80	85	90	95	100	105

2. 형상에 대한 개별요인

대상	세장형	가장형	정방형
–	95	105	100

※ 대상 부동산의 형상에 대한 개별요인의 경우 획지모양에 대한 별도의 평점산정이 필요하며, 산정된 평점을 대상의 형상에 대한 개별요인비교치로 본다.

자료 11 시점수정자료

1. 2025년 지가변동률(%)

구분	1월	2월	3월	4월	5월	6월	7월	8월
주거	0.012	0.011	0.016	0.014	0.013	0.018	0.019	0.015
상업	0.014	0.013	0.011	0.012	0.014	0.017	0.019	0.013

2. 건축비지수

2023.8.1.	2024.2.1.	2024.8.1.	2025.2.1.	2025.8.1.
100	102	110	120	130

자료 12 매도자의 대상토지 매도제안가격

1. 현 대상토지의 소유자 B는 A에게 현금으로 750,000,000원을 요구하고 있다.

2. A가 대상토지를 매입할 경우 금융권에서의 대부조건은 아래와 같다.

(1) LTV : 시장가치의 60%

(2) 상환조건

1) 이자율 : 시장이자율 대비 (–)5%p

2) 상환기간 : 20년

3) 상환조건 : 원리금 균등상환

자료 13 건축비용자료

구분	재조달원가(원/㎡)	내용연수	잔가율
철근콘크리트조	700,000	40년	0%
적벽돌조 슬래브	600,000	35년	0%

자료 14 기타자료

1. 현장조사일은 2025년 8월 15일~8월 31일까지이다.

2. 지역요인 평점계산 시 동일수급권 내 유사지역을 먼저 획정할 것

3. 지역요인은 소수점 첫째 자리에서 반올림하여 표시할 것

4. 각종 이율
   (1) 시장이자율 : 12%
   (2) 보증금 운용이율 : 8%

5. 그 밖의 요인비교치는 대등하다.

QUESTION
79

李씨는 다음과 같은 현금흐름(Cash flow)이 예측되는 부동산을 시중의 금융조건을 기준으로 구입하여 5년 후 매도하고자 한다. 이 경우의 아래 조건에 따라 "자기자본에 대한 직접환원이율(R_E)"을 산정하시오. 15점

〈조건〉

(1) 시중에서 가용한 금융조건은 초년도 순영업소득(NOI_1)을 기준으로 DCR 1.3을 적용하고 있으며, 연리 12%에 대출기간은 10년(원리금 균등상환조건)이다.

(2) 순수한 시간의 가치를 반영하는 무위험률(R_f : risk free rate)은 12%이고, 해당 투자자가 대상 부동산에 대한 투자에서 부여하는 위험할증률(risk premium)은 3%이다.

(3) 보유기간 말 "6기 순영업소득(NOI_6)"에 적용되어 재매도가치(resale value)를 구하는 기출환원이율(going-out capitalization rate)은 18%로 추산된다.

(4) 매기 지분소득 추계 시, 할인현금수지분석표(DCF Analysis table)를 그릴 것

구분	1기	2기	3기	4기	5기	6기
가능조소득 (PGI)	230,000,000	230,000,000	250,000,000	250,000,000	270,000,000	270,000,000
공실 및 손실충당금 (V&LA)	PGI의 7%	PGI의 7%	PGI의 6%	PGI의 6%	PGI의 5%	PGI의 5%
영업경비 (OE)	EGI의 30%	EGI의 30%	EGI의 25%	EGI의 25%	EGI의 25%	EGI의 25%

QUESTION 80

(주)J는 7년 전에 매입한 사옥에 대한 유동성 문제로 인하여 최근 유동화 방안을 논의하던 중, 매후환대차를 통한 유동성 확보의 경우 최대한의 유동성을 확보하면서 사옥의 계속적인 사용이 가능하고, 게다가 최근 한 투자자가 매후환대차의 투자자로 참여하기로 하여 적합한 것으로 결정하였다. 아래의 자료를 통하여 매후환대차 방안이 타당한지 검토하시오. 20점

자료 1 의사결정시점 : 2025년 6월 30일

자료 2 사옥의 현황

1. 토지현황
   (1) 위치 : 서울특별시 Y구 D동 121-147 외 1필지(121-265)
   (2) 각 토지의 현황

구분	121-147	121-265
면적(㎡)	426	347
용도지역	제2종일반주거지역	제2종일반주거지역
매입시점	2018년 1월 1일	
매입금액	2,000,000,000원	

※ 상기의 매입금액은 (주)J의 사옥 토지에 대한 장부가를 구성하고 있다.

2. 지상건물의 현황

<table>
<tr><th>대지위치</th><td colspan="4">서울특별시 Y구 D동 121-147 외 1필지
(관련지번 121-265)</td></tr>
<tr><th>구분</th><th>대지면적(㎡)</th><th colspan="2">연면적(㎡)</th><th>층수</th></tr>
<tr><td>(주)J사옥</td><td>773</td><td colspan="2">2,141.78</td><td>지하 1층/지상 7층</td></tr>
<tr><th rowspan="2">각 층별 이용상황</th><th>지하 1층</th><th>지상 1층</th><th>지상 2층~지상 6층</th><th>지상 7층</th></tr>
<tr><td>주차장, 기계실, MDF실</td><td>계단실, 홀, 주차장</td><td>업무시설</td><td>근린생활시설</td></tr>
<tr><th>사용승인일</th><td colspan="4">2018년 6월 30일</td></tr>
<tr><th>신축비용</th><td colspan="4">제경비를 포함하여 2,000,000,000원이 소요되었으며, 건축 당시 적정한 공사비였다. 경제적・세법상 내용연수는 50년이다.</td></tr>
</table>

자료 3 인근지역의 표준지공시지가

구분	내용	비고
소재지	Y구 D동 121-156	-
용도지역	제2종일반주거지역	-
이용상황	주상기타	-
공시지가(원/㎡)	2,680,000	2025년 1월 1일 공시기준일
주변환경	후면상가지대	-
도로조건	세각(가)	-
형상	가장형	-
지세	평지	-

※ 본건은 공시지가표준지에 비해 5% 우세하다.

자료 4 공시기준일로부터 기준시점까지의 지가변동은 0.5% 상승이 있었다.

자료 5 그 밖의 요인비교치로서 30% 증액 보정한다.

자료 6 건물의 재조달원가

구분	표준건축비(원/㎡)	설비보정단가(원/㎡)
업무시설 등	700,000	150,000

※ 건축비는 매년 상승한다.

자료 7 유사 복합부동산의 매매사례

1. 거래사례의 소재지 : 서울특별시 Y구 D동 121-143 외

2. 구체적인 현황

토지면적(㎡)	929.6	이용상황	업무용
건물면적(㎡)	3,165.1	거래시점	2023.2.1.
거래금액	5,600,000,000	건물의 사용승인일	2010.6.25.

3. 가격형성요인 비교

거래사례대비 본건의 토지(외부요인)는 5% 열세하며, 건물의 제반 상황은 잔가율을 제외하고 대등하다. 요인비교는 상승식으로 비교한다.

4. 복합부동산의 가격변동은 거래시점 이후 대등한 것으로 본다.

자료 8 본건의 적정임대료 수준

구분	월임대료(원/㎡)	보증금	월관리비
적정임대료	10,000	월임대료의 10배	관리비수입은 전액 실비와 상계된다.
비고	- 면적은 건물의 연면적당 임대료를 의미한다. - 임대료 및 보증금은 매년 3%씩 상승한다. - 보증금 운용이율 : 연 4% - 임대기간 : 현재로부터 5년		

※ 공실은 없는 것으로 본다.

자료 9 향후 부동산가격 변동예측치

구분	토지	건물
5년 후 가격변동 예상	10% 상승	5% 하락

자료 10 (주)J의 재무상황 등

(주)J는 계속적인 영업이익이 예상되는 기업이며, 한계세율은 20%이고 본 부동산에 대한 양도소득세는 공히 30%를 적용한다. 세율은 향후 5년간 불변할 것으로 가정한다.

자료 11 할인율 및 환원이율은 각각 6.0%이다.

자료 12 매각 후 임대기간은 5년이다.

QUESTION 81

감정평가사 Y씨는 서울특별시 K구 B동 K로 동측 후면에 위치하는 나대지를 개발하려는 甲씨의 의뢰를 받고 투자방안에 대한 타당성 검토를 의뢰받았다. 감정평가사 Y씨는 이에 따라 의뢰인 甲씨로부터 또한 사전조사, 현장조사를 통해서 아래의 자료를 수집하였다. 아래의 소물음의 논리를 충실하게 따라 각 물음에 답하시오. 35점

1. 본 토지의 시장가치를 평가하시오.
2. 본건의 투자기간 중의 각각 자기지분에 대한 현금흐름을 분석하시오.
   (1) 토지매입시점에서의 지분현금흐름을 파악하시오.
   (2) 건물의 준공시점에서의 지분현금흐름을 파악하시오.
   (3) 건물의 운영단계에서의 지분현금흐름을 파악하시오.
   (4) 기말 매각시점에서의 지분현금흐름을 파악하시오.
3. 분석된 현금흐름을 바탕으로 아래와 같이 현금수지를 요약하고 본 투자의 타당성을 검토하시오.

〈현금수지 요약 Table〉

구분	2025년 7월 1일 (토지매입시점)	2026년 7월 1일 (건물준공시점)	2026년 7월 1일~ 2031년 6월 30일 (임대운영단계)	2031년 7월 1일 (재매도시점)
현금수지				

자료 1 대상 부동산의 현황

1. 소재지 : 서울특별시 K구 B동 840-7
2. 지목 및 면적 : 대, 650㎡
3. 용도지역 : 제3종일반주거지역
4. 토지의 개별특성 : 중로각지, 가장형, 평지
5. 본건의 주변환경 : 본건은 K로 동측 후면에 위치하며 본건의 인근은 기존 단독주택, 다세대주택 등 주택지대와 상가지대가 혼재되어 있는 지대임.

자료 2 본건 토지의 건축허가 현황

1. 건축・대수선・용도변경허가서

건축구분	신축	허가번호	2025-건축과-신축허가-207
건축주	(주)甲		
대지위치	서울특별시 K구 B동 840-7		
대지면적(㎡)	650		
건축물 명칭	메가프라자	주용도	근린생활시설
건축면적	390	건폐율	60%
연면적(㎡)	2,950	용적률	300%

2025년 6월 20일
K구청장

2. 각 층별 세부내용

구분	면적(㎡)	허가용도
지하 2층	500	기계실, 주차장
지하 1층	500	주차장(300㎡), 근린생활시설(200㎡)
지상 1층	390	근린생활시설
지상 2층	390	근린생활시설
지상 3층	390	근린생활시설
지상 4층	390	근린생활시설
지상 5층	390	근린생활시설
소계	2,950	-

※ 허가받은 대로 건물을 건축하여 준공받을 것을 가정하도록 한다.

자료 3 투자계획서

1. 투자타당성 판단시점 : 2025년 7월 1일

2. 토지매입 관련

(1) 토지의 매입시점 : 2025년 7월 1일

(2) 매입가격 : ㎡당 10,500,000원

3. 건축기간

(1) 착공일 : 2025년 7월 1일

(2) 완공 및 준공일 : 2026년 7월 1일

4. 건물의 매각예상시점 : 2031년 7월 1일

5. 임대차 예상내역

건물의 준공과 동시에 아래와 같은 임대차가 이루어질 것으로 가정한다.

2026년 7월 1일 기준(단위 : 원)

구분	임차인	보증금	월차임 (VAT 제외)	비고
지하 1층	○○마트(창고)	50,000,000	2,000,000	※ 각종 관리비 등(유류, 수도세 등)은 실비를 임차인이 직접 정산한다. ※ 기타 재산세 등 공조공과 및 유지수선비는 건물주가 납부하며, 월차임의 5%가 발생한다.
지상 1층	○○마트	900,000,000	25,000,000	
지상 2층	◆◆의원	300,000,000	10,000,000	
지상 3층	☆☆당구장	400,000,000	18,000,000	
지상 4층	☆☆당구장			
지상 5층	◇◇노래방	200,000,000	8,500,000	
소계		1,850,000,000	63,500,000	

※ 모든 임대차는 2026.7.1일에 모두 계약되며, 향후 5년간 임대차 내역은 동일할 것으로 가정한다.

6. 건축비 예상

본 건물의 구조, 이용상황, 내부설비 등 예정내역을 고려한 결과 ㎡당 850,000원이 소요될 것으로 예상되며, 모든 건축비는 건물의 준공시점에 모두 지급됨을 가정한다(단, 지하에 위치한 근린생활시설의 경우 지상부분의 85%, 지하주차장 및 기계실은 지상부분의 70%를 적용한다).

자료 4 인근지역의 표준지공시지가 현황(2025년 1월 1일)

일련번호	소재지	면적(㎡)	지목	공시지가(원/㎡)	용도지역	이용상황	주위환경	도로교통	형상지세	지리적위치
1	B동 821-1	157.4	대	3,510,000	제2종일주	주거용	기존주택지대	소로한면	부정형평지	기존주택지대
2	B동 840-1	587.4	대	6,000,000	제3종일주	상업나지	주거상업혼용지대	소로각지	가장형평지	K로 동측후면 상가지대

3	B동 887-7	780.7	대	9,400,000	제3종 일주	상업용	노선 상가 지대	소로 각지	부정형 평지	K로 동측후면 상가지대
4	B동 1697-1	350.1	대	13,500,000	일반 상업	상업용	노선 상가 지대	광대 한면	부정형 평지	K로 전면노선 상가지대

자료 5 표준지공시지가에 대응하는 그 밖의 요인비교치

상기의 표준지공시지가는 인근지역의 적정한 시가수준을 반영하지 못하고 있으므로 아래의 그 밖의 요인비교치를 활용한다.

구분	표준지 1	표준지 2	표준지 3	표준지 4
그 밖의 요인비교치	1.40	1.30	1.25	1.20

자료 6 대출조건 등

구분	대출조건 등
2025년 7월 1일	토지 감정가격의 45%를 대출함(일시지급)
2026년 7월 1일	– 2025년 7월 1일~2026년 6월 30일의 발생이자를 납부 건물 준공 전까지는 6.10%의 이자율을 적용 – 건물 준공 시 보증금 수취분에 대해서는 원금의 상환을 하도록 함
2026년 7월 1일~ 2031년 6월 30일	보증금을 차감한 대출잔액에 대하여 5.05%의 이자를 지급 (매년 말 지급)
2031년 7월 1일	건물 매각 시 잔액상환

자료 7 본건 인근의 거래사례

구분	소재지	용도지역 이용상황	거래시점 (계약일)	매매금액	비고
사례 A	B동 471-7	제3종일반주거 상업용	2025년 6월 1일	4,900,000,000	K로 동측 후면 주택 및 상가 혼용지대임
사례 B	B동 847-8	제3종일반주거 상업용	2024년 12월 15일	4,300,000,000	K로 동측 후면 주택 및 상가 혼용지대임
사례 C	B동 889-1	제3종일반주거 상업용	2025년 1월 1일	2,700,000,000	K로 동측 후면 주택 및 상가 혼용지대임

구분	기타사항
사례 A	나대지에 대한 거래사례이다. 감정평가사 Y씨는 사례 A의 경우 매매계약서를 구득하였다. 매매계약서상 계약일은 2022년 6월 1일이나 아직 잔금의 지급(2025년 9월 1일 예정)은 이루어지지 않아 거래가 종결되지 않았다. 사례는 중로한면, 가장형, 평지이다. 토지의 면적은 432.1㎡이다.
사례 B	본건은 복합부동산의 거래사례이다. 본건은 중로한면, 가장형, 평지이다. 건물은 2012년 1월 5일에 준공된 근린생활시설로서 연면적은 1,100㎡이고 토지면적은 420㎡이다. 건물의 내용연수는 50년이며, 잔가율은 0%이다. 건물의 거래시점 당시의 재조달원가는 ㎡당 600,000원(지상, 지하 공히 적용)이다.
사례 C	본건은 복합부동산 중 토지만의 거래사례이다. 매수인인 토지소유자는 건물의 소유자와 직계존속인 것으로 판단된다. 본건은 소로각지, 세장형, 평지이다. 건물은 2013년 1월 4일에 준공된 근린생활시설이며, 연면적은 1,050㎡이고 토지면적은 400㎡이다.

자료 8 재매도 시 예상자료

1. 기말의 가치변화 예상분

   토지는 2025년 7월 1일 취득 이후 매입가치 대비 매년 1.5%씩 증가하는 것을 가정하며, 건물은 2026년 7월 1일 준공 이후 매년 2%씩 정액으로 감가하는 것으로 예상한다.

2. 매각비용은 재매도가치의 2%가 소요되는 것으로 가정한다.

3. 재매도 시 설정되어 있는 임대차조건에 대해서는 매수인에게 승계하는 것으로 가정한다.

자료 9 요인비교자료

1. 지가변동률(K구, %)

구분	2024년 12월	2025년 1월	2025년 5월	2025년 6월
주거지역	-0.092 (-1.298)	0.008 (0.008)	0.093 (0.397)	미고시
상업지역	-0.077 (-1.719)	0.011 (0.011)	0.079 (0.597)	미고시

※ 하단의 괄호는 연간 누계치이다.

2. 개별요인 평점

(1) 도로조건

광대로	중로	소로	세로	맹지
120	105	95	85	70

※ 각지는 5% 가산한다.

(2) 기타조건

구분	대상	표준지 1	표준지 2	표준지 3	거래 사례 A	거래 사례 B	거래 사례 C
평점	100	105	95	103	107	102	99

※ 도로조건 및 수량은 제외된 수치이다.

자료 10 기타자료

1. 본 투자안의 요구수익률 : 7.5%

2. 투자 타당성 분석시 NPV와 IRR을 모두 적용하시오.

3. 모든 현금흐름은 자기지분에 대한 현금흐름을 분석하도록 한다.

4. 토지 감정평가액 총액은 백만원 단위 이하는 절사한다.

QUESTION 82

전국적인 유통망을 가지고 있는 A마트는 확고한 영업망 확보를 위해 도심지역에서 8km 떨어진 인근의 교외지역에 대규모 매장용 건물을 건립하려고 한다. 이러한 계획에 따라 A마트 李개발팀장은 개발계획의 경제적 타당성을 감정평가사인 당신에게 의뢰하였다. 이에 따라 당신은 인근 교외지역의 매장용 건물부지를 찾아 임장활동을 하였는 바, 다음과 같은 자료를 수집하였다. 다음 자료를 근거로 하여 A마트에서 추진하고 있는 매장용 건물의 개발 타당성을 판단하시오. 20점

자료 1 건립예정건물

1. 매장면적 : 2,200㎡
2. 주차공간 : 250대
3. 건물신축비용 : 10억 1,000만원
4. 거래지역 : 반경 200m

자료 2 대상지역사회의 인구 추세

1. 대상지역은 안정적으로 성장하고 있는 APT지구이다. 인근 농경지 일대는 개발제한구역인데, 개발제한구역 해제 여부에 따라 인구성장 잠재력은 달라질 것으로 보인다. 개발제한구역의 해제가능성은 60%이다.
2. 개발제한구역이 그대로 유지된다면 현재 인구 수준에서 인구 증가가 상대적으로 제한될 것으로 보인다.
3. 개발제한구역이 해제된다면, 인구는 ha당 3,282명으로 상승될 것이다.
4. 현재 대상지역사회의 인구밀도는 지역에 따라 큰 차이가 없으며, 최근 인구통계자료에 의한 대상지역의 인구밀도는 3,000명/ha이다.

자료 3 대상지역사회 소득수준 등

1. 1인당 평균소득은 530만원/년이고, 가구당 소득은 1,950만원/년이다.
2. 1인당 연평균소득의 약 20% 정도는 식료품 구입에 사용하며, 식료품 구입비 중 10%는 거래지역 이외에서 소비되는 것으로 여론 조사되었다.

자료 4 거래지역 내 기존 슈퍼마켓

슈퍼마켓	매장면적(㎡)	주차공간(대)	예상매매가격	연간 매출액
1	1,450	170	9억 1천만원	67억 5천만원
2	1,600	200	9억 9천만원	74억 2천만원
3	1,300	140	8억 1천만원	60억원
4	1,400	150	8억 7천만원	64억 5천만원

자료 5 기타

1. 건립 예정 부동산의 적정부지가격은 3억 7천만원이다.
2. 거래지역 내 슈퍼마켓의 시장점유율은 매장면적(70%)과 주차공간(30%)의 가중평균에 의해 산정한다.
3. 이 지역은 관행상 비율임대차가 일반적인데 전형적인 비율임대료는 슈퍼마켓 전체판매액의 1.5%이며, 대상 부동산의 전체 판매액 판단 시 기준이 되는 인구는 개발제한구역 해제 여부를 고려한 안정인구기준으로 산정하는 것이 합리적이라 판단된다.

QUESTION
83

李씨는 안정기에 접어든 지역에 소재하는 부동산을 소유하고 있다. 소유자인 李씨는 인근 개발지역에 투자하기 위해 안정기에 접어든 지역에 소재하는 부동산을 매각하고자 당신에게 매각을 의뢰하였다. 당신은 시장조사를 통해 다음과 같은 거래사례를 수집하였다. 각 거래사례에 약간의 가격격차가 있는 것은 주로 내부마감재나 부속시설의 차이에서 비롯되는 것으로 판단된다. 李씨의 부동산은 시장조사 결과 전형적인 부동산에 속하고 있음이 확인되었으며 각각의 사례의 매매가격은 기준시점을 기준한 것이다. 다음에 제시된 거래사례를 분석하여 각 물음에 답하시오. 10점

자료 1 거래사례(단위 : 천원)

사례	매매가격(X_i)
1	127,000
2	120,000
3	120,000
4	126,500
5	126,000
6	120,000
7	120,500
8	126,000
9	124,000
10	122,500
11	122,500
12	124,000
13	122,500
14	122,500

자료 2 분석조건

1. 거래사례의 평균을 구하시오.
2. 거래사례의 중간값을 구하시오.
3. 거래사례의 최빈값을 구하시오.
4. 표준편차를 설명하고 거래사례의 표준편차를 구하시오.
5. 이상의 분석결과를 토대로 李씨의 부동산가격을 결정하되, 그 결정의 이유를 설명하시오.

QUESTION 84

동적 DCF와 관련하여 다음의 순서에 따라 실질옵션(투자의사결정을 1년 후로 연기할 수 있는 옵션)의 가치를 산정하시오. 20점

1. 현재 상태에서 토지가치를 기준으로 최유효이용 및 토지가치를 결정하시오. (실질옵션은 고려하지 않음)

2. 제시된 절차에 따라 강세시장과 약세시장의 확률을 결정하시오.

3. 1년 후 강세시장과 약세시장에서의 각각의 최유효이용 및 토지가치를 결정하고 〈물음 2〉의 확률을 고려하여 1년 후의 토지의 기대가치를 결정하시오.

4. 실질옵션의 가치를 결정하시오.

자료 1 공통자료

대상은 서울시 외곽의 나대지로서 면적은 2,000㎡이다.

1. 개발방안
   (1) 10호의 단독주택을 건축하여 매각
   (2) 15호의 연립주택을 건축하여 매각

2. 분양가격
   편의상 1호당 분양가격 단독주택 및 연립주택 모두 호당 1,000,000원으로 본다.

3. 건축비
   (1) 10호의 단독주택 건축시 : 1개 호당 640,000원
   (2) 15호의 연립주택 건축시 : 1개 호당 800,000원

자료 2 1년 후의 강세시장, 약세시장 예측자료

1. 강세시장의 경우
   분양가격이 1호당 단독주택 및 연립주택 모두 1,200,000원으로 형성될 것이다.

2. 약세시장의 경우
   분양가격이 1호당 단독주택 및 연립주택 모두 900,000원으로 형성될 것이다.

3. 기타

(1) 1년간 개발을 유보함으로써 본 나대지를 주차장으로 제3자에게 임대를 줄 경우 임대료는 전체 토지에 대하여 연 300,000원으로 계약할 수 있으며, 무위험할인율(Risk-free rate)은 공통적으로 12%를 적용한다.

(2) 1년 후 분양하는 경우에는 1년간 임대운용하는 것으로 가정함.

(3) 〈물음 2〉의 확률은 무위험 확률로서 〈물음 1〉에서 결정된 최유효이용을 기준으로 1년 후의 토지가치의 가중평균 현가와 현재 분양가격과 일치하는 확률을 계산하도록 한다.

〈참고 산식〉

1년 후 강세시장일 경우 토지가치 × p(강세시장일 확률) + 1년 후 약세시장일 경우 토지가치 × (1 − p)(약세시장일 확률) + 유보기간 동안의 임대료 = 현시점의 토지가치 × (1 + 무위험수익률)

(4) 1년 후에도 현 시점에서의 건축비는 그대로 적용되며, 개발계획의 대안 역시 현 시점과 동일하다.

QUESTION 85

다음 자료를 기초로 부동산 개발에 대한 3가지 방안 중 최고최선의 이용을 판정하라. 20점

자료 1 대상 부동산에 관한 자료

1. 소재지 : 충북 C시 S구 C동 100번지
2. 지목 : 대
3. 면적 : 600㎡
4. 이용상황 : 나지
5. 도시계획 : 일반상업지역
6. 대상 부동산의 인근지역은 업무용 건물(사무실)이 밀집한 지역으로서 소유주 李씨는 대상토지상에 업무용 건물을 건축할 것을 계획 중이다.

자료 2 대안 A에 관한 자료

1. 사무실 규모 및 건축비용
   (1) 사무실 규모 : 연면적 500㎡, 지상 2층 사무실은 각 층별로 6개씩 동일규모로 건축
   (2) 건축비용 : 700,000원/㎡
2. 수익자료 및 비용자료
   (1) 가능 총수익
      1) 1층 : 각 사무실당 보증금 4,000만원, 월세 40만원
      2) 2층 : 각 사무실당 보증금 3,000만원, 월세 30만원에 임대가능
   (2) 공실손실 및 영업제경비 : 가능 총소득의 40%

자료 3 대안 B에 관한 자료

1. 사무실 규모 및 건축비용
   (1) 사무실 규모 : 연면적 1,000㎡, 지상 2층
   사무실을 각각 층별로 12개씩 동일 규모로 건축

(2) 건축비용 : 650,000원/㎡

2. 수익자료 및 비용자료
   (1) 가능 총수익
      1) 1층 : 각 사무실당 보증금 4,000만원, 월세 40만원
      2) 2층 : 각 사무실당 보증금 3,000만원, 월세 30만원
   (2) 공실손실 및 영업경비 : 가능 총수익의 45%

자료 4 대안 C에 관한 자료

1. 사무실 규모 및 건축비용
   (1) 사무실 규모 : 연면적 2,000㎡, 지상 4층 사무실은 각각 층별로 12개씩 동일규모로 건축
   (2) 건축비용 : 550,000원/㎡

2. 수익자료 및 비용자료
   (1) 가능 총수익
      1) 1, 2층 : 자료 3과 동일함.
      2) 3층 : 사무실당 보증금 2,000만원, 월세 20만원
      3) 4층 : 사무실당 보증금 1,500만원, 월세 15만원
   (2) 공실손실 및 영업경비 : 가능 총수익의 45%

자료 5 기타 관련 자료

1. 대안 A, B는 대상 부동산 이외의 토지를 활용할 필요가 없으며 건축법상의 건폐율, 용적률에 적합한 건축계획임.
2. 대안 C는 인접 토지의 소유자 유용해로부터 500㎡의 토지를 임대하여 주차장부지를 넓게 확보하고 건축층수를 높이는 건설계획으로 부지의 사용료는 월 1,200,000원임.
3. 보증금은 임대차기간 말에 임차자에게 전액 반환됨.
4. 부동산의 전형적인 자본환원이율은 10%이며 보증금 운용이율도 동일하다.

QUESTION 86

감정평가사 柳씨는 다음과 같은 대상토지의 투자계획안에 따른 대상물건의 최유효이용 분석을 의뢰받았다. 제시된 자료에 의하여 최유효이용 분석을 행하고 최유효이용 시의 토지의 시장가치를 평가하시오. 20점

자료 1 대상 부동산 자료

1. 소재지 : 서울시 성북구 돈암동 ○○번지, 대, 1,200㎡
2. 용도지역 등 : 일반상업지역, 상업나지, 중로한면
3. 기준시점 : 현재

자료 2 투자계획안

1. 제1투자안
   (1) 투자비용 : 2층 상가건물 700,000,000원
   (2) 조소득

층	호	월 지불임대료(원/호)	보증금(각 호당)
2	6	500,000	50,000,000
1	6	900,000	90,000,000

   (3) 영업비용 : 총수입의 40%
   (4) 토지환원이율(상각후 환원이율)

구분	무위험이자율	유사 부동산 수익률 범위		
확률(%)	–	70	15	15
이자율	7.0%	12.0%	13.0%	11.0%

2. 제2투자안
   (1) 투자비용 : 2층 임대건물 1,300,000,000원
   (2) 조소득

층	호	월 지불임대료(원/호)	보증금(각 호당)
2	12	600,000	60,000,000
1	12	800,000	80,000,000

   (3) 영업비용 : 총수입의 45%

(4) 토지환원이율(상각후 환원이율)

구분	무위험이자율	유사 부동산 수익률 범위		
확률(%)	–	30	45	25
이자율	7.0%	8.0%	13.0%	18.0%

자료 3 건물자료 등

1. 상각후 환원이율(토지환원이율)은 무위험이자율에 위험률을 합한 율로 적용하며 위험률의 산정은 유사 부동산의 수익률 범위의 표준편차를 적용함.
2. 건물의 경제적 전내용연수 : 50년
3. 자본회수는 직선법에 의함.
4. 감가수정은 직선법, 만년감가, 최종잔가율 "0"
5. 보증금 운용이율 : 12%

QUESTION 87

다음과 같이 주어진 자료를 활용하여 대상물건의 최유효이용을 판정하고 최유효이용을 상정한 대상물건의 가치를 추계하시오. 40점

(1) 다음의 자료를 활용하여 최유효이용을 판정하시오.

(2) 최유효이용을 상정한 대상물건의 가치를 추계하시오.

자료 1 대상물건에 관한 자료

1. 소재지 : A시 B동 100번지
2. 대상물건 내용 : 대, 500㎡, 소로한면
3. 기준시점 : 2025년 9월 1일
4. 대상토지가 속해 있는 인근지역은 A전철역 서쪽 약 100m 이내의 일반상업지역으로 상업용 건물과 주상복합건물이 혼재하는 지역으로 형성되어 있다.

자료 2 대상토지의 대안적 개발사업

1. 대안 1 : 상업용 건물의 건축
   (1) 소득 및 경비 등
   임대료 수입은 12,000원/㎡(전용면적기준, 월말지급)이고 공실 및 불량부채는 임대료 수입의 5%, 기타소득은 20,000,000원/년, 영업경비는 유효조소득의 20%이다.
   (2) 건축면적은 2,400㎡이고 전용면적은 2,000㎡이다.
   (3) 기준시점 현재의 개발비용은 440,000원/㎡이다.
2. 대안 2 : 주상복합건물의 건축
   (1) 소득 및 경비 등
   임대료 수입은 14,000원/㎡(전용면적기준, 월말지급)이고 공실 및 불량부채는 임대료 수입의 5%, 기타소득은 30,000,000원/년, 영업경비는 유효조소득의 30%이다.
   (2) 건축면적은 2,400㎡이고 전용면적은 2,200㎡이다.
   (3) 기준시점 현재의 개발비용은 530,000원/㎡이다.

3. 상기 대안 1, 2의 공통자료

(1) 보유기간은 3년이다.

(2) **저당금융** : 저당대부액 150,000,000원(저당기간 10년, 매년 원리금 균등상환, 저당이자율 연 10%)

(3) **순영업소득 및 부동산가치의 변동** : 2기의 순영업소득은 1기의 순영업소득에 비해 5% 증가가 예상되며, 3기의 순영업소득은 2기의 순영업소득에 비해 3% 증가가 예상된다. 이후 순영업소득의 변동은 없다고 본다.

(4) **기출환원이율** : 15.0%

(5) **영업소득세 등** : 매기 영업소득세는 10,000,000원으로 보며, 보유기간 말 자본이득세는 30,000,000원으로 본다.

(6) **기타** : 소득 및 비용 등은 매년 말을 기준으로 예상한 것이며(실현시점 : 2026년 9월 1일) 매월 임대료 수입에 대한 이자는 고려하지 아니한다.

자료 3 표준지공시지가(공시기준일 2025년 1월 1일)

기호	소재지	면적(㎡)	지목	용도지역	이용상황	도로교통	공시지가(원/㎡)
1	A시 A동	600	대	일반상업	주상용	소로각지	1,440,000
2	A시 B동	550	대	일반상업	상업용	소로한면	1,250,000
3	A시 B동	500	대	일반상업	주상용	소로한면	1,200,000
4	A시 B동	450	대	일반상업	상업용	소로한면	1,280,000
5	A시 B동	1,500	대	일반상업	주차장	소로각지	1,130,000

* (주) 기호 2는 문화재보호구역이다.

자료 4 거래사례

1. 거래사례 1

(1) **토지** : A시 B동 120번지, 대, 500㎡, 일반상업지역, 소로한면

(2) **건물** : 위 지상 철근콘크리트조 슬래브지붕 4층(주상복합건물)

(3) **거래시점** : 2025년 8월 1일

(4) **거래가격** : 1,270,000,000원

(5) **기타사항** : 본건은 인근지역 내 거래사례로 최유효이용 상태이며 거래는 정상적이다. 거래가격은 거래시점에 30% 지불하고, 6월 후 40%, 1년 후 잔금을 지불하기로 하였다.

2. 거래사례 2

(1) **토지** : A시 C동 108번지, 대, 620㎡, 일반상업지역, 소로한면

(2) **건물** : 위 지상 철근콘크리트조 슬래브지붕 4층(상업용 건물)

(3) **거래시점** : 2024년 12월 1일

(4) **거래가격** : 1,400,000,000원

(5) **기타사항** : 본건 사례는 동일수급권 내 거래사례로 거래에 특별한 사정은 없다. 거래대금의 지급조건은 2024년 9월 1일 20%, 이후 2개월 후 30%, 거래 시 잔금을 지급하기로 하였다.

3. 토지 · 건물가격구성비

사례 1, 2 모두 거래 당시의 토지와 건물가격구성비는 55 : 45이고 기준시점의 토지와 건물가격구성비는 60 : 40이다.

자료 5 지가변동률(상업지역, %)

2024년 누계	2025년 7월 누계	2025년 7월 당월
1.735	1.231	0.052

자료 6 지역요인 등

1. 지역 · 개별요인(도로교통 제외)

구분	대상	표준지 1	표준지 2	표준지 3	표준지 4	사례 1	사례 2
지역	100	98	100	100	100	100	98
개별	100	101	100	100	102	101	101

2. 도로교통

대로한면(120), 중로한면(110), 소로한면(100), 세로한면(90), 각지는 한면에 비해 5% 우세하다.

자료 7 수익률 등

1. 세후지분수익률 : 상업용(연 12%), 주상복합용(연 13%)

2. 시장이자율 : 월 1%

3. 각 단계의 모든 계산 시 1,000원 이하 금액은 반올림한다.

4. 소득은 전용면적기준으로 산정함.

5. 그 밖의 요인은 대등한 것으로 본다.

QUESTION 88

감정평가사 柳씨는 개인으로부터 일반거래목적으로 경기도 A시 D구 H동 소재 대지에 대한 최유효이용 분석 및 감정평가를 의뢰받고 아래의 절차에 따라 평가를 진행하기 위하여 사전조사 및 현장조사를 통하여 아래의 자료를 수집하였다. 2025년 9월 1일을 기준시점으로 하여 각 물음에 답하도록 하시오. 30점

1. **개발대안에 따른 토지가치를 평가하시오.**
2. **상기 가격의 적정성을 검토하시오.**
3. **현황대로의 평가금액을 평가하시오.**
4. **최종 감정평가액을 결정하시오.**

자료 1 대상 부동산의 현황

1. 소재지 : 경기도 A시 D구 H동 1003-5
2. 토지현황 : 2,300㎡, 대, 광대로한면, 개별공시지가(2025년 : 3,700,000원/㎡)
3. 용도지역 : 준주거지역
4. 인근지역의 현황
   본건은 K대로(광대로, 폭 40m 이상)에 접한 토지로서 본건은 종전의 상업, 공장, 창고 등이 혼재한 지대였으나, 최근 배후로의 택지개발사업이 완료단계에 접어들면서 새로이 성숙하는 상가지대임.
5. 현황 이용상황 : 물류창고
6. 지상의 건축물 현황
   (1) 현재 198㎡ 규모의 철골조(높이 : 8m) 창고가 8개 동이 있으며, 각 창고는 2003년 1월 1일에 신축된 건물이다.
   (2) 전체 건물은 임대 중에 있다.

자료 2 인근지역의 표준지공시지가 현황(2025년)

일련번호	소재지/지번	용도지역	이용상황	도로조건	주변환경	공시지가(원/㎡)
1	H동 707	준주거	창고	세로(가)	K대로 후면의 기존 공장지대	1,410,000
2	H동 1007-2	준주거	상업용	광대한면	K대로 전면의 상가/공장 혼재지대(신규 상가지대)	3,800,000
3	H동 1201	준주거 일반 공업	공업용	소로한면	K대로 후면의 기존 공장지대	1,200,000
4	H동 1000-7	준주거	상업용	중로한면	K대로 전면의 상가/공장 혼재지대(신규 상가지대)	3,300,000

※ 표준지 4번은 도시계획시설(도로)에 30% 저촉되어 있음.

자료 3 인근지역의 거래사례

1. 본 거래사례는 최근 근린생활시설의 신축 후 즉시 토지 및 건물을 일괄로 거래한 사례이다(A시 D구 H동 1003-1).
2. 거래가격 : 9,300,000,000원
3. 거래시점 : 2024년 11월 1일
4. 용도지역 등 : 준주거지역, 대
5. 면적 : 토지 1,600㎡, 건물 4,200㎡
6. 본 사례의 건축비는 ㎡당 820,000원이 소요되었으며, 거래 시 신축건물을 거래하는 경우 신축비의 80% 정도를 인정받아서 거래함이 타당할 것으로 판단된다.

자료 4 제시된 개발대안자료

1. 개발대안 #1
   (1) 개요 : 지상 3층, 지하 1층의 철근콘크리트조 근린생활시설(점포, 병원, 약국 등을 유치할 예정임)
   (2) 신축공사비 : 4,200,000,000원

(3) 임대료 예정현황

구분	지하 1층	지상 1층	지상 2~3층(전체)
이용상황	점포(대형매장)	점포(약국 등)	의료시설(병원)
보증금	1,000,000,000	500,000,000	2,000,000,000
월차임(VAT 제외)	30,000,000	50,000,000	60,000,000
관리비	실비정산	실비정산	실비정산

※ 관리비는 임차인이 실비정산함에도 불구하고, 임대차 관리비용, 공조공과 등으로 월차임의 10% 정도는 임대인이 부담하게 될 예정이다.

※ 공실률은 보유기간 평균 5% 정도가 될 것으로 예상된다.

2. 개발대안 #2

(1) 개요 : 지상 3층, 지하 1층의 철근콘크리트조 및 철골철근콘크리트조 복합상업시설(임대상가, 영화관(직영))

(2) 신축공사비 : 6,300,000,000원

(3) 임대부분 임대료 예정현황

구분	지하 1층	지상 1층
이용상황	점포(대형 매장)	점포(일반음식점 등)
보증금	1,200,000,000	600,000,000
월차임(VAT 제외)	35,000,000	55,000,000
관리비	실비정산	실비정산

※ 관리비는 임차인이 실비정산함에도 불구하고, 임대차 관리비용, 공조공과 등으로 월차임의 10% 정도는 임대인이 부담하게 될 예정이다.

※ 공실률은 보유기간 평균 5% 정도가 될 것으로 예상된다.

(4) 직영 영화관 부분의 매출예상자료(지상 2~3층)

표매출 : 인당 7,000원 F&B 매출 : 인당 3,000원	표매출의 50%는 영화배급사 및 영화관 프랜차이즈 회사에서 원천적으로 징수하는 조건임.
평균 객석점유율 예상치 : 15%	
스크린수 : 4개 좌석수 : 스크린당 250좌석 스크린당 1일 회전수 : 연평균 5.5회 1년은 365일임.	
영업경비 : 전체 매출액(원천징수부분 제외)의 50%	

※ 영화관 부분에 대해서는 상기 제시된 조건 외의 경비나 공실률은 적용하지 않도록 한다.

3. 양 개발대안은 모두 물리적 · 법적 · 합리적 타당성이 있다.

4. 모든 개발대안에 대해서는 기준시점 현재 준공이 됨을 가정하고 기준시점 현재 상기의 조건대로 임대 및 운영이 시작되는 것으로 가정한다.

자료 5 최유효이용(최적대안) 판단기준

각 개발대안에 대해서 회수기간법(Payback Period Method)을 기준으로 개발대안의 채택 여부를 판단하도록 한다.

회수기간은 각 개발대안에 따른 자본적 지출(건축공사비)에 대하여 순영업소득을 통한 자본회수기간을 의미하며, 자본회수기간이 "3년" 미만이면 채택이 가능한 개발대안으로 판단한다.

자료 6 창고로서의 수익성 분석

1. 인근지역의 표준적인 창고의 임대료 현황(월 임대료)

규모 \ 창고의 높이	6M 미만	6M 이상 8M 미만	8M 이상 10M 미만	10M 이상
198㎡형	2,900,000	3,200,000	3,500,000	3,800,000
140㎡형	2,800,000	3,150,000	3,350,000	3,750,000
98㎡형	1,900,000	2,100,000	2,300,000	2,500,000

※ 보증금은 월차임의 10배를 수취하는 것이 일반적이다.

※ 경비는 총수익의 10%로 판단하며, 창고의 경우 공실률은 0%를 가정한다.

2. 일반적인 보유행태 등

(1) 5년 보유 후 매각하는 것으로 가정하며, 임대료의 변동은 없는 것을 가정한다.

(2) 5년 후 매각 시에는 인근지역의 표준적 이용 변화 및 창고로서의 내용연수 만료 등으로 〈물음 2〉에 의한 토지가격의 120%로 매각하는 것을 가정한다.

(3) 할인율 : 10%

자료 7 요인비교자료

1. 지가변동률(%)

구분	A시 D구 주거지역		A시 D구 상업지역	
	당월	누계	당월	누계
2024년 11월	−0.091	1.291	−0.177	0.971
2024년 12월	0.123	1.416	0.000	0.971
···	···	···	···	···
2025년 7월	0.081	2.119	0.113	1.974

2. 개별요인 평점

구분	본건	표준지 1	표준지 2	표준지 3	표준지 4	거래사례
평점	100	105	95	110	90	110

자료 8 기타자료

1. 보증금 운용이율 : 5.0%
2. 점포, 상가, 영화관 등 시설의 순영업소득(임대 시), 영업이익(영화관 직영 시)과 가치와의 비율인 환원이율은 12%를 적용함.
3. 〈물음 2〉에 대해서는 〈물음 1〉에 의한 토지가격에 대하여 〈물음 2〉에 대한 가격이 10% 이내이면 〈물음 1〉에서의 개발대안에 따른 토지가격이 적정한 것으로 본다.
4. 개발대안의 신축비용에는 철거비가 포함되지 아니하였으나, 철거비와 폐재가치가 동일하여 순수하게 철거비는 소요되지 않는 것으로 조사되었다.
5. 그 밖의 요인은 대등한 것으로 본다.

QUESTION **89**

B감정평가법인 D평가사는 서울특별시 K구 B동에 소재하는 토지 및 건물에 대한 최유효이용 분석을 의뢰받고 사전조사 및 현장조사를 통하여 아래의 자료를 수집하였다. 아래 각 물음에 답하시오(의사결정시점 : 2025년 6월 30일). 20점

1. 나지에 대한 최유효이용 분석을 하시오.
2. 현상태로서의 부동산 가격과 비교하여 최종 가치결정을 하시오.

자료 1 대상 부동산의 현황

1. 소재지 : 서울특별시 K구 B동 861-6

2. 토지현황

지목	대
면적	1,109.2㎡
지역지구 등 지정 여부	일반상업지역, 일반미관지구, 중심지 미관지구
지구단위계획결정 고시사항	서울시 고시 제2021-52호, 용적률 : 600%~800%, 건폐율 60%, 불허용도 : 단독주택, 다가구주택, 다세대주택

3. 지적현황

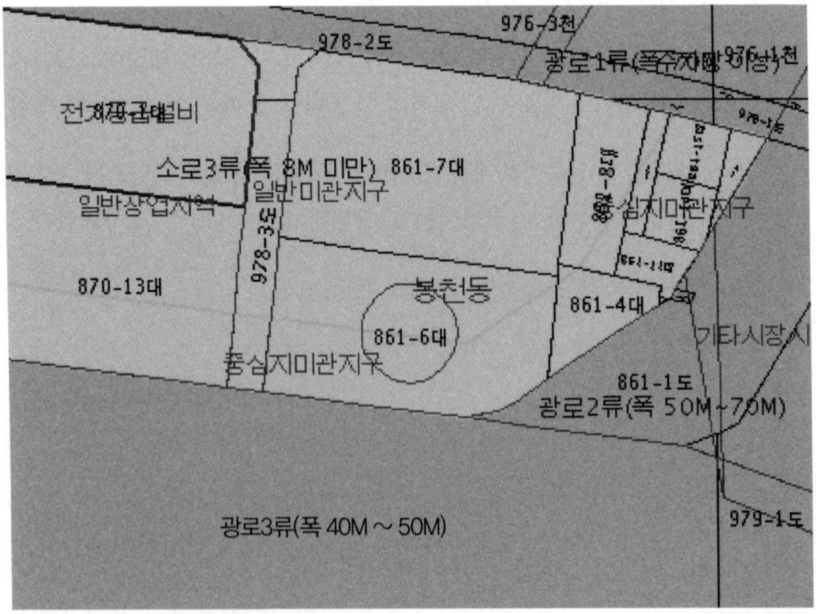

4. 지상건물의 현황

연면적		1,997.55㎡
구조		철근콘크리트조
이용상황	지하 1층	기계실, 창고, 주차장
	1층	금융업소
	2층	근린생활시설
	3층	근린생활시설
사용승인일		1988.11.2.

자료 2 본건 토지의 개발대안(나지에 대한 개발대안)

1. 개발대안 – A
   (1) 이용방안 : 업무용 시설로 개발
   (2) 예상분양가 : 건물의 단위면적당(㎡) 3,500,000원 수준이다.
   (3) 개발비용 : 건물의 ㎡당 건축비 등 부대비용은 1,000,000원 수준이다.
   (4) 허용용적률 : 800%

2. 개발대안 – B
   (1) 이용방안 : 상업용 시설로 개발
   (2) 예상분양가 : 건물의 단위면적당(㎡) 3,000,000원 수준이다.
   (3) 개발비용 : 건물의 ㎡당 건축비 등 부대비용은 800,000원 수준이다.
   (4) 허용용적률 : 600%

3. 개발대안 – C
   (1) 이용방안 : 다세대주택으로 개발
   (2) 예상분양가 : 건물의 단위면적당(㎡) 1,500,000원 수준이다.
   (3) 개발비용 : 건물의 ㎡당 건축비 등 부대비용은 1,000,000원 수준이다.
   (4) 허용용적률 : 400%

4. 모든 현금흐름은 의사결정시점에 실현되는 것으로 가정한다.

자료 3 주변환경

본건은 N대로 및 K로에 접하고 있으며, B사거리 남서측 각지에 위치하고 있다. 본건은 사다리형으로서 주변은 기존점포지대이다.

자료 4 현재 임대차 내역

구분	임차인	임대면적(㎡)	보증금 및 월임대료
지상 1층	자가사용	665.85	없음
지상 2층	자가사용 - 1층 금융업소의 부속사무실로 사용 중임.	665.85	없음
지상 3층	자가사용 - 1층 금융업소의 부속사무실로 사용 중임.	665.85	없음

※ 2층 임대료는 1층의 단위면적당 임대료의 50%, 3층은 35% 수준이다. 1층의 적절한 실질임대료는 월 130,000원/㎡인 것으로 판단된다.

자료 5 인근지역의 거래사례

1. 소재지 : 서울특별시 K구 B동 874-6
2. 토지내역 : 일반상업지역, 대, 1,537.1㎡, 상업용 대지
3. 건물내역 : 철근콘크리트조, 지하 1층 지상 3층건, 근린생활시설, 1986년 1월 준공, 2,401.6㎡
4. 거래금액 : 18,000,000,000원
5. 거래시점 : 최근
6. 거래사례와 본건과의 비교
   거래사례는 본건에 비해서 개별요인(수량요소 포함)이 30% 열세하다.

자료 6 그 밖의 자료

1. 현상태를 고려한 환원이율 : 4.50%
2. 현재 건물의 철거비는 ㎡당 100,000원이다(개발대안의 건축비에는 포함되어 있지 않음).
3. 현재 건물 총수익에 대한 공실손실상당액 및 경비비율 : 총 40%

Chapter

07

목적별 감정평가

QUESTION

90

(주)K감정평가법인에 근무하는 감정평가사 Y씨는 경기도 Y군 Y면 H리에 소재하는 토지 및 건물에 대하여 법원의 최초법사가격 평가목적 감정평가를 진행하던 중 동일물건에 대한 경락자금 대출목적의 담보평가에 대한 의뢰도 받았다. 아래의 조건에 따라서 각 평가목적별 감정평가를 실시하시오. 35점

1. 담보평가목적의 감정평가액을 구하시오.

2. 경매평가목적의 감정평가액을 구하시오.

자료 1 담보평가의뢰서류

1. 의뢰인 : S은행 K기업금융센터장

2. 감정평가기관 : (주)K감정평가법인

3. 평가의뢰대상 : 경기도 Y군 Y면 H리 101-1, 101-2, 101-3, 101-4, 101-5(KJH지분) 총 5개 필지 및 위 지상 토지, 건물

4. 기준시점 : 2025년 8월 31일

5. 첨부서류 : 등기사항전부증명서(토지 및 건물, 공장등기목록 포함)

6. 등기사항전부증명서 요약사항

(1) 토지

소재지	구분				
Y군 Y면 H리 101-1	갑구	등기 명의인	주민등록번호	최종지분	주소
		KJH	720417-1******	1/1	서울시 강남구 청담동 100-1
	을구	순위 번호	등기목적	접수정보	주요등기사항
		1	근저당권 설정	2022.1.15.	채권최고액 1,360,000,000원 근저당권자 (주)H은행
		2	지상권 설정	2022.1.15.	지상 전부 지상권자 (주)H은행 지료 없음

Y군 Y면 H리 101-2	갑구	등기명의인	주민등록번호	최종지분	주소
		KJH	720417-1******	1/1	서울시 강남구 청담동 100-1
	을구	순위번호	등기목적	접수정보	주요등기사항
		1	근저당권 설정	2022.1.15.	채권최고액 1,360,000,000원 근저당권자 (주)H은행
Y군 Y면 H리 101-3	갑구	등기명의인	주민등록번호	최종지분	주소
		KJH	720417-1******	1/1	서울시 강남구 청담동 100-1
	을구	순위번호	등기목적	접수정보	주요등기사항
		1	근저당권 설정	2022.1.15.	채권최고액 1,360,000,000원 근저당권자 (주)H은행
Y군 Y면 H리 101-4	갑구	등기명의인	주민등록번호	최종지분	주소
		KJH	720417-1******	1/1	서울시 강남구 청담동 100-1
	을구	순위번호	등기목적	접수정보	주요등기사항
		1	근저당권 설정	2022.1.15.	채권최고액 1,360,000,000원 근저당권자 (주)H은행
Y군 Y면 H리 101-5	갑구	등기명의인	주민등록번호	최종지분	주소
		KJH PST	720417-1****** 140104-3******	1/2 1/2	서울시 강남구 청담동 100-1 서울시 강남구 역삼동 703-4
	을구	순위번호	등기목적	접수정보	주요등기사항
		1	근저당권설정	2022.1.15.	채권최고액 1,360,000,000원 근저당권자 (주)H은행
		2	지상권설정	2022.1.15.	지상 전부 지상권자 (주)H은행 지료 없음

(2) 건물

소재지	구분				
Y군 Y면 H리 101-2 외	갑구	등기명의인	주민등록번호	최종지분	주소
		KJH	720417-1******	1/1	서울시 강남구 청담동 100-1
	을구	순위번호	등기목적	접수정보	주요등기사항
		1	근저당권설정	2022.1.15.	채권최고액 1,360,000,000원 근저당권자 (주)H은행

※ 건물등기사항전부증명서는 상기의 등기부 이외에는 열람되지 않음.

자료 2 경매평가 명령서 분석내용

1. 경매평가 명령서의 특정된 부동산도 담보평가시 의뢰한 등기사항전부증명서와 동일하다.
2. 기준시점 : 2025년 8월 31일
3. 단, Y군 Y면 H리 101-2 외 위 지상건물의 기계기구목록이 추가로 의뢰되었음.

구분	세부내용	수량	제작연도
기계기구 #1	코팅머신	1	2005
기계기구 #2	그라인딩머신	1	2005

4. 경매평가시 제시외 건물이 소재하는 경우로서 본건 토지상에 제시외 건물로 인한 영향이 예상되는 경우 평가는 나지상정으로 평가하되, 지상의 건물로 인한 영향을 고려한 금액을 비고란에 병기할 것.

자료 3 등기사항전부증명서, 토지대장 및 건축물대장

1. 등기사항전부증명서 : 담보평가시 제출된 서류와 동일하다.
2. 토지대장 분석내용

소재지	지목	면적(㎡)	주요이동사항
Y군 Y면 H리 101-1	대	250	2014.8.25 100번지에서 분할 2014.9.2 지목변경(전 → 대)
Y군 Y면 H리 101-2	장	350	2017.1.5 지목변경(잡 → 장)
Y군 Y면 H리 101-3	장	290	2017.1.5 지목변경(잡 → 장)
Y군 Y면 H리 101-4	대	400	-
Y군 Y면 H리 101-5	전	720	-

3. 건축물대장 분석내용

소재지	용도/구조	면적(㎡)	사용승인일	관련지번
Y군 Y면 H리 101-2 외 1필지	공장 철골조	1층 : 520 2층 : 350	2017년 2월 9일	Y군 Y면 H리 101-3
Y군 Y면 H리 101-4	근린생활시설 철근콘크리트조	1층 : 290 2층 : 290	2017년 8월 31일	-

※ 101-4번지 상의 건물은 보존등기가 되어있지 않은 상황이다.

4. 토지이용계획사항

소재지	국토계획법상 이용계획사항	기타법령상 이용계획사항
Y군 Y면 H리 101-1	계획관리지역	성장관리권역(수도권정비법)
Y군 Y면 H리 101-2	계획관리지역	성장관리권역(수도권정비법)
Y군 Y면 H리 101-3	계획관리지역	성장관리권역(수도권정비법)
Y군 Y면 H리 101-4	계획관리지역(3%) 자연녹지지역(97%)	성장관리권역(수도권정비법)
Y군 Y면 H리 101-5	계획관리지역	성장관리권역(수도권정비법)

자료 4 현장조사 내용

1. 현장조사시 도면

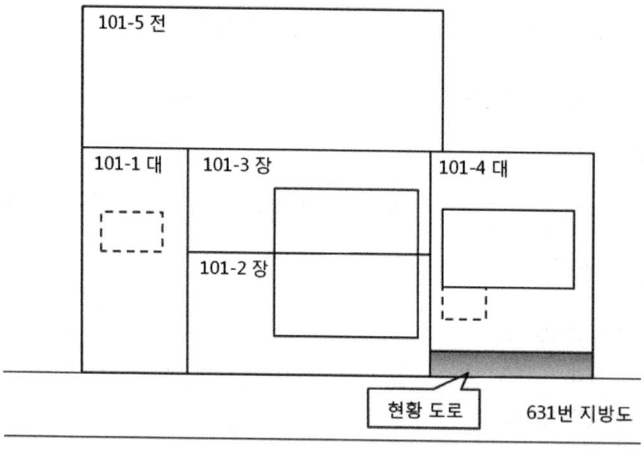

2. 제시외 건물의 분석내용

(1) Y군 Y면 H리 101-1 위 지상

위 제시외 건물은 현황 근린생활시설로 이용 중이며, 현재 소유자와 무관한 B씨가 점유하고 있는 상태이다. 현재 현 소유자와 B씨 간의 명도소송이 진행 중에 있다. 구조는 철골조이며, 2014년 5월 1일에 준공된 것으로 무허가건축물관리대장을 통하여 확인했다. 해당 제시외 건물의 면적은 80㎡이며, 단층건물이다. 탐문결과 건축물은 토지소유자의 소유 여부가 불분명하고 건물의 구조는 견고하다.

(2) Y군 Y면 H리 101-4 위 지상

위 제시외 건물은 기존의 101-4번지 지상의 건물에 부합된 제시외 건축물로서 현재 소유자가 사용 중이며, 외부창고로 이용 중이다. 본 제시외 건물의 벽체의 일부는 101-4번지 건축물의 일부를 이용하고 있다. 본 제시외 건축물은 2022년 8월 31일에 설치되었고, 구조는 샌드위치 판넬조로서 면적은 30㎡이다.

3. Y군 Y면 H리 101-4 전면 일부(40㎡)는 현황도로로 이용 중이다.

4. Y군 Y면 H리 101-5번지의 KJH 지분에 대해서는 위치확인이 되지 않는다.

5. Y군 Y면 H리 101-2 외 1필지 지상건물 내부의 기계기구는 가동 중이지 않으며 타용도로의 전용이 불가할 것으로 조사되었다. 해체처분가격은 기계기구 #1의 경우 20,000,000원, 기계기구 #2의 경우 30,000,000원이 소요될 것으로 판단된다.

자료 5 인근지역의 표준지공시지가 자료

연번	소재지	면적(㎡)	용도지역	이용상황	주변환경	2025년 공시지가(원/㎡)
1	Y면 H리 100	300	자연녹지	상업용	631번 지방국도변	590,000
2	Y면 H리 107	400	계획관리	공업용	631번 지방국도변	470,000
3	Y면 H리 114	500	계획관리	전	631번 지방국도변	150,000
4	Y면 H리 121	400	계획관리	상업용	631번 지방국도변	650,000

자료 6 건물의 재조달원가 자료(기준시점기준)

구분	이용상황	재조달원가(원/㎡)	경제적 내용연수	잔가율
철골조	공장	450,000	40	0
	점포	400,000	40	0
철근콘크리트조	점포	650,000	50	0
	주택	800,000	50	0
샌드위치판넬조	창고	150,000	25	0

※ 본건 건물과 동일 구조 및 이용상황 내에서 개별요인은 동등하다.
※ 담보평가 시에는 상기 재조달원가의 80%를 재조달원가로 평가할 것
※ 감가수정 시 정액법을 적용할 것

자료 7 평가선례자료

1. 적용지침

공시지가기준 평가 시 그 밖의 요인의 산정을 위하여 평가선례를 활용하도록 한다. 평가선례 선정 시에는 용도지역, 이용상황에 따라 선정한다.

2. 감정평가선례

연번	용도지역	지목	평가액 (원/㎡)	평가 목적	개별격차	기준시점
A	계획관리지역	장/공업용	610,000	담보	(적용대상) 비교표준지 대비 5% 우세하다.	최근 평가된 선례임.
B	자연녹지지역	대/상업용	620,000	담보	(적용대상) 비교표준지 대비 5% 열세하다.	
C	계획관리지역	전/전	250,000	담보	(적용대상) 비교표준지 대비 10% 우세하다.	
D	계획관리지역 자연녹지지역	대/주상용	780,000	경매	(적용대상) 비교표준지 대비 10% 우세하다.	
E	계획관리지역	대/상업용	900,000	경매	(적용대상) 비교표준지 대비 10% 열세하다.	
F	계획관리지역	임/자연림	98,000	경매	(적용대상) 비교표준지 대비 10% 열세하다.	

자료 8 시점수정자료, 요인비교치 자료

1. 경기도 Y군 지가변동률(2025년 7월, %)

계획관리지역(당월 : 0.092, 누계 : 3.293)

자연녹지지역(당월 : 0.129, 누계 : 2.871)

2. 토지의 개별요인 평점(가로, 접근, 환경, 행정, 기타조건 포함)

101-1	101-2	101-3	101-4	101-5	표준지 1	표준지 2	표준지 3	표준지 4
100	110	95	90	70	110	95	65	85

※ 101-2, 3번 일단지 기준 : 105

자료 9 S은행과의 담보평가업무 협약사항(일부발췌)

1. 5년 이상 경과된 기계기구는 평가하지 아니할 것
2. 공부상 지목이 도로, 구거이거나 현황이 도로, 구거인 경우는 담보평가시 해당 부분의 면적을 사정하여 제외하되, 필지의 1/2 이상이 도로, 구거인 경우는 전체를 평가하지 아니할 것
3. 지상의 제시외 건축물이 존재하되, 향후 제시외 건축물로 인하여 해당 채권 확보의 문제가 될 수 있는 물건에 대해서는 평가하지 아니할 것
4. 한 필지가 공유지분으로서 일부 지분만의 평가를 하는 경우는 평가하지 아니할 것을 원칙으로 하되, 인접지 소유자 및 이해관계인의 위치확인동의서 및 허가된 건축허가도면 등을 통하여 위치확인이 되는 경우 확인된 위치에 대한 지분만을 평가할 것

자료 10 기타사항

1. 경매평가 시 현황도로인 부분 및 타인건물 등으로 인하여 환가성에 영향을 받는 경우에는 나지상정으로 평가하되, 환가성에 영향 시 통상 인근토지 평가금액을 기준으로 30% 감가하여 평가한 금액을 병기한다.
2. 동일물건에 대하여 제시된 조건 이외에는 평가목적별 평가액 차이는 없는 것으로 본다.
3. 그 밖의 요인 격차율은 5% 단위로 절사하여 결정한다.

QUESTION 91

감정평가사 Y씨는 경기도 B시 O구 N동에 소재하는 창고에 대한 담보평가목적의 감정평가 및 의뢰된 수준의 대출가능 여부에 대한 검토를 요청받고 사전조사 및 현장조사를 통하여 아래의 자료를 수집하였다. 아래 물음에 답하시오. 20점

1. 대상 부동산의 담보취득목적의 감정평가를 하시오.

2. 제시된 대출요청에 대한 수락 여부를 검토하시오.

자료 1 대상 부동산의 매매계약서

1. 매매대상물건 : 경기도 B시 O구 N동 35
2. 매매목록 : 토지, 건물
3. 계약시점 : 2025년 5월 9일(잔금일 : 2025년 5월 25일)
4. 매매계약금액 : 1,350,000,000원
5. 특약사항

   현재의 임차인은 매수인이 승계하도록 한다.

   ※ 현 임차인 : ㈜서울

   ※ 임대차내역 : 보증금 50,000,000원, 월임대료 900,000원이며 임대기간은 2024년 5월 1일부터 2026년 4월 30일까지 2년이다.

자료 2 대상 부동산의 현황

<table>
<tr><th colspan="10">경기도 B시 O구 N동</th></tr>
<tr><th rowspan="2">토지</th><th>기호</th><th>지번</th><th>면적(㎡)</th><th>지목</th><th>이용상황</th><th>용도지역</th><th>도로교통</th><th>형상 및 지세</th><th>2025년 개별공시지가(원/㎡)</th></tr>
<tr><td>1</td><td>35</td><td>740.2</td><td>대</td><td>주거기타</td><td>제2종일주</td><td>소로각지</td><td>사다리평지</td><td>1,230,000</td></tr>
<tr><th rowspan="5">건물</th><th>기호</th><th>용도</th><th colspan="3">구조</th><th colspan="2">연면적(㎡)</th><th colspan="2">사용승인일</th></tr>
<tr><td rowspan="3">가</td><td rowspan="3">창고</td><td colspan="3">철근콘크리트조
슬래브지붕</td><td colspan="2">170</td><td colspan="2">1996.03.10</td></tr>
<tr><th colspan="3">건폐율(%)</th><th colspan="2">용적률(%)</th><th colspan="2">층수</th></tr>
<tr><td colspan="3">-</td><td colspan="2">-</td><td colspan="2">지하 0층/지상 1층</td></tr>
</table>

자료 3 대상 부동산 현장조사 결과

1. 본건 중 일부(면적 약 240㎡)는 타인의 건물이 소재하고 있다.

2. 본건 중 일부(면적 약 273㎡, 타인건물 소재부분과 무관)는 도시계획시설 도로에 저촉되어 있다. 본 도시계획시설 도로는 N동 1-2구역 주택재개발정비사업에 의하여 지정된 것이다.

3. 정비사업구역에 지정되어 설치된 도시계획시설은 실제 거래시 감가없이 거래되는 것으로 조사되었다.

4. 본건 남서측 소로를 따라 주상용 건부지가 소재하고 있으며, 후면지(세로)로는 주택 및 공장 등이 혼재함.

5. 본건의 위치도

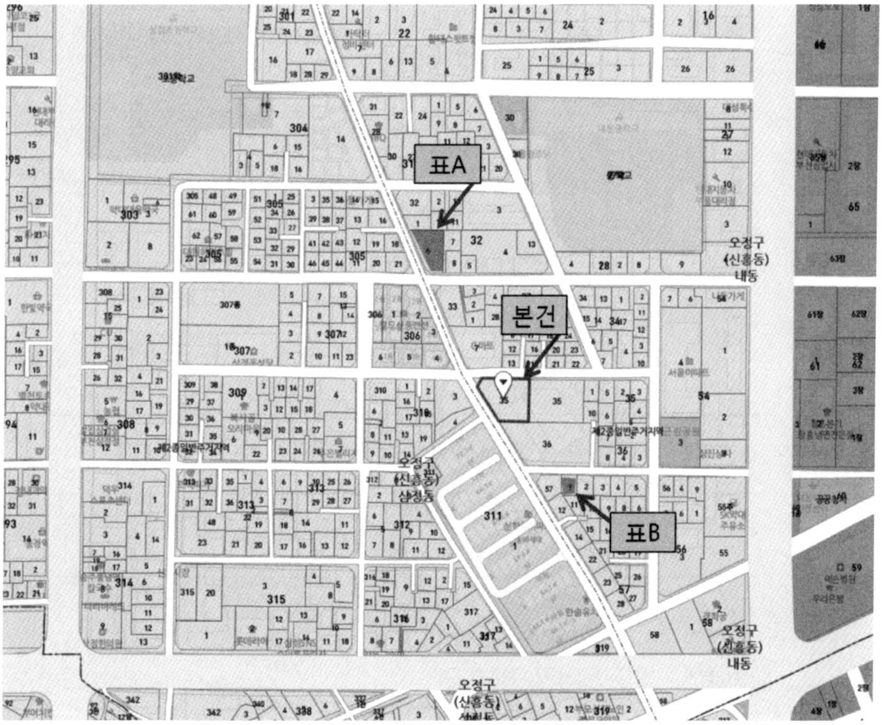

자료 4 인근의 표준지공시지가 현황(공시기준일 : 2025년 1월 1일)

연번	소재지 지번	지목	면적(㎡)	이용 상황	용도 지역	도로 교통	형상 지세	공시지가(원/㎡)
A	N동 32-6	대	427.9	주상용	제2종 일주	소로각지	사다리 평지	1,500,000
B	N동 57-1	대	185.6	주상용	제2종 일주	세로(가)	가장형 평지	1,270,000

자료 5 인근지역의 평가선례

구분	소재지 지번	지목	면적(㎡)	기준 시점	평가단가(원/㎡)	개별지가(원/㎡)	목적	용도 지역	이용 상황	토지 특성
선례 1	S동 287-44	대	113	2024년 8월 1일	1,760,000	1,140,000	경매	제2종 일주	단독 주택	세로(가) 가장형 평지
선례 2	N동 33-27	대	385.4	2023년 9월 1일	1,600,000	1,210,000	담보	제2종 일주	주상용	소로한면 부정형 평지
선례 3	N동 35-1	대	962.5	2022년 12월 1일	1,560,000	1,100,000	담보	제2종 일주	주상용	소로각지 사다리 평지

※ 선례의 기준시점과 본건의 기준시점 간의 시점격차

구분	선례 1	선례 2	선례 3
시점격차	+0.758%	+2.612%	+5.741%

자료 6 인근지역의 거래사례

구분	거래사례	비고
소재지	경기도 B시 O구 S동 307-14	
지목	대	지상건물의 사용승인일 : 1988년 12월 17일 연면적 : 60.49㎡
면적(㎡)	97.2	

거래시점	2025년 3월 1일	재조달원가 : 600,000원/㎡ 내용연수 : 40년
거래가격	165,000,000	
개별공시지가(원/㎡)	1,170,000	
용도지역	제2종일반주거지역	
이용상황	주상용	
토지특성	세로(가), 가장형, 평지	

자료 7 본건 지상건물 현황

1. 재조달원가 : 500,000원/㎡

2. 경제적 내용연수 : 40년, 잔가율 : 0%

자료 8 대출요청사항

매수인은 잔금 지급과 관련하여 대출을 받으려고 하고 있으며, 대출취급은행에 매매계약금액의 40%를 대출해달라고 요청한 상황이다.

자료 9 경기도 B시 0구의 주거지역 지가변동률(2025년 3월)

1. 해당 연도 누계치 : 0.261%

2. 해당 월 : 0.062%

자료 10 기타사항

1. 거래사례의 경우 건물이 거래 당시 20년 이상 경과된 경우 건물가격이 토지가격에 화체되어 있는 것으로 판단한다.

2. 일반적으로 도시계획시설도로는 저촉되지 않은 토지에 비해 15% 감가되어 거래된다.

3. 본건, 표준지공시지가, 평가선례, 거래사례와의 가격격차율은 제시된 "개별공시지가"의 격차율을 기준으로 조정하도록 한다(본건 개별공시지가에는 도시계획시설로 인한 영향이 고려되어 있지 않음).

4. 본건은 인근의 표준적인 이용상황에 미달하지만 별도의 건부감가는 고려하지 않도록 한다.

5. **현장조사 완료일** : 2025년 5월 10일

6. 대출취급은행의 해당 물건의 담보인정비율은 50%이며, 유효담보가 산출시 담보평가액에 담보인정비율을 고려한 값에 임대차보증금을 차감하여 산출한다.

QUESTION 92

감정평가사 A는 ◎◎은행으로부터 아래 부동산에 대한 담보취득 목적의 감정평가를 의뢰받고 관련 자료를 수집하였다. 아래 부동산에 대한 감정평가액을 결정하시오. 25점
※ 해당 물건의 실사일은 2025년 6월 10일이다.

자료 1 감정평가 의뢰서

1. 소유자 : 김○○, 채무자 : 박○○
2. 토지 : A동 300, A동 300-1(김○○ 지분)
3. 건물 : A동 300번지 지상 건물

자료 2 해당 물건의 매매금액 : 625,000,000원(매매시점 : 최근)

(별다른 특약조건은 없는 것으로 조사되었다.)

자료 3 관련 공부서류

구분	토지대장		토지등기		건물대장	건물등기
	300	300-1	300	300-1		
지목/구조	대	도로	전	도로	철근콘크리트조	철근콘크리트조
면적(㎡)	300	60	300	60	150	120
소유자	이○○		김○○		이○○	김○○

※ 토지의 용도지역 : 계획관리지역

※ A동 300-1번지 중 김○○의 지분은 1/3이며, A동 300번지 진출입을 위한 현황 도로로 이용 중에 있다(아래 도면 참고).

※ 현재 해당 건물은 상업용으로 이용 중에 있다.

※ 해당 건물의 사용승인일은 2008년 5월 1일이며, 해당 건물은 2006년 3월 5일에 완공되었으나, 시공사와의 공사비지급문제 등으로 사용승인을 뒤늦게 받은 사실이 확인되었음.

자료 4 참고도면

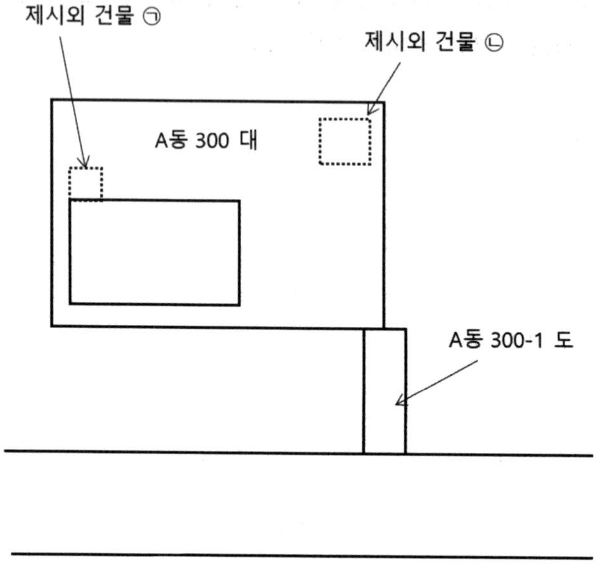

※ 제시외 건물 ㉠은 10㎡ 규모의 샌드위치판넬조 창고로 해당 건물 임차인이 같이 사용하고 있으며, ㉡은 40㎡의 철근콘크리트조 단독주택으로서 다른 세입자가 거주하고 있다(전입세대 열람시 전입되어 있었음).

※ 해당 건물에는 상기와 같은 제시외 건물이 존재한다. 해당 금융기관에서는 제시외 건물로 인하여 불리함이 있는 경우에는 그 감가를 고려하여 평가하도록 요청하였다(불리한 정도는 해당 제시외 건물의 바닥면적만큼을 기준할 것).

자료 5 인근의 표준지 공시지가(2025.1.1.)

연번	소재지	용도지역	이용상황	공시지가(원/㎡)
A	A동 ○○	계획관리	주거용	600,000
B	A동 ○○	계획관리	상업용	900,000

자료 6 평가선례 및 거래사례(그 밖의 요인 비교 자료)

구분	목적	거래금액(원)/ 평가금액(원/㎡)	거래시점/ 평가시점	면적(㎡)	이용상황	비고
1	실거래	450,000,000	2023.07.01	토300 건150	상업용	본건 거래
2	실거래	920,000,000	2024.12.01	토400 건250	상업용	토지, 건물
3	담보	@1,100,000	2022.01.01	토300	상업용	-
4	담보	@600,000	2024.12.01	토300	전	-

※ 용도지역은 모두 계획관리지역이다.

※ 본건은 2023년 7월 1일을 기준으로 군사시설보호구역에서 해제되었다.

※ 거래사례 1은 본건에 대한 거래사례이고, 거래사례 2의 건물은 본건 건물과 유사하며, 사용승인일은 2011년 8월 1일이다.

자료 7 건물의 재조달원가는 ㎡당 1,300,000원을 적용한다.

자료 8 지가변동률(%)

구분	2024년 12월		2025년 4월		2025년 5월
	누계	당월	누계	당월	
관리지역	3.678	0.417	2.101	0.352	미고시
계획관리	4.114	0.452	2.314	0.412	미고시

자료 9 그 밖의 사항

1. 표준지, 평가선례 등의 개별요인은 모두 대등한 것으로 본다.
2. 토지 평가 시 거래사례 비교법에 의한 합리성 검토는 생략하도록 한다.
3. 건물의 내용연수는 50년이며, 최종잔가율은 0%이다.
4. 법정지상권 성립 등으로 인한 토지 소유권 행사 시 감가율은 30%를 가정한다.

QUESTION 93

감정평가사 柳씨는 합격예감감정평가사무소 소속의 감정평가사로서 ◎◎지방법원 성남지원으로부터 아래 물건에 대한 경매목적의 감정평가를 의뢰받았다. 이에 감정평가사 柳씨는 사전조사 및 현장조사를 통하여 아래의 자료를 수집하였다. 한편, 감정평가정보시스템을 열람하던 중 본 물건에 대한 감정평가선례가 있음을 확인하고 적법한 절차에 의하여 본 물건의 담보목적의 감정평가서를 입수하였다. 평가대상물건에 대한 기준시점의 경매평가액을 산정하고 본건 평가선례인 담보평가액과의 차이가 발생할 경우 그 사유에 대하여 5개 이상 서술하시오(기준시점 : 2025년 9월 1일). 25점

자료 1 대상토지의 개요

1. 목록

일련번호	소재지	용도지역	이용상황	공부상 지목	주위환경	면적(㎡)	비고
1	경기도 K시 J면 S리 산 1	생산관리	자연림	임야	마을주변야산지대	2,000	
2	경기도 K시 J면 S리 산 2	생산관리	토지임야	임야	마을주변야산지대	3,000	토목공사중
3	경기도 K시 J면 S리 11	계획관리	묵전	전	마을주변야산지대	1,000	기존창고멸실

2. 토지의 개황

(1) 위치 및 주위환경

본건은 경기도 K시 J면 S리 소재 "○○산성 유원지" 북서측 인근에 위치하고 있으며, 주위는 순수 자연림과 농경지, 단독주택 등이 혼재하는 지역임.

(2) 도로 및 교통상황

기호 1번은 노폭 약 10m 도로, 2번은 약 5m 도로에 각각 접하고, 기호 3의 경우는 차량 및 농기계 통행이 불가능하여 기호 2번을 통하여 진입이 가능하다. 대상토지 인근에 버스정류장이 소재하며 S시나 H시로 이어지는 주요국도가 근접거리에 위치하는 등 제반 교통상황은 보통시된다.

(3) 형상 및 지세, 이용상황

세 토지 모두 대체로 부정형, 완경사지로 현재 경작을 하지 않는 전 및 자연림 등의 상태임. 또한 세 토지 모두 공사가 진행되지 않고 있다. 대상토지를 노유자시설부지로 개발하기 위하여 그 일부(일련번호 2번 토지)에 토목공사를 진행하다가 중단된 상태이며 (현재 기호 2 토지의 토목공사의 공정률은 약 50% 정도 진행된 것으로 추정되며, 공사비는 약 210,000,000원이 투입된 상태이다) 본건

개발계획에 대한 허가는 기준시점 현재 취소된 상태이다(다시 허가를 받을 수 있는지 여부는 불확실한 상황이다).

자료 2 본건의 평가선례

1. 평가대상 목록

일련번호	소재지	용도지역	이용상황	공부상지목	주위환경	면적(㎡)	비고
1	경기도 K시 J면 S리 산 1	생산관리	자연림	임야	마을주변 야산지대	2,000	
2	경기도 K시 J면 S리 산 2	생산관리	자연림	임야	마을주변 야산지대	3,000	
3	경기도 K시 J면 S리 11	생산관리	창고부지	전	마을주변 야산지대	1,000	창고건물은 공실상태임

※ 창고건물의 면적은 150㎡이며, 조립식 판넬조로 경과연수는 약 35년으로 추정되고 철거비는 약 1,000,000원이 예상된다.

2. 평가개요

(1) **기준시점** : 2022년 9월 1일

(2) **평가목적** : 담보

(3) **평가 당시 현장상황 등**

소유자는 대상 필지를 합병하여 노유자시설을 신축할 계획이었으며, 이러한 개발계획에 따라 설계 등을 받아서 관할관청의 허가를 득하여 공사를 착공한 상태였다.

3. 감정평가 내용

(1) **표준지 선정**

담당평가사는 인근에 유사용도(노유자시설)의 표준지가 없어 전원주택부지로 조성하여 분양 중인 표준지인 "K시 J면 S리 400번지(세로가, 세장형, 완경사, 400㎡, 200,000원/㎡)를 선정하여 평가하였다.

(2) **창고건물 관련**

해당 기호 3 필지상의 창고는 담보평가 당시에는 존재하였으나 철거예정이었으므로 철거를 전제로 평가하였다.

4. 평가명세표

일련번호	소재지	지번	용도지역	면적(㎡)		단가(원/㎡)	총액(천원)	비고
				공부	사정			
1	경기도 K시 J면 S리	산 1	생산관리	2,000	5,700	150,000	855,000	일단 건축허가지
2	경기도 K시 J면 S리	산 2	생산관리	3,000	300	평가 외	–	제외지
3	경기도 K시 J면 S리	11	생산관리	1,000				

※ 대상 전체 토지의 일단지 기준한 개별요인은 소로각지, 부정형, 완경사이다.

자료 3 인근 표준지공시지가(단위 : 원/㎡)

일련번호	소재지	면적(㎡)	이용상황	용도지역	도로접면	형상지세	2022년 공시지가	2025년 공시지가
가	S리 200	1,790	전	생산관리	세로(가)	부정 완경사	80,000	90,000
나	S리 산 100	4,700	자연림	생산관리	세로(가)	부정 완경사	10,000	11,000
다	S리 300	500	전기타(창고)	생산관리	소로한면	부정 평지	90,000	100,000
라	S리 400	400	주거나지	생산관리	세로(가)	세장 완경사	200,000	220,000
마	S리 500	450	단독	계획관리	세로(가)	사다리 평지	230,000	240,000
바	S리 산 50	3,000	자연림	계획관리	소로한면	부정 완경사	20,000	22,000
사	S리 600	1,000	토지임야	생산관리	세로(가)	부정 완경사	50,000	53,000
아	S리 700	600	전	계획관리	세로불	부정 평지	110,000	120,000

※ 일련번호 "라"번의 표준지는 담보평가 당시 선정된 표준지이며 평가 당시 대상토지의 현황이 개발 중인 임야 등이었던 점을 개별요인에서 감안하여 평가하였다.

자료 4 기준시점 현재 대상 인근지역의 상황

대상토지 주변으로 도로 등이 확충되고 관공서의 이전계획이 수립되어 시가지로의 개발이 활발히 진행 중이며, 생산관리지역의 일부분이 2024년에 계획관리지역으로 변경되었다.

자료 5 요인비교자료

1. 지역요인
   같은 동은 인근지역으로 판단한다(1,000).

2. 개별요인

(1) 도로접면

소로각지	소로	세각(가)	세로(가)	세각(불)	세로(불)	맹지
105	100	95	90	85	80	75

(2) 형상

가장형	세장형	정방형	사다리형	부정형
105	100	95	90	85

(3) 지세

평지	완경사
100	90

3. 시점수정자료(%)

구분	2025년 7월 누계	2025년 7월 당월	비고
S시 관리지역	1.216	0.051	세분화 관리지역 지가변동률 미공시
S시 전	0.798	0.174	이용상황별 지가변동률
S시 임야	2.975	0.447	이용상황별 지가변동률
S시 평균	1.375	0.171	-
경기도 평균	0.758	0.103	-

자료 6 기타 참고사항

1. 최근 거래사례 등의 가격수준을 감안할 때 대상의 평가시 적용할 그 밖의 요인보정치는 토지용도별로 다음과 같음.

주거용	자연림(토지임야 포함)	전	답
1.50	2.00	1.80	1.60

2. 평가대상 3필지의 소유자는 모두 동일하며 경매는 일괄로 진행된다.

QUESTION 94

감정평가사 Y씨는 ○○은행 여신심사부 소속의 감정평가사로서 아래의 담보취득목적의 감정평가서를 심사하면서 몇 가지 문제점을 발견하고 이에 대한 수정사항을 요청하는 과정에 있다. 아래의 물음에 각각 답하시오. 25점

1. 아래 감정평가서의 문제점을 지적하시오. 10점
2. 〈물음 1〉에서 발견된 문제점을 수정하여 평가목적물의 가격(원/㎡)을 결정하시오. 12점
3. 수정된 토지·건물 감정평가명세표를 작성하시오. 3점

자료 1 감정평가서 요약사항

감정평가의뢰인	○○은행 K금융센터장
건명	A 담보물(경기도 K시 A동 343-1)
감정서번호	(주)★감정평가법인-본사-1-0213
기준시점	2025년 7월 15일

자료 2 접수된 감정평가서

Ⅰ. 본건의 현황

소재지	경기도 K시 A동 343-1			
토지	이용상황	용도지역	면적(㎡)	비고
	단독주택	개발제한구역 자연녹지지역	433.0	집단취락지구 외
건물	용도(현황)	구조	연면적(㎡)	사용승인일자
	단독주택 (공가)	목조 시멘트기와지붕 시멘트블럭조 슬레이트지붕	90.4	1965.09.01

※ 상기 토지 및 주택에 대한 표시근거는 토지 및 건물에 대한 등기사항전부증명서, 토지대장, 건축물 관리대장에 의한 것이다.

Ⅱ. 감정평가액 산출근거 및 그 결정에 관한 의견

1. 평가개요
   본건은 경기도 K시 A동 소재 통칭 "A삼거리" 북서측 인근에 위치하는 부동산 물건으로 (주)○○은행 K금융센터의 담보취득을 위한 감정평가건으로서 "감정평가 및 감정평가사에 관한 법률", "감정평가에 관한 규칙" 등 관계법령과 감정평가 이론에 근거하여 평가하였다.

2. 평가기준

(1) 토지

토지의 가격은 "감정평가 및 감정평가사에 관한 법률" 제3조 및 "감정평가에 관한 규칙" 제14조에 의거 본건 토지와 제반사항(용도지역, 지목, 이용상황 등)이 유사하다고 인정되는 표준지공시지가를 선정하여 공시기준일로부터 기준시점까지의 지가변동률 및 선정된 공시지가표준지와 본건 토지와의 가격 형성에 영향을 주는 지역요인, 개별요인을 비교, 분석하고 시세 및 기타 사항을 종합 참작하여 평가하였음.

(2) 건물

본 건물에 대한 평가는 "감정평가에 관한 규칙" 제15조에 의거 구조, 사용자재, 시공상태, 마감재의 상태, 부대설비, 용도, 현상 및 관리상태 등을 종합 참작하여 원가법을 평가하되, 관찰감가를 병용하였음.

3. 평가조건 및 담보취득시 유의사항

본건 지상의 건물은 그 경제적 가치가 희박한 것으로 판단하여 본 평가에서는 제외하였으니 담보취득시 유의하시기 바람.

Ⅲ. 토지 · 건물 감정평가명세표

일련번호	소재지	지번	지목 및 용도	용도 지역 및 구조	면적(㎡)		평가가액		비고
					공부	사정	단가 (원/㎡)	금액(원)	
1	경기도 K시 A동	343-1	대	개발제한구역 자연녹지지역	433	433	1,294,000	560,302,000	

Ⅳ. 감정평가액 산출근거(토지)

1. 대상토지의 현황

소재지	지목	면적 (㎡)	이용 상황	용도지역	도로 교통	형상, 지세	개별공시지가 (원/㎡)
A동 343-1	대	433.0	단독주택	개발제한 자연녹지	세로(가)	부정형평지	710,000

2. 비교표준지 선정

(1) 비교표준지 목록(공시기준일 : 2025년 1월 1일)

일련번호	소재지	지목	면적(㎡)	이용상황	용도지역	공시지가(원/㎡)	기타
1	A동 100	대	291.0	단독주택	개발제한 자연녹지	820,000	집단취락지구 내
2	A동 200	전	682.1	전	개발제한 자연녹지	410,000	집단취락지구 내
3	A동 1000	대	287.0	단독주택	개발제한 자연녹지	623,000	집단취락지구 외

※ 기호 3 표준지는 유사지역에 소재하고 있다.

(2) 비교표준지 선정

개발제한구역의 자연녹지로서 단독주택부지인 표준지 기호 #1을 선정한다.

3. 시점수정치(2025년 1월 1일~2025년 7월 15일)

시·군·구	용도지역	지가변동률	비고
경기도 K시	녹지지역	1.696%	2025.1.1~2025.5.31 : 1.311% 2025.5.1~2025.5.31 : 0.262% (1+0.01311) × (1+0.00262×45/31) ≒ 1.01696

4. 지역요인 비교

인근지역에 위치하여 지역요인 동일함(1.00).

5. 개별요인 비교

구분		내용		비교내역(표준지 대비)	토지가격비준표상 격차율	격차율(표준지 대비)
조건	항목	표준지	대상토지			
가로	접면도로	세로(가)	세로(가)	비교표준지대비 가로조건에서 다소 열세함.	1.00	0.97
	가로구조					
접근	교통시설과의 접근성	무난함	무난함	유사	1.00	1.00
	공공편익시설과의 접근성					
환경	주위환경 및 적합성	무난함	무난함	유사	1.00	1.00
	위험혐오시설 유무					

획지	지목	단독주택 대지 부정형 평지	단독주택 대지 부정형 평지	유사	1.00	1.00
	면적					
	형상, 지세					
	접면도로상태 (각지 등)					
행정적	용도지역, 지구	개발제한 자연녹지 대지	개발제한 자연녹지 대지	유사	1.00	1.00
	기타					
기타	장래의 동향	무난함	무난함	유사	1.00	1.00
	기타					
개별요인		0.97×1.00×1.00×1.00×1.00×1.00				0.970

6. 그 밖의 요인비교

인근 토지의 가격수준, 평가선례, 낙찰가율 등을 종합적으로 참작한 결과 본건에 적용가능한 그 밖의 요인으로서 60% 증액보정함.

7. 토지가격 산출

표준지 공시지가	시점수 정치	지역요인 비교치	개별요인 비교치	그 밖의 요인비교치	산출가격 (원/㎡)	결정가격 (원/㎡)
820,000	1.01696	1.000	0.970	1.60	1,294,224	1,294,000

자료 3 현장조사사항

1. 본건 지상의 건물에 대한 현황

지상건물은 신축된 지 약 60여년 정도 경과된 건물로서 신축 이후 특별한 자본적 지출없이 기본적인 보수정도만 하면서 사용되어 오다가 약 5년 전부터는 폐가로 방치되고 있음. 현재 본건의 실제 면적은 약 30평 정도로서 현장조사 결과 본건은 등기부(27평 3홉으로 등기)나 건축물대장(90.4㎡로 등재)과 큰 차이가 없는 건물로서 판단되며, 일부 창고 등을 증축하여 사용 중이나 건물의 동일성은 인정되어 있는 것으로 판단된다.

본 건물은 현재 담보평가의 평가목적을 고려시 경제적 가치가 매우 희박할 것으로 판단된다. 본 건물은 특별한 멸실신고가 있은 적이 없었다.

2. 본건의 지적현황 등

본건 토지는 아래의 지적도와 같이 A동 342-8번지(120㎡)를 통하여 공도로 진입이 가능하며, 도로부지는 인근 토지소유자와 동일지분의 공유형태로 보유하고 있는 것으로 조사되었다. 따라서 본건 토지의 소유자인 A씨의 지분은 1/3이다.

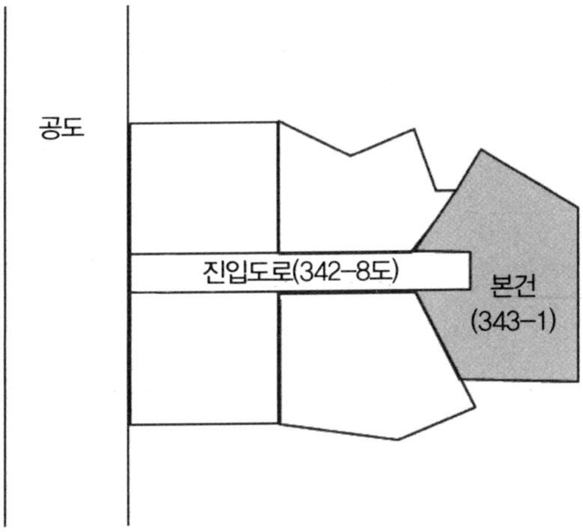

3. 본건 토지 추가조사사항

현장조사 결과 본건 토지 중 약 50㎡는 후면의 임야와의 고저차이로 인하여 법면부분으로 남아있으며, 특별한 지지대 공사가 이루어지지는 않았지만 향후 건축허가를 새로이 받는다면 유효한 대지면적으로 인정받기 어려울 것으로 판단된다.

자료 4 K시 지가변동률(녹지지역, %)

감정평가서에 제시된 지가변동률과 동일하다.

2025년 5월 : (당월) 0.262, (누계) 1.311

자료 5 인근지역의 거래사례 현황

1. 거래사례 A
   (1) **소재지 등** : 경기도 K시 A동 123-1, 대(단독주택), 260㎡
   (2) **용도지역** : 개발제한구역, 자연녹지지역, 집단취락지구 내
   (3) **거래시점** : 2025년 6월 1일

(4) **건물의 가치** : m²당 150,000원(거래시점 당시)이며, 지상에는 100m²의 건물이 소재하고 있다.

(5) 거래사례 A는 거래사례 B에 비해 약 5% 정도 열세하다.

(6) **거래가격** : 금 280,000,000원

2. 거래사례 B

(1) **소재지 등** : 경기도 K시 A동 441-1, 대(단독주택), 350m²

(2) **용도지역** : 개발제한구역, 자연녹지지역, 집단취락지구 외

(3) **거래시점** : 최근

(4) **건물의 가치** : 건물이 신축된지 오래되어 건물의 경제적 가치는 희박한 상태에서 거래가 되었다.

(5) 거래사례 B는 거래사례 A에 비해 약 5% 정도 우세하다.

(6) **거래가격** : 금 260,000,000원

3. 상기 거래사례는 모두 적정한 거래사례인 것으로 조사되었으며, 행정적 조건 비교자료로 활용한다.

자료 6 인근지역의 평가선례자료 등

1. 인근지역의 평가선례자료

일련번호	기준시점	평가목적	소재지	지목	면적(m²)	용도지역	이용현황	토지단가(원/m²)	비고
1	2025년 1월 1일	담보	A동 346-6	대	151	개제 자녹	단독 주택	1,320,000	집단취락 지구 내
2	2020년 1월 1일	담보	A동 346-1	대	1,145	개제 자녹	단독 주택	1,560,000	집단취락 지구 내
3	2024년 7월 1일	담보	A동 154-9	답	209	개제 자녹	답	741,000	집단취락 지구 외
4	2024년 1월 1일	자산 재평가	A동 214-7	대	289	개제 자녹	단독 주택	1,800,000	집단취락 지구 내

2. 인근지역의 평가선례는 이용상황 및 행정적 조건을 제외한 개별요인은 비교표준지와 대등하다.

자료 7 기타사항

1. 명세표 양식

〈물음 3〉의 명세표 작성 시 편의상 아래 명세표의 양식을 활용하도록 한다.

지번	면적(㎡)	평가단가(원/㎡)	총액	비고

2. 감정평가 시 판단한 개별요인 중 별도로 판단하는 개별요인(조건)을 제외한 나머지 요인비교는 적정한 것으로 판단된다.

3. 그 밖의 요인비교치는 비교표준지 기준방식을 활용한다.

QUESTION 95

감정평가사 R씨는 N 제1구역 1지구 주택재개발정비사업조합으로부터 관리처분계획 수립을 위한 종전자산에 대한 감정평가를 의뢰받고 아래의 자료를 수집하였다. 도시정비 관련 법령 및 감정평가 관계 법령에 근거하고 일반 감정평가이론에 따라 아래 소유자(김서울, 박부산)의 종전자산에 대한 감정평가액을 구하시오. 25점

자료 1 평가대상 목록

1. 김서울 소유자산

일련번호	소재지/지번	지목/구조	용도지역/용도	면적(㎡)	관련필지	소유자
1	N동 21-296	대	제2종일주	62.11	-	김서울
2	N동 38-16	대	제2종일주	88.26	-	김서울
3	N동 38-18	대	제2종일주	126.17	-	김서울
4	N동 21-296외	철근콘크리트조	다가구주택	216.2	N동 38-16 N동 38-18	김서울

(1) 상기 토지 중 일련번호 3의 10㎡는 일반인의 통행에 이용되고 있는 현황도로로 이용 중이다.

(2) 위 목록 중 건물은 현재 멸실된 상태이며, 멸실 전에 촬영한 사진이 존재한다(의뢰인 제공).

(3) 위 목록 중 건물은 무허가건축물로서 1987년 2월에 신축된 것으로 항공사진 등 확인결과 확인되었다.

(4) 멸실 전 상태로 보아 해당 건물은 폐공가 상태이며, 관리상태가 매우 불량하여 유효잔존내용연수는 12년으로 판단된다.

2. 박부산 소유 자산(다세대주택)

소재지	동/호수	토지지분(㎡)	전유면적(㎡)	공유면적(㎡)	공급면적(㎡)	사용승인일
N동 53-39	A/202	24.29	45	7.6	52.6	2001.12.26

3. 해당 사업지는 모두 2종일반주거지역으로 용도지역이 변경된 상태이며, 종전에는 제1종, 제2종, 제3종주거지역이 혼재되어 있었다. 본건이 소재한 지역은 모두 제1종일반주거지역 내에 소재하고 있다가 N 제1구역 제1지구 정비구역지정(2017년 8월 16일)과 함께 용도지역이 변경되었다.

자료 2 해당 정비사업의 개요

1 사업명 : N 제1구역 1지구 주택재개발정비사업

2. 정비구역의 위치 및 면적

(1) 위치 : S시 E구 N동 53번지 일대

(2) 면적 : 39,128.00㎡(택지 : 33,824㎡, 정비기반시설 등 : 5,304.00㎡)

3. 사업추진경위

일자	주요내용	비고
2017년 8월 16일	N 제1구역 제1지구 정비구역지정고시	-
2017년 10월 8일	N 제1구역 제1지구 주택재개발정비사업조합설립추진위원회 승인	-
2018년 4월 10일	N 제1구역 제1지구 주택재개발정비사업조합 인가	-
2022년 4월 6일	사업시행인가 신청	-
2022년 4월 26일	사업시행인가를 위한 공람공고	-
2022년 7월 26일	사업시행인가고시(E구 고시 제2022-49호)	종전자산평가를 하지 않음
2024년 9월 18일	정비구역지정 변경고시	-
2025년 7월 23일	사업시행변경인가고시(E구 고시 제2025-53호)	-

※ 2025년 7월 23일에 득한 사업시행변경인가고시는 건폐율 및 용적률을 높이고 총 세대수를 증가하는 변경으로 조합원의 권리, 의무 관계에 큰 영향이 있어 해당 일을 기준시점으로 해줄 것을 요청받았음.

4. N 제1구역 1지구 재개발정비사업 건축계획

사업명		N 제1구역 제1지구 주택재개발정비사업	
대지위치		S시 E구 N동 53번지 일대	
지역지구		제2종일반주거지역	
세대수		952세대	
건축물의 주된 용도		공동주택 및 부대복리시설	
대지 면적	정비구역	39,128.00㎡	
	정비기반시설	도로	1,821.00㎡
		광장	3,072.00㎡
		공원	411.00㎡
		소계	5,304.00㎡
	택지	33,824.00㎡	

자료 3 인근지역의 표준지공시지가 현황

1. 표준지공시지가 목록

기호	소재지	면적(㎡)	지목	이용상황	용도지역	도로교통	형상	지세	비고
가	N동 1-37	90	대	단독주택	제1종일주	소로한면	정방형	평지	구역외
나	N동 21-152	139	대	주상용	제2종일주	세로(가)	사다리	완경사	구역내
다	N동 44-21	180	대	단독주택	제3종일주	세각(가)	세장형	평지	구역외

2. 연도별 표준지공시지가

기호	소재지	2023년	2024년	2025년
가	N동 1-37	1,850,000	1,910,000	2,050,000
나	N동 21-152	2,400,000	2,520,000	2,630,000
다	N동 44-21	2,020,000	2,090,000	2,180,000

자료 4 인근지역의 거래사례 및 평가선례

1. 토지의 거래사례 및 평가선례

(1) 세부 목록

기호	소재지	지목	용도지역	평가목적	이용상황	토지면적(㎡)	기준시점 거래시점	평가가격(원/㎡)
A	N동 20-21	대	제2종일주	재개발	단독	96	2023년 6월 5일	2,420,000
B	N동 21-206	대	제2종일주	재개발	주상용	132	2023년 6월 5일	3,050,000
C	N동 20-56	대	제2종일주	재개발	단독	156	2023년 6월 2일	2,070,000
D	N동 1-38	대	제1종일주	실거래	다가구	130	2025년 3월 23일	총 585백만
E	N동 3-23외	대	제2종일주	실거래	단독	274	2025년 4월 6일	총 900백만

※ 모두 사업지 외의 거래사례로서 기호 A, B, C는 N 제1구역 제2지구 주택재개발부지의 감정평가선례이다.

(2) 세부조사사항

1) 거래사례 D는 B동 B공원 남측 도로 건너편 제1종일반주거지역 내에 소재하

는 철근콘크리트조 다가구주택으로 사용승인일은 2017년 8월 27일, 연면적은 298.44㎡이고, 내용연수는 50년이다.

2) 거래사례 E는 지하철 N역 인근 제2종일반주거지역 내에 소재하는 단독주택으로 사용승인일 1980년 9월 27일이고 연면적은 267.71㎡이다. 44년 경과된 단독주택으로서 경제적 잔존가치는 희박하다.

(3) 평가선례 대비 비교표준지 요인비교치

평가선례 거래사례	가로조건	접근조건	환경조건	획지조건	행정조건
A	1.05	1.00	0.98	1.05	1.00
B	1.10	0.99	0.95	1.00	0.95
C	1.00	1.00	1.00	0.95	0.90
D	1.05	1.00	0.98	1.05	1.00
E	1.05	1.00	0.98	1.05	1.00

※ 기타조건은 모두 대등함

2. 구분건물의 거래사례 등(다세대주택)

번호	거래시점	소재지	호수	토지지분(㎡)	전유면적(㎡)	공유면적(㎡)	공급면적(㎡)	사용승인일	거래금액(원)
A	2024.6.5	N동 29-42	101	19.35	39.25	4.13	43.38	2006.11.7	98,000,000
B	2025.2.12	N동 35-62	203	36.51	81.66	10.24	91.9	2006.12.26	228,000,000
C	2023.11.12	N동 141-8	101	12.194	24.735	1.975	26.71	2019.7.30	240,000,000
D	2024.8.29	N동 91-7	108	12.261	34.4	-	34.4	2016.1.20	288,130,000
E	2025.6.3	N동 35-73	302	-	43.82	6.63	50.45	2007.2.6	120,000,000

자료 5 개별요인 비교 관련 자료

1. 비교표준지와 본건의 개별요인 비교

비교표준지	가로조건	접근조건	환경조건	획지조건	행정조건
가	0.95	0.93	1.00	1.00	1.00
나	0.95	0.95	1.00	1.00	1.00
다	1.05	1.05	0.95	1.00	1.00

※ 기타조건은 모두 대등함

2. 구분건물의 개별요인 비교

거래사례	토지요인	건물요인	개별적 요인
A	1.05	0.95	-
B	0.95	0.95	-
C	1.10	1.00	-
D	1.00	1.20	-
E	1.00	1.10	-

자료 6 건물의 신축단가 등

분류번호	용도	구조	급수	내용연수	표준단가(원/㎡)
1-1-4-4	일반주택	시멘트블럭조	5	40	500,000
1-1-2-5	일반주택	시멘트벽돌조, 연와조	4	45	600,000
1-1-5-8	일반주택	철근콘크리트조	3	50	900,000
4-1-5-7	근린생활시설	철근콘크리트조	4	50	650,000

※ 건축비는 보합세를 가정한다.

자료 7 각종 통계자료

1. 지가변동률

기간	지가변동률	비고
2023.1.1~2023.12.31	2.344	2023년 12월 누계
2024.1.1~2024.12.31	1.229	2024년 12월 누계
2025.1.1~2025.6.30	0.800	2025년 6월 누계
2025.7.1~2025.7.31	0.190	2025년 7월분
2023.6.5~2025.7.23	1.664	평가선례 A 시점수정 관련
2023.6.5~2025.7.23	1.664	평가선례 B 시점수정 관련
2023.6.2~2025.7.23	1.669	평가선례 C 시점수정 관련
2025.3.23~2025.7.23	0.745	거래사례 D 시점수정 관련
2025.4.6~2025.7.23	0.661	거래사례 E 시점수정 관련

2. 생산자물가지수

구분	2022년 12월	2023년 12월	2024년 12월	2025년 6월	2025년 7월
지수	100.90	101.07	103.11	101.22	101.43

3. 연립, 다세대 매매가격지수

S시 강북지역 서북권							
2024년 5월	2025년 1월	2025년 2월	2025년 3월	2025년 4월	2025년 5월	2025년 6월	2025년 7월
98.9	99	99.1	99.1	99.3	99.6	100	100.2

4. 상업용 부동산 자본수익률

집합매장용			
2024년 3분기	2024년 4분기	2025년 1분기	2025년 2분기
0.17%	0.27%	0.68%	0.27%

자료 8 기타자료

1. 그 밖의 요인비교치는 비교표준지를 기준으로 산정한다.

QUESTION 96

감정평가사 R씨는 S시 S구 K동에 위치하는 K2지구 주택재개발정비사업의 관리처분계획 수립을 위한 종후자산의 감정평가를 의뢰받고 아래의 자료를 수집하였다. 아래 제시된 자료를 활용하여 기준호(제105동 제15층 제1503호)의 기준단가를 결정한 후 의뢰된 샘플 호수의 종후자산 감정평가액을 결정하시오. 25점

자료 1 사업의 개요

1. 구역 현황
   (1) 사업의 종류 : 주택재개발정비사업
   (2) 사업의 명칭 : K2재정비촉진구역 1지구 주택재개발정비사업
   (3) 위치 : S시 S구 K동 181번지 일대
   (4) 면적 : 98,453.7㎡(건축물 : 992동(무허가 777동))
   (5) 사업시행자 : K2재정비촉진구역 1지구 주택재개발정비사업조합
   (6) 정비사업시행기간 : 사업시행인가일로부터 60개월
   (7) 사업시행인가일 : 2024년 8월 16일

2. 사업의 추진경위
   (1) 2016년 6월 28일 : 주택재개발조합설립추진위원회 승인(S구)
   (2) 2017년 10월 19일 : 도시재정비촉진지구지정(S시)
   (3) 2019년 7월 29일 : K 제2-1구역 조합설립추진위원회 변경승인
   (4) 2019년 8월 28일 : 재정비촉진계획 결정 및 지형도면 고시(S시)
   (5) 2020년 2월 6일 : 조합설립인가
   (6) 2020년 5월 19일 : 시공자선정 조합임시총회 개최
   (7) 2024년 8월 16일 : 주택재개발정비사업 사업시행인가고시(S구)
   (8) 2025년 5월 20일 : 조합원분양신청기간 종료

자료 2 해당 사업구역 예정 아파트의 기준호(제105동 제15층 제1503호)의 세부내역

구분	주택형	향
제105동 제15층 제1503호	84A	남남동

자료 3 비교거래사례

구분	거래사례 A	거래사례 B
소재지	S구 G동 165	S구 M동 1
아파트명	L아파트	M아파트
동	108	127
층	16	15
호	1603	1504
전유면적(㎡)	84.936	84.96
거래가액(원)	712,600,000	560,700,000
전유면적기준 거래가단가(원/㎡)	8,390,000	6,600,000
거래일자	2025년 2월 22일	2025년 3월 23일
비고	현장조사시 조사된 인근지역의 시세 수준과 부합하는 사례인 것으로 판단된다.	현장조사시 조사된 인근지역의 시세 수준과 부합하는 사례인 것으로 판단된다.

자료 4 기준호와 거래사례의 격차율

요인	조건	거래사례 A		거래사례 B	
		요인 비교치	비고	요인 비교치	비고
외부 요인	가로조건 접근조건 환경조건 획지조건 행정적조건 기타조건	0.794	대상건물은 거래사례에 비해 접근조건 등에서 열세함.	0.930	대상물건은 거래사례에 비해 환경조건, 획지조건 등에서 열세함.
건물 요인	시공상태 설계, 설비 노후도 공용시설 규모 및 구성비 건물의 용도 관리체계	1.071	대상물건은 거래사례에 비해 신축된 공동주택으로서 노후도, 규모 및 구성비 등에서 우세함.	1.050	대상물건은 거래사례에 비해 신축된 공동주택으로서 노후도, 규모 및 구성비 등에서 우세함.

기타 요인	층별효용 위치별, 향별효용 동별효용 공용부분의 전용사용권 유무 부지에 대한 지분면적 관리상태	1.000	대등함.	1.030	대상물건은 거래사례에 비해 주택의 평면(베이)에서 우세함.

자료 5 평가대상단지 내 의뢰된 세대목록 등

의뢰연번	동/호수	주택형	전유면적(㎡)	향	비고
1	제101동 제1층 제1호	59A	59.93	남서	–
2	제102동 제5층 제2호	84C	84.96	남동	–
3	제103동 제10층 제3호	108A	108.72	동	–
4	제104동 제2층 제3호	59B	59.93	남	1층 필로티 상층구조

자료 6 각종 효용지수

1. 층별 효용지수

층	층별 효용지수	비고
26~33층	1.020	최고층은 직하층의 지수에서 1.0%p 차감
21~25층	1.012	–
16~20층	1.007	–
13~15층	1.000	기준층
11~12층	0.995	–
9~10층	0.990	–
7~8층	0.980	–
5층	0.975	–
4층	0.970	–
3층	0.955	필로티 상층은 해당 지수에서 1.0%p 증가
2층	0.940	필로티 상층은 해당 지수에서 1.0%p 증가
1층	0.925	–

2. (주택)형별 효용지수

(주택)형	전유면적(㎡)	공급면적(㎡)	전용률	(주택)형별 효용지수
59A	59.93	84.49	70.9%	1.100
59B	59.93	84.77	70.7%	
59C	59.93	84.49	70.9%	
84A	84.97	112.56	75.5%	1.000
84B	84.95	112.90	75.2%	
84C	84.96	114.17	74.4%	
84C-1	84.96	114.17	74.4%	
84D	84.98	113.71	74.7%	
108A	108.71	135.45	80.3%	0.890

3. 향별 효용지수

향	동	동남동	남동	남남동	남	남남서	남서	서남서
향별효용지수	0.970	0.980	0.990	1.000	1.000	0.990	0.980	0.970

4. 동별 효용지수

그룹	동별 효용지수	비고 : 적용 동
A	1.010	제103동, 제104동, 제112동~제114동
B	1.000	제101동, 제102동, 제105동~제107동
C	0.990	제108동~제111동

5. 평면구조 효용지수 결정

(주택)형	전유면적	BAY개수	평면구조 효용지수
59A	59.93㎡	3	1.000
59B	59.93㎡	2	0.970
59C	59.93㎡	3	0.970
84A	84.97㎡	3	1.000
84B	84.95㎡	3	1.000
84C	84.96㎡	2	0.970
84C-1	84.96㎡	2	1.000
84D	84.98㎡	2	0.970
108A	108.71㎡	4	1.000

6. 발코니 효용지수 결정

(주택)형	전유면적	발코니 위치	발코니 면적	전유+발코니면적	발코니 확장가능비율	평면구조효용지수
59A	59.93㎡	전/후	26.67㎡	86.60㎡	30.8%	1.020
59B	59.93㎡	전/측	27.58㎡	87.51㎡	31.5%	1.020
59C	59.93㎡	전/측	31.62㎡	91.55㎡	34.5%	1.030
84A	84.97㎡	전/후	24.71㎡	109.68㎡	22.5%	1.000
84B	84.95㎡	전/후	24.80㎡	109.75㎡	22.6%	1.000
84C	84.96㎡	전/측	25.44㎡	110.40㎡	23.0%	1.000
84C-1	84.96㎡	전/측	31.51㎡	116.47㎡	27.1%	1.010
84D	84.98㎡	전/측	25.10㎡	110.08㎡	22.8%	1.000
108A	108.71㎡	전/후	26.58㎡	135.30㎡	19.6%	0.990

자료 7 각종 지수 등

1. 아파트 매매가격지수(2025년)

구분	1월	2월	3월	4월	5월	6월	7월	8월	9월	10월	11월	12월
S구	102.1	102.4	102.9	103.0	102.8	102.8	102.8	102.9	103.3	103.8	103.8	103.7
K구	101.9	101.9	102.3	102.4	102.0	102.0	101.9	101.9	102.3	102.7	102.7	102.8

2. 생산자물가지수

구분	2025년 1월	2025년 2월	2025년 3월	2025년 4월	2025년 5월	2025년 6월	2025년 7월	2025년 8월	2025년 9월	2025년 10월	2025년 11월	2025년 12월
지수	108.7	109.1	108.9	109.0	108.7	108.7	108.7	108.7	109.0	109.1	109.2	109.3

자료 8 기타사항

1. 사업시행자는 분양신청기간이 종료되는 날을 기준으로 감정평가해 줄 것을 요청하였다.
2. 평가실시기간 : 2025년 5월 1일 ~ 2026년 2월 2일
3. 기준호의 가치결정에 있어서 2 이상의 시산가액을 산출하며, 본건과 유사성이 큰 물건을 기준한 금액에 높은 가중치(70%)를 주며, 유사성이 떨어지는 물건을 기준한 금액에 낮은 가중치(30%)를 주어 최종가액을 결정한다.
4. 기준호의 가치는 전유면적당 단가를 기준으로 하되, 반올림하여 만원 단위까지 결정한다.
5. 의뢰된 각 세대별 가치를 평가시 세대별 총 효용지수를 산출하도록 하며, 이는 반올림하여 소수점 3째 자리까지 결정하도록 한다.

QUESTION 97

감정평가사 R씨는 D1구역 주택재개발사업조합으로부터 D1구역에 편입되는 토지에 대한 현금청산목적의 감정평가를 의뢰받고 아래의 자료를 수집하였다. 제시된 자료 및 관련 법령에 근거하여 아래 토지의 감정평가액을 결정하시오. 한편, 본건 토지의 종전 감정평가액과 비교하여 차이가 난다면 그 차이가 나는 이유에 대하여 약술하시오. 15점

자료 1 사업의 현황

1. 사업명 : D1구역 주택재개발사업

2. 사업의 연혁

2014.11.18	뉴타운지정	비고
2016.3.10	개발기본계획 승인	-
2017.4.13	정비구역 지정	-
2017.8.22	시공사 선정	-
2017.12.6	조합인가	-
2020.7.24	사업시행인가고시(J구 고시 제2020-**)	-
2021.9.24	사업시행인가변경고시(J구 고시 제2021-**호)	사업시행기간 변경 (2024년 12월 31일까지)
2023.4.6	관리처분계획인가고시(J구 고시 제 2023-**호)	-
2025.2.14	사업시행변경인가고시(J구 고시 제2025-**호)	-
2025.9.17	관리처분계획변경인가신청	-
2025.9.26	협의예정일	-

3. 현장조사(가격조사) 완료일 : 2025년 9월 15일

자료 2 본건의 현황

1. 소재지 : S시 J구 K동 50-3

2. 면적(m²) : 44.3

3. 공법상 제한 : 도시지역, 제3종일반주거지역, 정비구역

4. 본건의 현황 : 현황은 APT 및 근린생활시설을 건축 중인 토지 중 일부로서 본건의 지적상황으로 보건대 종전에는 후면주택지대였다.

5. 개별요인은 종전 토지(주택부지)는 세로(불), 정방형의 평지였으나 현황은 일단의 아파트부지를 기준으로 광대소각, 가장형, 평지이다.

자료 3 인근지역의 표준지공시지가 현황

1. 표준지공시지가 목록

구분	소재지 지번	면적 (㎡)	지목	이용 상황	용도 지역	도로 교통	형상 지세	비고
가	S구 O동 45-7	57.1	대	주상용	제3종 일주	중로 각지	사다리 평지	사업지 외
나	S구 O동 38-2	66.1	대	단독 주택	제3종 일주	세로 (불)	부정형 평지	사업지 외
다	S구 O동 110	49.3	대	주상용	제2종 일주	중로 각지	사다리 평지	사업지 외
라	S구 C동 98-7	81.6	대	단독 주택	제2종 일주	세로 (가)	세장형 평지	사업지 외
마	J구 K동 12-7	98.7	대	주상용	제3종 일주	중로 각지	부정형 평지	사업지 내
바	J구 K동 99-7	69.7	대	단독 주택	제3종 일주	세로 (가)	부정형 평지	사업지 내
사	J구 K동 117	103.0 (일단지)	대	아파트	제3종 일주	광대 소각	가장형 평지	사업지 내

2. 각 표준지의 연도별 공시지가

구분	2021	2022	2023	2024	2025
가	4,190,000	4,300,000	4,410,000	4,510,000	4,600,000
나	1,910,000	2,010,000	2,100,000	2,200,000	2,300,000
다	4,090,000	4,150,000	4,300,000	4,400,000	4,450,000
라	2,370,000	2,490,000	2,520,000	2,610,000	2,700,000
마	4,710,000	4,880,000	4,970,000	5,100,000	-
바	4,110,000	4,220,000	4,310,000	4,400,000	-
사	-	-	-	-	6,800,000

자료 4 개별요인 비교자료

1. 가로조건

구분	광대로	중로	소로	세로(가)	세로(불)
광대로	1.00	0.95	0.90	0.85	0.80
중로	1.05	1.00	0.95	0.90	0.85
소로	1.10	1.05	1.00	0.95	0.90
세로(가)	1.15	1.10	1.05	1.00	0.95
세로(불)	1.20	1.15	1.10	1.05	1.00

2. 획지조건

구분	정방형	장방형	사다리	부정형
정방형	1.00	0.97	0.94	0.92
장방형	1.03	1.00	0.97	0.94
사다리	1.06	1.03	1.00	0.97
부정형	1.08	1.06	1.03	1.00

자료 5 지가변동률

구분	2021년 12월	2022년 12월	2023년 12월	2024년 12월	2025년 7월
S시 S구	0.289 (3.178)	0.099 (2.319)	1.028 (4.679)	1.277 (5.109)	0.388 (2.116)
S시 J구	0.339 (3.977)	0.146 (3.020)	1.110 (5.414)	1.337 (5.997)	0.447 (2.299)

※ 2025년 8월 지가변동률은 고시되지 아니함.

자료 6 기타자료

1. 모든 비교표준지에 대하여 그 밖의 요인비교치로서 120%를 상향 보정한다.

2. 본건의 종전자산 평가금액 : 4,120,000원/㎡(총액 : 182,516,000원)

3. 모든 사업시행인가고시에는 해당 토지가 세목에 포함되어 있다.

QUESTION
98

감정평가사 R씨는 SB주공2단지 재건축사업에 편입되는 토지 및 건물 등에 대한 매도청구목적의 소송감정평가를 관할 법원으로부터 의뢰받고 아래의 자료를 수집하였다. 「도시 및 주거환경정비법」(도시정비법), 「부동산 가격공시에 관한 법률」(부동산공시법), 「감정평가에 관한 규칙」(감칙) 등에 따라 아래의 부동산에 대한 감정평가액을 결정하고 피고의 의견에 대한 답변을 하시오. 25점

자료 1 감정평가의뢰 및 실시 관련 내용

1. 사건번호 : 2024가합****** 소유권이전등기
2. 원고 : SB주공2단지 주택재건축 정비사업조합
3. 피고 : 임** 등 21명
4. 감정의 목적물
   (1) 아래 제시된 부동산(토지, 건물)
   (2) 기 신청한 부동산의 시가감정에 추가하여 별도로 제시된 지상에 식재된 수목 및 제시외 건물
5. 감정사항
   피고들 소유 위 부동산과 수목 및 제시외 물건 등에 관하여 분양신청기간의 다음날인 2024년 2월 11일자의 시가의 감정
6. 감정실시기간 : 2025년 3월 24일~2025년 4월 23일
7. 감정보고서 작성완료일자 : 2025년 4월 23일

자료 2 감정대상 부동산의 현황(임** 소유)

1. 토지
   C시 DN구 SB동 62-45, 대, 153㎡
2. 건물
   C시 DN구 SB동 62-45 목조 기와지붕 단층주택 63.9㎡
   부속건물 시멘트 벽돌조 슬래브지붕 단층창고 4.7㎡

3. 제시외 물건
   마당에 대추나무(φ 6) 1주와 매실나무(φ 3) 1주가 소재함.

자료 3 감정에 대한 의견, 부동산 등의 이용상황

1. 본 부동산은 대부분 2023년 12월 4일부터 2024년 1월 8일까지 종전 부동산에 대한 감정평가가 진행되었으며, 당시 감정의 기준시점은 2020년 1월 11일이었음.
2. 따라서 종전 감정평가에 사용된 공시지가는 2020년 공시지가이며, 각종 지표 등은 2020년을 기준으로 한 자료임.
3. 현재(2025년 3월) SB주공2단지 아파트는 이주가 끝난 공가 상태이나 주변의 주택에는 주민들이 종전과 같이 대부분 거주하는 상태이며, 후면의 점포들은 대체로 철거한 상태임.
4. 대로변 상권의 경우 종전과 큰 차이가 없이 유지되는 것으로 보이나 주민들은 주공아파트 이주의 영향이 크다고 주장함.
5. 금번 감정평가의 대상이 된 부동산은 가로공원, 소공원 등에 편입되는 부동산으로서 관리, 유지상태는 보통인 편이다.

자료 4 사업의 개요 등

본 사업은 2018년 11월 3일 C시 고시 제2017-***호로 재건축사업정비구역 지정 및 고시가 되었으며, 2020년 1월 11일 C시 고시 제2020-**호로 SB주공2단지 주택재건축정비사업 시행인가고시가 되었으며, 2023년 4월 27일 시공사가 선정되고 2023년 12월 19일 조합원 분양신청이 개시되었음.

이후 2024년 8월 11일 C시 고시 제2024-***호로 "C시 SB주공2단지 아파트 재건축정비사업관리처분 계획인가고시"가 있었음.

자료 5 현장조사 결과

1. 본건 주택(주건물)의 구조는 벽돌조 슬래브 기와지붕인 것으로 판명됨.
2. 부속건물은 멸실되어 있음.

3. 본건 건물의 사용승인일은 1994년 10월 1일이다.

4. 대추나무의 이전비는 250,000원, 수목가격은 150,000원이며, 매실나무의 이전비는 100,000원, 수목가격은 70,000원이다.

5. 감정조사시점과 기준시점 간의 물건의 변동은 없었다.

6. 토지는 동향의 사다리형으로 막다른 골목에 접하는 소규모 주택부지임.

7. 지적현황

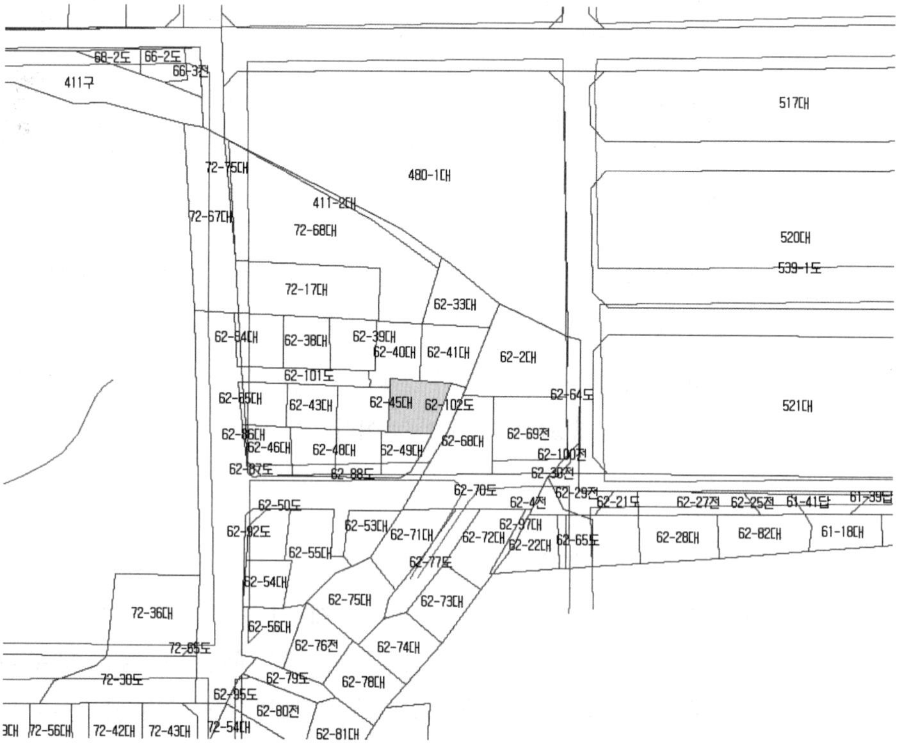

8. 토지이용계획

도시지역, 제3종일반주거지역, 지구단위계획구역(SB2단지), 어린이공원(SB2공원), 정비구역(SB2단지)(도시 및 주거환경 정비법), 상대정화구역(학교보건법), 절대정화구역(학교보건법)

자료 6 건물의 이전비(재조달원가 대비 비율)와 재조달원가 등 자료

기호	구분	노무비	해체비	이전비	자재비	폐자재 처분익	설치비	재조달원가 (원/m²)	내용 년수
1	적벽돌조 슬래브 주택	0.213	0.157	0.138	0.213	0.086	0.160	650,000	45
2	시멘벽돌조 슬래브 창고	0.207	0.143	0.135	0.208	0.053	0.168	520,000	35
3	목조 기와주택	0.120	0.153	0.141	0.111	0.065	0.165	480,000	45
4	철골조 슬레이트 축사	0.123	0.137	0.135	0.116	0.031	0.167	120,000	15
5	블록조 슬레이트 축사	0.115	0.145	0.140	0.110	0.014	0.169	150,000	20

자료 7 피고의 주장사항

구분	내용
의견 I	개발이익이 본 감정평가에 반드시 포함되어야 하며, 감정대상 부동산의 아파트가 이미 이주를 한 상태이고 착공이 임박한 재건축지역으로서 이미 이러한 재건축효과를 반영하여 매물이 나오고 있으므로 조합원들과의 형평성을 고려하여 이러한 재건축사업으로 인한 개발이익을 반영하여 감정하여야 한다. 또한 본 사업의 비례율이 1.30 정도로서 본 비례율을 통한 가격의 조정이 이루어져야 할 것이다.
의견 II	상가 내부에서 이루어지고 있는 영업손실에 대하여 일정기간 동안의 영업이익을 보상하여야 한다.
의견 III	사업기간 중 받지 못하는 임대료에 대한 부분과 집기 등의 이사비가 감정대상에 포함되어야 하며, 건축물의 수리비에 대하여 별도로 보상을 해줘야 한다.

자료 8 사업지역 내의 표준지공시지가

기호	소재지	면적 (m²)	지목	이용 상황	용도 지역	도로 교통	형상 지세	공시지가(원/m²)	
								2024	2025
가	SB동 62-43	119	대	단독주택	제3종 일주	세로 (불)	가장형 평지	440,000	445,000
나	SB동 479-6	165.3	대	주상기타 (상업용)	제2종 일주	소로 한면	세장형 평지	835,000	860,000
다	SB동 503-11	213.9	대	단독주택	제2종 일주	세로 (불)	정방형 평지	460,000	490,000

라	SB동 513-9	167.6	대	아파트	제3종 일주	중로 한면	세장형 평지	995,000	1,020,000
마	SB동 509-12	761.3	대	상업용	제3종 일주	광대 소각	가장형 평지	770,000	795,000

자료 9 거래사례 및 평가선례 등 현황

1. 거래사례 및 평가선례 등 현황

기호	소재지	거래일자/ 기준시점	면적 (㎡)	지목	이용 상황	용도 지역	거래금액/ 평가액*	비고
A	SB동 484-24	2023.5.24.	213.9	대	단독 주택	제3종 일주	317,500,000	건물 포함
B	SB동 476-3	2022.11.19.	339.5	대	주상 용	제2종 일주	500,000,000	건물 포함
C	SB동 488-10	2024.6.10.	139	대	단독 주택	제3종 일주	157,000,000	건물 포함
D	SB동 566-22	2022.2.13.	182.9	대	주상 용	제3종 일주	317,000,000	건물 포함
E	SB동 496-13	2024.10.2.	254.2	대	단독 주택	제3종 일주	450,000,000	건물 포함
F	SB동 476-1	2025.1.13.	675.5	대	단독 주택	제3종 일주	1,300,000	담보
G	SB동 489-9	2024.6.5.	357.1	대	단독 주택	제3종 일주	1,300,000	담보
H	SB동 62-45	2020.1.11.	153.0	대	단독 주택	제3종 일주	750,000	본건 종전 자산평가액

* 거래금액의 단위는 원이며, 평가금액의 단위는 원/㎡이다.

2. 평가선례 및 거래사례의 추가자료

기호	재조달원가	잔가율 (거래 시)	건물의 면적(㎡)	거래(기준)시점 ~기준시점 지가변동률	비교표준지와의 격차율(선정비교표준지 기준)*
A	650,000	0.580	262.42	4.256%	0.898
B	550,000	0.622	198.1	5.741%	1.020
C	650,000	0.422	94.64	2.174%	0.970
D	650,000	0.555	310.3	4.797%	1.070
E	750,000	0.720	343.34	1.679%	0.950
F	450,000	0.557	165.4	2.004%	0.890
G	650,000	0.370	110.7	0.978%	0.950
H	400,000	0.250	63.9	7.574%	1.000

* 선정비교표준지 / 평가선례(거래사례)

자료 10 기타자료

1. 지가변동률

구분	2023년 12월	2024년 1월	2024년 2월	2024년 12월	2025년 3월
당월	0.110	−0.011	0.200	0.171	0.017
누계	2.294	−0.011	0.189	3.755	0.397

2. 토지는 공시지가기준법으로 평가한다.

3. 해당 정비구역의 지정으로 인하여 종전의 제2종일반주거지역에서 제3종일반주거지역으로 용도지역이 변경되었다.

4. 선정된 표준지와 본건의 개별요인비교치는 대등하다.

QUESTION 99

감정평가사 A씨는 「도시 및 주거환경정비법」에 의한 주택재개발사업에서 조합원 P씨의 권리변환 및 정산을 위한 분석을 진행하고 있다. 다음의 자료를 활용하여 각 물음에 답하시오. 15점

1. P씨의 종전자산가격을 구하시오.

2. 비례율 및 권리가액을 산정하여 P씨의 정산금을 산정하시오.

자료 1 P씨 소유의 토지와 건물내용

1. 토지

소재지	지목	면적	용도지역	도로교통	형상, 지세
A시 B구 C동 250	대	120㎡	제2종일반주거지역	세로(가)	사다리형 평지

2. 건축물

기호	구분	구조	용도/이용상황	면적(㎡)		비고
				공부	현황	
가	적법건축물	블록조 슬래브지붕	단독주택	90	95	사용승인일 1996.9.7.
㉠	제시외건물	판넬조 함석지붕	단독주택	-	20	무허가건축물 1999.05월 신축

3. P씨 소유의 출자자산은 전체 조합 종전자산가액의 2.0%에 해당하는 것으로 판단된다.

자료 2 재개발사업계획

1. 사업일정

(1) 재개발구역지정고시일 : 2020.7.1.

(2) 주택재개발조합 설립일 : 2021.6.1.

(3) 사업시행인가고시일 : 2024.6.1.

(4) 관리처분계획인가일 : 2025.7.5.

2. 건축계획

(1) 철근콘크리트조 슬래브지붕 15층 아파트 2개동

(2) 120세대(세대당 전유면적 85㎡로 모두 동일)

구분	조합원분양분	일반분양분
분양가	400,000,000	500,000,000
세대수	50	70
비고	조합원분양가	APT의 시장가치

자료 3 인근의 표준지 공시지가 자료

일련번호	소재지	면적(㎡)	지목	이용상황	용도지역	비고
A	C동 100	200	대	단독주택	2종일주	재개발구역 내
B	C동 200	200	대	단독주택	2종일주	재개발구역 외

일련번호	연도별 공시지가					
	2020	2021	2022	2023	2024	2025
A	2,000,000	2,150,000	2,250,000	2,350,000	2,470,000	2,700,000
B	1,800,000	1,950,000	2,070,000	2,150,000	2,300,000	2,450,000

자료 4 건축물의 신축단가표 등

구분	블록조 슬래브지붕	판넬조 함석지붕
재조달원가(원/㎡)	800,000	600,000
내용연수	40	35

자료 5 그 밖의 사항

1. 해당 사업에 추산되는 경비는 총 250억원으로 추산된다.
2. 공시지가 기준법 적용 시 그 밖의 요인은 표준지 및 적용공시지가에 불문하고 50% 상향보정하며, 토지 감정평가시 다른 방식에 의한 합리성 검토는 생략한다.
3. 표준지와 본건의 개별요인은 대등한 것으로 본다.
4. 편의상 지가변동은 대등하게 본다.
5. 토지의 감정평가액은 ㎡당 단가로 평가하며, 반올림하여 천원단위까지 표시한다.
6. 비례율은 반올림하여 소수점 2자리까지 결정한다.

QUESTION 100

감정평가사 R씨는 △△도시개발사업에 대한 정리 전 및 정리 후 토지에 대한 감정평가와 이와 관련된 관리처분계획에 대한 분석, (주)H저축은행의 담보취득을 위한 감정평가를 동시에 진행하고 있다. 각 물음에 답하시오. 25점

〈물음 1〉 해당 토지의 정리 전 토지에 대한 감정평가액을 결정하시오(작성시점 : 2024년 7월 1일).

〈물음 2〉 해당 토지의 정리 후 토지에 대한 감정평가액을 결정하시오(작성시점 : 2024년 7월 1일).

〈물음 3〉 해당 토지의 권리면적을 산출하여 청산면적(㎡)(징수 혹은 교부)을 결정하시오.

〈물음 4〉 상기 토지에 대한 (주)H저축은행의 담보취득목적의 감정평가액을 구하시오.

자료 1 해당 사업의 개요 등

1. 사업명 : △△ 도시개발사업

2. 사업시행자 : △△ 도시개발사업조합

3. 사업의 개요
   (1) 도시개발구역 지정고시 : 2023년 7월 1일
   (2) 조합설립인가 : 2023년 10월 31일
   (3) 실시계획인가의 고시 : 2024년 5월 5일
   (4) 환지계획인가의 고시(환지예정지 지정일) : 2024년 12월 10일
   (5) 환치처분(예정)일 : 2025년 7월 1일

4. 현장조사일 : 2025년 4월 1일

자료 2 해당 토지의 개요

1. 환지예정지 지정 증명원(비례율 : 1.100)

종전의 토지				환지					
동명	지번	지목	면적(㎡)	BL	LT	권리면적(㎡)	환지면적(㎡)	징수	교부
A동	123	전	1,000	26	10	직접 산정	500	직접 산정	직접 산정

2. 해당 토지의 공법상 제한

(1) **용도지역** : 제2종일반주거지역

(2) **기타제한** : 중로 2-4호선 도로 50% 저촉

3. 기타사항

(1) 해당 토지의 용도지역은 종전에는 자연녹지지역이었으며, 해당 사업으로 인하여 용도지역이 제2종일반주거지역으로 변경되었다.

(2) 해당 토지는 현재 건축허가를 신청하였으며 이에 대한 회신을 기다리고 있는 상황이다. 건축허가의 용도는 총 4층 건물로서 허가용도는 1, 2층은 판매시설 및 근린생활시설, 3, 4층은 다가구주택이다.

(3) 해당 토지는 해당 사업의 편입 전에는 4m 도로에 접하고 있었으며 부정형의 평탄한 토지였다. 해당 사업의 시행으로 인하여 현재는 8m 도로와 4m 도로에 접하고 있으며 정방형 토지로서 평탄한 토지가 되었다.

자료 3 인근지역의 표준지공시지가

연번	소재지/지번	용도지역	이용상황	공시지가			비고
				2023년	2024년	2025년	
A	A동 100	자연녹지지역	전	600,000	650,000	-	△△도시개발구역 내
B	A동 200	자연녹지지역	주상용	1,000,000	1,070,000	-	△△도시개발구역 내
C	A동 300	제2종일주	주상용	1,200,000	1,300,000	1,400,000	△△도시개발구역 외
D	A동 400	자연녹지지역	전	500,000	540,000	590,000	△△도시개발구역 외
E	A동 20BL2LT	제2종일주	주상용	-	-	1,450,000	△△도시개발구역 내
F	A동 500	자연녹지지역	주상용	900,000	970,000	1,050,000	△△도시개발구역 외

※ 표준지의 개별요인비교치

연번	도로조건	형상	지세
A	세로(가)	부정형	평지
B	소로한면	정방형	평지
C	소로한면	세장형	평지

D	세로(가)	부정형	완경사
E	소로한면	세장형	평지
F	중로한면	부정형	평지

자료 4 지가변동률(단위 : %)

구분	녹지지역	주거지역
2023.1.1.~2023.7.1.	0.977	0.870
2023.1.1.~2023.10.31.	1.267	1.223
2023.1.1.~2024.5.5.	4.070	3.917
2024.1.1.~2024.5.5.	1.376	1.110
2023.1.1.~2024.12.10.	5.987	6.032
2024.1.1.~2024.12.10.	2.097	2.339
2023.1.1.~2025.4.1.	7.238	6.998
2024.1.1.~2025.4.1.	4.123	3.880
2025.1.1.~2025.4.1.	0.697	1.711
2023.1.1.~2025.7.1.	8.097	7.355
2024.1.1.~2025.7.1.	4.635	4.077
2025.1.1.~2025.7.1.	1.997	2.162

자료 5 인근지역의 평가선례 등과의 검토사항

감정평가사 R씨가 인근지역의 거래사례 및 평가선례와 비교검토한 결과 각 비교표준지별 그 밖의 요인비교치는 아래와 같이 적용하는 것이 타당할 것으로 판단된다.

연도별 공시지가 / 표준지 일련번호	2023년	2024년	2025년
A	1.45	1.50	–
B	1.35	1.35	–
C	1.50	1.56	1.57
D	1.80	1.80	1.80
E	–	–	1.40
F	1.30	1.30	1.35

자료 6 개별특성에 대한 평점

1. 도로조건

중로	소로	세로(가)	세로(불)	맹지
100	90	85	80	70

각지는 5% 가산한다.

2. 형상조건

가장형	정방형	세장형	사다리	부정형	자루형
100	97	94	91	88	85

3. 지세조건

평지	완경사
100	95

자료 7 기타사항

1. 토지의 단가는 10만원 이상은 3자리, 10만원 미만은 2자리를 기준한다.

2. 면적(m^2)은 소수점 이하 둘째 자리까지 산정한다.

QUESTION 101

토지소유자 甲, 乙은 최근 토지를 매각하려고 하였으나 대상 지역이 그린벨트여서 매매가 이루어지지 않았다. 이에 관할시장에게 「개발제한구역법」에 의한 매수청구권을 행사하였고 그에 대해 시장은 감정평가사 Y에게 해당 토지의 매입 여부 및 매입가격에 대해 의뢰하였다. 개발제한구역의 지정 및 관리에 관한 특별조치법 및 토지보상평가지침 등에 의거해 이 문제를 해결하시오. 15점

자료 1 대상토지 내역

1. 개황

소유자	소재지	지번	용도지역	공부 지목	면적(m^2)	형상, 지세	도로교통
갑씨	D구 S동	76	개발제한 자연녹지	대	800	장방형 평지	소로한면
을씨	D구 N동	87	개발제한 자연녹지	전	100	부정형 완경사	아래참조

2. 의뢰자 제시기준

(1) 甲씨는 선조 때부터 이 동네에서 살면서 대대로 농사를 짓고 있으며, 의뢰토지는 1996년에 상속받아 이듬해 봄에 소유권이전등기를 완료하였다. 동 토지는 개발제한구역지정 이전에는 나지상태로 방치하였으며, 지정 이후 건축허가가 나지 않아 줄곧 조경수목 재배지로 이용하고 있다.

(2) 乙씨는 甲씨의 절친한 친구로 甲씨와 청년시절 함께 농업에 뜻을 두었다가 2001년 이곳에 이사오면서 동 토지를 甲씨로부터 싼 값에 매입하여 같은 해 이전등기를 필하였으나, 대상 필지의 경우 땅이 너무 협소하여 경운기조차 통행이 힘겨운 상황이라 특별한 사용없이 방치해두고 있는 상황이다.

자료 2 평가조건

1. 매수가격 지급예정일 : 2025년 8월 1일

2. 매수청구권 행사일 : 2024년 3월 1일

자료 3 공시지가자료

기호	소재지	면적	실제 지목	이용상황	용도지역	2024년 1월 1일	2025년 1월 1일
1	D구 S동	600	전	작물재배	개발제한 자연녹지	100,000	110,000
2	D구 N동	420	대	단독주택	개발제한 자연녹지	250,000	265,000
3	D구 S동	500	임야	소경목림	개발제한 자연녹지	180,000	191,000

자료 4 지가변동률(단위 %)

기간	주거지역	준주거지역	녹지지역
2024년 12월 누계	0.690	0.320	0.280
2025년 1월~6월	0.270	−0.480	0.190
2025년 7월	0.510	0.210	0.130

자료 5 생산자물가지수

2023년 12월	2024년 12월	2025년 7월
105	102	112

자료 6 요인자료

1. 지역요인

N동은 S동보다 10% 우세한 것으로 판단된다.

2. 개별요인

甲씨	乙씨	표준지 1	표준지 2	표준지 3
100	90	92	98	102

자료 7 개발제한구역 내 나대지와 건부지의 격차율 판단

해당 지역 안에서의 건축물의 규모, 높이, 건폐율, 용적률, 용도변경 등의 제한과 토지의 분할 및 형질변경 등의 제한 기타 인근지역의 유통공급시설(수도, 전기, 가스공급, 통신시설, 공동구 등), 도시기반시설의 미비 등에 따른 건축물이 있는 토지와 건축물이 없는 토지의 가격격차율의 수준을 조사한 결과 나지의 경우 건부지의 80% 수준인 것으로 판단됨.

QUESTION 102

재개발사업과 관련하여 아래의 각 물음에 답하시오. 20점
(계산은 만원 단위로 할 것)

〈물음 1〉

아래의 자료를 통하여 종전자산 평가액이 평당 900만원일 경우와 평당 1,200만원일 경우 A씨의 분담금을 각각 산정하고, 그 결과가 의미하는 바를 기술하시오.

1. 종전 토지면적 : 47,000평(A씨 : 45평)
2. 종후 자산평가액 : 평당 1,000만원
3. 아파트 등(종후자산) 분양면적 : 90,000평
4. 건축비 및 기타비용 : 4,760억원
5. A씨가 받게 될 분양평형 : 43평형

〈물음 2〉

아래의 자료를 통하여 일반분양 및 조합원 분양가가 평당 900만원일 경우와 평당 1,000만원일 경우 K씨의 분담금을 각각 산정하고, 그 결과가 의미하는 바를 기술하시오.

1. 종전 토지면적 : 10,000평(평당 900만원)
2. 아파트 등 분양면적 : 26,000평
3. 건축비, 철거비, 조합운영비, 설계비, 세금 등 총 비용 : 1,600억원
4. K 조합원의 종전자산 평가액 : 38,500만원
5. K씨가 받게 될 분양평형 : 43평형

QUESTION 103

서울특별시 M구 M동의 일부는 현재 정비구역으로 지정되어 있다. 이 지역에서 50년 전부터 거주하여 온 H씨는 단독주택에 거주하고 있다. 한편, M구 M동 정비사업지구는 관리처분까지 확정되어 있으며, 주택정비사업을 통하여 2027년에 입주할 계획을 가지고 있다. 2025년 6월 30일을 기준시점으로 하여 H씨가 본 자산을 여러 가지 방안에 따라 유동화할 때 가장 가치를 극대화할 수 있는 방법을 결정하시오. 15점

유동화 방안

1. 매수희망자에게 제시된 매도조건에 매도하는 방법
2. 현재 ○○주택재개발조합으로부터 현금으로 보상을 받는 방법
3. 제시된 관리처분계획에 따라 분양을 받는 방안

자료 1 본건의 종전자산 평가보고서

일련번호	소재지	지번	지목·용도	구조	면적(㎡)		감정평가액		비고
					공부	사정	단가	금액	
1	서울시 M구 M동	105-29	대	-	262	262	3,400,000	890,800,000	
가	위지상		단독주택	블럭조	82	82	320,000	26,240,000	
							합계	917,040,000	

※ H씨의 종전자산평가금액은 전체 조합원 자산의 0.4%이다.

자료 2 매수희망금액

1. 인근의 중개업소로부터 본 단독주택에 대하여 토지 ㎡당 4,000,000원에 매수희망 의사자가 있음을 확인하였으며, H씨가 원할 경우 바로 계약을 체결할 수 있을 것으로 판단된다.

2. 계약조건은 계약시점에 매매금액의 50%를 납부하며, 잔금은 5년에 걸쳐 10%씩 분할하여 납부하는 것으로 조건으로 한다.

자료 3 입주시 분양받게 될 아파트

구분	타입	전유면적(㎡)	조합원분양가
101동 1501호	85B(종전의 35평형)	85	510,000,000

※ 입주시기는 2년 후인 2027년 6월 30일이다.

자료 4 보상을 받게 되는 경우 추가사항

1. 현금청산(보상)시 보상가액은 종전자산 평가금액과 동일하며, 종전자산가액 이외 기타 지장물(가추, 차양, 담장, 대문)에 대한 평가금액으로 5,000,000원이 추가로 인정될 것으로 판단된다.

2. 보상액은 현시점에 평가되어 2025년 10월 31일에 지급된다.

자료 5 아파트 분양계획

타입	전유면적(㎡)	조합원분양분		일반분양분		비고
		세대수	조합원분양가	세대수	일반분양가	
26PY	59	168	410,000,000	74	분양(입주) 당시의 시가수준에 의한다.	아파트 타입별 단위면적당 가격 차이는 없는 것으로 가정한다.
35PY	85	337	510,000,000	143		
45PY	114	96	650,000,000	50		

자료 6 아파트 가격자료

1. 현재 인근 아파트의 시장가치는 전용면적(㎡)당 6,400,000원 정도이며, 본건의 정비사업이 완료될 경우 기준시점을 기준으로 인근 아파트 시세 대비, 위치 및 신축인 점을 고려하여 15% 유리할 것으로 판단된다.

2. 서울 서북권 아파트 가격상승률은 연 3%의 완만한 상승세가 예상된다.

자료 7 기타사항

1. 전체 공사비는 총 2,000억원이 소요되었다.

2. 할인율은 연 6%이다.

QUESTION 104

정비구역 내 주택재개발사업에 있어서 조합원 李씨의 권리의 가격 및 정산금액을 산정하시오. 10점

자료 1 李씨의 대상 물건

1. 토지 : 제2종일반주거지역 내 주거용, 대, 180㎡(정비구역 내 토지)

2. 건물 : 위 지상 연와조 시멘트기와지붕 100㎡(2012년 5월 신축)

자료 2 표준지공시지가 자료

일련번호	면적(㎡)	지목	이용상황	용도지역	공시지가(원/㎡)		
					2023	2024	2025
1	190	대	주거용	제2종일주(정비구역)	970,000	990,000	980,000
2	20	대	주상용	제2종일주(정비구역)	985,000	1,100,000	1,150,000

* (주) 기호 1은 10% 건부감가가 발생하고 있는 것으로 판단됨.

자료 3 신축단가

기준시점 현재 연와조 시멘트기와지붕 건물의 신축단가는 300,000원/㎡이며, 이전 몇 년간은 변동이 없었던 것으로 조사됨(전내용연수는 40년이고, 정액법, 잔가율은 0, 만년감가함)

자료 4 전체사업에 대한 개요

1. **재개발사업진행 일정**
   (1) **주택재개발사업을 위한 정비구역지정고시일** : 2023년 10월 1일
   (2) **재개발사업시행인가고시일** : 2025년 6월 1일
   (3) **종전토지 등 감정평가의뢰일** : 2025년 8월 25일
   (4) **공동주택 건축시설 추산액의 가격조사 완료일** : 2025년 8월 26일

2. 분양받을 각 권리자별 아파트 분양가격(32평형)

(1) 조합원인 경우 : 1억 8천만원

(2) 일반분양하는 경우 : 2억 5천만원

3. 추정사업비(사업을 완성시키는 데 소요되는 총사업비)

건축비, 이주비, 조합운영비, 각종 용역비, 인허가비 등을 포함하여 600억원으로 추산함.

4. 전체 종후자산가치의 추산액은 2025년 8월 20일 현재로 산정한 아파트 및 상가의 예정분양가 1,000억원임.

5. 李씨의 자산가격은 전체 종전자산의 0.4%에 해당함.

자료 5 지가변동률 등

1. 지가변동률(주거지역)

2024년 누계치는 3.951%이며 2025년 1월 1일부터 2025년 6월 1일까지는 0.610%, 2025년 1월 1일부터 2025년 8월 25일까지는 1.549%, 2025년 1월 1일부터 2024년 8월 26일까지는 1.551%임.

2. 공시지가에 대한 대상의 종합평점(지역요인 및 개별요인)

공시지가 1을 기준으로 대상은 1.05이며, 공시지가 2를 기준으로 대상은 0.95로 판단되며, 공법상 제한사항은 고려되지 않은 평점임.

3. 그 밖의 요인은 대등한 것으로 본다.

QUESTION **105**

감정평가사 朴씨는 최근 J구 M동의 재개발사업에 따른 종전자산의 감정평가를 진행하면서 최근 서울시에서 진행된 재개발사업의 종전자산 감정평가에 대한 가격자료를 분석하고 있다. 감정평가사 朴씨는 본 연구가 재개발사업 또는 재건축사업의 시행으로 인하여 발생하는 개발이익을 합리적으로 배분하는 기준이 되는 종전자산의 감정평가에 있어서 단독주택과 공동주택의 감정평가액의 상호균형을 유지시켜 줄 수 있을 것이라 확신하고 있다. 아래의 자료를 활용하여 단독주택의 단가와 공동주택의 지분환산단가를 비교검토하고 그 차이가 왜 나는지에 대하여 서술하시오. 15점

자료 1 S시 Y구 S동 재건축정비사업

1. S동 단독주택 토지지분 환산단가

소재지	단독주택 토지면적 (㎡)	단독주택 토지, 건물 평가총액 (원)	토지지분 환산 평균단가 (원/㎡)	단독주택 최고단가 (원/㎡)	단독주택 최저단가 (원/㎡)	최고 – 최저 차이 (원/㎡)
Y구 S동	4,614.10	10,605,406,000	2,299,000	2,352,000	2,084,000	268,000

2. S동 공동주택 토지지분 환산단가

소재지	공동주택 토지면적 (㎡)	공동주택 토지, 건물 평가총액 (원)	토지지분 환산 평균단가 (원/㎡)	공동주택 최고단가 (원/㎡)	공동주택 최저단가 (원/㎡)	최고 – 최저 차이 (원/㎡)
Y구 S동	10,979.01	28,253,373,000	2,574,000	2,649,000	2,549,000	100,000

자료 2 경기도 N시 D동

1. D동 단독주택 토지지분 환산단가

소재지	단독주택 토지면적 (㎡)	단독주택 토지, 건물 평가총액 (원)	토지지분 환산 평균단가 (원/㎡)	단독주택 최고단가 (원/㎡)	단독주택 최저단가 (원/㎡)	최고 – 최저 차이 (원/㎡)
N시 D동	12,668.0	32,645,436,000	2,577,000	2,958,000	2,036,000	922,000

2. D동 공동주택 토지지분 환산단가

소재지	공동주택 토지면적 (㎡)	공동주택 토지, 건물 평가총액(원)	토지지분 환산 평균단가 (원/㎡)	공동주택 최고단가 (원/㎡)	공동주택 최저단가 (원/㎡)	최고 – 최저 차이 (원/㎡)
N시 D동	5,774.0	18,116,548,000	3,138,000	4,343,000	2,734,000	1,609,000

자료 3 경기도 A시 B동

1. B동 단독주택 토지지분 환산단가

소재지	단독주택 토지면적 (㎡)	단독주택 토지, 건물 평가총액(원)	토지지분 환산 평균단가 (원/㎡)	단독주택 최고단가 (원/㎡)	단독주택 최저단가 (원/㎡)	최고 – 최저 차이 (원/㎡)
A시 B동	3,303.0	7,941,550,000	2,404,000	2,636,000	2,314,000	322,000

2. B동 공동주택 토지지분 환산단가

소재지	공동주택 토지면적 (㎡)	공동주택 토지, 건물 평가총액(원)	토지지분 환산 평균단가 (원/㎡)	공동주택 최고단가 (원/㎡)	공동주택 최저단가 (원/㎡)	최고 – 최저 차이 (원/㎡)
A시 B동	9,838.40	26,379,200,000	2,681,000	3,519,000	2,358,000	1,161,000

자료 4 평가사례별 단독/공동주택 토지환산단가표

소재지	단독주택 평균토지환산단가(A)			공동주택 평균토지환산단가(B)			격차액 (원) (B – A)	격차율(%) (B/A–1)
	평가총액 (천원)	토지 면적 (㎡)	토지환산 단가 (원/㎡)	평가총액 (천원)	토지 면적 (㎡)	토지환산 단가 (원/㎡)		
Y구 S동	10,605,406	4,614.10	2,299,000	28,253,373	10,979.1	2,573,000	274,000	11.92
N시 D동	32,645,436	12,668.00	2,577,000	18,116,548	5,774.0	3,138,000	561,000	21.77
A시 B동	7,941,550	3,030.00	2,404,000	26,379,200	9,838.4	2,682,000	278,000	11.56

Chapter 08

표준지공시지가 및 표준주택

QUESTION 106

감정평가사 李씨는 2024년 10월 1일에 2025년도 표준지공시지가의 조사평가를 의뢰받았고, 2025년 1월 15일에 가격조사를 완료하였다. 다음의 물음에 따라 표준지공시지가를 평가하시오. 40점

1. 표준지의 선정기준 및 교체사유를 설명하시오.
2. 다음의 표준지를 평가하되 판단기준을 명기하시오.

자료 1 표준지로 선정된 토지의 기초자료

일련번호	소재지	면적(㎡)	지목	이용상황	용도지역	도로교통	형상/지세	2024년 공시지가
1	C시 K동 150	1,500	대	주거나지	제2종일반주거/자연녹지	자료2	자료2	신규
2	C시 K동 452	150	대	단독주택	제2종일반주거	소로한면	가장형	신규
3	C시 K동 350	210	대	테니스장	제2종일반주거	자료2	자료2	신규
4	C시 B동 320	200	대	전	개발제한	세로한면	부정형	48,000/㎡
5	C시 G동 158	200	대	상업용	일반상업	자료2	자료2	498,000/㎡

자료 2 표준지의 공법상 제한사항 등

1. 표준지 1의 상황
   - 표준지는 도시계획도로가 2021년 8월에 지정되어 전체 토지 중 10%가 저촉되며, 도시계획도로 왼쪽의 잔여부분은 전체 면적의 10%에 해당된다.

- 저축에 따른 감가율은 20%로 판단된다. 주거지역면적이 50%이고 녹지지역면적이 50%이다.
- 자연녹지지역의 도시계획도로 좌측부분 면적은 미미한 것으로 판단된다.

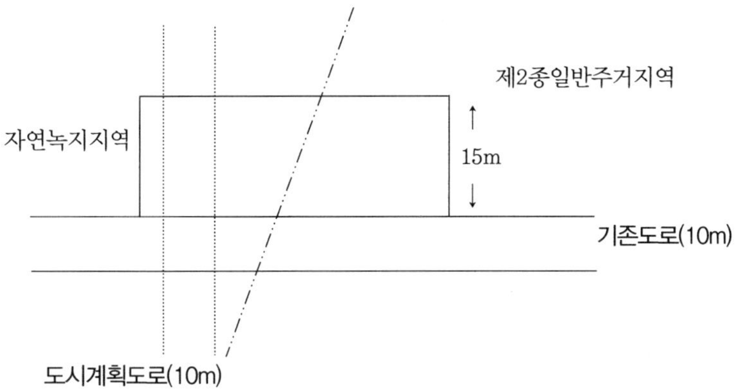

2. 표준지 2의 상황

- 본 토지는 C시 K동에 소재한 주택부지로 건물의 상태는 신축 후 이미 25년이 경과하여 노후의 정도가 매우 심한 상태이다. 따라서 거래시에는 건물의 철거비를 배제한 가격으로 거래될 것이라 판단된다(주위의 표준적 이용상황 : 주거용 건물부지).
- 본 토지가 속하는 일대의 지역은 2025년 12월 7일 도시개발사업지구로 지정될 예정이며 확정예정지번은 2026년 10월에 부여될 것으로 예상된다.
- 건물의 철거예상비는 5,000,000원이며, 잔재가치는 2,000,000원으로 예상된다.
- 환지 후 토지는 정방형・소로한면에 접할 것으로 예상된다.

3. 표준지 3의 상황

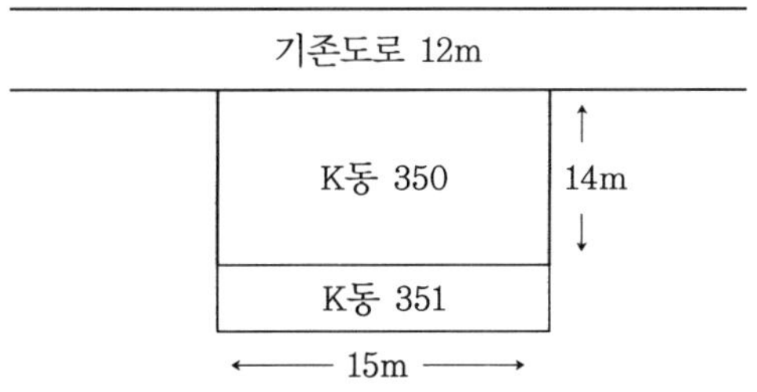

K동의 350번지와 351번지는 일단의 토지로 현재 테니스장으로 이용 중이며, 주위 환경은 주거지대이다. 351번지는 350번지 소유자의 배우자인 H씨의 소유로 확인되었다.

4. 표준지 4의 상황

본 토지는 지목은 대이나 현황은 건축물이 없는 토지로 건축이 불가능한 평지상태임.

5. 표준지 5의 상황

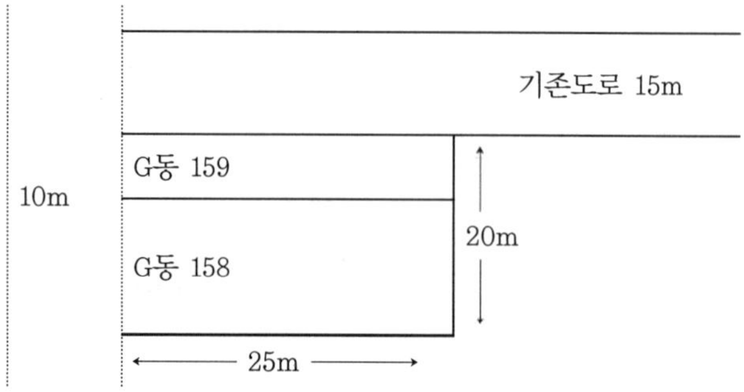

- C시 G동 159번지 토지는 면적이 200㎡이다.
- 158번지와 159번지 지상에는 현재 1동의 상업용 건물이 위치하고 있으며 주위환경은 상업지대이다. 그러나 두 필지의 소유자가 다른 것으로 확인되었다.
- 왼쪽(10m)도로는 2024년 9월 20일 실시계획인가 고시 후 현재 공사 중에 있다.
- 표준지 5는 2024년 12월 1일에 정비구역으로 지정되었으며, 부동산 전문가에 따르면 이로 인한 지가상승이 5% 정도인 것으로 확인되었다.

자료 3 시점수정자료(지가변동률, 단위 : %)

- 상업지역 (2024.11.30.~2025.1.1.) : 0.115
- 공업지역 (2024.1.1.~2025.1.1.) : 1.542
- 녹지지역 (2024.11.1.~2025.1.1.) : 0.201
- 녹지지역 (2024.7.1.~2025.1.1.) : 0.405
- 녹지지역 (2024.5.10.~2025.1.1.) : 0.623
- 주거지역 (2024.2.10.~2025.1.1.) : 1.068

자료 4 각 요인비교치

1. 지역요인

K동을 평점 100으로 보았을 때, B동은 90, G동은 102이다.

2. 개별요인

구분	표1	표2	표3	표4	표5	거1	거2	거3	거4	거5	거6
평점	100	98	97	102	101	100	103	101	99	97	98

3. 도로조건은 중로(100) > 소로(95) > 세로(90) > 맹지(60)이며, 각지는 한 면에 비해 5% 우세

4. 형상은 정방형(100) > 가장형(95) > 세장형 · 사다리(90) > 부정형(80)이다.

자료 5 거래사례자료

구분	소재지	면적(㎡)	용도지역	이용상황	도로	형상	거래시점	거래금액(원)
1	K동	150	제2종일주	주거용	세로	부정	2024.2.10	38,000,000
2	K동	200	제2종일주	주거용	세로	정방	2022.12.2	50,000,000
3	K동	80	자연녹지	주거용	소로	정방	2024.11.1	12,000,000
4	B동	120	개발제한 자연녹지	주거용 건부지	소로	부정	2024.7.1	28,000,000
5	G동	400	일반상업	상업용	중로	정방	2024.11.30	200,000,000
6	G동	600	개발제한 자연녹지	전	세로	부정	2024.5.10	32,000,000

* 거래사례 5는 2023년 12월 1일부로 정비구역으로 지정되었다. 상기의 거래사례의 도로조건은 모두 한면에 접하고 있다.

자료 6 2024년 개별공시지가

구분	표준지 1	표준지 2	표준지 3	표준지 4	표준지 5
개별공시지가(원/㎡)	200,000	300,000	325,000	-	-

QUESTION 107

충북 단양군 내에 소재하는 L골프장이 표준지의 선정 및 관리지침에 의거하여 표준지로 선정되었는 바, 표준지조사 · 평가기준 등에 의거하여, 2025년 1월 1일자 공시지가를 산정하시오. 20점

자료 1 대상토지 및 관련 사항

1. 대상토지 : 충북 단양군 D면 M리 산 100번지, 지목 "전", 면적500㎡
2. 전체 면적
   (1) 등록면적 : 개발지 50,000㎡, 원형보전지 400,000㎡
   (2) 실제면적 : 개발지 50,000㎡, 원형보전지 450,000㎡
3. 현실이용상황 : 체육용지
4. 관리시설 : 클럽하우스 및 부설창고

자료 2 거래사례자료

		사례A 골프장	사례B 골프장	사례C 골프장
위치		강원도 원주시	충북 제천시	경북 영주시
등록면적	개발지	30,000㎡	45,000㎡	70,000㎡
	원형보전지	210,000㎡	360,000㎡	350,000㎡
실제면적	개발지	30,000㎡	45,000㎡	70,000㎡
	원형보전지	240,000㎡	380,000㎡	350,000㎡
지목	공부	임야	체육용지	체육용지
	실제	체육용지	체육용지	체육용지
거래가격		25,000/㎡	22,000/㎡	26,000/㎡
거래시점		2024년 10월 1일	2024년 7월 1일	2024년 4월 1일

* 거래가격은 등록면적 가격이며, 대상과 유사성이 있다 판단된다.
* 거래가격은 토지만의 가격이다.

자료 3 대상 관리시설

1. 클럽하우스 : 내용연수 50년, 잔가율 10%
2. 부설창고 : 내용연수 20년, 잔가율 10%

자료 4 대상 골프장 조성비 자료

1. 골프장 건설을 위해 2022년 1월 1일 토지 일체를 30억원에 구입하였다.
2. 골프장 조성비 등 공사비로 50억원을 투입하였고 토지구입과 함께 착공하여 2022년 6월 30일 완공하였다(공사비는 착공, 중간, 완공 시 각 1/3씩 지급).
3. 공사비용 중 10%는 클럽하우스 및 부설창고 건립에 들었으며, 조성과 함께 완공되었다(완공 시 전액지급).

자료 5 대상 수익자료

1. 대상 골프장은 2023년 720,000,000원의 순수익을 달성했고 2024년에는 810,000,000원의 순수익 달성이 확실하며, 이 같은 증가세가 2025년도까지는 계속될 것으로 예상되고 그 이후는 보합으로 추정됨.
2. 골프장부지 환원이율은 0.08이며, 건물(클럽하우스)환원이율은 0.12이다.

자료 6 지가변동률 및 건축비지수

	지가변동률(%)
2022년	10
2023년	12
2024년 11월	1
2024년 11월 누계	11
2024년 12월	-

	건축비지수
2022년 1월 1일	150
2023년 1월 1일	160
2024년 1월 1일	175
2024년 7월 1일	181

자료 7 지역 · 개별요인 및 기타 참조사항

1. 지역요인(서울로부터의 거리를 기준함)

	대상	사례A	사례B	사례C
거리	130km	100km	120km	150km

2. 개별요인은 개발지면적비율을 기준한다(다른 개별요인은 동일함).

3. 클럽하우스와 부설창고의 가격비율은 7 : 3으로 판단된다.

4. 사례 A는 군사용으로 내부거래의 가능성이 높다.

5. 지가변동률을 제외한 각종 지수는 월을 기준한다.

6. 시장이자율(투하자본이자율)은 월 1%이다.

자료 8 표준지공시지가 공시양식

일련번호	소재지	면적(㎡)	지목	…	공시지가(원/㎡)

QUESTION 108

당신은 국토교통부장관으로부터 표준주택 평가를 의뢰받고 다음의 자료를 수집, 정리하였다. 제시된 자료를 활용하여 표준주택의 적정가격을 평가한 후 가격평가표를 작성하고 공시가격을 기재하시오. 10점

자료 1 표준주택에 관한 사항

1. 소재지 등 : S시 K구 B동 1756-1
2. 용도지역 및 주변상황
   (1) 용도지역 - 제2종일반주거지역
   (2) 지리적 위치 - K구청 동측 인근
   (3) 주위환경 - 기존 주택지대
3. 토지 관련 사항
   (1) 지목 : 대
   (2) 면적 : 210.0㎡
   (3) 형상, 지세, 도로, 향 : 세로장방형, 평지, 세로(가), 남동향
4. 건물 관련 사항
   (1) 건물구조 : 연와조 슬래브지붕 단층
   (2) 연면적 : 105.0㎡
   (3) 사용승인일자 : 2021년 6월 5일
   (4) 표준주택 일련번호 : 43150-000

자료 2 인근지역 거래사례자료

1. 거래사례 #1
   (1) 용도지역 : 준주거지역
   (2) 지목 및 이용상황 : 대, 단독주택
   (3) 면적 등 : 210㎡, 세로장방형, 평지, 세로(가), 남향
   (4) 건물구조 등 : 연와조 슬래브지붕 단층, 100㎡
   (5) 건물의 사용승인일자 : 2020년 5월 5일

(6) **거래시점** : 2025년 10월 15일

(7) **거래가격** : 120,000,000원

2. 거래사례 #2

(1) **용도지역** : 제2종일반주거지역

(2) **지목 및 이용상황** : 대, 단독주택

(3) **면적 등** : 210㎡, 정방형, 평지, 소로한면, 서향

(4) **건물구조 등** : 연와조 슬래브지붕 단층, 95㎡

(5) **건물의 사용승인일자** : 2024년 3월 15일

(6) **거래시점** : 2025년 5월 10일

(7) **거래가격** : 130,000,000원

3. 거래사례 #3

(1) **용도지역** : 제2종일반주거지역

(2) **지목 및 이용상황** : 대, 단독주택

(3) **면적 등** : 210㎡, 세로장방형, 평지, 세로(가), 남향

(4) **건물구조 등** : 시멘트벽돌조 슬래브지붕 2층, 140㎡(1층 90㎡, 2층 50㎡)

(5) **건물의 사용승인일자** : 2013년 3월 15일

(6) **거래시점** : 2022년 5월 10일

(7) **거래가격** : 140,000,000원

자료 3 기준시점 현재 건축비(재조달원가)

1. **연와조 슬래브지붕** : 690,000원/㎡

2. **시멘트벽돌조 슬래브지붕** : 600,000원/㎡

자료 4 시점수정자료

1. **건축비지수**

2023년 1월 1일	2024년 1월 1일	2025년 1월 1일	2026년 1월 1일
103	107	109	112

2. 주택가격지수(매년 1월 1일 기준)

2022년	2023년	2024년	2025년
101	103	107	110

자료 5 주택(토지, 건물) 개별요인 비교(건물의 잔가율 및 수량요소 포함)

대상	거래사례 1	거래사례 2	거래사례 3
100	110	103	92

자료 6 그 밖의 자료

1. 공시기준일은 2026년 1월 1일이다.

2. 가격평가표 양식

<table>
<tr><th colspan="2">거래가능가격</th><td colspan="4"></td></tr>
<tr><th colspan="2">내용연수</th><td colspan="4"></td></tr>
<tr><th rowspan="2">건물
가액</th><th>총액(원)</th><td></td><th rowspan="2">토지
가액</th><th>총액(원)</th><td></td></tr>
<tr><th>단가(원/㎡)</th><td></td><th>단가(원/㎡)</th><td></td></tr>
</table>

3. 일괄평가한 주택가격에서 원가법에 의한 건물가격을 공제하여 토지가격을 산정하되, 그 내역을 가격평가표 작성 전 기재한다.

4. 경제적 내용연수는 30년, 감가수정은 만년감가, 잔가율은 10%임.

5. 활용할 거래사례는 가장 적정한 사례 1개를 선정하도록 한다.

6. 표준주택가격보고서 작성 시는 공시가격이 거래가능가격(표준주택평가액)의 80%임(십만원 미만 절사).

Chapter

09 보상감정평가

QUESTION 109

감정평가사 李씨는 S시장으로부터 S시에서 추진 중인 A동 직지 도시계획도로 개설공사와 관련하여 기평가 후 1년이 경과할 때까지 보상계약이 체결되지 아니한 대상토지에 대하여 재평가를 의뢰받았다. 다음의 물음에 답하시오. 20점

1. 본 평가에서의 가격시점을 확정하시오.
2. 관련 법령의 근거 및 내용을 제시하여 대상토지에 대한 평가시 적용할 비교표준지를 선정하시오.
3. 본 평가에 적용할 시점수정치를 결정하시오.
4. 보상선례를 그 밖의 요인보정의 근거로 적용하기 위한 요건은 무엇인가 약술하시오.
5. 본 평가에 적용할 그 밖의 요인보정치를 주어진 그 밖의 요인보정자료로부터 산출하시오.
6. 대상토지에 대한 평가액을 산정하시오.

자료 1 해당 사업 및 평가의뢰 내역

1. 사업시행자 : S시
2. 사업의 종류 : A동 직지 도시계획도로
3. 사업구간 : A동 200－1번지 ~ A동 200－15번지(연장길이 650m 구간)
   (편입필지 세부내역 : 200－1, 2, 3, 4, 5, 6, 7, 8, 9, 10, 11, 12, 13, 14, 15)
4. 가격시점 : 평가일
5. 평가의뢰목적 : 협의를 위한 가격산정

자료 2 토지조서

일련번호	소재지	지번	지목	면적(㎡)		소유자	
				공부	편입	주소	성명
1	A동	200－11	대	235	235	A동 200－1 외	李씨 외 52인

자료 3 인근 공시지가표준지

기호	소재지	면적(㎡)	공부	이용상황	용도지역	형상지세	도로교통	공시지가(원/㎡) 및 공시기준일			
								2022.1.1.	2023.1.1.	2024.1.1.	2025.1.1.
1	A동 184－2	2,604	답	전	개제자녹	부정형평지	세로(가)	42,000	43,000	46,000	50,000
2	A동 205－1	3,435	전	전	개제자녹	부정형평지	맹지	34,000	35,000	36,000	40,000
3	A동 210－6	161	전	다세대	제2종일주	정방형평지	소로한면	320,000	330,000	350,000	380,000
4	A동 221－1	129	임	주상용	제2종일주	삼각형평지	소로한면	290,000	300,000	310,000	340,000
5	A동 272－1	2,198	전	과수원	개제자녹	부정형완경사	세로(가)	31,000	32,000	32,000	38,000

자료 4 인근토지의 가격수준

본건이 접하고 있는 도로변의 토지가격은 1,200,000원/㎡ 수준이고, 인근의 주거용 부지의 가격수준은 750,000원/㎡ 내외인 것으로 조사되었다.

자료 5 생산자물가지수

출처 : 한국은행

구분	1월	2월	3월	4월	5월	6월	7월	8월	9월	10월	11월	12월
2022년	119.5	119.5	119.6	119.3	119.0	119.8	120.0	120.3	121.0	121.3	121.4	121.6
2023년	122.2	122.4	122.9	123.2	123.1	123.1	123.2	122.7	122.5	122.0	121.5	120.8
2024년	121.5	122.2	122.9	124.1	125.0	124.6	124.3	124.7	125.2	125.8	126.3	126.4
2025년	127.7	128.5	130.0	129.0	128.5	128.5	－	－	－	－	－	－

자료 6 지가변동률

구분	평균	용도지역별(%) 주거	상업	공업	녹지	이용상황별(%) 전	답	대 주거	대 상업	임야	공장용지	기타
2022년	1.204	0.871	−0.133	2.731	1.282	2.934	3.283	1.360	1.024	2.026	2.636	2.045
2023년	0.544	0.840	0.715	1.192	0.273	3.051	2.652	1.546	1.152	2.443	1.761	1.912
2024년	13.881	7.220	3.778	9.193	18.918	15.105	12.371	13.403	12.648	10.556	12.733	12.787
2025년 6월 누계	0.300	0.015	0.000	0.000	0.849	0.927	0.504	0.701	0.791	0.421	0.774	0.302
2025년 6월	0.080	0.000	0.000	0.000	0.151	0.121	0.070	0.015	0.018	0.090	0.009	0.054

자료 7 보상선례

1. 보상선례 1
   (1) **사업명** : A동 내부 도시계획도로 개설공사
   (2) **가격시점** : 2023년 1월 1일
   (3) **소재지/지번** : A동 244－32
   (4) **용도지역** : 제2종일반주거지역
   (5) **지목** : 대
   (6) **보상가격** : 530,000원/㎡

2. 보상선례 2
   (1) **사업명** : A동 직지 도시계획도로 개설공사
   (2) **가격시점** : 2024년 1월 1일
   (3) **소재지/지번** : A동 200－8
   (4) **용도지역** : 제2종일반주거지역
   (5) **지목** : 대
   (6) **보상가격** : 490,000원/㎡

자료 8 지역요인

대상토지와 비교표준지 및 보상선례토지는 동일한 인근지역에 속한다.

자료 9 개별요인

조건	항목 · 세항목	대상/ 표준지	적정 비교표준지/ 선례 1	적정 비교표준지/ 선례 2
가로 조건	가로의 폭, 포장, 보도, 가로의 계통 및 연속성	1.06	1.07	1.08
접근 조건	인근 대중교통시설과의 거리 및 편의성 인근 상가와의 거리 및 편의성 공공 및 편익시설과의 접근성	1.06	1.06	1.00
환경 조건	일조, 통풍 등 자연환경 인근 환경(인근 토지의 이용상황 및 인근 토지의 이용상황과의 적합성) 공급 및 처리시설의 상태 (상수도, 하수도, 도시가스 등)	1.10	1.15	1.16
획지 조건	면적, 접면너비, 깊이, 형상 등 방위, 고저 등 접면도로 상태	1.15	1.10	1.10
행정적 조건	행정상의 규제 정도 기타규제	1.00	1.00	1.00
기타 조건	장래의 동향 기타	1.06	1.06	1.07

자료 10 기타

1. 본 평가를 위하여 감정평가사 K는 2025년 7월 11일자로 현장조사를 완료하였다.

2. 해당 사업과 관련한 도시계획실시계획고시일은 2023년 3월 2일이다.

3. 대상토지가 소재하는 A동 일대에서는 기존 도로 확장 및 신규도로 개설을 위하여 여러 곳에서 구간별로 사업구역을 정하여 도로개설공사가 진행 중이다.

4. 본 평가는 평가 후 1년이 경과한 후의 재평가로서 기존 평가시점 이후 해당 사업에 대한 기대감으로 인하여 국지적인 지가상승이 있었던 것으로 조사되었다.

5. 대상토지에 대한 토지이용계획확인서 열람 결과 도시관리계획상 제2종일반주거지역인 것으로 조사되었다.

6. 대상토지는 A동 소재 ○○아파트의 대지권의 목적이 되는 토지(총 3필지) 중 일부이다.

7. 보상선례 1은 해당 사업으로 인한 개발이익과 무관한 사례이며, 보상선례 2는 해당 사업 구간에 편입된 다른 필지이다.

QUESTION 110

아래 토지에 대한 협의보상 목적의 감정평가액을 산정하시오. 20점

자료 1 사업개요 및 평가대상

1. 사업명 : ◎◎국가산업단지(300,000㎡ 규모)
2. 주민 등의 의견청취 공고일 : 2023.07.15.
3. 사업인정일 : 2024.04.09.
4. 가격시점 : 2025.06.30.
5. 평가대상 토지 : 경기도 ◎◎군 ◇◇면 ○○리 100, 대(주거용), 제2종일반주거지역, 200㎡(해당사업의 시행으로 인하여 현 용도지역으로 변경되었으며, 종전에는 계획관리지역이었다.)

자료 2 비교표준지 공시지가

구분	소재지	용도지역	이용상황	공시지가(원/㎡)		
				2023	2024	2025
A	○○리 500	계획관리	주거용	200,000	220,000	240,000
B	○○리 200	2종일주	주거용	400,000	480,000	570,000

※ 상기 표준지는 모두 해당 공익사업지구 내에 소재하고 있으며, 해당 사업지 내에는 위 표준지 이외의 표준지는 없다.

자료 3 경기도 ◎◎군의 표준지 공시지가의 변동률

구분	2023~2024	2024~2025
변동률(%)	4%	5%

자료 4 지가변동률

기간	◎◎군			◎◎군과 인접한 시군구			경기도		
	계획관리	주거	평균	계획관리	주거	평균	계획관리	주거	평균
2023.01.01.~2023.07.14.	2.113	2.314	1.978	1.877	1.697	1.579	1.679	1.465	1.774
2023.07.15.~2025.06.30.	13.513	14.214	12.379	9.441	9.997	9.141	8.474	8.044	7.787
2024.01.01.~2024.04.08.	1.021	1.211	1.101	0.944	0.974	0.885	0.788	0.874	0.855
2024.04.09.~2025.06.30.	9.417	9.887	9.074	6.978	7.101	6.745	6.141	6.122	6.111
2025.01.01.~2025.06.30.	1.787	1.699	1.759	1.679	1.597	1.521	1.454	1.374	1.541

자료 5 평가선례

구분	소재지	용도지역 이용상황	사업명	가격시점	평가액(원/㎡)	비고
가	○○리 600	계획관리 주거용	○○공원	2023.01.01.	315,500	평균단가
나	○○리 700	2종일주 주거용	○○도로	2023.01.01.	675,500	평균단가

자료 6 그 밖의 사항

1. 본건 및 표준지, 평가선례의 개별요인은 모두 대등한 것으로 본다.
2. 생산자물가지수에 대한 변동률 검토는 생략하도록 한다.
3. 토지의 감정평가액은 반올림하여 천원단위까지 결정하도록 한다.

QUESTION 111

감정평가사인 당신은 중앙토지수용위원회로부터 ○○주거환경개선사업에 편입된 토지에 대한 이의재결을 위한 평가를 의뢰받았다. 다음 제시된 자료를 활용하고 보상관련법규의 제 규정 및 관련판례의 해석 등을 참작하여 보상액을 산정하되, 비교표준지의 선정에 관하여 상세히 설명하시오. 20점

자료 1 사업개요 등

1. 사업명 : ○○주거환경개선사업
2. 정비구역지정고시일 : 2023년 12월 31일
3. 사업시행인가고시일 : 2024년 10월 31일
4. 관리처분계획고시일 : 2025년 1월 25일
5. 재결일 : 2025년 5월 30일
6. 평가시점 : 2025년 8월 10일
7. 이의재결예정일 : 2025년 8월 25일

자료 2 의뢰물건 내용

1. 토지조서

기호	소재지	면적(㎡)		지목	이용상황	용도지역	도로교통	형상, 지세
		공부	편입					
1	A시 B동 110	450	450	대	주거용	자연녹지	소로한면	세장형 평지
2	A시 B동 120	200	200	전	도로	자연녹지	맹지 (편입당시)	부정형 평지
3	A시 B동 250	300	300	도로	주거용	제2종일주	소로한면	정방형 평지

* 본 토지조서상의 용도지역은 해당 주거환경개선사업에 편입될 당시의 용도지역이고, 현재는 해당 사업의 절차로서 용도지역이 변경되어 모든 토지가 "제2종일반주거지역"이다.

2. 본건 토지의 조사사항

(1) 기호 1 토지는 사업변경의 필요성이 인정되어 2025년 2월 28일에 추가로 변경고시된 토지이다.

(2) 기호 2 토지는 도시계획시설도로가 지정된 이후 자연적으로 도로가 된 토지로서 편입 당시의 용도지역은 자연녹지지역이고 전으로 이용 중이었으며, 가격시점 현재 인근의 표준적인 이용상황 역시 전이다.

(3) 기호 3 토지는 종전에 시행된 공익사업의 부지로서 보상금이 지급되지 아니한 토지로서 편입 당시의 용도지역은 자연녹지지역이고 답으로 이용 중이었으며, 소로한면, 정방형, 완경사지였다. 본 토지는 공익사업의 시행자가 적법한 절차를 거치지 아니하여 아직 공익사업의 부지로 취득하지 못한 단계에서 공익사업을 시행하여 토지의 현실적인 이용상황이 변경되어 현재는 대로 이용 중이다.

자료 3 인근지역의 공시지가

구분	소재지	면적(㎡)	지목	이용상황	용도지역	도로교통	형상지세	공시지가(원/㎡)	
								2024.1.1.	2025.1.1.
1	A시 B동 111	330	대	단독주택	제2종일주	소로각지	세장형평지	250,000	240,000
2	A시 B동 122	150	대	단독주택	자연녹지	세로(가)	가장형평지	120,000	110,000
3	A시 B동 225	250	전	전	자연녹지	세로(가)	부정형평지	40,000	38,000
4	A시 B동 423	350	답	답	자연녹지	소로한면	세장형저지	35,000	32,000

자료 4 지가변동률(A시, %)

구분	2024년 누계	2025년 6월 누계	2025년 6월	2025년 7월
주거지역	−2.000	−0.070	0.015	미고시
녹지지역	−2.750	−0.339	0.050	미고시

자료 5 요인비교치

1. 도로접면

광대한면 : 중로한면 : 소로한면 : 세로한면 : 맹지 = 116 : 109 : 100 : 96 : 80

한면 : 각지 = 100 : 105

2. 형상

정방형 : 가장형 : 세장형 : 부정형 = 102 : 100 : 98 : 95

3. 지세

평지 : 완경사 : 저지 = 100 : 95 : 93

자료 6 그 밖의 요인은 대등한 것으로 본다.

QUESTION 112

C시는 감정평가사인 당신에게 '기적의 도서관' 건립에 따른 공익사업시행의 과정에서 아래와 같은 토지의 보상평가를 의뢰하였다. 적정한 보상액을 산정하고 사업시행자가 현금보상 대신 토지소유자에게 채권 370주를 지급하고자 할 경우 토지소유자 입장에서의 유 · 불리를 검토하시오. 15점

자료 1 대상물건

1. 소재지 : 충청북도 C시 수곡동 A번지, 대, 400㎡(제2종일반주거지역)
2. 가격시점 : 2025년 8월 20일
3. 물건상황 : 대상토지는 400㎡의 정방형 토지로서 현재 4m 도로에 접하고 있으나 이미 5년 전 C시의 도로 정비와 관련 10m로 확장계획에 따라 120㎡는 도시계획도로에 편입되어 있다. 해당 도로사업의 실시계획의 고시는 2024년 5월 중에 있었다. 그러나 아직까지 사업이나 보상은 이루어지지 않고 있다.
4. C시는 도서관 설립을 위한 사업의 실시계획의 고시를 2024년 12월 1일자로 받았으며, 이는 사업인정고시가 의제된다.

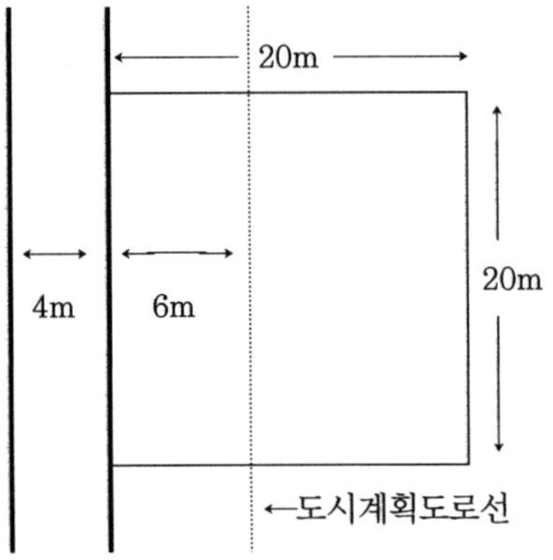

자료 2 인근 공시지가자료

기호	소재지	면적	지목	이용 상황	용도 지역	도로	2024년 공시지가	2025년 공시지가
1	수곡동 B번지	250	대	나지	제2종일주	소로	1,000,000	950,000
2	수곡동 C번지	300	대	건부지	제2종일주	중로	1,200,000	1,100,000
3	수곡동 D번지	400	대	건부지	제2종일주	세로	700,000	700,000

자료 3 지가변동률(단위 : %)

2024년 누계	2025년 6월 누계	2025년 6월	2025년 7월
6.875	2.985	0.535	-

자료 4 개별요인(도로요인 비교 제외)

대상	표준지 1	표준지 2	표준지 3
100	105	100	95

자료 5 채권에 관한 조건

1. **상환조건** : 2년 거치 3년 원리금 균등상환. 거치기간 동안은 이자만 지급하되, 이자는 일괄 2026년 8월 20일에 지급됨.
2. **이자율** : 연 12.5%
3. **발행** : 2024년 8월 20일
4. **시장금리** : 연 12%
5. **액면금액** : 1,000,000원/주

자료 6 기타자료

1. 본건 토지를 포함한 일대는 도시계획도로사업의 실시계획고시로 인해 지가가 상승한 것으로 조사되었다.
2. 본건의 인근지역은 도로조건에 따라 가격수준의 차이를 보이고 있다.
3. 그 밖의 요인은 대등하다.

QUESTION 113

감정평가사 Y씨는 다음 토지에 대한 보상평가액의 산정을 의뢰받았다. 보상 관련 법령 및 제반평가지침에 의거 아래 물음에 답하시오. 20점

1. 둘 이상의 용도지역에 속한 토지의 보상평가기준 및 용도지역 사이에 있는 토지의 보상평가기준을 약술하시오.

2. 보상액 산정의 기준이 되는 비교표준지를 선정하고 그 사유를 기재하시오.

3. 대상토지의 보상액을 산정하시오.

자료 1 평가개요

1. 평가목적 : 보상(협의)

2. 가격시점 : 2025년 9월 21일

자료 2 평가대상토지

1. 토지조서

일련번호	소재지	용도지역	지목	편입면적(㎡)	전체면적(㎡)	이용상황
1	S시 A동 230번지	–	대	300	300	대 (단독주택)
2	S시 A동 245번지	준주거지역 자연녹지지역 (개발제한구역)	대	400	400	대 (단독주택)

2. 토지조서 일련번호 1 토지는 제2종일반주거지역과 자연녹지지역 사이에 위치한 용도지역이 지정되지 않은 토지로서 소로한면, 장방형, 평지임.

3. 토지조서 일련번호 2 토지는 준주거지역(150㎡), 자연녹지지역(개발제한구역, 250㎡)에 속하는 소로각지, 부정형, 완경사지로서 용도지역을 달리하는 두 부분이 모두 가격 형성에 영향을 미침.

자료 3 인근의 표준지공시지가

1. 표준지공시지가 현황

기호	소재지	면적(㎡)	지목	이용상황	용도지역	도로교통	형상	지세
1	S시 A동	156	대	주거용	자연녹지	소로한면	정방형	평지
2	S시 A동	160	대	주거용	준주거지역	중로한면	정방형	평지
3	S시 A동	200	대	주거용	제2종일주	소로각지	부정형	완경사
4	S시 A동	250	대	주거용	자연녹지 (개발제한구역)	소로한면	부정형	평지
5	S시 A동	300	대	주거용	미지정	소로한면	정방형	평지

※ 표준지 4는 주거용(단독주택) 대지임

2. 표준지공시지가(원/㎡)

공시지가 \ 기호	1	2	3	4	5
2024	750,000	1,450,000	1,330,000	650,000	850,000
2025	800,000	1,500,000	1,380,000	700,000	900,000

자료 4 지가변동률(S시)(단위 : %)

구분	2024년 누계	2025년 7월 누계	2025년 7월
주거지역	3.770	2.019	0.400
상업지역	4.797	3.453	1.011
공업지역	4.963	3.691	1.020
녹지지역	3.097	2.005	0.400

자료 5 개별요인

1. 도로교통

구분	대로	중로	소로	세로	비고
평점	100	95	90	85	각지는 한면에 비해 10% 우세함.

2. 형상

구분	정방형	장방형	부정형
평점	100	95	90

3. 지세

구분	평지	완경사지	급경사지
평점	100	90	80

자료 6 그 밖의 요인은 대등한 것으로 본다.

QUESTION 114

감정평가사 '柳'씨는 ○○시로부터 "○○시 지방도 개설사업"에 편입되는 아래 토지에 대한 보상평가를 의뢰받고 사전조사 및 현장조사를 통하여 아래의 자료를 수집하였다. 해당 평가와 관련하여 아래의 물음에 답하시오. 35점

1. 각 조서별 비교표준지를 선정하시오.

2. 대상토지의 평가에 적용되는 시점수정치를 결정하시오.

3. 각 조서별 보상평가액을 결정하시오.

자료 1 공익사업의 개요 등

1. 공익사업명 : ○○시 지방도 개설사업

2. 사업의 목적

   해당 사업은 ○○시의 주 정체구간의 정체 해소와 관련하여 "도로법"에 근거하여 설치하는 도로임.

> 도로법 제25조(도로구역의 결정)
>
> ① 도로관리청은 도로 노선의 지정·변경 또는 폐지의 고시가 있으면 지체 없이 해당 도로의 도로구역을 결정·변경 또는 폐지하여야 한다.
>
> 도로법 제82조(토지 등의 수용 및 사용)
>
> ① 도로관리청은 도로공사의 시행을 위하여 필요하면 도로구역에 있는 토지·건축물 또는 그 토지에 정착된 물건의 소유권이나 그 토지·건축물 또는 물건에 관한 소유권 외의 권리를 수용하거나 사용할 수 있다.
>
> ② 제1항에 따른 수용 또는 사용에 관하여는 「공익사업을 위한 토지 등의 취득 및 보상에 관한 법률」을 준용한다. 이 경우 제25조에 따른 도로구역의 결정 또는 변경과 도로구역의 결정 고시 또는 변경 고시는 「공익사업을 위한 토지 등의 취득 및 보상에 관한 법률」 제20조 제1항 및 제22조에 따른 사업인정 및 사업인정고시로 보며, 도로관리청은 같은 법 제23조 제1항 및 제28조 제1항에도 불구하고 도로공사의 시행기간에 재결을 신청할 수 있다.

3. 시행의 경과

   (1) **사전 주민설명회** : 2023년 10월 9일

   (2) **도로구역의 결정고시** : 2024년 12월 1일

   (3) **도로구역 편입토지의 세목고시일** : 2025년 3월 1일

4. 가격시점 의뢰일 : 2025년 8월 31일

자료 2 사업시행자로부터 제공받은 토지조서

1. 기본조서

일련번호	소재지/지번	용도지역	지목	면적(㎡)		실제 이용 상황	소유자	관계인	2025년 개별공시지가 (원/㎡)
				공부	편입				
1	Y시 K구 S동 100	관리지역	대	400	400	대 (주거용)	A	우리은행	470,000
2	Y시 K구 S동 300	관리지역	전	500	500	아래 참조	B	-	130,000
3-1	Y시 K구 S동 400	관리지역	전	1,000	600 /1,000	전	C	-	150,000
3-2		관리지역	전	1,000	350 /1,000	대 (주거용)	C	-	150,000
3-3		관리지역	전	1,000	50 /1,000	도로	C	-	150,000

2. 각 조서의 비고사항

일련번호	비고사항
1	해당 토지는 근저당권이 설정된 토지로서 채권최고액은 250,000,000원임.
2	3가지의 조건이 제시되어 이에 따른 평가액을 모두 제시해 줄 것을 요청받음 (자세한 사항은 아래 자료 참조).
3	측량성과도를 확인할 것

자료 3 각 토지의 현장조사사항

1. 일련번호 #1

(1) 도면

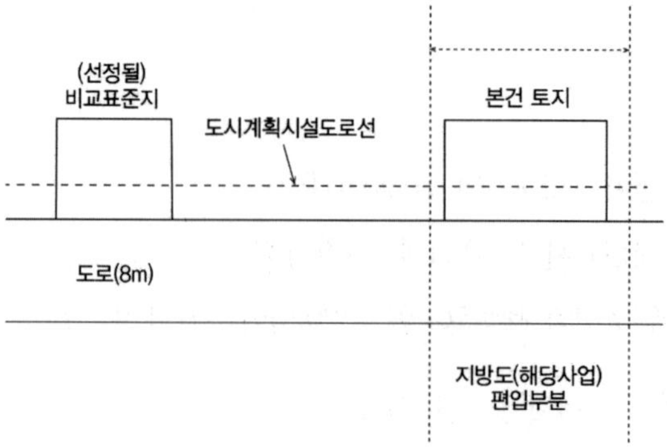

(2) 도시계획시설도로에 접한 부분에 대하여 도시계획시설도로로 인한 영향을 고려하지 말 것.

(3) 비교표준지의 도시계획시설도로 저촉률 : 30%

(4) 도시계획 시설도로 저촉시 감가율 : 20%

2. 일련번호 #2

(1) 방침

담당 허가 관련 자료의 훼손으로 인하여 관련 현황파악 등에 있어서 문제가 생겨 사업시행자 측에서 별도로 조건을 부가하여 제시하였다.

(2) 각 조건의 현황

조건사항	조건의 내용
조건 #1	건축허가(농지전용허가)를 득하고 대지(주거용)로 조성을 완료한 경우. 단, 지목변경은 해태하고 있다.
조건 #2	건축허가(농지전용허가)를 득하였으나 형질변경을 하지 않고 있는 경우
조건 #3	건축허가(농지전용허가)를 득하였고 조성을 하던 중 해당 공익사업과 무관한 이유로 조성을 완료하지 못한 경우(투하된 조성비는 ㎡당 50,000원이다)

※ 농지전용부담금은 개별공시지가의 20% 수준이다.

3. 일련번호 #3

(1) 해당 토지상에는 1988년 5월 30일에 신축된 무허가건축물이 있다.

(2) 측량성과도

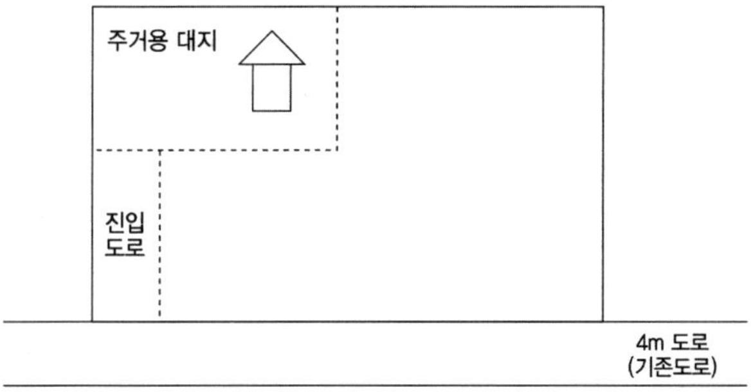

(3) 해당 토지의 인근은 순수농경지대이며, 대상토지는 인근의 표준적인 토지이다.

4. 해당 토지의 개별요인

구분	일련번호 #1	일련번호 #2	일련번호 #3
도로조건	판단할 것	소로한면	판단할 것
형상	가장형	부정형	전체 : 가장형 대지 : 가장형
지세	평지	평지	평지

자료 4 표준지공시지가 자료

기호	소재지	면적(㎡)	지목	이용상황	용도지역	도로교통	형상지세	공시지가(원/㎡)		
								2023.1.1	2024.1.1	2025.1.1
1	Y시 K구 S동 110	370	대	주거용	용도미지정	세로(가)	부정형 평지	470,000	500,000	520,000
2	Y시 K구 S동 120	350	대	주거용	관리지역	소로한면	부정형 평지	510,000	530,000	550,000
3	Y시 K구 S동 130	388	대	상업용	관리지역	세로(가)	부정형 평지	790,000	820,000	870,000
4	Y시 K구 S동 140	390	대	상업용	관리지역	중로한면	가장형 평지	690,000	720,000	750,000
5	Y시 K구 S동 150	420	전	전	관리지역	소로한면	부정형 평지	140,000	150,000	155,000
6	Y시 K구 S동 160	340	전	전	관리지역	세로(불)	부정형 평지	120,000	125,000	130,000
7	Y시 K구 S동 170	345	대	주거용	용도미지정	세로(가)	부정형 평지	390,000	412,000	430,000
8	Y시 K구 S동 180	460	대	주거용	관리지역	소로한면	부정형 평지	370,000	390,000	420,000

※ 기호 #3, 6은 문화재보호구역에 속한 토지이다.

※ 표준지 기호 #1~4는 대상 일련번호 #1의 인근지역이며, 표준지 기호 #5~8은 대상 일련번호 #2, 3의 인근지역이다.

자료 5 시점수정치

1. 지가변동률

(1) 개요

해당 지역의 지가변동률은 과거 3~4년 동안 완만한 성장세 혹은 보합세의 성격을 이루고 있었으나 인근의 대규모 택지개발사업과 관련하여 대상 지역의 지가가 현저하게 상승하였다.

(2) Y시 K구의 지가변동률

구분	2024년 1월 1일~12월 31일	2025년 1월 1일~6월 30일	2025년 7월
지가변동률 (관리지역)	6.762	5.192	1.718
지가변동률 (녹지지역)	4.241	4.212	0.884

(3) 인근 시·군·구 지가변동률

구분	2024년 1월 1일~ 12월 31일		2025년 1월 1일~ 6월 1일		2025년 7월	
	관리지역	녹지지역	관리지역	녹지지역	관리지역	녹지지역
Y시 M구	3.771	3.441	1.460	1.077	0.149	0.013
Y시 W구	2.044	2.798	0.978	0.779	0.337	0.371
Y시 H구	3.074	3.774	0.887	0.761	0.241	0.447

2. 생산자물가지수

구분	2022년 12월	2023년 12월	2024년 1월	2024년 12월	2025년 1월	2025년 8월
지수	104.7	106.9	107.1	109.7	110.0	116.2

자료 6 인근의 보상선례

1. 개요

그 밖의 요인은 각 토지별 혹은 공시지가별 적용이 아닌 각 용도지역 및 현실 지목별로 산정하여 활용하기로 한다. 따라서 대상토지의 평가에 있어서는 관리지역 '대'와, 관리지역 '전'으로 구분하여 그 밖의 요인을 산정하도록 한다.

2. 보상선례의 현황

구분		보상선례 #A	보상선례 #B	보상선례 #C
편입 당시 용도지역		관리지역	관리지역	관리지역
가격시점 용도지역		용도미지정	관리지역	용도미지정
공익사업명		택지개발사업	하천사업	택지개발사업
이용 상황	편입시	전	전	대
	현재	대	전	대
보상시점		2024년 1월 1일	2025년 1월 1일	2024년 1월 1일
보상금액(평균단가)		278,000원/㎡	200,000원/㎡	495,000원/㎡
비고		-	해당 토지는 협의 불응으로 인하여 현재 수용재결의 상태에 있음.	-

※ 보상선례의 개별요인 비교치는 선정된 비교표준지와 대등한 것으로 본다.

※ 보상선례 B는 표준지 #1~4와 같은 인근지역이며, 보상선례 A, C는 표준지 #5~8과 같은 인근지역에 소재한다.

자료 7 본건과 표준지의 개별요인 비교자료 등

1. 도로조건

구분	세로(불)	세로(가)	소로한면	중로한면	광대로한면
세로(불)	1.00	1.05	1.10	1.15	1.20
세로(가)	0.95	1.00	1.05	1.10	1.15
소로한면	0.90	0.95	1.00	1.05	1.10
중로한면	0.85	0.90	0.95	1.00	1.05
광대로한면	0.80	0.85	0.90	0.95	1.00

※ 각지는 상기 요인치에 5% 가산한다.

2. 형상

구분	부정형	사다리형	장방형	정방형
부정형	1.00	1.03	1.08	1.10
사다리형	0.97	1.00	1.05	1.08
장방형	0.92	0.95	1.00	1.03
정방형	0.90	0.92	0.97	1.00

3. 이용상황에 따른 격차율

구분	대	전	답	임야
대	1.00	0.90	0.90	0.70
전	1.10	1.00	1.00	0.80
답	1.10	1.00	1.00	0.80
임야	1.30	1.20	1.20	1.00

QUESTION 115

감정평가사 Y씨는 S도시공원조성사업에 편입되는 다음의 물건에 대하여 보상평가의뢰를 받았다. 보상 관련 제 규정을 적용하여 가격시점인 2025년 9월 6일을 기준으로 보상평가액을 산정하시오. 30점

자료 1 평가의뢰 내역

1. 사업의 종류 : S도시공원조성사업
2. 가격시점 : 2025년 9월 6일
3. 도시관리계획시설 결정고시일 : 2023년 10월 10일
4. 도시관리계획실시계획인가 고시일 : 2024년 5월 9일

자료 2 의뢰물건 내역

1. 토지조서

일련번호	소재지	지목	면적(㎡)	편입면적(㎡)	실제 이용상황	용도지역
1	G구 S동 201	전	588	400	점포	제2종일반주거
1-1	G구 S동 201	-	-	잔여지 가치하락 보상		
2	D구 S동 202	잡	300	300	주거용	제2종일반주거

2. 지적사항

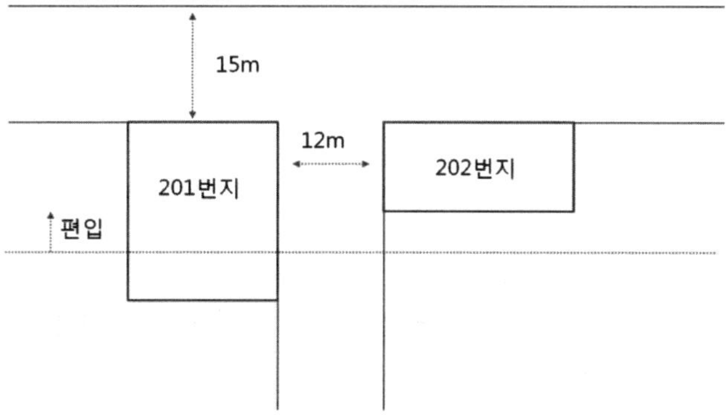

3. 201번지가 편입됨으로 남는 토지(평지)는 단독으로 효용성이 인정되나 가치는 하락하였다.

4. 202번지(평지)는 2025년 2월 10일 사업의 확장으로 추가고시되었으며, 위 토지상 건물은 무허가로 건축되었다. 인근의 표준적인 이용상황은 주거용임.

5. 201번지는 세장형, 202번지는 가장형임.

자료 3 인근지역의 공시지가자료

일련번호	소재지	면적(㎡)	지목	이용상황	용도지역	도로교통	형상지세	공시지가(원/㎡)	
								2024.1.1.	2025.1.1.
1	D구S동 200	250	대	단독주택	제2종일주	소로한면	정방평지	870,000	900,000
2	D구S동 209	310	대	점포	제2종일주	소로각지	가장평지	1,180,000	1,250,000
3	D구N동 190	567	대	APT	제2종일주	중로한면	세장평지	1,120,000	1,150,000
4	D구S동 173	200	장	공장	제2종일주	소로한면	정방평지	850,000	884,000

자료 4 지가변동률(단위 : %)

구분	G구		D구	
	주거지역	상업지역	주거지역	상업지역
2024년	8.031	9.411	8.348	5.613
2025년 1월~7월 누계치	4.310	2.630	1.940	2.090
2025년 7월	0.724	0.061	0.753	0.709

자료 5 요인비교자료

1. 도로교통

세로(불)	세로(가)	소로한면	소로각지	중로한면	중로각지
90	95	100	105	110	115

2. 형상

정방형	가장형	세장형
100	97	95

3. 지세

평지	완경사
100	90

4. 기타 개별요인

구분	기호 1	기호 2	표준지 1	표준지 2	표준지 3	표준지 4	선례 1	선례 2	선례 3	잔여지
공시기준일/ 선례의 평가시점	–	–	98	101	97	96	97	105	101	–
가격시점	100	100	97	100	96	97	95	99	100	90

※ 선례는 공시기준일이 아닌 평가시점이 기준이고, 공시기준일은 2024년과 2025년이 동일함.

5. 지역요인
대상토지와 표준지는 모두 인근지역에 소재함

자료 6 보상선례

1. 선례 #1
   (1) **소재지** : S시 D구 S동 100번지, 대, 500㎡
   (2) **이용상황** : 점포, 노선상가지대
   (3) **도시관리계획사항 등** : 제2종일반주거지역, 소로각지, 정방형, 평지
   (4) **보상가액** : 700,000,000원
   (5) **평가시점** : 2024년 1월 1일
   (6) **기타** : A택지개발사업을 위한 보상평가임.

2. 선례 #2
   (1) **소재지** : S시 D구 S동 116번지, 대, 300㎡
   (2) **이용상황** : 점포, 노선상가지대
   (3) **도시관리계획사항 등** : 제2종일반주거지역, 중로한면, 정방형, 평지

(4) **보상가액** : 500,000,000원

(5) **평가시점** : 2024년 1월 1일

(6) **기타** : B택지개발사업을 위한 보상평가임.

3. 선례 #3

(1) **소재지** : S시 D구 S동 41-2번지, 대, 700㎡

(2) **이용상황** : 점포, 노선상가지대

(3) **도시관리계획사항 등** : 제2종일반주거지역, 중로한면, 정방형, 평지

(4) **보상가액** : 800,000,000원

(5) **평가시점** : 2025년 1월 1일

(6) **기타** : S도시공원조성사업을 위한 보상평가임.

자료 7 생산자물가지수

2023년 12월	2024년 1월	2024년 12월	2025년 1월	2025년 7월	2025년 8월
119	120	128	129	134	미고시

자료 8 기타자료

1. 평가과정에서 필요한 판단사항은 기재할 것

2. 기호 #1에서 결정된 토지평가시의 그 밖의 요인은 모든 대지에 적용이 가능한 것으로 판단한다.

QUESTION 116

감정평가사 김씨는 사업시행자 A가 시행하는 B택지개발지구에 편입되는 아래의 토지에 대한 협의목적의 보상감정평가를 의뢰받았다. 제시된 자료를 활용하고, 관련된 법령 및 준칙에 입각하여 보상감정평가액을 결정하시오. 25점

자료 1 감정평가개요

1. 감정평가의 목적 : 경기도 ○○시 ◎◎면 일원의 A사업시행자가 시행하는 B택지개발사업을 위한 토지에 대한 (사업인정 후 협의) 보상평가임.

2. 감정평가대상

기호	소재지	지번	공부면적 (㎡)	편입면적 (㎡)	지목	용도지역	이용상황	도로교통	형상 지세
1	◎◎면 ◇◇리	461-6	955	955	전	계획관리	전	맹지	부정형 완경사
2	◎◎면 ◇◇리	461-14	2,500	2,500	잡종지	계획관리	공업용	세로(가)	부정형 완경사
3	◎◎면 ◇◇리	461-15	700	700	임야	계획관리	자연림	세로(가)	부정형 완경사

3. 의뢰자 : 사업시행자 B

4. 의뢰일 : 2024년 12월 16일

5. 기준시점(가격시점) : 의뢰인 제시(협의성립 예정일) 2025년 2월 26일

6. 사업인정 고시일 : 2023년 5월 30일(B택지개발지구 지정고시)

7. 감정평가기준 : 「감정평가 및 감정평가사에 관한 법률」, 「택지개발촉진법」, 「공익사업을 위한 토지 등의 취득 및 보상에 관한 법률」, 「부동산 가격공시에 관한 법률」, 「감정평가에 관한 규칙」, 「감정평가 실무기준」 등 관계 법령

자료 2 대상사업의 개요

1. 개발계획 개요

위치	경기도 ○○시 ◎◎면 일원
면적	1,200,000㎡
사업기간	2023.05.30. ~ 2029.12.31.
사업인정고시일	2023.05.30. (◇◇택지개발사업 지정고시 2023.05.30, 국토교통부고시 제****호)
사업시행자	A 공사

2. 추진현황

(1) 2020.02.01 : B택지개발사업 계획지구 지정 주민 공람공고

(2) 2023.05.30 : B택지개발사업지구 지정고시(국토교통부 고시 제****호)

(3) 2024.06.10 : 토지보상계획 공고

자료 3 인근지역의 표준지공시지가 자료

기호	소재지	지목	면적(㎡)	이용상황	용도지역	도로교통	형상지세	공시지가(원/㎡)		
								2020년	2023년	2024년
A	◇◇리 435-1	잡	2,800	공업용	계획관리	세로(가)	부정형 완경사	285,000	410,000	440,000
B	◇◇리 407-7	장	2,800	공업용	계획관리	세로(가)	부정형 완경사	325,000	457,000	496,000
C	◇◇리 450-5	전	1,200	전	계획관리	맹지	부정형 완경사	130,000	190,000	210,000
D	◇◇리 470-3	임야	1,100	자연림	계획관리	세로(가)	부정형 완경사	120,000	178,000	195,000
E	◇◇리 498-7	전	1,200	전	계획관리	맹지	부정형 완경사	150,000	210,000	230,000
F	◇◇리 산 10	임야	15,000	자연림	계획관리	맹지	부정형 완경사	56,000	57,000	59,500

※ 위 표준지 중 A, C, D는 해당 사업지구 내 소재하는 표준지이며, B, E, F는 인근의 C택지개발지구에 편입된 토지이다.

자료 4 표준지공시지가 변동률 추이

1. 사업지 내 표준지공시지가 변동률 추이

2020 ~ 2021	2021 ~ 2022	2022 ~ 2023	2023 ~ 2024
12.5	18.5	15.5	17.5

2. 경기도 ○○시 전체의 표준지공시지가 변동률 추이

2020 ~ 2021	2021 ~ 2022	2022 ~ 2023	2023 ~ 2024
9.5	13.5	10.5	11.5

3. 경기도 전체 표준지공시지가 변동률 추이

2020 ~ 2021	2021 ~ 2022	2022 ~ 2023	2023 ~ 2024
6.7	7.5	8.9	10.5

자료 5 지가변동률 자료

기간	지가변동률에 의한 시점수정치	비고
2023.05.30. ~ 2025.02.26.	1.05400	경기도 ○○시 평균 지가변동률
2023.05.30. ~ 2025.02.26.	1.03500	경기도 평균 지가변동률
2020.02.01. ~ 2025.02.26.	1.35450	경기도 ○○시 평균 지가변동률
2020.01.01. ~ 2025.02.26.	1.21500	경기도 ○○시 계획관리지역 지가변동률
2023.01.01. ~ 2025.02.26.	1.08700	경기도 ○○시 계획관리지역 지가변동률
2024.01.01. ~ 2025.02.26.	1.04500	경기도 ○○시 계획관리지역 지가변동률
2020.01.01. ~ 2025.02.26.	1.15500	◇◇개발사업과 관계 없는 인접시 계획관리지역 지가변동률
2023.01.01. ~ 2025.02.26.	1.06200	◇◇개발사업과 관계 없는 인접시 계획관리지역 지가변동률
2024.01.01. ~ 2025.02.26.	1.03800	◇◇개발사업과 관계 없는 인접시 계획관리지역 지가변동률
2020.01.05. ~ 2025.02.26.	1.15455	◇◇개발사업과 관계 없는 인접시 계획관리지역 지가변동률
2020.01.05. ~ 2025.02.26.	1.19875	경기도 ○○시 계획관리지역 지가변동률
2023.02.11. ~ 2025.02.26.	1.05900	◇◇개발사업과 관계 없는 인접시 계획관리지역 지가변동률
2023.02.11. ~ 2025.02.26.	1.08100	경기도 ○○시 계획관리지역 지가변동률

※ 시행령 제37조 검토 시 평균지가변동률에 의하며, 인접시군구 적용 시 지가변동률의 구분적용은 생략하도록 한다.

자료 6 인근지역 보상사례

기호	소재지	지목	용도지역	단가(원/㎡)	기준시점	사업명	비고
가	◎◎리	전	계획관리	198,000	2020.01.05.	☆☆도로개설공사	평균가격
나	◎◎리	잡종지	계획관리	430,000	2020.01.05.	**도로개설공사	평균가격
다	◎◎리	임야	계획관리	180,000	2020.01.05.	**도로개설공사	평균가격
라	ㅁㅁ리	전	계획관리	280,000	2023.02.11.	##도로개설공사	평균가격
마	ㅁㅁ리	잡종지	계획관리	600,000	2023.02.11.	@@개발사업	평균가격
바	ㅁㅁ리	임야	계획관리	260,000	2023.02.11.	@@개발사업	평균가격

※ 보상사례는 B택지개발사업지구와 관계 없는 사례로서 보상금이 지급된 사례임.

자료 7

대상 토지와 비교표준지, 표준지와 보상사례의 지역요인, 개별요인은 모두 동일함. (1.000)

자료 8 그 밖의 사항

1. 생산자물가지수는 검토하였으며 지가변동률을 시점수정치로 결정한 것으로 한다.
2. 실거래가격 분석 검토를 수행하여 그 밖의 요인 보정치의 적정성을 검토한 것으로 한다.
3. 그 밖의 요인 보정률 산정은 표준지 기준방식을 적용하고, 시점수정은 토지가액 산정에 적용한 시점수정과 동일하게 한다.
4. 단가는 백의 자리에서 산정하고 십의 자리에서 반올림한다.

QUESTION 117

감정평가사인 당신은 보상평가가 의뢰된 다음의 물건에 대해 평가를 하려고 한다. 물음에 답하시오. 35점

1. 의뢰된 토지에 대한 적용공시지가 및 비교표준지를 선정하고, 조서별 보상평가액을 산정하시오. 단, 토지단가는 반올림하여 천원 단위까지 표시하시오.

2. 의뢰물건 중에서 영업에 대한 물건조서의 보상평가액을 결정하시오.

자료 1 평가의뢰 내역

1. 사업명 : 『혁신도시 조성 및 발전에 관한 특별법』에 의한 혁신도시 개발사업 (규모 : 150,000㎡)

2. 사업시행자 : S개발공사

3. 가격시점 : 2025년 8월 10일

4. 혁신도시개발예정지구의 지정·고시일 : 2024년 4월 10일

5. 혁신도시개발계획 승인·고시일 : 2025년 5월 10일

6. 혁신도시개발사업 실시계획 승인·고시일 : 2025년 7월 1일

7. 협의목적 보상감정평가임.

자료 2 평가의뢰물건 내역

1. 토지조서

기호	소재지	지목	면적(㎡)		용도지역	실제이용상황	비고
			공부	편입			
1	A시 B동 10	대	800	400/800	제2종 일반주거 자연녹지	상업용/주거용 (물건기호 1)	A
2	A시 B동 10	대	800	400/800	제2종 일반주거 자연녹지	상업용/주거용 (물건기호 2)	H

3	A시 B동 235	전	880	880	도시지역 (미지정)	- (물건기호 3)	B
4	A시 B동 245	전	475	475	도시지역 (미지정)	가설건축물부지 (물건기호 4)	C
5	A시 B동 산 300	임야	250	250	도시지역 (미지정)	-	D
6	A시 B동 산 310	임야	1,000	1,000	도시지역 (미지정)	전	A시
7	A시 B동 산 310	임야	-	1식	-	-	개간비 F

※ 〈기호 3〉~〈기호 6〉은 『혁신도시 조성 및 발전에 관한 특별법』 제7조 제4항에 의거 용도지역이 「국토의 계획 및 이용에 관한 법률」상 도시지역으로 변경됨(변경 전 용도지역은 〈기호 3〉~〈기호 5〉는 계획관리지역이며, 〈기호 6〉은 농림지역임.).

※ 〈기호 1, 2〉는 소유자의 입회하에 조서가 작성되었으며, 위치가 확인되는 경우 그에 따라 평가해 줄 것을 사업시행자로부터 요청받았다.

2. 물건조서

기호	소재지 및 지번	물건 종류	구조 및 규격	면적(㎡)		실제이용상황 등
				공부	편입	
1	A시 B동 10	점포	벽돌조 슬래브 지붕 단층	200	200	소유자 A
2	A시 B동 10	주택	벽돌조 슬래브 지붕 단층	70	70	소유자 H
3	A시 B동 235	주택	벽돌조 슬래브 지붕	80	80	무허가건축물로서 2000년 5월에 신축함(소유자 B).
4	A시 B동 245	점포	경량철골조 판넬지붕 단층	200	200	2023년 3월 A시장으로부터 「국토의 계획 및 이용에 관한 법률」의 규정에 의거 허가를 득하고 신축한 가설건축물로 현재 식당(신고필)으로 사용 중임(소유자 C).
5	A시 B동 10	영업	휴업보상	1식	1식	개인영업(자가소유 건물임) (영업자 A)

자료 3 물건 기호 5의 영업이익 관련 자료

1. 휴업기간 : 4월
2. 월평균 매출액(과거 3년치 분석) : 25,000,000원
3. 경비비율 : 40%
4. 인건비 등 고정적 경비 : 2,000,000원/월
5. 영업시설 및 재고자산 등의 이전에 따른 통상비용 : 500,000원
6. 재고자산의 이전에 따른 감손상당액 : 200,000원
7. 이전광고비 및 개업비 등 기타부대비용 : 300,000원
8. 제조부분 보통인부의 노임단가 : 41,351원/일
9. 도시근로자가구 월평균 가계지출비

2인	3인	4인	5인	6인
2,400,000	2,900,000	3,300,000	3,600,000	3,900,000

자료 4 인근지역의 공시지가표준지

구분	소재지	지번	면적(㎡)	지목	이용상황	용도지역	도로교통	형상/지세	공시지가(원/㎡)	
									2024년 1월 1일	2025년 1월 1일
1	A시 B동	40	150	대	단독주택	제2종 일반주거	세로(가)	가장형 평지	800,000	900,000
2	A시 B동	50	250	전	전	제2종 일반주거	소로한면	부정형 평지	700,000	760,000
3	A시 B동	52	300	대	상업용	제2종 일반주거	세로(가)	가장형 평지	1,300,000	1,500,000
4	A시 B동	69	330	잡	축사	계획관리	세로(가)	부정형 평지	350,000	370,000

5	A시 B동	70-1	250	전	전	농림	소로한면	가장형 평지	150,000	180,000
6	A시 B동	90	350	답	답	계획관리	맹지	부정형 저지	100,000	150,000
7	A시 B동	95	400	전	전	계획관리	세로(가)	부정형 완경사	250,000	290,000
8	A시 B동	140	300	대	단독주택	자연녹지	소로한면	정방형 평지	600,000	650,000
9	A시 B동	산200	1,200	임	자연림	계획관리	맹지	부정형 급경사	45,000	52,000
10	A시 B동	산250	90	묘	묘지	계획관리	맹지	부정형 완경사	40,000	45,000
11	A시 B동	산40	2,500	임	자연림	농림	맹지	부정형 완경사	50,000	60,000

※ 기호 6번 표준지는 공원에 50% 저촉되어 있다.

자료 5 평가의뢰된 토지의 내용

1. 기호 #1, 2토지는 제2종일반주거지역과 자연녹지지역에 걸치는 토지로서, 구분은 다음과 같으며, 지상에는 기호 (1) 건물이 소재하며, 제2종일반주거지역부분에 있는 200㎡는 점포로 이용 중이고, 자연녹지지역부분에 있는 70㎡는 주택으로 이용 중이다.

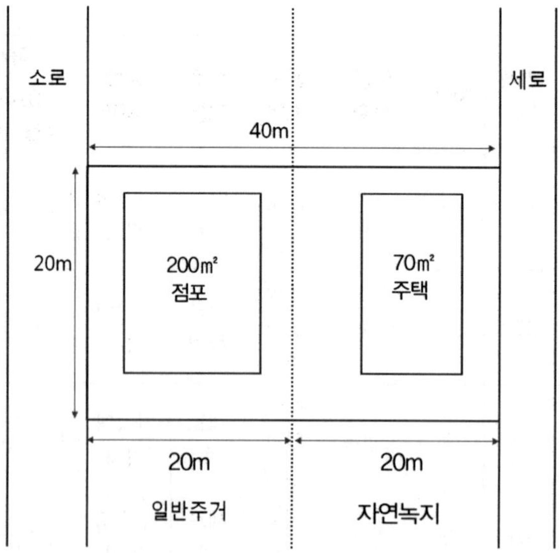

※ 각 건물의 건축물대장상 대지면적은 각각 400㎡이다.

2. 기호 #3은 소로한면, 부정형, 평지임.

3. 기호 #4는 가설건축물 승인으로 접면에 소로를 개설하였으며, 장방형, 평지이다. 농지로서 대지에 준하게 조성이 된 경우에는 인근의 농지에 비해 10% 우세하다.

4. 기호 #5 토지는 2023년 5월 축사신축을 위하여 형질변경허가를 득하였고, 2024년 3월에 형질변경을 완료하였으나, 해당 사업으로 인하여 준공검사를 득하지 못하였다. 세로(가), 부정형, 평지이다.

5. 기호 #6 토지는 A시 소유의 토지로서 김씨의 부친이 2004년 7월 A시로부터 허가를 득하여 개간한 후 사용하고 상속되어 현재의 김씨가 전으로 경작하고 있다. 가격시점 현재 개간에 통상 필요한 금액 상당액의 산정이 곤란하며, 종전의 이용상황은 임야로서 맹지, 부정형, 완경사이나, 현재 본 토지는 세로(가)에 접하고 부정형, 완경사이다.

자료 6 시점수정자료

1. 용도지역별 지가변동률(A시)(단위 : %)

구분	평균	주거지역	녹지지역	계획관리지역	농림지역
2024.1.1~2024.12.31	3.325	2.213	5.550	4.500	2.055
2025.1.1~2025.6.30	1.722	1.000	3.025	3.003	2.056
2025.6.1~2025.6.30	0.302	0.050	1.002	1.025	1.345

2. 생산자물가지수

2023년 12월	2024년 1월	2024년 12월	2025년 6월
110.40	111.55	119.56	122.30

자료 7 토지가격비준표

1. 도로접면

구분	광대한면	중로한면	소로한면	세로(가)	맹지
광대한면	1.00	0.94	0.86	0.83	0.70
중로한면	1.07	1.00	0.92	0.89	0.85
소로한면	1.16	1.09	1.00	0.96	0.90

세로(가)	1.21	1.13	1.04	1.00	0.97
맹지	1.40	1.30	1.20	1.04	1.00

2. 형상

구분	정방형	장방형	사다리형	부정형	자루형
정방형	1.00	0.98	0.98	0.95	0.90
장방형	1.02	1.00	1.00	0.95	0.90
사다리형	1.02	1.00	1.00	0.97	0.92
부정형	1.05	1.05	1.03	1.00	0.95
자루형	1.11	1.11	1.09	1.06	1.00

3. 도시계획시설

구분	일반	도로	공원	운동장
비교치	1.00	0.85	0.60	0.85

4. 평지와 완경사의 격차율은 차이가 없는 것으로 본다.

자료 8 기타사항

1. 그 밖의 요인비교치는 대등한 것으로 본다.
2. 개간에 통상 필요한 비용상당액을 산정하기 곤란한 경우에는 인근지역에 있는 표준지공시지가를 기준으로 한 개간 후의 토지에 대한 평가가격의 3분의 1(도시지역의 녹지지역 안에 있는 경우에는 5분의 1, 도시지역의 그 밖의 용도지역 안에 있는 경우에는 10분의 1) 이내로 개간비를 추정한다.
3. 관련 법률 및 지침

(1) 『혁신도시 조성 및 발전에 관한 특별법』

제15조(토지 등의 수용·사용)

② 제7조 제1항 및 제3항의 규정에 따른 혁신도시개발예정지구의 지정·고시가 있는 때에는 「공익사업을 위한 토지 등의 취득 및 보상에 관한 법률」 제20조 제1항 및 제22조의 규정에 따른 사업인정 및 그 고시가 있는 것으로 본다.

(2) 『국토의 계획 및 이용에 관한 법률』

제64조(도시 · 군계획시설부지에서의 개발행위)

② 특별시장 · 광역시장 · 특별자치시장 · 특별자치도지사 · 시장 또는 군수는 도시 · 군계획시설결정의 고시일부터 2년이 지날 때까지 그 시설의 설치에 관한 사업이 시행되지 아니한 도시 · 군계획시설 중 제85조에 따라 단계별 집행계획이 수립되지 아니하거나 단계별 집행계획에서 제1단계 집행계획(단계별 집행계획을 변경한 경우에는 최초의 단계별 집행계획을 말한다)에 포함되지 아니한 도시 · 군계획시설의 부지에 대하여는 제1항에도 불구하고 다음 각 호의 개발행위를 허가할 수 있다.

1. **가설건축물의 건축과 이에 필요한 범위에서의 토지의 형질 변경**
2. **생략**
3. **생략**

③ 특별시장 · 광역시장 · 특별자치시장 · 특별자치도지사 · 시장 또는 군수는 제2항 제1호 또는 제2호에 따라 가설건축물의 건축이나 공작물의 설치를 허가한 토지에서 도시 · 군계획시설사업이 시행되는 경우에는 그 시행예정일 3개월 전까지 가설건축물이나 공작물 소유자의 부담으로 **그 가설건축물이나 공작물의 철거 등 원상회복에 필요한 조치를 명하여야 한다.** 다만, 원상회복이 필요하지 아니하다고 인정되는 경우에는 그러하지 아니하다.

QUESTION 118

감정평가사 A씨는 N구청장으로부터 도시계획시설(도로) 사업과 관련하여 토지의 보상평가를 의뢰받았다. 아래 토지를 감정평가하시오. 20점

자료 1 사업의 개요

1. 사업시행지 : N동 100-4번지 일원
2. 사업의 종류 : 도시계획시설(도로)사업(소로2-60호선) 개설공사
3. 사업시행자 : N구청장
4. 사업의 추진일정

구분	일정
도시계획시설도로 결정고시일	2021.07.08.
도시계획시설도로 실시계획인가고시일	2024.06.07.
실사일	2025.05.30.
협의예정일	2025.06.15.

자료 2 대상토지의 개요 및 실제조사사항

1. 토지조서

기호	소재지	편입면적(㎡)	지목	이용상황	용도지역	기타제한
1	N동 100-4	300	전	도로	준주거지역	도로100%

※ 해당 도로는 소로(2-60호선)으로 인하여 지정된 도로이다.

2. 해당 토지는 인접한 100-2번지 소유자와 동일한 소유자이며, 1997년 9월부터 인접한 100-2번지의 건축허가를 받기 위하여 대상토지를 개설한 것으로 확인되며, 100-2번지 가치 증진에 기여하고 있다.

3. N동 100-2번지 지상에는 주상용 건물이 소재하고 있다.

4. 지적현황

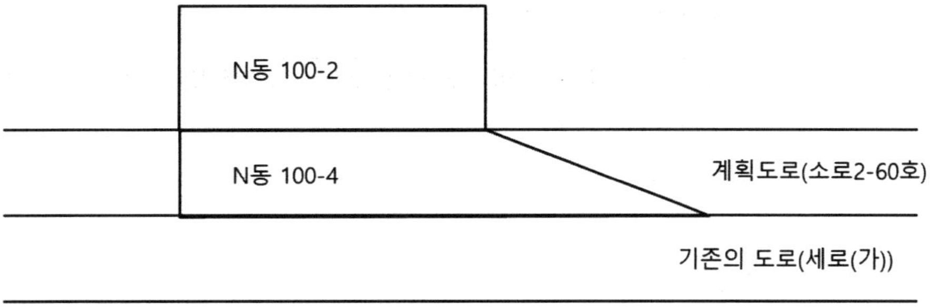

자료 3 인근의 표준지 공시지가 자료

기호	소재지	면적(㎡)	용도지역	이용상황	도로교통	형상
A	N동 100	200	준주거	주상용	소로한면	부정형
B	N동 200	200	준주거	주거용	세로(가)	가장형

공시지가(원/㎡)	2021.01.01.	2024.01.01.	2025.01.01.
A	800,000	910,000	950,000
B	650,000	780,000	800,000

※ 표준지 기호 A는 도로에 20% 저촉되어 있으며, 저촉된 상태에서 고시되었다.

자료 4 인근지역의 실거래사례

구분	소재지	토지면적(㎡)	건물면적(㎡)	거래시점	거래가격	용도지역/이용상황	개별조건
가	N동 400	200	300	2024.01.01.	300,000,000	준주거/주거용	세로(가) 부정형
나	N동 500	150	200	2024.01.01.	310,000,000	준주거/주상용	소로한면 사다리형

※ 거래사례 가, 나 공히 지상 건물의 재조달원가는 1,000,000원/㎡이며, 사용승인일은 2001.07.08.으로 경제적 내용연수는 50년이다.

자료 5 시점관련 자료

1. 지가변동률(N구 주거지역)

구분	2021년 12월	2022년 12월	2023년 12월	2024년 12월	2025년 4월
당월	0.218	0.310	0.239	0.331	0.289
누계	2.998	3.598	3.198	4.412	1.149

※ 2025년 5월 지가변동률은 고시되지 않았음.

2. 생산자물가지수

구분	2020.12.	2021.12.	2022.12.	2023.12.	2024.12.	2025.04.	2025.05.
지수	97.8	99.8	102.1	103.9	105.7	106.2	미고시

자료 6 개별요인 평점

1. 형상

가장형	사다리형	부정형
100	95	90

2. 도시계획시설

일반	도로
1.00	0.85

QUESTION 119

해당 사업의 사업자는 다음과 같은 자료를 제시한 후 감정평가사인 당신에게 보상평가를 의뢰하였다. 다음 자료를 참고하여 대상토지의 편입에 따른 보상평가액 및 잔여지의 가치하락에 대한 적정보상액을 산정하시오. 10점

자료 1 대상자료

1. 토지대장

고유번호	1162010200-10103-****			토지대장	도면번호	1	발급번호	2025.*.*
토지소재	서울시 관악구 봉O동				장번호	1-1	처리시각	시 분 초
지번	100	축척	1:1200		비고		작성자	유기장

토지표시			소유권		
지목	면적(㎡)	사유	변동일자 변동원인	주소 성명 또는 명칭	 등록번호
(08) 대	*300*	매매	2000.5.10	서울특별시 구로구 개봉동00	
				이홍규	00000
		-이하여백-			

토지대장에 의하여 작성한 등본입니다.

2025년 6월 1일

서울특별시 관악구청장

2. 등기사항전부증명서

등기사항전부증명서 (말소사항 포함) - 토지

서울특별시 관악구 봉O동 100 고유번호 1501-2019-0000000

【 표 제 부 】		(토지의 표시)			
표시번호	접수	소재지번	지목	면적	등기원인 및 기타사항
1 (전6)	2019년 2월 22일	서울특별시 관악구 봉O동 100	답	300㎡	 부동산등기법 제177조의6 제1항에 의거

【 갑 구 】		(소유권에 관한 사항)		
순위번호	등기목적	접수	등기원인	권리자 및 기타사항
1 (전1)	소유권 이전	1995년 5월 15일 제14656호	1986년 3월 2일 매매	소유자 이홍규 C시 홍덕구 B동 00번지 부동산등기법 제177조의3 제1항에 의거

3. 도시계획사업

해당 토지 중 일부는 도시계획도로 확장사업(실시계획고시일 : 2024년 10월 1일)으로 편입되고 일부는 잔여지로 남게 되었음.

4. 인근지역의 표준적인 토지면적은 약 300㎡ 정도 수준이며 이 면적에 미달되는 경우에는 저가로 거래되고 있음.

5. 가격시점 : 2025년 9월 1일

6. 용도지역 : 준주거지역

7. 이용상황 : 상업용

자료 2 인근 공시지가자료

기호	소재지	지목	면적(㎡)	이용상황	용도지역	형상·지세	도로교통	2024년	2025년
1	서울시 관악구 봉○동	대	240	주거나지	준주거	정방형·평지	소로한면	1,500,000	1,600,000
2	서울시 관악구 봉○동	대	250	단독주택	준주거	사다리·평지	세로한면	1,800,000	1,800,000
3	서울시 관악구 봉○동	전	300	상업용	준주거	가로장방형·평지	중로한면	2,500,000	2,600,000

* (주) 표준지기호 2는 약 20%가 도시계획도로에 저촉되는 표준지임.

자료 3 지가변동률(%)

기간	대	전	주거지역
2024년 누계	1.965	3.473	2.968
2025년 7월 누계	0.842	1.952	1.675
2025년 7월	0.135	0.361	0.332

자료 4 개별요인 자료

1. 형상

구분	정방형	가장형	세장형	자루형	부정형
평점	100	95	90	80	70

2. 도로교통

구분	중로한면	소로한면	세로한면	세로(불)
평점	100	90	80	75

* (주) 각지는 한면보다 5점 가산하며, 맹지는 중로의 50% 수준임.

3. 토지면적

구분	150㎡ 미만	150㎡ 이상 ~250㎡ 미만	250㎡ 이상 ~320㎡ 미만	320㎡ 이상 ~400㎡ 미만	400㎡ 이상
평점	80	85	100	98	90

4. 도시계획도로에 저촉되는 토지는 30% 감가발생함.

자료 5 관련 도면

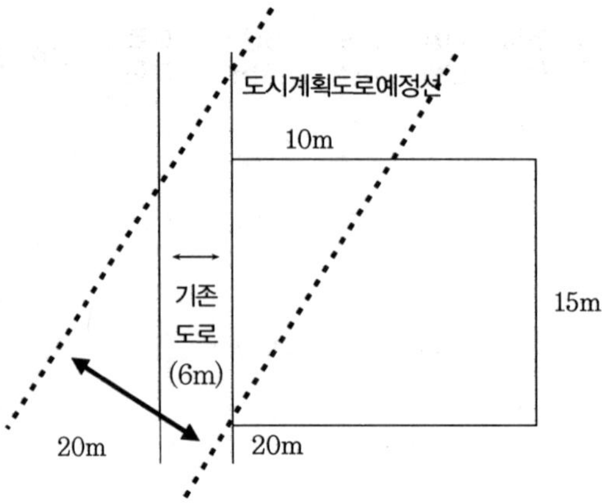

자료 6 기타사항

1. 관련 도면을 통해서 면적 및 형상 등 판단할 것

2. 그 밖의 요인은 대등한 것으로 본다.

QUESTION 120

감정평가사 Y씨는 S시장으로부터 도시철도건설공사와 관련하여 지하부분 사용에 따른 감정평가를 의뢰받고 사전조사 및 실지조사를 한 후 다음과 같이 자료를 정리하였다. 주어진 자료를 활용하여 지하부분 사용에 따른 보상평가액을 평가하시오. 15점

자료 1 감정평가 대상물건

1. 소재지 : S시 K구 D동 257번지
2. 지목 및 면적 : 대, 500㎡
3. 이용상황 및 도로교통 : 나지, 소로한면
4. 도시계획사항 : 일반상업지역, 도시철도에 저촉함.
5. 가격시점 : 2025년 8월 1일

자료 2 감정평가 대상토지에 대한 관련 자료

1. 감정평가의뢰 내용은 관련 공부의 내용과 일치함.
2. 대상토지의 주위환경은 노선상가지대임.
3. 감정평가대상토지는 지하 18m에 지하철이 통과하고 있어 하중제한으로 지하 2층, 지상 8층 건축물의 건축만 가능함.
4. 대상 지역의 지역분류는 11~15층 건축물이 최유효이용으로 판단되는 지역임.
5. 대상토지의 지반구조는 풍화토(PD-2) 패턴임.
6. 대상토지의 토피는 18m임.
7. 대상 지역에 소재하는 건축물은 상층부 일정층까지 임대료 수준에 차이를 보이고 있음.
8. 대상토지의 최유효이용은 지하 2층, 지상 15층 건축물로 판단됨.

자료 3 인근의 공시지가표준지 현황(공시기준일 : 2025년 1월 1일)

일련번호	소재지	면적(㎡)	지목	이용상황	용도지역	주위환경	도로교통	형상지세	공시지가(원/㎡)	비고
1	S시 K구 D동 150	450	전	단독주택	제2종일주	정비된 주택지대	중로한면	가장형평지	1,850,000	–
2	S시 K구 D동 229	490	대	상업나지	일반상업	노선상가지대	소로한면	부정형평지	2,540,000	–
3	S시 K구 D동 333	510	대	업무용	제2종일주	미성숙상가지대	광대세각	부정형평지	2,400,000	–

자료 4 거래사례자료

1. **토지** : S시 K구 A동 230번지, 대, 600㎡
2. **건축물** : 철근콘크리트조 슬래브지붕 5층, 근린생활시설, 연면적 2,460㎡(지층 360㎡, 1층~5층 각 420㎡)
3. **거래가격** : 3,530,000,000원
4. **거래시점** : 2025년 4월 1일
5. **도시계획사항** : 일반상업지역
6. 건축물준공일은 2022년 8월 1일이고, 내용연수는 60년임.
7. 본 거래사례는 최유효이용으로 판단됨.

자료 5 건설사례자료

1. **토지** : S시 K구 D동 230번지, 대, 400㎡
2. **건축물** : 철근콘크리트조 슬래브지붕 5층, 근린생활시설, 연면적 2,400㎡(지층~5층 각 400㎡)
3. **건축공사비** : 900,000원/㎡
4. 본 건축물은 가격시점 현재 준공된 건설사례로서 표준적이고 객관적임.
5. 건설사례 건축물과 거래사례 건축물의 개별적인 제요인은 대등함.

자료 6 지가변동률(%)

구분	2025년 6월 누계	2025년 6월	2025년 7월
상업지역	3.541	0.576	미고시
주거지역	3.154	0.478	미고시

자료 7 건축비지수

시점	건축비지수
2023년 8월 1일	100
2024년 8월 1일	104
2025년 8월 1일	116

자료 8 지역요인 및 개별요인의 비교

1. 지역요인의 비교

   동일수급권 내의 유사지역으로 동일한 것으로 판단됨.

2. 개별요인의 비교

구분	대상지	표준지 1	표준지 2	표준지 3	거래사례
평점	100	110	100	122	95

자료 9 입체이용률 배분표

해당 지역	고층시가지	중층시가지	저층시가지	주택지	농지 · 임지
용적률 / 이용률구분	800% 이상	550~750%	200~500%	100%내외	100% 이하
건물 등 이용률(α)	0.8	0.75	0.75	0.7	0.8
지하이용률(β)	0.15	0.10	0.10	0.15	0.10
그 밖의 이용률(γ)	0.05	0.15	0.15	0.15	0.10
(γ)의 상하 배분비율	1 : 1 –2 : 1	1 : 1 –3 : 1	1 : 1 –3 : 1	1 : 1 –3 : 1	1 : 1 –4 : 1

* (주) : 이용저해심도가 높은 터널 토피 20m 이하의 경우에는 (γ)의 상하배분비율은 최고치를 적용한다.

자료 10 층별 효용비율표

층별	고층 및 중층시가지		저층시가지				주택지
	A형	B형	A형	B형	A형	B형	
20	35	43					
19	35	43					
18	35	43					
17	35	43					
16	35	43					
15	35	43					
14	35	43					
13	35	43					
12	35	43					
11	35	43					
10	35	43					
9	35	43	42	51			
8	35	43	42	51			
7	35	43	42	51			
6	35	43	42	51			
5	35	43	42	51	36	100	
4	40	43	45	51	38	100	
3	46	43	50	51	42	100	
2	58	43	60	51	54	100	100
지상1	100	100	100	100	100	100	100
지하1	44	43	44	44	46	48	–
지하2	35	35	–	–	–	–	–

* 1. 이 표의 지수는 건물가격의 입체분포와 토지가격의 입체분포가 같은 것을 전제로 한 것이다.
2. A형은 상층부 일정층까지 임대료수준에 차이를 보이는 유형이며, B형은 2층 이상이 동일한 임대료 수준을 나타내는 유형이다.

자료 11 건축가능 층수기준표

1. 터널 : 풍화토(PD－2) 패턴(단위 : 층)

건축구분 \ 토피(m)	10	15	20	25
지상	12	15	18	22
지하	1	2	2	3

2. 개착(단위 : 층)

건축구분 \ 토피(m)	5	10	15	20
지상	7	12	19	19
지하	1	2	2	2

자료 12 심도별 지하이용저해율표

한계심도(M)	40m		35m		30m			20m	
체감률(%) / 토피심도(m)	P	β×P	P	β×P	P	β×P		P	β×P
		0.15×P		0.10×P		0.10×P	0.15×P		0.10×P
0~5 미만	1.000	0.150	1.000	0.100	1.000	0.100	0.150	1.000	0.100
5~10 미만	0.875	0.131	0.857	0.086	0.833	0.083	0.125	0.750	0.075
10~15 미만	0.750	0.113	0.714	0.071	0.667	0.067	0.100	0.500	0.050
15~20 미만	0.625	0.094	0.571	0.057	0.500	0.050	0.075	0.250	0.025
20~25 미만	0.500	0.075	0.429	0.043	0.333	0.033	0.050		
25~30 미만	0.375	0.056	0.286	0.029	0.617	0.017	0.025		
30~35 미만	0.250	0.038	0.143	0.014					
35~40 미만	0.125	0.019							

* 1. 지가형성에 잠재적 영향을 미치는 토지이용의 한계심도는 토지이용의 상황, 지질, 지표면하중의 영향 등을 고려하여 40m, 35m, 30m, 20m로 구분한다.

2. 토피심도의 구분은 5m로 하고, 심도별 지하이용효율은 일정한 것으로 본다.

자료 13 기타사항

1. 지가변동률은 백분율로서 소수점 이하 넷째 자리에서 반올림하고 미고시월은 전월을 추정하여 적용하되 일할 계산함
2. 가격산정시 천원 미만은 절사함
3. 감가수정은 만년감가이며 감가수정방법은 정액법을 사용함
4. 입체이용저해율은 반올림하여 소수점 셋째 자리까지 표시함
5. 기타사항은 「감정평가에 관한 규칙」, 감정평가실무기준, 토지보상평가지침 및 일반 감정평가이론에 의함
6. 그 밖의 요인은 대등한 것으로 보며, 토지평가시 거래사례비교법을 병행할 것

QUESTION 121

감정평가사 柳씨는 중앙토지수용위원회로부터 ○○택지개발사업지구에 편입되는 토지에 대한 이의재결 보상평가를 의뢰받고 현장조사를 통하여 다음의 자료를 확보하였다. 조사된 자료를 활용하고 보상 관련 제 규정을 참작하여 의뢰된 토지에 대한 보상평가액을 산정하시오. 35점

자료 1 토지조서 등

1. 토지조서

기호	소재지	지번	면적(㎡)	용도지역	현실 이용상황	비고
1	A시 X동	11	1,000	제1종주거지역	대	현황측량 결과 80㎡ 대, 920㎡ 전 구분
2		12	200	제1종주거지역	전	
3		13	200	제1종주거지역	전	
4		14	200	제1종주거지역	잡종지	오염정도가 심각한 것으로 판단됨
5		15	200	제1종주거지역	대	
6		16	200	제1종주거지역	대	
7		17	200	일반상업지역	대	

2. 각 토지의 개별요인

기호 개별요인	1	2	3	4	5	6	7
가로조건	소로한면	세로(가)	세로(가)	소로한면	소로각지	세로(가)	세로(가)
획지조건	장방형	정방형	부정형	장방형	장방형	장방형	장방형

자료 2 공익사업의 요약보고

1. 공익사업명 : ○○ 택지개발사업

2. 사업시행자 : ×× 개발공사

3. 택지개발 주민공람공고일 : 2023년 12월 10일

4. 택지개발지구의 지정·고시일 : 2024년 6월 20일

5. 개발제한구역의 해제 : 2024년 6월 30일

6. 택지개발 실시계획고시일 : 2025년 8월 1일

7. 수용재결일 : 2025년 9월 1일

8. 이의재결일 : 2025년 10월 21일

자료 3 토지에 대한 조사내용

1. 대상토지의 토지이용계획사항

(1) 대상토지의 종전의 용도지역은 개발제한구역(1971년도 지정), 자연녹지지역이었으나, 2024년 6월 30일 택지개발사업을 위하여 개발제한구역이 해제되었다. 그리고 해당 택지개발사업의 절차로서 이미 용도지역이 확정된 상태이다.

(2) 본건 중 기호 [1, 2, 3, 4]는 집단취락우선해제지역 밖 조정가능지역에 속한 토지이다. 기호 [3, 4]는 국가정책사업 및 지역현안사업에 필요하여 조정가능지역으로 지정된 토지로 관할 시장의 확인을 받아 의뢰되었다.

(3) 기호 [5, 6, 7]은 집단취락우선해제지역에 속한 토지이다.

1) 기호 [5]는 2023년 5월에 우선해제를 위한 도시관리계획 안의 주요 내용이 공고됨

2) 기호 [6]은 우선해제절차와 동시조치사항으로 지구단위계획이 수립되었던 토지로서 지구단위계획으로 인하여 제1종일반주거로 변경된 것임이 확인되었다.

3) 기호 [7]은 우선해제를 위한 도시관리계획 안의 주요내용이 공고되지 않았으나 해당 공익사업의 시행을 위하여 개발제한구역이 해제되지 않았다면 우선해제를 위한 도시관리계획 안의 주요내용이 공고되었을 것이라고 시장의 확인을 받아 의뢰되었다.

2. 각 토지별 조사사항

구분	조사사항
기호 1	본 토지 일부 지상에 개발제한구역이 지정된 지 15년이 경과된 시점에 면적 약 80㎡의 무허가주택 건물이 소재함(인근의 표준적인 대지면적은 약 200㎡, 건폐율 40%). 본 토지는 농지보전부담금 부과대상이며 본 토지의 개별공시지가는 65,000원/㎡임(개별공시지가의 30%로 부담되며 상한은 ㎡당 50,000원임). ※ 사업시행자가 현황 측량하여 면적을 별도 제시하고 있음.
기호 2, 3	전으로 이용 중임.

기호 4	종전의 전으로 이용 중인 토지이며, 현황 갈대밭이며 지하에 제3자가 임의로 폐기물을 매립한 것으로 조사되었으며, 폐기물 처리비용은 1천만원으로 조사됨. ※ 사업시행자는 해당 토지의 오염정도가 심각한 것으로 확인하였음.
기호 5, 6, 7	지상에 면적 약 200㎡의 주택 건물이 소재함.

자료 4 인근의 공시지가표준지 등

1. 인근의 표준지공시지가

번호	소재지	면적(㎡)	지목	이용상황	용도지역	공시지가		
						2023	2024	2025
가	A시 X동 1	1,000	전	전	개발제한 자연녹지	60,000	65,000	75,000
나	A시 X동 2	200	대	상업용	개발제한 자연녹지	200,000	220,000	250,000
다	A시 X동 3	200	대	단독주택	개발제한 자연녹지	120,000	130,000	150,000
라	A시 X동 4	1,000	전	전	자연녹지	120,000	130,000	150,000
마	A시 X동 5	200	대	상업용	자연녹지	400,000	440,000	500,000
바	A시 X동 6	200	대	단독주택	자연녹지	240,000	260,000	300,000
사	A시 X동 7	1,000	전	전	개발제한 자연녹지	60,000	120,000	150,000
아	A시 X동 8	200	대	상업용	개발제한 자연녹지	200,000	400,000	500,000
자	A시 X동 9	200	대	단독주택	개발제한 자연녹지	120,000	230,000	300,000
차	A시 X동 10	200	대	단독주택	제1종일주	300,000	360,000	440,000

2. 표준지에 대한 추가사항

(1) 본 공시지가표준지는 해당 공익사업으로 인한 지가의 영향은 없다. 한편, 기호 [가~다]는 개발제한구역으로 보존하는 지역에 속한다.

(2) 인근지역의 조정가능지역은 약 5년 후에 개발제한구역이 해제될 예정인 것으로 조사되었다.

(3) 기호 [가, 라, 사] / 기호 [나, 마, 아] / 기호 [다, 바, 자, 차]는 용도지역을 제외한 다른 요인이 동일하다.

구분	도로교통 요인	형상
해당 표준지의 개별요인	세로(가)	장방형

(4) 기호 [사~자]는 집단취락우선해제지역에 속하며, 이에 대한 도시관리계획 안의 주요 내용은 2023년 3월에 공고되었다.

자료 5 거래사례자료

구분	거래사례의 세부내용	
	거래사례 #1	거래사례 #2
1. 토지	B시 X동 200㎡, 소로한면, 장방형	B시 X동 250㎡, 소로한면, 장방형
2. 건물	벽돌조 슬래브지붕 주택, 150㎡, 2020년 1월 1일 신축	철골조 슬래브지붕 주택, 300㎡, 2022년 1월 1일 신축
3. 거래시점	2024년 1월 1일	2025년 1월 1일
4. 거래내역	80,000,000원	200,000,000원
5. 용도지역	G/B 자연녹지지역	자연녹지지역
6. 이용상황	주거용	주거용
7. 기타	대상 거래는 정상적인 거래이며, 해당 토지는 물리적 특성상 1, 2등급의 개발제한구역이 다수 분포함에 따라 보전지역에 속하는 것으로 조사되었다.	정상적인 거래사례임.

※ 거래사례 #1, 2는 해당 공익사업과 무관한 사례로서 동일수급권 내 유사지역에 속하며, 용도지구 및 구역에 따른 격차율은 본건의 인근지역의 격차율과 유사하다.

자료 6 건축비 자료 등

1. 건축비 자료 등

구분	건축비 단가(원/㎡)	경제적 내용연수	
		주체	부대
벽돌조 슬래브지붕	350,000	40	20
철골조 슬래브지붕	400,000	45	25
철근콘크리트조 슬래브지붕	450,000	50	30

2. 건축물의 주체 및 부대부분의 비율은 7 : 3인 것으로 조사됨.

자료 7 지가변동률 등

1. 지가변동률

구분	평균	용도지역별					이용상황별				
		주거	상업	녹지	관리	농림	전	답	주거	상업	임야
2023년 12월	0.110	0.141	0.141	0.100	0.037	0.077	0.773	0.171	0.374	0.179	0.417
	3.767	3.414	3.789	4.037	7.007	3.071	6.797	5.679	3.100	3.101	3.798
2024년 12월	0.087	0.054	0.164	0.117	0.037	0.252	0.588	0.442	0.339	0.174	0.416
	3.287	3.182	3.475	3.694	8.087	2.051	7.089	5.596	2.847	1.679	3.385
2025년 7월	0.196	0.000	0.262	0.404	0.234	0.175	0.425	0.057	0.041	0.414	0.197
	2.544	5.116	1.555	3.068	2.087	2.689	3.838	2.246	2.736	2.692	1.136
2025년 8월	0.414	0.476	0.176	0.511	0.764	0.431	0.764	0.174	0.769	0.179	0.479
	2.969	5.616	1.734	3.595	2.867	3.132	4.631	2.424	3.526	2.876	1.620

※ 하단은 해당 연도의 해당 월까지의 누계임.

2. 생산자물가지수

구분	2022년 12월	2023년 12월	2024년 12월	2025년 8월
지수	102	105	107	112

3. 건축비지수(※ 건축비지수는 월할계산할 것)

구분	2023년 1월 1일	2024년 1월 1일	2025년 1월 1일	2025년 7월 1일
지수	100	106	110	115

자료 8 요인비교치

1. 지역요인 : A시 X동은 표준적인 이용상황이 유사하여 지역요인이 동일한 것으로 조사됨.

2. 개별요인

(1) 도로

구분	광대로	중로	소로	세로	맹지
평점	120	110	100	90	70

※ 각지 5% 가산

(2) 형상

구분	정방형	장방형	부정형
평점	100	90	80

(3) 기타사항 : 상기 요인을 제외한 개별요인치는 모두 동일한 것으로 판단

자료 9 기타 참고사항

1. 본건 주위 토지의 일반적인 할인율은 연간 10%로 조사됨.

2. $1.10^5 = 1.61$

3. 사업인정의제일 이전 해당 공익사업으로 인한 현저한 가격변동은 미포착되었다.

4. 개발제한구역 해제에 따른 정상지가 상승분을 고려할 경우에는 "대"를 기준으로 판단하며, 표준지공시지가 및 거래사례를 통한 격차율을 활용한다. 또한 적용공시지가의 공시기준일을 기준으로 정상지가 상승분을 판단하도록 한다.

5. 지가변동률에는 해당 사업으로 인한 개발이익이 반영되어 있지 않다.

6. 그 밖의 요인비교치는 고려하지 아니할 것

QUESTION 122

충청북도는 과학단지 조성사업계획에 따라 A씨의 토지를 협의취득하였으나, 해당 사업의 폐지로 인하여 취득한 토지가 더 이상 필요없게 되었다. 이에 종전 토지의 소유자인 A씨는 환매권을 행사하였고 이로 인하여 환매가격 협의를 하게 되어 환매가격평가를 감정평가사인 당신에게 의뢰하였다. 다음에 제시된 자료를 기초로 하여 적정한 환매가격을 산정하시오. 10점

자료 1 대상토지자료

1. 소재지 : 충청북도 증평군 O면 C리 10번지, 잡종지, 1,000㎡
2. 환매권 행사일 : 2025년 8월 1일
3. 이용상황 : 협의취득 당시는 개발제한구역 자연녹지지역의 임야였으나, 환매 당시는 자연녹지지역 잡종지였다.
4. 도시계획사항 : 자연녹지지역
5. 개발제한구역의 해제는 해당 사업의 지정과 동시에 해제가 된 것이다.

자료 2 협의취득 내용

1. 협의취득일 : 2020년 6월 30일
2. 협의취득가격 : 9,000,000원(9,000원/㎡)

자료 3 인근지역의 표준지공시지가

기호	소재지	지번	지목	면적(㎡)	용도지역	이용상황	도로교통	지형지세	2020년	2021년	2024년	2025년
1	증평군 O면 C리	15	임	1,300	자연녹지	잡종지	세로(가)	자루형 평지	35,000	45,000	60,000	63,000
2	증평군 O면 C리	20	임	4,000	자연녹지	임야	세로(불)	부정형 완경사	7,000	7,500	7,500	10,000
3	증평군 L면 K리	산80	임	10,320	자연녹지	임야	세로(불)	부정형 완경사	6,500	6,800	7,000	7,000

4	증평군 P면 S리	100	잡	1,500	개발제한	잡종지	소로한면	가장형평지	38,000	39,000	42,000	42,000
5	증평군 P면 S리	300	답	2,000	자연녹지	잡종지	세각(가)	세장형평지	35,000	37,000	38,000	39,000
6	증평군 D면 L리	30	임	13,000	개발제한	임야	맹지	부정형급경사	5,000	5,500	5,800	6,300

※ 표준지 1~3은 해당 사업지구 내의 표준지로 사업 이후 지가변동이 반영되어 있으며, 표준지 4~6은 해당 사업과 무관한 표준지이다.

자료 4 그 밖의 요인보정자료

현시점 토지평가시 그 밖의 요인비교치로서 1.10을 적용하기로 한다.

자료 5 국토교통부 고시 증평군 녹지지역 평균 지가변동률(단위 : %)

2025년 1월 1일 ~ 2025년 8월 1일 : 1.105%

자료 6 개별요인

1. 2020년

구분	대상	표준지 1	표준지 2	표준지 3	표준지 4	표준지 5	표준지 6
평점	95	100	105	108	95	96	100

2. 2025년

구분	대상	표준지 1	표준지 2	표준지 3	표준지 4	표준지 5	표준지 6
평점	100	100	103	105	98	95	100

자료 7 기타자료

1. 환매권 행사요건을 충족한 것으로 본다.
2. 표본지 가격은 십원 단위까지 표시한다.
3. 윤년은 고려치 않도록 한다.

QUESTION 123

감정평가사 J씨는 다음과 같은 조건으로 감정평가를 의뢰받았다. 공익사업을 위한 토지 등의 취득 및 보상에 관한 법령 등을 참고하여 다음 각 물음에 답하시오. 20점

1. 2023년 5월 31일을 가격시점으로 하는 협의취득 보상평가가격
   (자료 1) ~ (자료 3)
2. 2025년 5월 31일을 가격시점으로 하는 종전 토지소유자가 부담하게 되는 환매금액
   (2-1) 환매금액을 구하시오.
   (2-2) 대상토지의 용도지역과 관련하여 (자료 8)과 같은 것으로 상정할시 환매금액을 구하시오.

Ⅰ. 2023년 5월 31일 가격시점의 자료

자료 1 감정평가의뢰 내용

1. 소재지 : C시 S면 C리 산 121번지, 10,000㎡
2. 국토계획사항 : 도시지역(미지정)
3. 「자연공원법」상 자연공원이며, 지구 내 집단시설지구로서 세분화되어 지형도면이 결정・고시되었음.
4. 감정평가목적 : 보상(지방산업단지조성사업, 사업인정 이전 조기집행사업)

자료 2 사전조사사항

1. 등기부 및 토지대장 등 확인사항 : 임야, 10,000㎡
2. 인근의 표준지공시지가 현황

일련번호	소재지	지목	면적(㎡)	용도지역	이용상황	도로교통	공시지가(원/㎡)	
							2022.1.1	2023.1.1
1	C시 126-2	잡	2,800	미지정	잡종지	소로한면	38,000	40,000
2	C시 산46	임	10,500	미지정	임야	세로(불)	9,000	11,000
3	C시 산119	임	11,800	미지정	임야	세로(불)	6,500	9,000
4	C시 226	잡	1,500	관리지역	잡종지	세로(불)	25,000	28,000
5	C시 산400	임	13,000	관리지역	임야	세로(가)	6,000	8,000
6	C시 산511	임	19,000	관리지역	임야	세로(가)	4,500	5,000

※ 기호 3, 6 토지의 경우 자연공원 내 임야임(#3은 집단시설지구로서 지정되었으나 구체적인 실시계획은 고시되지 않았음).

3. 지가변동률(C시, 단위 : %)

용도지역	공업지역	녹지지역	관리지역
2022.1.1~2022.12.31	4.55	3.89	8.58
2023.1.1~2023.5.31	3.20	4.05	4.10
2023.5.1~2023.5.31	0.05	0.08	0.10

자료 3 기타자료

1. 지역요인 : 인근지역으로 1.000으로 동일함

2. 개별요인 평점

구분	대상	표준지 1	표준지 2	표준지 3	표준지 4	표준지 5	표준지 6
평점	100	160	105	140	95	95	95

3. 해당 지역은 「국토의 계획 및 이용에 관한 법률」 제42조에 의거 용도지역이 도시지역(미지정)으로 변경되었으며, 변경 전에는 관리지역임

4. 그 밖의 요인은 대등함

Ⅱ. 2025년 5월 31일 가격시점의 자료

자료 4 감정평가의뢰 내용

1. 소재지 : C시 S면 C리 산 121번지, 10,000㎡

2. 국토계획사항 : 일반공업지역

3. 감정평가목적 : 환매금액 산정

4. 환매 당시의 상황 : 잡종지, 10,000㎡(물음 “2-2”의 경우 “자연녹지, 임야”)

자료 5 C시 지가변동률(단위 : %)

용도지역	공업지역	녹지지역	관리지역
2022.1.1.~2022.12.31.	4.55	3.89	8.58
2023.1.1.~2023.5.31.	3.20	4.05	4.10
2023.5.1.~2023.5.31.	0.05	0.08	0.10
2023.1.1.~2023.12.31.	5.22	8.95	7.55
2024.1.1.~2024.5.31.	6.50	8.50	7.50
2025.1.1.~2025.5.31.	2.50	2.80	2.90

자료 6 인근지역의 표준지공시지가(C시 S면, 원/㎡)

번호	소재지	지번	지목	면적(㎡)	용도지역	이용상황	도로교통	2022	2023	2024	2025
1	C리	15	임	1,300	일반공업	잡종지	소로	39,000	41,000	46,000	51,000
2	K리	20	임	4,000	일반공업	임야	세로(가)	14,000	19,000	23,000	26,000
3	K리	산80	임	10,320	자연녹지	임야	맹지	8,000	8,500	8,700	9,200
4	D리	100	잡	1,500	관리지역	잡종지	소로	28,000	30,000	33,000	37,000
5	S리	산300	임	18,000	관리지역	임야	세로(불)	6,000	7,000	7,500	7,800
6	L리	산30	임	13,000	관리지역	임야	세로(가)	4,000	4,100	4,500	5,000
7	L리	산1	임	8,000	자연녹지	임야	세로(불)	7,200	7,600	8,200	8,800

※ 표준지 1~3은 해당 사업지구 내의 표준지로 사업 이후 지가변동이 반영되어 있으며 표준지 4~6은 해당 사업과 무관한 표준지이다.

※ 표준지 6은 자연공원구역 내 임야이다.

※ 표준지 7은 종전 관리지역이었으나, 2024년경 해당 지방자치단체의 도시기본계획에 의하여 구체적인 도시관리계획(비전 20△△)이 수립되어 이에 의한 자연녹지지역으로 용도지역이 변경되었다.

자료 7 개별요인자료

1. 2023년

구분	대상	표준지 1	표준지 2	표준지 3	표준지 4	표준지 5	표준지 6	표준지 7
평점	95	100	105	108	95	96	100	102

2. 2025년

구분	대상	표준지 1	표준지 2	표준지 3	표준지 4	표준지 5	표준지 6	표준지 7
평점	100	100	103	105	98	95	100	98

자료 8 용도지역 관련

〈물음 2-2〉와 관련하여 대상토지가 2024년경 해당 공익사업과 직접 관계없이 상기의 "비전 20△△"에 의하여 자연녹지지역(기타 공법상 제한은 없음)으로 용도지역이 변경된 경우를 상정할 것(현황은 임야를 기준할 것)

자료 9 기타사항

1. 상기 〈물음 1〉에서 산정한 평가액으로 협의취득되었다.
2. 해당 공익사업에 취득한 대상토지가 더 이상 필요가 없게 되었는 바, 종전 소유자가 환매권을 행사하였고 이로 인해 환매가격협의를 하게 되었다.
3. 「공익사업을 위한 토지 등의 취득 및 보상에 관한 법률」 제91조 소정의 환매권 행사요건을 충족한 것으로 파악된다.
4. 환매 당시 해당 사업과 무관한 인근지역의 표준적 이용상황은 임야이다.
5. 그 밖의 요인 비교치는 대등한 것으로 본다.
6. 윤년은 고려치 않도록 한다.

QUESTION 124

감정평가사 합격씨는 인천광역시 N구 H동에 소재하는 종전의 "인천시 폐기물(폐석회)처리장 조성사업부지"에 대한 환매금액 산정의 감정평가를 인천광역시로부터 의뢰받고 아래의 자료를 수집하였다. 한편, 본건은 최근 (주)D에서 시행하는 "Y 도시개발사업"에 편입된 지역으로서 도시개발사업(토지보상법 제4조제8호의 공익사업임)으로 인하여 종전의 "인천시 폐기물(폐석회)처리장 조성사업"이 축소 또는 변경되었다. 아래의 자료를 활용하여 각 물음에 답하도록 하시오. 25점

1. **본건 토지가 "공익사업을 위한 토지 등의 취득 및 보상에 관한 법률"상의 환매대상토지에 해당하는지를 검토하시오.** 5점
2. **상기 〈물음 1〉과 무관하게 환매의 대상이 된다고 가정하고 환매 당시의 토지가격을 산정하시오.** 13점
3. **상기 〈물음 1〉과 무관하게 환매의 대상이 된다고 가정하고 환매금액을 산정하시오.** 7점

자료 1 종전의 폐기물처리장 조성사업에 따른 협의보상 상황

1. 공익사업명 : 인천광역시 폐기물(폐석회)처리장 조성사업부지 조성공사
2. 보상일시 : 2017년 7월 1일
3. 보상액
   (1) **토지** : ㎡당 750,000원(전체 467,250,000원)
   (2) **건물** : 지상의 연와조 슬레이트 공장동 일괄보상액 45,000,000원
4. 기타사항
   해당 폐기물 처리장 조성사업은 "Y 도시개발사업" 구역 내 편입이 되면서 구역이 대폭 축소가 되었으며(사업변경고시일 : 2023.7.1), 폐기물 처리와 관련된 대체시설은 도시개발사업구역 내 다시 입지할 계획이다.

자료 2 도시개발사업 개요

1. 사업명 : 인천시 N구 Y 도시개발사업
2. 사업시행자 : (주)D

3. 사업시행방법 : 「도시개발법」에 의한 수용 또는 사용방식

4. 도시개발사업의 실시계획인가 및 지형도면고시(토지세목고시 포함) : 2025년 5월 13일

5. 도시개발법 관련 조항

제22조(토지 등의 수용 또는 사용)

① 시행자는 도시개발사업에 필요한 토지 등을 수용하거나 사용할 수 있다(해당 조항 후략).

② 제1항에 따른 토지 등의 수용 또는 사용에 관하여 이 법에 특별한 규정이 있는 경우 외에는 「공익사업을 위한 토지 등의 취득 및 보상에 관한 법률」을 준용한다.

③ 제2항에 따라 「공익사업을 위한 토지 등의 취득 및 보상에 관한 법률」을 준용할 때 제5조 제1항 제14호에 따른 수용 또는 사용의 대상이 되는 토지의 세부목록을 고시한 경우에는 「공익사업을 위한 토지 등의 취득 및 보상에 관한 법률」 제20조 제1항과 제22조에 따른 사업인정 및 그 고시가 있었던 것으로 본다. 다만, 재결신청은 같은 법 제23조 제1항과 제28조 제1항에도 불구하고 개발계획에서 정한 도시개발사업의 시행기간 종료일까지 하여야 한다.

자료 3 편입토지조서 등

1. 편입토지

소재지	지번	지목	면적(㎡)		소유자
			공부면적	편입면적	
인천광역시 N구 H동	587-150	잡	623	623	인천광역시

2. 용도지역의 변경사항

구분	용도지역(기정)	용도지역(변경)
용도지역	일반공업	자연녹지

※ 상기의 용도지역변경은 대상 도시개발사업의 실시계획인가고시와 동시에 해당 도시관리계획상 변경이 된 것이다.

3. 현장조사 결과

본건은 현재 지상의 건물이 철거된 상태의 나지로서 인근은 인천 H동 인근의 공장지대이다. 본건은 중로한면에 접하고 있으며, 폐석회 침전지이나 폐석회(폐기물)를 이미 처리완료하여 폐기물로 인한 현저한 영향은 없는 것으로 판단된다.

자료 4 인근의 표준지공시지가 등

1. 표준지공시지가 현황

기호	소재지 및 지번	지목	용도지역	이용상황	도로조건	공시지가(원/㎡)		기타제한	비고
						2024	2025		
1	H동 100	장	자연녹지	공업용	소로한면	400,000	450,000	–	도시개발지구 내 폐기물처리시설부지 외
2	H동 200	장	일반공업	공업용	소로한면	730,000	800,000	도로 20%	도시개발지구 내 폐기물처리시설부지 외
3	H동 300	장	일반공업	공업용	중로한면	950,000	1,030,000	–	도시개발지구 외 폐기물처리시설부지 외
4	H동 400	장	일반공업	공업용	중로한면	500,000	550,000	–	도시개발지구 외 폐기물처리시설부지 내

※ 도시개발사업지구 내 표준지는 도시계획시설 감가가 적용되지 않았음

2. 해당 사업과 무관한 표준지공시지가의 목록

연번	소재지	용도지역	지목	2017	2018	…	2024	2025
A	H동 500	자연녹지	장	590,000	620,000	…	1,040,000	1,100,000
B	H동 600	일반공업	장	930,000	970,000	…	1,230,000	1,290,000

자료 5 요인비교치

1. 지가변동률

구분	지역	2024년 12월	2025년 7월
인천광역시 N구	공업지역	0.137 (2.741)	0.316 (1.222)
	주거지역	0.374 (1.978)	0.452 (1.875)

2. 생산자물가지수

2025년 8월	2025년 7월	2025년 1월	2024년 12월	2024년 1월	2023년 12월
미고시	109.1	106.7	106.1	104.1	103.9

3. 가로조건

구분	중로한면	소로한면	세로(가)
중로한면	1.00	0.94	0.83
소로한면	1.05	1.00	0.94
세로(가)	1.15	1.05	1.00

4. 행정적 요인격차

구분	도로	공공공지(폐기물처리장)	완충녹지
일반	0.80	0.70	0.65

5. 기타 개별조건의 격차율은 대등한 것으로 본다.

자료 6 인근지역의 보상선례

구분	시점	사업명	지목	용도지역 및 이용상황	보상액 (원/㎡)	비교표준지와의 격차
선례 A (협의)	2025년 7월 1일	임대주택부지 조성사업	잡	일반공업 / 공업용	1,100,000	비교표준지에 비해 10% 우세하다.
선례 B (수용재결)	2025년 1월 1일	주민센터 이전사업	잡	일반공업 / 공업용	1,050,000	비교표준지에 비해 5% 열세하다.
선례 C (협의)	2025년 1월 1일	주민센터 이전사업	잡	자연녹지 / 창고용	700,000	비교표준지에 비해 10% 열세하다.

자료 7 기타사항

1. 본 문제의 특별한 규정이 없는 한 토지보상법령 및 관련지침에 의하여 평가할 것

2. 가격시점 : 2025년 9월 7일

3. 윤년은 고려치 않도록 한다.

QUESTION 125

감정평가사 김씨는 서울특별시 D구청에서 시행하는 "도시계획시설사업 「○○공원조성사업」"에 편입되는 토지에 대한 협의목적의 보상평가를 의뢰받고 사전조사 및 현장조사를 통하여 아래의 자료를 수집하였다. 관련 법령 및 규칙에 따라 아래 토지의 보상평가액을 감정평가하시오(협의예정일 : 2025년 6월 12일, 실시계획인가고시일 : 2025년 5월 9일). 30점

자료 1 제시된 토지조서

구분	소재지	면적(㎡)	지목	용도지역	소유자
기호 1	서울시 D구 S동 61-52	300	잡	제1종일반주거지역	甲
	(세부 토지이용계획 현황) 제1종일반주거지역, 공원, 대공방어협조구역, 과밀억제권역, 학교위생정화구역				
기호 2	서울시 D구 S동 산 21-14	500	임야	제1종일반주거지역	乙
	(세부 토지이용계획 현황) 제1종일반주거지역, 공원, 대공방어협조구역, 공익용산지, 과밀억제권역, 학교위생정화구역				

자료 2 지리적 개황 등

1. 지리적 위치 및 주변환경

   본건 토지는 서울특별시 D구 S동에 소재하며, ○○대 북측 인근에 소재하는 토지로서 부근은 단독주택 및 임야가 형성되어 있으며, 인근의 주택지대는 정비사업이 진행 중에 있다.

2. 형상 및 이용상황

   본건 토지는 대체로 부정형의 토지로서, 이용상황은 잡종지 및 자연림 등으로 이용 중에 있다.

3. 도로 및 교통상황

   본건 인근까지 차량의 접근이 가능하며, 인근에 지하철 4호선 ○○역 및 버스정류장이 소재하는 등 대중교통사정은 보통시된다.

자료 3 표준지공시지가 현황(2025년 1월 1일)

기호	소재지	면적(㎡)	지목	용도지역	이용상황	공시지가(원/㎡)	기타 공법상제한	위치
1	K구 B동 14-1	700	잡	제1종 일반주거	잡종지	1,300,000	-	근거리(4.0km)
2	D구 S동 53-1	200	대	제1종 일반주거	단독주택	1,580,000	-	인근
3	K구 B동 산 10-1	400	임	제1종 일반주거	자연림	495,000	-	근거리(3.9km)
4	D구 S동 산 23-7	580	임	제1종 일반주거	자연림	100,000	공원 100%	인근

자료 4 임야개간 후 다세대주택 건축사례

1. 개간사례 #1
   (1) **소재지** : 서울특별시 K구 B동 산 20-1
   (2) **지목** : 임야(개간 전)
   (3) **개발시점** : 최근
   (4) **토지면적** : 342㎡
   (5) **다세대주택의 면적 및 가격수준**

층	면적(전유면적, ㎡)	가격수준(전유면적당 가격, 원/㎡)
B1	62.0	1,800,000
1	92.0	2,000,000
2	120.0	2,300,000
3	120.0	2,300,000

   (6) **건축비 수준** : 건물의 연면적 ㎡당 900,000원이다.
   (7) **연면적** : 684㎡

2. 개간사례 #2
   (1) **소재지** : 서울특별시 D구 S동 산 51-1
   (2) **지목** : 임야(개간 전)

(3) 개발시점 : 최근

(4) 토지면적 : 426㎡

(5) 다세대주택의 가격수준 : 전체 건물의 임대면적당 1,350,000원/㎡ 수준이다.

(6) 건축비 수준 : 건물의 연면적 ㎡당 1,000,000원이다.

(7) 건축연면적 : 852㎡

3. 상기 토지는 각 인근지역에서의 표준적인 임야필지로서 개간에 있어 특별한 사정은 없다.

자료 5 평가선례자료

1. 인근지역의 평가선례

기호	소재지	지목 및 이용상황	용도지역	보상단가 (원/㎡)	가격시점	사업명	개별요인
A	D구 S동 57-3	대/ 단독주택	제1종 일반 주거	2,760,000	2024. 1.1.	S동~D동 도로 개설공사	비교표준지 대비 5% 우세
B	D구 S동 산 21-1	임야/ 자연림	제1종 일반 주거	465,000	2024. 1.1.	○○ 사업	비교표준지 대비 10% 열세

2. 상기의 평가선례는 본건의 공익사업과는 무관한 선례이다.

자료 6 비교요인치

1. 지가변동률

구분	용도지역	2024년 12월	2025년 4월	2025년 5월
D구	주거	0.106 (1.229)	0.108 (0.103)	미고시
	녹지	0.110 (0.728)	0.112 (0.233)	
K구	주거	0.016 (0.039)	0.008 (0.033)	
	녹지	0.211 (0.929)	0.318 (1.003)	

2. 생산자물가지수

구분	2023년 12월	2024년 12월	2025년 3월	2025년 4월	2025년 5월
지수	114.7	121.6	121.0	122.1	미고시

3. 본건 대비 개별요인비교치

매우 우세함은 10%, 우세함은 5%, 대등함은 0%, 열세함은 −5%, 매우 열세함은 −10%의 요인비교치를 가지는 것으로 판단한다.

구분	가로조건	접근조건	환경조건	행정조건	획지조건	기타조건
본건 기호 #1	−	−	−	−	−	−
표준지 1	우세함	열세함	우세함	대등함	열세함	대등함
표준지 2	우세함	대등함	대등함	우세함	우세함	대등함

구분	접근조건	자연조건	행정조건	기타조건
본건 기호 #2	−	−	−	−
표준지 3	대등함	대등함	대등함	대등함
표준지 4	대등함	대등함	열세함	대등함

※ 상기 행정조건에는 도시계획시설은 고려되어 있지 않다. 도시계획시설공원은 전국적으로 비준표상 40%를 감액하는 것으로 표시되어 있다.

자료 7 기타조건

1. 도시계획시설공원의 비준표상 요인비교치는 전국이 동일하지만 현실적으로 각 지역별로 차이가 존재한다.

2. 잡종지는 대지와 대체관계에 있다.

QUESTION 126

아래 지장물은 ◎◎~○○ 간 도시계획시설도로에 편입되어 있다. 제시된 자료를 검토하여 적정한 보상감정평가액을 결정하시오. 15점

자료 1 평가의뢰내역 등

1. 사업의 종류 : ◎◎~○○ 간 도시계획시설도로(국토계획법)
2. 실시계획인가고시일 : 2023년 5월 2일
3. 사업시행자 : A군수
4. 제시된 가격시점 : 2025.07.30.
5. 현장조사완료일 : 2025.06.30.

자료 2 물건조서 등

기호	소재지	지번	호	물건의 종류	구조 및 규격	수량	사용승인일
1	A군 B면 C리	100	–	단독 주택	벽돌조 슬래브지붕 1층	80㎡	1992.07.05
2	A군 B면 C리	200	301	다세대 주택	철근콘크리트조 슬래브지붕 3층	60㎡ (전유)	1999.04.15

※ 기호 #1은 토지의 소유자는 A군으로서 현재 소유자는 건물만 소유한 것으로 조사되었다.

※ 기호 #1은 일반건축물이며, 기호 #2는 집합건축물이다. 기호 #2의 등기사항전부증명서 확인 결과 대지권은 적정한 면적으로 등재되어 있었다.

자료 3 거래사례 등

기호	소재지	호수	면적(㎡)	용도	거래금액	거래일자	사용승인일
A	C리 300	–	90	단독주택	45,000,000	2023.01.01	1993.07.05
B	C리 400	–	100	단독주택	65,100,000	2023.01.01	2013.09.26
C	C리 500	301	65	다세대주택	160,000,000	2024.01.01	2000.04.11
D	C리 600	301	55	다세대주택	220,000,000	2024.01.01	2000.07.01

※ A, B는 일반건축물에 대한 건물만의 거래사례이며, C, D는 집합건축물에 대한 거래사례로서 적정한 대지권이 포함된 거래사례이다.

※ 거래사례는 해당 사업에 의한 영향이 없는 것으로 조사되었으나, 거래사례 C는 해당사업으로 인한 영향을 받은 거래사례로 판단된다.

※ 모든 거래사례는 거래당사자 간의 사정개입이 없는 정상적인 사례로 판단된다.

자료 4 건축비 관련 자료

단독주택	벽돌조 슬래브지붕	철근콘크리트조 슬래브지붕
재조달원가	900,000원/㎡	1,500,000원/㎡
경제적 내용연수	45	50

자료 5 요인 평점

본건 1	본건 2	사례 A	사례 B	사례 C	사례 D
100	95	97	125	95	100

※ 잔가율에 대한 비교치가 포함되어 있다.

※ 수량요소는 포함되지 않은 단위면적당 가격에 대한 평점이다.

※ 일반건축물은 건물에 대한 요인이며, 집합건물의 경우 토지 및 건물에 대한 요인이 포함된 평점이다.

자료 6 시점수정

건축물에 대한 종류를 불문하고 다세대주택 매매가격지수를 기준으로 시점수정하도록 한다.

2023년 12월	2024년 12월	2025년 1월	2025년 5월	2025년 6월
97.5	98.7	98.5	96.7	미고시

자료 7 그 밖의 사항

1. 위 물건은 모두 이전이 불가능하다.
2. 평가단가는 반올림하여 유효숫자 3자리까지 표시한다.

QUESTION 127

감정평가사 甲씨는 택지개발사업에 편입되는 지장물에 대한 협의취득목적의 보상평가를 의뢰받고, 사전조사 및 현장조사를 통하여 아래의 자료를 수집하였다. 보상평가 관련 규정에 의거하여 아래의 지장물에 대한 보상평가액을 평가하시오. 25점

자료 1 제시된 조서

물건조서								
사업의 종류 및 명칭				D 제2기 택지개발사업				
사업인정의 근거 및 고시일				택지개발촉진법				
사업시행자		성명 또는 명칭		LH D사업본부				
		주소		경기도 H시 D면 Y리 100				
토지의 소유자		성명 또는 명칭		◇◇◇ 씨				
		주소		경기도 H시 D면 S리 100				
물건의 내역								
기호	소재지	지번	물건의 종류	구조 및 규격	수량 또는 면적		소유자	비고
					전체 면적	편입 면적		
1	H시 D면	25	주택	블록조 슬레이트 지붕 단층	70	70	–	무허가건축물
2	H시 D면	27	주택	블록조 슬레이트 지붕 단층	100	100		무허가건축물
3	H시 D면	30	주택	철근콘크리트조 슬래브지붕 복층	200	100	–	일부편입
3–1	H시 D면	30	주택	보수비	1식	1식	–	–
4	H시 D면	산10	농작물	장뇌삼	50,000	50,000	–	3년근

자료 2 공익사업의 현황

1. **사업명** : D 제2기 택지개발사업

2. **사업구역** : H시 D면 전역

3. **사업시행자** : LH D사업본부

4. **택지개발예정지구 공람공고일** : 2023년 10월 5일

5. 택지개발지구 지정 및 고시 : 2024년 12월 1일

6. 보상계획 공고일 : 2024년 9월 30일

7. 가격시점 : 2025년 8월 31일

자료 3 지장물 현장조사 내역

1. 지장물 #1, 2

대상 건축물은 주거용으로 사용되고 있는 건축물로써, 건축 당시 관련 법령에 의한 사용승인을 받지 않은 상태인 것으로 조사되었다. 또한, 기술적 측면에서 이전 가능하나 경제적 측면에서의 판단을 필요로 한다.

※ 이전비자료(기준가격 대비 비율)

기호	구분	노무비	해체비	이전비	자재비	폐자재 처분익	설치비	기준가격 (원/㎡)
1, 2	블록조 슬레이트 지붕	0.213	0.157	0.138	0.213	0.086	0.015	500,000
	※ 이전시 시설 개선비에 대한 비용은 상기 비용과 별도로 2.0% 소요될 것으로 판단된다.							

2. 지장물 #3

일부가 편입된 지장물로써 자세한 사항은 하단자료 참조

3. 지장물 #4

장뇌삼으로서 7년생(4년 후)에 다다르면 시장가치가 있을 것으로 판단된다. 7년근 장뇌삼의 시장가치는 1뿌리당 50,000원 정도의 경제적 가치를 가지고 있으며, 재배 중 매년 야생동물, 자연재해, 자연도태 등으로 연간 30% 정도는 손실을 입는다고 한다. 수확기에 다다를 때 잔존 장뇌삼 중 시장가치가 있는 장뇌삼은 약 60% 정도가 될 것으로 판단되며, 장뇌삼은 임지에 뿌려져 키우기 때문에 큰 비용이 소요되지는 않으나 인건비, 약품비, 쥐덫 등의 비용으로 매년 5,000,000원씩의 비용이 소요될 것으로 판단된다. 할인율은 10%를 적용한다.

자료 4 H시 D면 30번지에 대한 개황도(지장물 #3)

1. 개황도

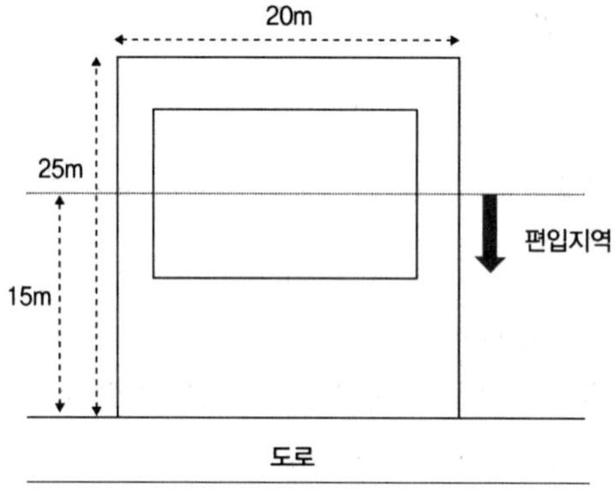

2. 실제 조사내용

(1) 현장조사사항

대상토지는 세장형 평지인 토지였으나, 해당 사업에 편입됨으로 인하여 잔여부분이 남게 되었다. 그리고 건축물(가로 16m × 세로 12.5m × 높이 5m)의 경우에도 잔여부분이 남게 되었다. 이에 따라서 토지 및 건축물의 소유자는 정당한 보상을 요구하고 있다. 대상 건축물은 이전이 불가능할 것으로 판단된다.

(2) 가치손실액 자료

건물 잔여부분을 보수하여 사용한 후에도 구조변경 및 바닥면적 협소 등으로 시장가치 대비 잔여부분의 바닥면적당(제곱미터) 10,000원의 가치하락이 예상된다.

(3) 보수비자료

- ㎡당 10,000원으로써 이 중 2,000원은 건축물의 미관 개선을 위한 비용이다(보수면적은 각자 산정할 것).
- 상기의 보수비는 미관 개선 비용이며, 이와 별도로 심야보일러 이전설치비, 화장실보수비, 바닥장판공사, 가스배관 및 수도배관 설비공사 등 기타 보수비 총액은 5,000,000원으로 가정한다.

자료 5 거래사례자료

1. 거래사례

구분	거래사례 #1	거래사례 #2
토지	H시 D면 300번지, 대, 400㎡	H시 D면 500번지, 대, 450㎡
건물	블록조 슬레이트지붕, 100㎡	철근콘크리트조 슬래브지붕, 170㎡
용도지역	계획관리지역	계획관리지역
이용상황	주거용	주거용
거래물건	건물	토지, 건물
거래가격	30,000,000	382,000,000
거래시점	2024년 3월 1일	2025년 4월 1일

※ 택지개발지구 지정 이후에는 주거용 건축물의 가격이 약 20% 정도 상승하였다.

자료 6 건축물 관련 자료

구분	준공일자(신축일자)	전 내용연수	개별요인	건설단가
지장물 #1	2023년 5월 1일	40	95	-
지장물 #2	2024년 3월 1일	40	97	-
지장물 #3	2018년 1월 1일	40	98	-
거래사례 #1	2019년 1월 1일	40	100	-
거래사례 #2	2017년 6월 1일	40	100	-
건설사례 (가격시점 현재 기준)	조적조 슬래브(내용연수 : 40년)		100	350,000원/㎡
	블록조 슬레이트지붕(내용연수 : 40년)		100	250,000원/㎡
	철근콘크리트조 슬래브(내용연수 : 40년)		100	500,000원/㎡

※ 잔가율은 0인 것으로 조사되었다.
※ 개별요인에 잔가율비교는 포함되어 있지 않다.
※ 철근콘크리트조의 거래가격은 블록조대비 1.4배 수준이다(잔가율 별도).

자료 7 시점수정치

1. 생산자물가지수

2022년 12월	2023년 12월	2024년 12월	2025년 7월	2025년 8월
102.1	103.1	104.9	105.9	107.2

2. 건축비지수

2022년 12월 1일	2023년 12월 1일	2024년 12월 1일	2025년 1월 1일	2025년 7월 1일
100	105	109	110	113

자료 8 기타사항

1. 건축비는 월할계산함.

2. 사업시행자는 보수비 계산 후 비고란에 잔여건축물의 가격을 병기해줄 것을 요구하였다.

QUESTION 128

감정평가사 R씨는 S시 J구 ○○동 10공구~20공구간 내 도시계획시설공사에 편입되는 지장물에 대한 보상목적의 감정평가를 의뢰받았다. 아래의 조사자료를 활용하여 제시된 물건의 보상감정평가액을 결정하시오. 10점

자료 1 사업시행의 내용 등

1. 사업명 및 사업시행자 : J구 ○○동 10공구~20공구 도시계획시설도로 개설공사
2. 의뢰일 : 2025년 7월 20일
3. 현장조사일 : 2025년 7월 25일
4. 계약체결 예정일 : 2025년 8월 31일
5. 실시계획인가고시일 : 2024년 5월 31일

자료 2 지장물조서

일련번호	소재지	지번	물건의 종류	사용승인일	수량		소유자
					전체(연면적)	편입	
가	J구 ○○동	100	건물	2021년 9월 30일	3,150㎡	670㎡	甲
가-1	J구 ○○동	100	건물	2021년 9월 30일	보수비 1식		甲

※ 건물은 철근콘크리트조 슬래브지붕이다(이전불가).

자료 3 현장조사결과

1. 건물의 층별 이용상황 및 편입내역은 아래와 같음(품등 : 상).

구분	용도	면적(㎡)	편입면적(㎡)	잔여면적(㎡)
지층	근린생활시설	700	130	570
1층	근린생활시설	350	90	260
2층	근린생활시설	700	130	570
3층	근린생활시설	700	130	570

4층	주택	700	130	570
옥탑 1층 (연면적 제외)	창고, 계단실	30	30	0
옥탑 2층 (연면적 제외)	창고, 계단실	30	30	0
소계		3,210	670	2,540

2. 건물의 내용연수시 최종잔가율은 0%이다.

3. 기호 "가"의 경우 건축물의 일부가 편입됨으로 인하여 잔여건축물의 형태, 이용효율 및 쾌적성 등이 기존보다 열세하게 되어 이에 따른 가치하락이 예상되며, 가치하락률은 잔여건축물의 가격을 기준으로 15% 수준인 것으로 확인된다.

자료 4 재조달원가 등

구분	품등별 재조달원가(원/㎡)			용도	내용연수
	상	중	하		
철근콘크리트조	650,000	600,000	550,000	근린상가	50
	750,000	690,000	630,000	주택	50
	500,000	450,000	400,000	창고 및 기타	50

※ 상기 재조달원가는 지상층 기준이며, 지하층은 지상층의 75% 수준을 적용한다.

자료 5 철거 및 보수 등 공사예정가액

1. 철거 관련 비용

구분	금액(원)	비고
스틸지지대 설치	9,000,000	-
기계사용 철거비	27,000,000	-
천장 철거비(석면공사 포함)	16,000,000	-
소계	50,000,000	-

2. 보수비 및 보강비 등

구분	금액(원)	비고
지하층 기초 및 옹벽공사	55,000,000	-
지상층의 골조공사	34,000,000	-
잔여부분의 리모델링공사	200,000,000	-
잔여부분의 바닥난방교체공사	80,000,000	동파이프로 교체
절단부분 마감공사	48,000,000	-
승강설비 이전공사	80,000,000	-
소계	497,000,000	-

QUESTION 129

복숭아나무 50주의 이전비 보상액을 다음 자료를 이용하여 산정하시오. 10점

자료 1 가격자료

1. 정부노임단가 : 보통인부 22,300원, 조경공 35,500원
2. 구역화물자동차운임 : 34,070원(4.5t 30km 이내)
3. 가격시점 : 2025년 9월 1일

자료 2 복숭아나무 이식비 산정자료(주당)

규격	굴취		4.5톤 운반비	상하 차비	식재		재료비	부대 비용	수익액	수목 가격
H2.5 R4	조경공	보통 인부	0.008	357	조경공	보통 인부	(굴취비 + 식재비) ×0.1	전체 이식 비의 20%	7,000	12,000
	0.11	0.01			0.11	0.07				
H3.0 R6	조경공	보통 인부	0.015	1,017	조경공	보통 인부	(굴취비 + 식재비) ×0.1	전체 이식 비의 20%	11,000	52,000
	0.19	0.02			0.23	0.14				

*(주) 현장조사시 수형 등 수목 상태는 정상 식재되어 있고, 관리상태도 양호한 편임.

자료 3 수고산정자료

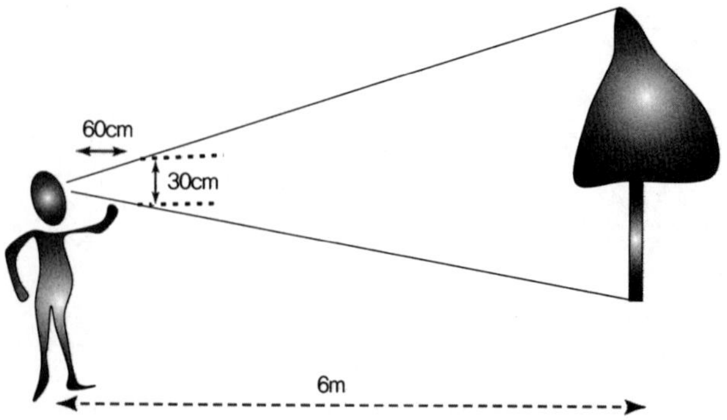

자료 4 수종별 이식적기 및 고손율

구분 수종	이식적기	고손율	비고
일반사과	2월 하순~3월 하순	15퍼센트 이하	그 밖의 수종은 유사수종에 준하여 적용한다.
왜성사과	2월 하순~3월 하순, 11월	20퍼센트 이하	
배	2월 하순~3월 하순, 11월	10퍼센트 이하	
복숭아	2월 하순~3월 하순, 11월	15퍼센트 이하	
포도	2월 하순~3월 하순, 11월	10퍼센트 이하	
감귤	6월 장마기, 11월, 12월~3월 하순	10퍼센트 이하	
감	2월 하순~3월 하순, 11월	20퍼센트 이하	
밤	11월 상순~12월 상순	20퍼센트 이하	
자두	2월 하순~3월 하순, 11월	10퍼센트 이하	
호두	2월 하순~3월 하순, 11월	10퍼센트 이하	
살구	2월 하순~3월 하순, 11월	10퍼센트 이하	

QUESTION 130

감정평가사 A씨는 지방산업단지사업에 편입되는 물건 중 아래의 물건에 대한 협의목적의 감정평가를 의뢰받고 현장조사 및 사전조사를 통하여 아래의 자료를 수집하였다. 제시된 물건의 보상평가액을 결정하시오. 20점

자료 1 농가 현황 및 조사내용

1. 주소 : 경상남도 J시 H도 100-3외 3필지

2. 지목 및 면적 : 전, 2,500㎡(4필지 합계)

3. 재배면적 : 비닐하우스(VH) 내 식재 중인 작물이다.

작물의 종류	비닐하우스 면적	비고
시설취나물	2개동(1개동 당 460㎡)	다년생 작물
방울토마토	1개동(1개동 당 460㎡)	묘목 식재 중

4. 현장조사 결과

(1) 시설취나물

시설취나물은 다년생 농작물로서 식재 이후 5년간 수확이 가능하다. 본건은 3년생 시설취나물로서 과거 2년간은 이미 수확을 하였으며, 현재는 8월 말 현재 3년차의 수확이 예정된 상태이다(1년에 1회 수확하는 것으로 가정한다).

(2) 방울토마토

방울토마토는 식재 이후 1년차 이후부터 결실이 되기 시작하며, 현재는 비닐하우스 내부에 6개월 전에 식재되어 묘목상태로서 생육 중이다.

자료 2 생산량 현황 및 가격수준

1. 시설취나물(VH 1개동 당)의 과거 수확량 현황

구분	2023년	2024년	2025년(예상치)
수확량(kg, VH 1개동 당)	110	120	130

※ 수확은 매년 8월에 이루어진 것으로 확인된다.

2. 방울토마토

방울토마토는 최근 비닐하우스 1개동을 ㎡당 15,000원(6,900,000원)에 시공하였

으며, 이는 직접 시공을 하여 비용을 절감한 것이다(자가노력비 2,000,000원). 묘목의 구입비는 2,000,000원이 소요되었으며, 지지대 및 설치비(인건비 포함)는 3,000,000원이 소요되었다.

3. 가격수준
   (1) **시설취나물** : kg당 13,000원
   (2) **방울토마토** : kg당 10,000원

자료 3 장래투하비용

시설취나물 및 방울토마토의 경우 직접생산비용 200,000원/년, 간접생산비용 100,000원/년이 소요된다. 직접비 및 간접비는 매년 수확기에 균등하게 투하되는 것을 가정한다(자가노력비는 간접생산비용에 포함된 것으로 본다).

자료 4 기타사항

1. **시장이자율** : 연 6% 적용
2. **제시된 가격시점** : 2025년 8월 31일
3. 본 평가는 식재 중인 작물에 한하며, 비닐하우스는 건축물 등 지장물 보상시 보상평가액을 산정한 상태이다.
4. 대상 농작물의 피수용자는 이미 시설취나물 및 방울토마토의 재배와 관련하여 ㎡당 6,700원의 농업손실보상을 수령한 상태이다.

QUESTION 131

J 감정평가사는 다음의 수목에 대한 보상평가를 의뢰받았다. 해당 수목의 보상액을 산정하시오. 5점

자료 1 보상대상

1. 수종 : 복숭아
2. 수령 : 4년(h : 2m, r : 5cm)
3. 주수 : 500주
4. 가격시점 : 2025년 9월 1일

자료 2 이식비 및 가격자료(단위 : 원/주)

구분	굴취비	상하차비	운반비	식재비 등
h2, r3	10,000	900	900	15,000
h2, r5	11,000	1,000	1,000	17,000
h2.5, r7	12,000	1,300	1,200	20,000
h3, r10	15,000	1,500	1,300	25,000

자료 3 이식적기

구분	이식가능수령	이식적기	고손율
일반사과	5년 이하	2월 하순~3월 하순	15% 이하
배	7년 이하	2월 하순~3월 하순, 11월	10% 이하
복숭아	5년 이하	2월 하순~3월 하순, 11월	15% 이하
포도	4년 이하	2월 하순~3월 하순, 11월	10% 이하
자두	5년 이하	2월 하순~3월 하순, 11월	10% 이하

자료 4 기타자료

1. 복숭아는 3년생부터 수확이 가능하다.

2. 3년 이후의 일반적인 주당 수익은 5,500원인 것으로 조사되었다.

3. 고손율은 최대치를 적용한다.

자료 5 복숭아나무 주당 가격

3년생	4년생	5년생	6년생	10년생	13년생	17년생	20년생	25년생
40,000	60,000	70,000	90,000	130,000	110,000	80,000	60,000	30,000

QUESTION 132

감정평가사 A는 S6구역 주택재개발정비사업에 편입된 아래의 영업에 대한 영업손실(휴업)의 보상감정평가를 의뢰받았다. 제시된 자료를 활용하여 영업보상평가액을 결정하시오. 15점

자료 1 공익사업의 개황 등

1. 정비구역 지정고시일 : 2019.07.05.
2. 사업시행인가고시일 : 2021.10.09.
3. 관리처분계획인가일 : 2024.11.11.
4. 가격시점 : 2025.06.30.
5. 본건 사업지 내 주민은 현재 이주 중인 상태이다.

자료 2 영업의 개황

1. 상호명 : ◎◎피자(일반음식점, 개인사업자)
2. 임대여부 : 임차사업장
3. 사업장면적 : 50㎡
4. 영업의 개시일 : 2009.05.30.

자료 3 매출관련 자료

1. 신고매출(부가세증명원)

구분	2020년	2021년	2022년	2023년	2024년
연매출	130,000,000	120,000,000	110,000,000	100,000,000	60,000,000

2. 신고매출은 실제 매출과 동일한 것으로 본다.
3. 조사결과 2024년은 정비사업의 시행에 따라 주민들이 이전하면서 영향을 받은 것으로 조사되었다.

자료 4 영업경비와 관련된 자료

아래는 해당 사업장의 영업관련 비용이다.

1. 매출원가율 : 매출액의 40%
2. 배달광고대행수수료 : 매출액의 5%
3. 월임대료 : 500,000원
4. 인건비 : 사업자 본인(책정된 월급은 없으나 통계자료상 월 3,000,000원)이외의 인건비는 없다.
5. 전기, 수도, 가스요금(월) : 800,000원
6. 사업장 보안관련 비용 : 월 50,000원
7. 광고비 : 월150,000원(인터넷 광고 및 전단광고)

※ 위 경비 중 임차료, 보안, 광고비는 휴업기간 중에도 발생할 것으로 판단된다.

자료 5 현장조사결과

1. 이전 후 소요되는 경비는 아래와 같다.
   - 이전 후 이전광고비 : 1,000,000원
   - 개업비 : 500,000원
2. 영업시설 및 이전 등에 관련 사항
   - 해당 사업장 내의 인테리어의 재조달원가는 ㎡당 400,000원이며, 내용연수는 10년에 최종잔가율 20%로 정률감가하도록 한다.
   - 간판의 이전비는 400,000원이며, 현재 해당 물건의 잔가는 200,000원이다.
   - 사업장에 설치된 천막 등은 이전이 불가하며 가격은 300,000원이다.
   - 영업집기(오븐, 테이블 등)는 차량을 2대 사용해야 하며, 차량은 대당 300,000원의 비용이 소요된다. 이전에는 총 3명의 인부가 1일 근무해야 하는 것으로 조사되었으며, 인부임은 1인당 150,000원이다.
   - 에어컨은 이전이 가능하고 이전은 전문업체 견적결과 500,000원 소요되며 이는 적정한 수준이다.

– 해당 영업장의 이전가능한 시설물의 가액은 총 10,000,000원 수준이며, 이전 시 약 10% 정도의 가치손실이 있을 것으로 예상된다.

자료 6 그 밖의 자료

1. 3인도시근로자가구 가계지출비 : 월 4,800,000원

2. 휴업기간은 4개월이다.

QUESTION 133

감정평가사 柳씨는 S시장으로부터 도시계획도로에 편입된 영업손실에 대한 협의목적 보상감정평가액 산정을 의뢰받았다. 다음의 자료를 활용하고 보상 제 규정을 참작하여 다음 물음에 답하시오. 35점

1. 영업손실의 보상대상인 영업에 대하여 약술하시오.

2. 각 조서별 보상감정평가액을 산정하시오.

자료 1 감정평가의뢰조서

기호	소재지	지번	물건의 종류	구조 · 규격	수량	보상감정 평가액	비고
1	S시 M동	29-5	우리슈퍼	영업손실	1식	-	영업손실(휴업) 본 건축물은 1988년 1월에 신축된 무허가건축물임.
				고정적 비용 및 영업장소 이전후 영업이익 감소액	1식	-	-
				집기	1식	-	이전비 (구체적인 집기목록은 생략)
2	S시 M동	30-1	가전기기 판매점 (주)S전자	영업손실	1식	-	영업손실(휴업) 본 건축물은 2007년 1월에 준공된 적법한 건축물임 (허가용도 : 근린생활시설)
				고정적 비용 및 영업장소 이전후 영업이익 감소액	1식	-	-
				집기	1식	-	이전비 (구체적인 집기목록은 생략)
3	S시 M동	35	의류수선	영업손실	1식	-	영업손실(휴업) 본 건축물은 2010년 1월에 준공된 적법한 건축물임 (허가용도 : 주택)
				고정적 비용 및 영업장소 이전후 영업이익 감소액	1식	-	-
				집기	1식	-	이전비 (구체적인 집기목록은 생략)

자료 2 감정평가의뢰 내역

1. 사업의 종류 : AA 도시계획도로 개설

2. 도시계획시설결정고시일 : 2023년 11월 20일

3. 보상계획공고일 : 2024년 5월 1일

4. 도시계획실시계획의 고시일 : 2024년 5월 10일

5. 가격시점 : 2025년 9월 1일

자료 3 영업보상 관련 자료

1. 각 영업에 대한 조사사항

(1) 29-5번지(기호 #1)

본 건축물 소유자가 2016년 1월경부터 슈퍼마켓(자유업)을 영업해오고 있으며, 영업 시작과 동시에 사업자등록을 하였다.

(2) 30-1번지(기호 #2)

본 건축물의 소유자가 영업을 영위하고 있으며, 관련 법령에 의한 허가를 득해야 하나 사업자등록만 득한 상태로 영업을 영위하고 있다.

(3) 35번지(기호 #3)

본 건축물의 임차인이 영업을 영위하고 있으며, 자유업으로서 사업자등록을 2023년 1월 1일에 완료하였다.

2. 본건의 손익계산서 자료

기간	우리슈퍼의 영업이익(기호 #1)	가전기기 판매업의 영업이익(기호 #2)	의류수선의 영업이익 (기호 #3)
2021.1.1.~2021.12.31.	60,000,000	50,000,000	신고자료 없음
2022.1.1.~2022.12.31.	56,000,000	60,000,000	신고자료 없음
2023.1.1.~2023.12.31.	61,000,000	55,000,000	20,000,000
2024.1.1.~2024.12.31.	66,000,000	65,000,000	22,000,000

3. 인근의 동종 유사규모 업종의 영업이익 수준

본건을 포함하여 인근지역 내 동종 유사규모 업종의 연 평균매출액(외형)을 탐문조사한 바 아래와 같다(구간으로 제시된 경우 중위치를 적용한다).

구분	슈퍼의 매출액	가전기기 판매업의 매출액	의류수선
매출액 분포	300,000,000 ~320,000,000	350,000,000 ~400,000,000	90,000,000 ~110,000,000
매출액대비 영업이익률	20%	20%	20%

4. 각 영업의 이전에 관련된 비용

구분		29-5번지 슈퍼 (기호 #1)	30-1번지 가전기기 판매업(기호 #2)	35번지 의류수선(기호 #3)
상품재고액		5,000,000	50,000,000	25,000,000
상품운반비		1,200,000	5,000,000	3,500,000
진열대 등 해체, 운반, 설치비		850,000	3,000,000	2,000,000
진열대 증설비		300,000	3,000,000	500,000
상품의 이전에 따른 감손액		상품가액의 10%	상품가액의 5%	상품가액의 10%
간판	가격	200,000	250,000	200,000
	이전비	350,000	400,000	400,000
보험료 지급현황		2025년 3월 21일에 2,000,000원을 1년분의 보험료로 지급	2024년 9월 1일에 4,000,000원을 2년분의 보험료로 지급	2025년 4월 1일에 2,500,000원을 1년분 보험료로 납부함
건축물의 평가액		50,000,000	250,000,000	100,000,000
잔존내용연수		22	40	40
공조공과(재산세 등)		연간 3,000,000	연간 9,000,000	연간 4,500,000

※ 정액법으로 감가수정한다.

※ 공조공과는 해당 영업과 관련된 세금이다.

5. 건축물은 가격보상 대상이다.

자료 4 통계청 발표 가구원수별 가구당 월평균 명목가계지출비

(단위 : 원)

구분		가계지출	소비지출	기타지출
1인	전가구	1,800,000	1,500,000	250,000
	근로자가구	2,000,000	1,600,000	320,000
2인	전가구	2,300,000	1,800,000	270,000
	근로자가구	2,500,000	1,900,000	330,000
3인	전가구	2,700,000	2,000,000	280,000
	근로자가구	2,900,000	2,200,000	330,000
4인	전가구	3,100,000	2,500,000	290,000
	근로자가구	3,300,000	2,700,000	330,000
5인	전가구	3,700,000	3,000,000	290,000
	근로자가구	3,900,000	3,200,000	330,000

자료 5 기타사항

1. 가영업소의 설치비 등은 고려치 아니한다.
2. 사업시행자는 별도의 휴업기간을 제시하지는 않았다.
3. 각 조서별로 토지보상법상 영업손실보상의 대상이 되는 영업인지의 여부를 판단할 것
4. 제시된 조서에 따른 형식에 따라서 보상감정평가액을 작성하되, 제시된 조서에 따른 금액과 사업시행자가 피수용자에게 보상해야 할 금액과 차이가 있는 경우 양자를 모두 표기한다.

QUESTION 134

감정평가사인 당신은 충청북도 C시장으로부터 대단위 택지개발사업지구에 편입되는 각 영업장에 지급할 손실보상액 산정을 의뢰받고 자료조사를 완료하였다. 다음 자료를 참고하여 택지개발사업지구에 편입되는 영업장에 대한 보상액을 산정하시오. 35점

자료 1 사업개요 및 평가의뢰 내역

S시의 대단위 택지개발사업 시행으로 甲, 乙의 영업장이 편입되었고, C시장은 영업휴업기간을 2025년 9월 1일부터 2025년 12월 31까지(4개월)로 하고 가격시점을 2025년 9월 1일로 하여 관련 보상법령 및 하위규정에 따라 평가하여 줄 것을 요구하였다.

자료 2 甲(개인사업자) 영업 관련 자료

1. 영업장 소재지 : 충청북도 C시 흥덕구 K동 A번지, 잡, 1,000㎡
2. 건물 : 위 지상 조적조 슬래브지붕 단층건물 500㎡, 2013년 8월에 신축됨.
3. 영업종류 : 甲은 도축장을 운영하고 있는데, 도축장은 혐오감을 주는 영업시설로서 인접 시・군・구로 이전하는 것이 현저히 곤란하다고 C시장 등이 인정하였다.
4. 영업이익 관련 자료
   (1) 부가가치세 과세표준액 기준 영업이익(원)

기간	매출액	영업이익
2022.1.1~2022.12.31	135,000,000	34,000,000
2023.1.1~2023.12.31	149,000,000	38,000,000
2024.1.1~2024.12.31	163,000,000	36,000,000

   (2) 경영주로부터 구두확인(월)
      1) 매출액 : 18,000,000원
      2) 재료비 : 10,000,000원
      3) 임금 및 기타경비 : 4,000,000원

(3) 인근 동종 유사업종기준

인근 유사업종의 외형매출액을 탐문조사한 바, 동종 유사규모 업종의 매출액은 월기준 약 18,000,000원~20,000,000원으로 상기 매출액과 유사하며 매출액 대비 영업이익률은 약 15%인 것으로 조사되었다.

5. 영업용 고정자산

기계명	자중(kg)	현가(원)
자동도축시설(소)	500	1,520,000
자동도축시설(돼지)	300	1,900,000
자동도축시설(기타)	300	650,000
고기정제시설	360	1,400,000
훈제장비	150	220,000
자동포장기기	500	900,000
대형냉장고	600	2,300,000
대형보관시설	600	1,600,000
계	3,310	10,490,000

* 甲 영업장의 영업시설명세는 다음과 같으며 현가는 가격시점현재의 시장가치를 의미함. 이 중 고기정제시설은 분리매각이 불가능하여 따로 평가가 이루어졌다.

6. 재고자산에 대한 자료

항목	단위(kg)	현재가액(원/kg)	매각가액(원/kg)
제품, 상품(가공식품)	50	11,000	9,000
반제품	55	5,000	알 수 없음
저장품	20	3,500	알 수 없음
원재료(돈육, 우육 등)	250	6,000	4,500
합계	345	25,500	13,500

자료 3 乙(법인사업자) 영업 관련 자료

1. 영업장 소재지 : S시 R동, 장 1,500㎡

2. 건물 : 위 지상 철근콘크리트조 단층건물 900㎡, 2012년 8월 1일에 신축됨.

3. 영업의 종류 및 평가의뢰사항

본 영업은 가구제조업으로 (주)Lee가구이며, 2011년 8월에 C시에 영업신고를 하였다. 乙은 임시영업소 설치를 희망하고 있으며 C시 또한 이에 대한 평가의뢰를 요구하였다.

4. 영업이익 관련 자료

(1) 수정 전 잔액시산표(2024년 9월 1일~2025년 8월 31일)

(단위 : 천원)

항목	금액	항목	금액
현금과 예금	3,908	대손충당금	2,100
유가증권	1,000	퇴직급여충당금	2,000
외상매출금	51,588	차량감가누계액	11,400
받을어음	27,000	비품감가누계액	8,000
이월상품	4,700	건물감가누계액	19,200
선급금	340	자본금	103,100
전신전화가입권	1,000	매입	309,400
임차보증금	20,000	매출	474,800
영업보증금	80,000	급료	44,000
건물	120,000	복리후생비	2,540
차량운반구	19,000	여비교통비	1,240
비품	20,000	통신비	1,560
외상매입금	12,580	수도광열비	858
예수금	140	제세공과금	1,106
미지급금	360	잡비	260
		보험료	3,520

(2) 기말정리사항

1) 기말상품재고액 : 5,400,000원
2) 급료미지급액 : 4,000,000원
3) 선급보험료 : 740,000원이 계상되었음.
4) 매출채권잔액(외상매출채권과 받을어음)의 5%를 대손상각함.
5) 감가상각액 : 차량운반구(5년), 비품(5년), 건물(50년)기준 직선법으로 감가상각한다.

(3) 해당 영업이익은 최근 3년간 거의 변동이 없었던 것으로 조사됨.

5. 인건비 등에 관한 자료(월)

관리직 3명	영업직 3명	생산직 10명
1,100,000원/명	1,000,000원/명	1,500,000원/명

(1) 생산직 3명은 일용직, 영업직 중 1명은 보상계획의 공고일 1개월 전에 신규채용되었고 관리직 2명 및 생산직(일용직 제외) 7명은 휴직보상을 별도로 한 것으로 조사됨.

(2) 관리직과 영업직만 휴업 중에도 계속 근무를 하여야 하며, 제세공과금은 휴업기간 중에도 소요된다.

6. 비품과 상품의 이전비용(단위 : 원)

구분	해체조립비	운반비	합계
간단한 기계	1,000,000	400,000	1,400,000
공작, 목공기계	1,500,000	600,000	2,100,000
재공품 등	500,000	200,000	700,000

* (주) 상기 조견표는 본 영업장에 있는 영업시설의 이전비를 인근 운송전문업체에서 제시한 것으로 이전거리 30km 기준이며, 이외에 기타비용을 이전광고비와 안내비가 300,000원 소요되는 것으로 조사됨.

7. 이전에 따른 상품의 감모손실 : 재고액의 5%

8. 가영업소 설치자료

(1) 가영업소 설치비용

1) 신축비용 : 100,000원/㎡

2) 해체비용 : 30,000원/㎡

3) 해체 시 발생폐재가치 : 10,000원/㎡

(2) 가영업소 설치면적 : 토지 500㎡, 건물 300㎡

(3) 가영업소 설치를 위한 토지의 월임차료 : 5,000원/㎡

자료 4 기타자료

1. 제조부문 보통인부노임단가 : 35,000원/일

2. 도시근로자 월평균 가계지출비

구분	월평균 가계지출비
2인	2,200,000
3인	2,700,000
4인	3,200,000
5인	3,300,000

QUESTION 135

ㅇㅇ공사에서는 택지개발사업지구 내에 편입되는 (주)청주상사에 대한 임시영업소 가설에 따른 보상평가를 감정평가사인 당신에게 의뢰하였다. 다음 자료를 기초로 임시영업소를 가설하는 경우의 영업손실보상액을 산정하시오. 20점

자료 1 대상물건

1. 가격시점 : 2025년 1월 1일
2. 휴업기간 : 3개월(해당 업종의 특성상 3월의 휴업기간으로 의뢰되었다.)
3. 대상업소의 종류 : 도소매업
4. 기타 : 본건 영업소가 공익사업에 편입되어 인근지역 내의 유사토지(나지)를 임차하여 영업을 계속하고자 함.

자료 2 잔액시산표(2024년 12월 31일) - 2024년 1월 1일~2024년 12월 31일

과목	금액	과목	금액
현금과예금	4,000,000	외상매입금	6,100,000
매출채권	10,000,000	미지급금	1,800,000
(대손충당금)	(100,000)	단기차입금	6,650,000
유가증권	2,125,000	장기차입금	10,000,000
토지	20,000,000	자본금	10,000,000
기계(영업시설)	400,000	매출	30,000,000
(감가누계액)	(70,000)	잡수익	1,100,000
상품	3,000,000		
전화기입금	500,000		
임차보증금	6,000,000		
상품매입	10,000,000		
급여	5,500,000		
여비교통비	100,000		
통신비	295,000		
수도광열비	500,000		
지급임차료	1,200,000		
보험료	200,000		
합계	63,650,000	합계	65,650,000

자료 3 결산정리사항

1. 기말상품재고액 : 5,000,000원

2. 급료 1개월분 500,000원이 미지급금임.

3. 매출채권의 기말잔액에 대해 2%의 손실충당금을 설정하여야 함.

4. 보험료는 7월 1일자로 1년간 보험료를 지급한 것으로 조사됨(회계기간 1.1.~12.31.).

5. 영업시설 감가상각 내용 : 연상각률 10%의 정률법임.

자료 4 임시영업소 가설에 따른 관련 자료

1. 임시영업소를 설치하기 위하여 나지를 임차할 경우 지료는 보증금 20,000,000원, 월 지불임대료 1,700,000원이 소요될 것으로 추정됨(국・공채수익률 7%).

2. 임시영업소의 신축비용 : 3,000,000원

3. 임시영업소의 계약만료 후 해체철거비 : 1,000,000원

   * (주) 단, 해체철거시 폐재는 발생하지 않음.

자료 5 기타사항

1. 사업시행자가 종업원에게 휴직보상을 하지 아니하였으며 휴업기간 중 급료는 70%를 지급함.

2. 지급임차료는 휴업과 관계없이 고정적 비용으로 인정된다.

3. 이전비 관련 자료

   (1) 영업시설 해체비 : 500,000원

   (2) 영업시설 설치비 : 2,000,000원

   (3) 영업시설 운반비 : 200,000원

   (4) 상품의 운반비 : 100,000원

   (5) 상품의 이전에 따른 감손 상당액 : 기말상품가액의 10%

   (6) 지난 몇 년 동안 영업이익은 안정적인 것으로 조사됨.

4. 제조부문 보통인부 노임단가 : 35,000원/일

5. 도시근로자 월평균 가계지출비

구분	월평균 가계지출비
2인	2,250,000
3인	2,800,000
4인	3,250,000
5인	3,300,000

QUESTION 136

충청남도 태안군 일대가 대단위 공업단지조성을 위한 간척사업용지에 편입됨에 따라, 이곳을 근거로 어업을 영위하던 주민들은 더 이상 어업을 하지 못하게 되었다. 다음 물음에 답하시오. 20점

1. 어업손실평가 시 조사할 사항을 약술하시오.
2. 각 어민에 대한 적정한 보상액을 어업보상평가지침 및 수산업법령 등을 참작하여 산정하시오.

자료 1 평가의뢰 내역

1. 사업의 종류 : 태안 1-2지구 간척사업
2. 가격시점 : 2025년 8월 26일
3. 평가목적 : 보상
4. 사업시행공고일 : 2024년 11월 20일

자료 2 의뢰물건내역

기호	어민	어업의 종류	발행일자(면허 · 허가 · 등록)	장래기업소요비(원/년)
1	A씨	굴양식업	2019년 2월 1일	15,000,000
2	B씨	원양어업	2022년 1월 1일	25,000,000

자료 3 조사사항

1. 기호 1
   (1) 면허일자 : 2019년 2월 1일 일자로 10년간 면허
   (2) 과거수입자료

기간	어획량(kg)	기간	어종별 혼획률을 고려한 평균판매단가(원/kg)
2021.1.1.~2021.12.31.	560	2020.08.27.~2021.08.26.	@19,870
2022.1.1.~2022.12.31.	890	2021.08.27.~2022.08.26.	@21,100
2023.1.1.~2023.12.31.	580	2022.08.27.~2023.08.26.	@19,210
2024.1.1.~2024.12.31.	600	2023.08.27.~2024.08.26.	@18,660
2025.1.1.~2025.8.26.	240	2024.08.27.~2025.08.26.	@29,510

* 2025년 초 이상기온에 따른 적조피해로 인해 가격시점까지 생산량이 부족하여 수산물에 대한 공급이 수요를 따르지 못하게 되었고, 이로 인해 수산물가격 상승의 원인이 되었다. 다만, 이로 인해 어업경비에 미치는 영향은 없는 것으로 판단됨.

* 가격시점기준 1년 소급한 대상어장의 어업경비는 2,800,000원인데, 여기에는 A씨의 자가노임 900,000원과 감가상각비가 포함된 금액임.

(3) 대상어업의 시설투자내역(2019년 2월 1일 투자 당시)

1) 어선(110 ton) : 가격시점 현재 톤당 적정재조달원가 : 1,000,000원/톤, 내용연수 : 15년

2) 양식장시설 : 250,000,000(내용연수 20년)

3) 하역시설 : 80,000,000원(내용연수 10년)

4) 부대시설 : 50,000,000원(내용연수 20년, 잔가율 10%)

5) 감가수정은 정액법 사용함.

6) 어업면허의 취소로 인근지역 내에서는 어업을 계속할 수 없음.

2. 기호 2

(1) 기호 2는 원양자망어업으로 2022년 1월 1일자로 5년간 유효함.

(2) 과거수입자료

기간	어획량(kg)	기간	어종별 혼획률을 고려한 평균판매단가(원/kg)
2022.1.1.~2022.12.31.	400,000	2021.8.27.~2022.8.26.	@874
2023.1.1.~2023.12.31.	450,000	2022.8.27.~2023.8.26.	@831
2024.1.1.~2024.12.31.	500,000	2023.8.27.~2024.8.26.	@850
2025.1.1.~2025.8.26.	320,000	2024.8.27.~2025.8.26.	@809

(3) 가격시점기준 1년 소급한 해당 어업의 연간 어업경영에 필요한 경비

1) 시설보수 · 유지관리비 : 19,000,000원

2) 인건비 : 90,000,000원(자가노임 20,000,000원 포함됨)

3) 어업시설자재 구입 및 설치비 : 20,000,000원

4) 난방 · 동력유휴대금 : 15,000,000원

5) 제세공과금 : 5,000,000원

6) 기타경비 : 50,000,000원(감가상각비 제외)

(4) 어선·어구 및 시설투자내역(2022년 1월 1일 투자)

1) 어선내역(제작비는 가격시점 현재 원가임)

① 선체 : 17.27m, 너비 : 6.32m, 전체 톤수 : 10.5톤, 내용연수 : 30년, 잔가율 : 0%, 제작비 : 7,000,000원

② 기관 : 인보드 디젤형식, 내용연수 5년, 잔가율 0%, 제작비 : 11,000,000원

③ 의장 : 내용연수 : 10년, 잔가율 : 0%, 조타장치 : 200,000원, 계선장치 : 500,000원, 통신장치 : 2,000,000원, 항해장치 : 1,000,000원, 배관 및 내장 : 1,800,000원, 기타 : 1,000,000원

〈의장부분 합계〉 : 6,500,000원

2) 어구 및 부대시설 : 50,000,000원(가격시점 현재 재조달원가), 내용연수 : 20년

3) 감가상각은 정액법에 의함.

자료 4 기타자료

1. 양식장의 종합환원이율 : 30%
2. 정기예금 이자율(연리기준) : 15%
3. 양식시설 및 하역시설, 부대시설의 건설비 상승률은 연 5%임(월할계산).
4. 윤년은 고려치 아니할 것

자료 5 수산물계통 출하판매가격의 전국 평균변동률

2022.1.1.~ 2022.12.31.	2023.1.1.~ 2023.12.31.	2024.1.1.~ 2024.12.31.	2025.1.1.~ 2025.8.26.
2%	3%	1.7%	0.9%

QUESTION 137

베테랑 감정평가사인 高씨는 공유수면매립으로 인하여 어업권의 기간 연장이 허가되지 아니한 면허어업의 취소처분손실보상평가액을 산정하고자 한다. 다음 자료를 이용하여 면허어업의 보상평가액을 산정하시오. 15점

자료 1 대상 어장에 관한 자료

1. 생산량(단위 : ton)

기간	대상 어장	인근 동종어장(가)	인근 동종어장(나)
2021.1.1.~2021.12.31.	-	18	-
2022.1.1.~2022.12.31.	-	20	20
2023.1.1.~2023.12.31.	-	22	22
2024.1.1.~2024.12.31.	20	23	23
2025.1.1.~2025.07.31.	11	12	11

2. 최근의 판매가격(천원/ton)

구분	2024년 7월	8월	9월	10월	11월	12월	2025년 1월	2월	3월	4월	5월	6월	7월
단가	800	780	780	800	780	780	750	850	850	750	750	720	800
판매량	350	400	380	350	450	480	450	250	300	450	480	500	350

3. 시설 당시의 투자비 현황(2020년 1월 1일 현재)
   (1) 양식장 시설 : 20,000,000(내용연수 50년)
   (2) 부대시설 : 10,000,000(내용연수 20년)

4. 가격시점 : 2025년 8월 1일

5. 양식장 등의 설치비는 매년 3%의 가격상승이 있는 것으로 조사되었으며, 월할계산에 의하며, 감가상각방법은 직선법에 의한다.

자료 2 선박에 관한 자료

1. 실톤수 : 3.5ton

2. 기관 : 디젤 20HP

선체	재조달가격 : 1,600,000원/ton 유효잔존내용연수 : 5년 경과연수 : 5년 최종잔가율 : 20%
기관	재조달가격 : 261,000/HP 유효잔존내용연수 : 5년 경과연수 : 5년 최종잔가율 : 10%
어구	평가액 : 1,000,000원

* (주) 가격시점에 상기시설물을 매각할 경우 시장가치의 50% 정도만 회수가 가능하다.

자료 3 어업경비자료

평년 어업경비는 매출액의 51%인데, 여기에는 감가상각비는 포함되어 있으나, 자가노임 300,000원은 포함되어 있지 않다.

QUESTION 138

서해안의 해안도로 신설공사에 따라 수산업법상의 허가를 받아 어업을 영위하던 李씨는 일정기간동안 어로행위를 할 수 없게 되었다. 李씨가 공사기간 동안 어업행위를 하지 못함에 따른 정지처분손실평가액을 산정하시오. 15점

자료 1 보상기준일 등

1. 어업허가시점 : 2020년 1월 1일
2. 가격시점 : 2025년 1월 1일
3. 정지기간 : 2025년 1월 1일 ~ 2027년 1월 1일

자료 2 李씨의 소득 관련 자료(단위 : 원/ton)

기간	어획량(ton)	평균판매단가(원/ton)
2019	250	200,000
2020	300	220,000
2021	350	240,000
2022	320	240,000
2023	350	250,000
2024	210	320,000

자료 3 대상어장의 시설 당시의 투자금액(2020년 4월 1일)

1. 어선 및 어선관계시설 : 400,000,000원(잔가율 10%, 내용연수 20년)
2. 상기투자액은 적정한 것으로 판단된다.
3. 정지기간 중 발생하는 보험료, 조합회비, 시설융자이자 등 고정적 경비 : 8,000,000원/년

자료 4 기타자료

1. 어업의 종합환원이율은 30%이다.

2. 어업허가의 장래존속기간은 5년이다.

3. 해당 사업의 장래소요기업비는 연간 감가상각액 평균의 3배이다.

4. 어선 및 부대시설의 상승률은 연간 5%이다.

5. 정기예금이자율은 12%이다.

6. 시설물의 감가상각은 취득가액을 기준으로 직선법으로 산정한다.

7. 2024년에는 일시적으로 유사어장의 실적이 좋지 않아 판매단가가 큰 폭으로 상승하였다.

8. 전국수산물가격변동률 : 연간 5.0%

9. 어업경비 : 어획금액의 39%

QUESTION 139

(주)감정평가법인 대일의 감정평가사인 당신은 서울－속초 간의 고속국도 개통을 위한 강원도 양구군 남면 00리에 소재하는 백호광업의 2025년 8월 1일자 광업권 소멸에 따른 보상가격산정을 의뢰받았다. 다음 자료를 이용하여 보상가격을 산정하시오. 15점

자료 1 가격시점의 자산가액(단위 : 원)

구분	장부가액	평가가액	이전비	비고
토지	18,000,000	58,000,000	–	
건축물	10,000,000	–	9,000,000	
기계기구	28,000,000	20,000,000	30,000,000	
구축물	2,000,000	–	1,000,000	
차량운반구	2,000,000	15,000,000	–	
공기구 비품 등	1,000,000	500,000	100,000	

자료 2 매장량 총괄표(가격시점기준)

광량별	매장량	가채율	안전율
확정	900,000톤	0.7	–
추정	1,000,000톤	0.7	0.6

자료 3 생산 및 판매단가

월	연간 생산량(톤)	연 평균 판매단가(원/톤)
2024년 8월～2025년 7월	67,800	30,905.6

자료 4 소요경비

구분	금액(원)	비고
채광비	117,866,000	3개월 기준 1년 평균치
선광제련비	157,155,000	
일반관리비	78,578,000	
경비 및 판매비	39,289,000	
운영자금이자	–	

* (주) 운영자금이자는 채광비, 선광제련비, 일반관리비, 경비 및 판매비의 3월치를 기준으로 산정함.

자료 5 시설물 관련 자료

구분	준공일자	잔존내용연수	가격시점의 재조달원가
건축물	2010년 2월	30년	30,000,000원
구축물	2010년 2월	15년	2,500,000원

* (주) 감가상각은 정액법에 의하되, 잔가율은 "0"이다.

자료 6 장래소요기업비

연도	금액(원)	현가화율
2025년~2027년	170,000,000	0.711
2028년~2030년	180,000,000	0.452
2031년~2040년	190,000,000	0.321

자료 7 각종 이율

1. 2024년도 광업부분 상장법인 배당률 : 15%

2. 법인세 등의 세율 : 30%

3. 1년 만기 정기예금금리 : 8%

4. 상기에 제시된 자료를 통해 산정된 영업이익(연수익)은 최근 3년간의 영업이익을 잘 반영하고 있는 것으로 추정됨.

QUESTION 140

감정평가사 柳씨는 파주시 주민자치센터 신축공사의 부속주차장으로 편입되는 임야에 대한 보상평가를 진행하고 있다. 토지에 대한 보상은 협의가 이루어질 것으로 예상되나 현재 해당 임야에서 경작행위를 하고 있는 임차농민의 농업손실보상으로 인한 사업시행자의 의견제시를 요청받았다. 아래의 자료에 따른 현황을 파악하여 각 물음에 답하시오. 20점

1. 「공익사업을 위한 토지 등의 취득 및 보상에 관한 법률」에 따른 농업손실보상 대상 및 제외대상을 기술하시오.
2. 상기와 같은 영농행위에 대한 농업손실보상 여부를 기술하시오.
3. (자료 3)에도 불구하고 상기토지의 임대차계약서가 없는 경우 임대차관계가 있는 농지인지 여부에 대한 확인방법을 기술하시오.
4. 상기 농지의 농업손실보상 여부를 떠나 농업손실보상이 된다고 가정하고 농업손실보상액을 산정하시오.

자료 1 본건의 개요

1. 소재지 : 경기도 파주시 문발동 100
2. 지목 및 면적 : 임야, 3,500㎡
3. 현황 : 밭작물을 재배하는 농지
4. 농지법상 제2조 제1호 가목에 해당한다.

자료 2 사업의 개요

1. 사업명 : 파주시 주민자치센터 신축공사사업
2. 사업인정일 : 2024년 5월 1일
3. 보상계획공고일 : 2024년 9월 1일
4. 가격시점 : 2025년 8월 31일

자료 3 본건 조사사항

1. 현장조사 내역
본건의 소유자는 파주시 문발동에 거주하는 김○○씨로서 현재 본건 농경지에 대해서는 임차인인 박○○씨가 경작을 하고 있다.

2. 토지의 소유자인 김○○씨는 최근 파주시청으로부터 「산지관리법」에 따른 불법전용산지 임시특례 규정에 따라 공부상 지목변경을 할 수 있다는 연락을 받았지만 재산세가 늘어날 것을 걱정하여 지목을 변경하지 않았다.

3. 본건 임대차에 대한 임대차계약서는 존재하는 것으로 확인했다.

4. 인근은 토지임야지대로서 인근의 다수 임야는 개간을 하여 농지로 이용되고 있으며, 관할 시청도 이 사실을 인지하고 있었고 농지(농지원부)로서 관리해오고 있었다. 한편, 본건은 관련 법령상 즉각적인 원상복구의 대상은 아니다.

5. 해당 농지는 1980년대부터 농지로 이용되어 오고 있음.

자료 4 도별 표본농가 현황, 경지면적

행정구역	2024년 도별 표본농가의 농업총수입 (3개년 평균) (천원)	2024년 도별 표본농가의 농작물수입 (3개년 평균) (천원)	2024년 도별 표본농가 현황 중 경지면적 (㎡)	도별 가구원 1인당 경지면적
평균	26,457	21,275	13,601.41	5,216.13
경기도	20,370	14,951	13,517.50	4,661.34
강원도	28,347	18,592	11,526.56	4,336.97
충청북도	17,291	14,243	11,817.65	4,262.12
충청남도	25,359	21,302	13,460.72	5,216.40
전라북도	31,384	26,722	19,032.12	7,657.92
전라남도	27,224	23,617	17,615.00	7,266.47
경상북도	27,083	23,214	12,540.29	4,940.10
경상남도	33,435	20,887	9,478.55	3,730.79
제주도	32,189	31,442	17,467.42	6,217.30

QUESTION 141

사업시행자가 사업시행을 위하여 필요한 토지 등에 대하여 (주)감정평가법인 D의 李 평가사에게 보상액산정을 의뢰하여 평가결과를 기초로 토지 등의 소유자 및 이해관계인과 협의를 하였으나 생활보상 등이 일부 누락되었다는 이유로 다음의 조서에 명기된 토지 등의 소유자 및 이해관계인과 1차 협의가 결렬되었다. 사업시행자는 2차 협의를 위하여 해당 토지 등에 대한 생활보상 등의 내용 및 그 보상액 산정을 재의뢰하였다. 1차 협의평가에 대한 적정성을 판단하고 보상액을 산정하시오(가격시점 : 2025년 8월 1일). 20점

자료 1 대상물건의 평가내역 및 협의결렬사유

1. 기호 1
   A씨 소유의 토지·물건에 대한 보상으로 토지(垈) 80㎡상에 40㎡의 잔존내용연수가 5년인 주거용 건축물이 소재하고 있는 바, 토지평가액은 8,000,000원, 건물평가액이 2,500,000원이다. 이에 A씨는 해당 보상액이 정당한 보상액에 미달한다고 한다.

2. 기호 2
   B씨는 5년 전 인근 시에서 살다가 산업입지 및 개발에 관한 법률에 의한 산업단지 조성사업의 시행에 따라 보상액을 지급받고 해당 지역에 이주하여 토지를 매입한 후, 이에 주거용 건축물을 신축한 것으로 토지는 56,000,000원, 건축물(연면적 100㎡, 벽돌조 슬래브지붕)은 40,000,000원으로 평가되었다. B씨는 자꾸 이주해 다니는 불편을 호소하며 그렇지 않은 이웃주민과 동일한 조건으로 보상을 받을 수 없다고 협의에 응하고 있지 않다. 현재 B씨는 B씨 부부내외와 연로한 어머니 및 네 자녀와 함께 생활하고 있다.

3. 기호 3
   C씨는 해당 사업의 계획고시 당시 식품위생법상 시장의 영업허가를 받고 음식점 영업을 하여야 함에도 불구하고 허가없이 영업을 함에 따라 영업보상 및 그에 부대되는 아무런 보상을 받지 못하였다. C씨는 기본적인 생존권은 보장하라고 주장하고 있다. C씨는 아들이 동일사업시행지구 내에 허가를 득하여 호프집을 경영하고 있으며 이에 따라 영업손실보상 및 기타 부대 손실에 대한 보상이 적정하게 이루어짐에 따라 협의가 성립되어 보상금을 수령한 것으로 조사되었다.

4. 기호 4

D씨는 서울에서 자동차부품회사를 운영하였으나 2015년 K자동차 회사의 부실경영에 따른 파급효과로 해당 회사를 청산하고 낙향한 후 사업시행지구 내에서 2년 전부터 전세를 얻어 5식구가 살고 있으며 D씨는 친구의 농경지를 경작하고 있다. 그러나 D씨는 전입신고를 하지 않았으나 각종 공과금을 해당 주소지에서 납부하여 왔다. D씨는 그의 친구와 협의하여 농경지의 농업손실보상은 D씨가 지급받기로 하였다. D씨는 농경지 10,000㎡에 인삼을 경작하고 있으며 인삼의 단위면적당 1기작 소득은 10,000원/년이며, 1기작 재배에 소요되는 기간은 6년인 것으로 조사되었다.

자료 2 관련 자료

1. 도시근로자 평균가계지출비/월(통계청)

2인	1,600,000원
3인	2,100,000원
4인	2,500,000원
5인	2,700,000원

2. 해당 지역이 속한 도의 농가평균 단위경작면적당 농작물 총수입 : 1,077원/㎡(년)

QUESTION 142

감정평가사 柳씨는 택지개발사업의 시행과 관련하여 사업지 내 아래의 사례에 대한 보상액 산정을 의뢰받았다. 다음의 물음에 답하도록 하라. 5점

자료 1 대상의 현황

1. 개요

M씨는 허가된 주거용 건축물 내 거주하고 있으며, 택지개발사업으로 인하여 주거용 건축물이 수용되었다. 한편, M씨는 인근 필지에 무허가 주거용 건축물을 소유하고 있으며 이 건물에는 세입자가 거주 중이다.

2. 거주자 현황

(1) **소유자** : 현재 M씨는 부부 내외와 2명의 부모님, 4명의 자녀와 함께 생활하고 있다.

(2) **세입자** : 세입자로써 A, B, C 씨가 살고 있으며, 2021년 1월 1일부터 거주하고 있다(A, B, C는 가족으로서 동거 중임).

자료 2 물음

상기 주거용 건축물에 거주하고 있는 소유자 및 세입자에 대한 주거이전비를 산정하시오.

자료 3 공익사업의 현황

1. **공익사업명** : ◇◇택지개발사업

2. **사업시행자** : ○○개발공사

3. **택지개발지구의 지정에 관한 주민 등의 의견청취를 위한 공고** : 2023년 1월 20일

4. **택지개발지구 지정 및 고시일** : 2023년 3월 20일

5. **보상계획 공고일** : 2025년 5월 30일

6. **실시계획 고시일** : 2025년 6월 30일

7. **가격시점** : 2025년 8월 31일

자료 4 도시근로자 평균 명목가계지출비(원/월 : 통계청)

1인	1,600,000원
2인	2,100,000원
3인	2,900,000원
4인	3,200,000원
5인	3,500,000원

QUESTION 143

(주)감정평가법인 D의 감정평가사 李씨는 중앙토지수용위원회로부터 산업입지 및 개발에 관한 법률에 근거한 국가산업단지(충청북도 A시 소재)에 편입되는 토지 및 물건에 대한 보상평가를 의뢰받고 현장조사를 통하여 다음의 자료를 수집하였다. 조사된 자료를 활용하고 보상관련 법령을 참작하여 다음의 물음에 답하시오. 40점

(1) **의뢰된 토지의 적용공시지가를 선택하시오.**

(2) **의뢰된 토지의 비교표준지를 선정하시오.**

(3) **의뢰된 토지의 보상평가액을 산정하시오.**

(4) **의뢰된 토지(4), (6)의 농업손실보상 여부를 검토하시오.**

(5) **의뢰된 물건의 보상평가액을 산정하시오.**

자료 1 평가의뢰 내역

1. 공익사업명 : ○○국가산업단지 조성사업(40만제곱미터 규모)
2. 사업시행자 : 충청북도
3. 산업단지 지정에 대한 주민공람 · 공고일 : 2023년 11월 21일
4. 산업단지 지정 · 고시일(세목고시) : 2024년 5월 10일
5. 실시계획의 승인 · 고시일 : 2025년 1월 12일
6. 협의평가시 가격시점 : 2024년 12월 23일
7. 의뢰시점 : 2025년 8월 31일
8. 가격조사일자 : 2025년 9월 2일
9. 수용재결(예정)일 : 2025년 9월 21일

자료 2 의뢰물건 내역

1. 토지조서

기호	소재지	지번	지목	면적(㎡)	현 "용도지역"	비고
1	G동	12	전	200	용도미지정	조사내용참고
2	G동	19	대	50	용도미지정	조사내용참고
3	G동	40	답	200	자연녹지지역	조사내용참고
4	G동	산15	임야	2,000	용도미지정	조사내용참고
5	G동	500	전	200	용도미지정	조사내용참고
6	G동	800	전	600	용도미지정	조사내용참고
7	G동	900	-	3,000	용도미지정	조사내용참고

2. 물건조서

기호	소재지	지번	물건의 종류	구조 · 규격	수량 · 면적	비고
1	G동	19	주택	조적조 슬래브지붕	30㎡	주택면적 75㎡ 중 일부편입으로 잔여건물은 보수를 요하며(사용승인일자 : 1995년 5월 20일), 이전은 곤란하다.
2	G동	40	농기구 (대형곡물 건조기)	건조용량 (4,000kg), 2020.5.10 설치	1대	현재 경작자는 임차농이며, 농기구(이전가능) 또한 임차농의 소유이다. 임차농이 경작하고 있는 농지의 대부분은 본건 산업단지 내에 소재하고 있으며, 본건 토지소유자는 A시에 거주하는 농민으로 조사되었다.
3	G동	산15	사과나무	10년생	200주	-
4	G동	800	주택	블록조 기와지붕	60㎡	협의 당시 보상된 물건이다.
			사과나무	3년생	150주	미성과수목이다.

자료 3 토지에 대한 조사내용

기호	토지특성		기타사항
	도로접면	형상지세	
1	세로(가)	세장형 평지	2020년 1월 1일자로 기존 취락과 연결을 위한 도시계획도로 개설사업으로 도로로 변경되었으나, 보상이 이루어지지 않은 토지이다.
2	맹지	부정형 평지	2025년 3월 10일에 지번분할로 인하여 추가 토지세목고시되었다. 분할전에는 세로(가), 세장형, 평지였다.
3	세로(불)	부정형 평지	「군사기지 및 군사시설보호법」상의 제한보호구역에 속한다.
4	세로(가)	부정형 완경사	산림형질변경허가 여부는 확인할 수 없으나, 농지원부에 과수원으로 등재되어 있으며, 경작기간은 30년 이상이다.
5	세로(가)	부정형 평지	1987년에 인근부대의 부대시설 확장(공익사업)시 보상을 못 받은 상황에서 사업시행자가 토지소유자의 동의 없이 관사 등의 시설물(건축물대장에 등재)이 신축되어 현재에 이르고 있는 것으로 조사되었다.
6	세로(가)	삼각형 평지	1988년 초에 건축된 것으로 추정되는 무허가건축물이 소재한다.
7	맹지	부정형 저지	관리청이 국토교통부인 공유수면이나, 사업자가 보상평가를 의뢰하였다. 본건 토지의 주위환경은 간척된 농경지(답)가 주를 이루고 있는 농경지대이다.

* 본건 토지의 용도지역은 (1), (2), (4)~(6)은 계획관리지역이었으나, 산업단지지정 당시 도시지역으로 변경되었고 토지(3)은 자연녹지지역, 개발제한구역이었으나 산업단지의 지정으로 인하여 개발제한구역이 해제되었다. 토지(7)은 「국토의 계획 및 이용에 관한 법률」에서 정하고 있는 용도지역이 지정되지 아니한 공유수면이었으나, 산업단지지정으로 도시지역으로 변경되었다.

자료 4 물건의 조사내용

1. 물건(1) : 본건 건물은 보수면적이 15㎡이고 보수 후 잔여건물은 면적의 협소로 약 10%의 가격하락이 발생하는 것으로 분석된다. 또한 보수 시에는 관련 조례에 따라 소방시설 등을 강화하여야 하는 바 이로 인한 비용이 추가로 100만원이 소요된다.

2. 물건(3) : 본 사과나무는 일반사과나무로 주당 굴취비 · 상하차비 · 운반비 · 식재비 · 재료비 · 부대비용 등의 이식비는 50,000원, 주당 순이익은 20,000원, 나무가격은 120,000원으로 조사되었다.

3. 물건(4) : 본 사과나무는 왜성사과나무로 주당 굴취비 · 상하차비 · 운반비 · 식재비 · 재료비 · 부대비용 등의 이식비는 20,000원, 나무가격은 35,000원으로 조사되었다.

자료 5 인근지역 표준지

번호	소재지	면적 (㎡)	지목	이용 상황	용도 지역	도로 교통	형상	공시지가(원/㎡)		
								2023년	2024년	2025년
1	H동 1	200	답	전	계획관리 /용도미지정	세로(가)	세장형 평지	70,000	75,000	80,000
2	H동 2	200	대	단독 주택	계획관리 /용도미지정	세로(가)	세장형 평지	270,000	350,000	380,000
3	H동 3	200	전	과수원	계획관리 /용도미지정	세로(가)	삼각형 평지	65,000	80,000	90,000
4	H동 산 40	2,000	임야	자연림	계획관리 /용도미지정	세로(가)	부정형 완경사	30,000	42,000	48,000
5	H동 5	200	전	전	계획관리	세로(가)	세장형 평지	160,000	185,000	195,000
6	H동 6	200	대	단독 주택	계획관리	세로(가)	세장형 평지	250,000	330,000	350,000
7	H동 산7	2,000	임야	자연림	계획관리	세로(불)	세장형 완경사	60,000	75,000	90,000
8	H동 8	200	전	과수원	계획관리	세로(불)	삼각형 완경사	70,000	75,000	92,000
9	K동 50	300	답	답	용도 미지정	맹지	부정형 평지	24,000	25,000	30,000
10	K동 산1	2,000	임	과수원	용도 미지정	세로(가)	부정형 완경사	19,000	20,000	21,000
11	K동 60	500	답	답	농림지역	세로(가)	세장형 평지	23,000	25,000	27,000
12	T동 12	1,200	답	답	자연환경 보전지역	세로(불)	부정형 평지	10,000	11,000	12,000
13	T동 산2	4,500	임	자연림	자연환경 보전지역	세로(불)	부정형 완경사	2,300	2,500	2,800
14	T동 15	200	전	전	개발제한 자연녹지	세로(불)	부정형 평지	17,000	19,000	20,000
15	T동 21	250	답	답	개발제한 자연녹지	세로(불)	부정형 평지	16,000	18,000	19,000

* 상기의 표준지 중 (1)~(4)는 해당 사업지구 내에 소재하는 표준지로 산업단지지정으로 인해 용도지역이 2023년 계획관리지역에서 2024년부터 용도미지정으로 변경 고시된 표준지이고 (5)~(15)는 해당 사업지구 밖에 소재하고 있는 표준지이다.

자료 6 표준지 관련 자료

1. 충청북도 시 · 군 · 구의 연도별 표준지공시지가 평균변동률(%)(전년 대비)

구분	2023년	2024년	2025년	비고
충청북도 전체	–	3.51	4.23	
A시	–	1.54	1.69	
B시	–	1.84	2.05	
C시	–	1.95	2.51	
가군	–	5.12	6.08	
나군	–	4.15	5.26	
다군	–	2.58	3.12	

2. 해당 국가산업단지 조성사업지구 내 표준지공시지가 평균변동률(%)

구분	2023년	2024년	2025년	비고
사업지구 내	–	7.12	5.05	

자료 7 건축비자료 등

1. 건축비 : 철근콘크리트조 900,000원/㎡, 조적조 750,000원/㎡, 블럭조 650,000원/㎡, 목조 690,000원/㎡

2. 보수비 : 철근콘크리트조 1,200,000원/㎡, 조적조 1,050,000원/㎡, 블럭조 750,000원/㎡, 목조 800,000원/㎡

3. 내용연수 : 조적조 45년, 블럭조 40년, 목조 및 철근콘크리트조 50년

4. 수목자료

수종	이식가능수령	이식적기	고손율	감수율
일반사과	5년 이하	2월~3월	15%	이식 1차년 : 100% 이식 2차년 : 80% 이식 3차년 : 40%
왜성사과	3년 이하	2월~3월, 11월	20%	

5. 농기구 관련 자료(원)

구분	구조 및 규격	수량	재조달원가	내용연수 (최종잔가율)	비고
곡물건조기	건조용량 (4,000kg)	1대	10,000,000	15(10%)	재조달원가는 설치비 포함 가격이다.
	해체운반비	설치비	시운전비	기타잡비	비고
	1,000,000	500,000	100,000	200,000	이전비용

자료 8 인근지역 보상선례 및 비교자료

기호	소재지	지번	용도지역	이용상황	가격시점	보상단가 (원/㎡)	개별요인 (비교표준지/선례)	시점수정
1	G동	1000	용도미지정	단독주택	2023.9.30	330,000	0.90	1.12345
2	G동	2000	계획관리	단독주택	2023.8.13	310,000	0.94	1.11234
3	G동	3000	용도미지정	단독주택	2024.10.2	420,000	0.98	1.05432
4	G동	4000	계획관리	단독주택	2025.8.11	380,000	1.00	1.00345

* 보상선례는 편의상 적정한 선례 하나를 선정하고 대상토지 중 비교가능성이 높은 토지와 그 밖의 요인을 검토하여 적용하되, 전체 비교표준지에 동일하게 적용하도록 한다.

자료 9 지가변동률 등

1. 지가변동률

기간	A시			지가영향이 없는 인접 시·군·구 평균		
	녹지지역	관리지역	자연환경	녹지지역	관리지역	자연환경
2023.1.1~가격시점	18.0%	20.0%	8.0%	8.0%	9.0%	5.0%
2024.1.1~가격시점	12.0%	14.0%	3.0%	3.0%	4.0%	1.5%
2025.1.1~가격시점	7.0%	8.0%	1.5%	1.3%	2.0%	0.8%

2. A시의 지가상황은 해당 국가산업단지의 영향으로 국가산정단지의 지정고시 후 전반적으로 지속적인 상승국면에 있으며, 산업단지 지정에 따른 주민 공고·공람일로부터 가격시점까지 6개월 동안 5% 이상 변동된 상태이다. 또한 A시가 속한 도의 지가변동과 비교하여서도 40% 이상 격차(산업단지 지정고시일로부터 가격시점까지의 지가변동률)를 보이고 있어 지가안정을 위한 부동산대책이 요구되고 있다.

자료 10 생산자물가지수

년/월	01	02	03	04	05	06	07	08	09	10	11	12
2022	-	-	-	-	-	-	-	-	-	-	-	100.0
2023	100.5	100.5	100.4	100.6	100.9	100.8	101.1	101.7	102.1	101.1	100.6	100.5
2024	100.5	100.6	101.0	101.7	102.3	102.5	102.7	102.6	103.1	103.3	103.7	104.1
2025	104.7	105.7	107.1	109.4	111.5	113.3	115.5	117.0	-	-	-	-

자료 11 기타자료

1. 제한보호구역의 경우는 정상 토지에 비하여 약 20% 열세하다.
2. **형상** : 정방형 120, 가장형 110, 세장형 105, 삼각형 90, 부정형 85
3. **도로접면** : 소로한면 110, 세로(가) 105, 세로(불) 100, 맹지 85
4. **지세** : 평지 100, 완경사 85, 급경사 70, 저지 60
5. 유지(공유수면 포함)는 기초연약문제 등으로 형상 등의 개별요인 외에 추가로 주위의 일반적인 토지 대비 20%의 감가를 요한다.
6. 사업시행자의 요청사항을 보면 대지의 면적사정을 요하는 경우에는 건축물의 건축면적을 기준으로 한다.
7. 농기구가 보상대상인 경우 보상가격은 관련 법령에서 정하고 있는 최고치를 기준한다.

QUESTION 144

감정평가사 柳씨는 S시장으로부터 도시계획도로에 편입된 토지 및 지장물 등에 대한 보상감정평가액 산정을 의뢰받았다. 다음의 자료를 활용하고 보상 제 규정을 참작하여 다음 물음에 답하시오. 50점

1. 토지의 보상감정평가액을 구하시오.

2. 건축물의 보상감정평가액을 구하시오.

3. 영업과 관련한 손실보상액을 산정하시오.

자료 1 감정평가의뢰 조서

1. 토지조서

기호	소재지	지번	지목		면적(㎡)	용도지역
			공부	실제		
1	S시 M동	29-5	전	대	350	자연녹지
2	S시 M동	30-1	전	대	500	자연녹지

2. 지장물 등 조서

기호	소재지	지번	물건의 종류	구조 · 규격	수량	비고
1	S시 M동	29-5	점포	블록조 · 슬레이트 지붕 단층	80㎡	무허가건축물 1988년 1월 신축
2	S시 M동	30-1	점포		120㎡	적법건축물 2009년 1월 신축
3	S시 M동	29-5	우리슈퍼	-	1식	영업손실 (휴업)
4	S시 M동	30-1	가전기기 판매점 (주)S전자	-	1식	영업손실 (휴업)

자료 2 감정평가의뢰 내역

1. 사업의 종류 : AA도시계획도로 개설

2. 도시계획시설 결정고시일 : 2023년 11월 20일

3. 보상계획공고일 : 2024년 5월 1일

4. 도시계획실시계획의 고시일 : 2024년 5월 10일

5. 가격시점 : 2025년 9월 21일

자료 3 인근지역의 공시지가표준지 현황

1. 표준지의 현황

기호	소재지	지번	지목	이용상황	용도지역	형상 / 지세	도로조건
A	S시 M동	47-3	전	전	자연녹지	부정형 평지	소로한면
B	S시 M동	60-5	전	전기타 (창고)	자연녹지	부정형 평지	세로(가)
C	S시 M동	100-7	대	단독주택	자연녹지	가장형 평지	소로한면
D	S시 M동	123-4	대	상업용	자연녹지	정방형 평지	세로(가)

2. 표준지공시지가 현황(원/㎡)

표준지공시지가	2023년	2024년	2025년
A	70,000	90,000	110,000
B	110,000	135,000	176,000
C	300,000	340,000	390,000
D	500,000	571,000	620,000

자료 4 지가변동률 등

1. 지가변동률(%)

구분	평균	용도지역별					이용상황별				
		주거	상업	녹지	관리	농림	전	답	주거	상업	임야
2023년 12월	0.773	0.979	0.779	0.667	0.774	0.679	0.773	0.171	0.374	0.179	0.417
	6.771	6.797	5.741	6.779	6.100	7.077	6.797	5.679	3.100	3.101	3.798
2024년 12월	2.671	1.379	2.497	2.074	3.011	2.791	1.588	1.442	1.339	1.174	1.416
	14.744	12.767	13.477	15.071	17.079	14.347	10.089	12.596	12.847	11.679	13.385
2025년 8월	1.374	1.379	1.367	1.671	1.347	1.110	0.425	0.057	0.041	0.414	0.197
	8.077	7.797	8.797	9.079	7.371	6.097	3.838	2.246	2.736	2.692	1.136

※ 하단은 해당 연도의 해당 월까지의 누계임.

※ 관련기관의 보도자료에 의하면 인근지역은 최근 대단위 택지개발사업의 기대심리로 연 10% 이상의 지가상승률을 보이고 있으며, 자연적인 지가상승을 포함한 지가상승분의 50%는 택지개발사업으로 인한 추가적인 상승분인 것으로 판단된다.

2. 생산자물가지수

구분	2022년 12월	2023년 12월	2024년 12월	2025년 8월
지수	100	105	112	119

3. 소비자물가지수

구분	2022년 12월	2023년 12월	2024년 12월	2025년 8월
지수	100	107	115	120

자료 5 대상토지 및 보상평가선례에 대한 조사사항

1. 대상토지에 대한 조사사항

(1) 29-5번지

1) 대상토지는 무허가건축물(점포)부지로 이용 중임.

2) 대상토지는 소로한면에 접하며, 형상은 가로장방형, 지세는 평지임.

(2) 30-1번지

1) 대상토지는 상업용 부지로 이용 중임.

2) 대상토지는 세로(가)에 접하며, 형상은 가로장방형, 지세는 평지임.

2. 인근지역의 보상평가선례

구분	보상선례 1	보상선례 2	보상선례 3
사업명	AA도시계획도로사업	AB도시계획도로사업	AC도시계획도로사업
가격시점	2025년 8월 1일	2024년 1월 1일	2023년 1월 1일
소재지	S시 M동	S시 M동	S시 M동
지목 및 면적	대(점포), 120㎡	대(점포), 100㎡	대(점포), 90㎡
용도지역	자연녹지	자연녹지	자연녹지
토지특성	세로(가), 정방형	세로(가), 정방형	소로한면, 정방형
보상단가(원/㎡)	800,000	740,000	680,000

※ 사례 3은 상수원보호구역 내 사례임.

자료 6 토지특성에 따른 격차율

1. 도로접면

구분	중로한면	소로한면	세로(가)	세로(불)
중로한면	1.00	0.85	0.70	0.60
소로한면	1.18	1.00	0.80	0.65
세로(가)	1.43	1.25	1.00	0.76
세로(불)	1.67	1.53	1.32	1.00

2. 형상

구분	정방형	가로장방형	부정형
정방형	1.00	1.05	0.85
가로장방형	0.95	1.00	0.80
부정형	1.18	1.25	1.00

자료 7 건설사례 등

구분	건설사례 A	건설사례 B	대상건물 (29-5번지)	대상건물 (30-1번지)
사용승인일	2021년 4월 20일	2015년 7월 20일	-	-
연면적	100	90	80	120
가격시점 현재의 유효잔존내용연수	41년	35년	17년	30년
경제적 내용연수	45년	45년	45년	45년
건물개별요인	98	125	100	95
건축비 (신축 당시)	39,000,000	45,000,000	27,000,000	39,000,000
적법 여부	적법	무허가	무허가	적법

자료 8 건물구조 등

1. 건설사례 A, B는 표준적인 건축비로 판단됨.

2. 건설사례 A와 대상건물은 동일한 구조이나 건설사례 B는 철근콘크리트 구조임.

3. 건축비는 매년 5%씩 상승함(월할계산).

4. 대상건물(29-5번지, 30-1번지)은 소유자의 이해관계인이 건축하여 다소 저가의 건축비로 판명되었음.

5. 본건 건축물의 이전비용
   (1) 본건 대상 건축물(29-5번지)의 이전비용은 건설사례 B의 재조달원가의 25%로 산정되었음.
   (2) 본건 대상 건축물(30-1번지)의 이전비용은 건설사례 A의 현재가격의 40%로 산정되었음.

6. 건물의 잔가율은 0%임.

자료 9 영업보상 관련 자료

1. 각 영업에 대한 조사사항
   (1) 29-5번지
   본 건축물 소유자가 2018년 1월경부터 슈퍼마켓(자유업)을 영업해오고 있었음.
   (2) 30-1번지
   본 건축물의 소유자가 영업을 영위하고 있으며, 관련 법령에 의한 허가를 득해야 하나 사업자등록만 득한 상태로 영업을 영위하고 있다.

2. 본건의 손익계산서 자료 등

기간	우리슈퍼의 영업이익	가전기기 판매업의 영업이익
2021.1.1.~2021.12.31.	10,500,000	25,000,000
2022.1.1.~2022.12.31.	10,000,000	26,000,000
2023.1.1.~2023.12.31.	10,500,000	27,000,000
2024.1.1.~2024.12.31.	11,000,000	25,000,000

3. 인근의 동종 유사규모 업종의 영업이익 수준
   본건을 포함하여 인근지역 내 동종 유사규모 업종의 연간 평균매출액(외형)을 탐문조사한 바, 아래와 같다.

구분	슈퍼의 매출액	가전기기 판매업의 매출액
매출액 분포	120,000,000~140,000,000	350,000,000~400,000,000
매출액대비 영업이익률	8%	

4. 각 영업의 이전에 관련된 비용

구분		29-5번지 슈퍼	30-1번지 목재가공업
상품재고액		5,000,000	50,000,000
상품운반비		1,200,000	5,000,000
진열대 등 해체, 운반, 설치비		850,000	3,000,000
진열대 증설비		300,000	1,000,000
상품의 이전에 따른 감손액		상품가액의 10%	상품가액의 5%
간판	가격	200,000	250,000
	이전비	350,000	400,000
보험료 지급현황		2025년 3월 21일에 200,000원을 1년분의 보험료로 지급	2024년 9월 21일에 2,000,000원을 2년분의 보험료로 지급

자료 10 통계청 발표 가구원수별 가구당 월평균 가계지출비

구분		가계지출	소비지출	기타지출
2인	전가구	1,500,000	1,300,000	250,000
	근로자가구	1,700,000	1,400,000	320,000
3인	전가구	2,050,000	1,750,000	270,000
	근로자가구	2,000,000	1,650,000	330,000
4인	전가구	2,250,000	1,960,000	280,000
	근로자가구	2,300,000	2,000,000	330,000
5인	전가구	2,390,000	2,100,000	290,000
	근로자가구	2,470,000	2,160,000	330,000

자료 11 그 밖의 사항

1. 토지의 평가 시 인근의 보상평가선례와의 균형을 위해서 적정한 보정이 필요함.

2. 사업시행자는 한 필지 전체를 하나의 이용상황으로 보되, 별도의 면적사정은 요하지 않을 것을 요청함.

3. 그 밖의 요인 고려 시 기호 #1에서 산정된 그 밖의 요인을 인근의 표준지공시지가의 현실적인 시가와의 괴리 정도로서 본다.

4. 가영업소의 설치비 등은 고려치 아니한다.
5. 사업시행자는 별도의 휴업기간을 제시하지는 않았다.
6. 해당 사업의 시행에 따른 고시 및 공고로 인한 현저한 가격상승은 해당 사업의 규모로 인하여 인근 공시지가 및 지가변동률에 반영되어 있지 않다.
7. S시 M동 내 지역요인비교치는 동일하다.
8. 조서별 보상감정평가액을 결정할 것

QUESTION 145

감정평가사 柳씨는 중앙토지수용위원회로부터 ○○농공단지 조성사업에 편입되는 토지 및 지장물에 대한 보상평가를 의뢰받고 현장조사를 통하여 다음의 자료를 확보하고 피수용자의 이의내용을 청취하였다. 조사된 자료를 활용하고 보상관련 규정을 참작하여 다음의 물음에 답하시오. 40점

(1) 의뢰된 토지의 보상평가액을 산정하시오.

(2) 의뢰된 지장물의 보상평가액을 산정하시오.

(3) 피수용자의 주장에 대한 평가자의 의견을 제시하시오.

자료 1 평가의뢰 내역

1. 공익사업명 : ○○농공단지 조성사업
2. 사업시행자 : H군
3. 농공단지 지정 관련 흐름의 정리

농공단지 지정고시일	2024년 2월 1일
농공단지 실시계획 승인고시일	2024년 2월 1일
수용재결일	2025년 3월 31일
보상평가의뢰일	2025년 9월 18일
현장조사일	2025년 9월 21일

자료 2 의뢰물건의 내역

1. 토지조서

기호	소재지	지번	지목	면적(㎡)	용도지역	현실이용상황
1	G면 W리	11-1	전	200	제2종일주	도로
2	G면 W리	12-1	전	200	제2종일주	전
3	G면 W리	13	전	200	제2종일주	전
4	G면 W리	14	전	200(100㎡ 편입)	제2종일주	전
5	G면 W리	15	임야	2,000	제2종일주	전
6	G면 W리	17	전	200	제2종일주	버섯재배사
7	G면 W리	18	대	200	제2종일주	-
8	G면 W리	14-1	전	100(잔여부분)	자연녹지	전

※ 기호 8은 잔여지 가치하락에 대한 보상이다.

2. 물건조서

기호	소재지	지번	물건의 종류	구조/규격	수량/면적	비고
1	G면 W리	16	사과나무	10년생	200주	
2	G면 W리	16-2	주택	벽돌조 슬래브지붕	100㎡	
3	G면 W리	17	버섯재배사	경량철골조 슬레이트지붕	400㎡	
4	G면 W리	18	주택	벽돌조 슬래브지붕	100㎡	현황멸실

자료 3 토지에 대한 조사내용

1. 개별토지에 대한 조사사항

기호	개별요인		조사내용
	가로조건	획지조건	
1	세로(가)	장방형	- 2017년 1월 1일자로 도시계획도로로 시설 결정되고 별도의 사업하지 않은 채, 2018년 1월 1일부터 사실상의 도로로 이용중임(인근지역은 "전"으로 이용중임).
2	세로(가)	장방형	- 특이사항 없음.
3	세로(가)	장방형	- 「군사시설보호법」상 제한보호구역에 속함.
4	세로(가)	장방형	- 본 사업에 일부가 편입되며, 편입되는 부분은 삼각형이고 종전의 토지는 장방이며, 잔여부분의 형상도 삼각형임.
5	세로(가)	장방형	- 산림형질변경허가 여부는 확인할 수 없으나 농지원부에 전으로 등재되어 있으며, 위성사진 확인결과 1980년대부터 농지로 이용 중인 것으로 확인됨.
6	세로(가)	장방형	- 현황 버섯재배사부지이며, 본 토지의 개별공시지가는 75,000원/㎡임.
7	세로(가)	장방형	- 특이사항 없음.

2. 기타 조사사항

본건의 용도지역은 자연녹지지역이었으나, 실시계획으로 현재에는 일반주거지역으로 변경되었고, 본건의 협의평가는 2023년 3월 1일을 가격시점으로 평가되었으며, 해당 농공단지 지역의 지정 이전에 해당 사업에 따른 계획이 보도되면서 상당한 지가의 변동이 있을 것으로 보아 2023년 1월 1일자 공시지가를 적용하여 평가하였다.

3. 잔여지에 대한 조사사항

14-1번지의 잔여지는 형상이 변경되었으며, 변경된 상태로의 계속적인 사용·수익을 위해서는 6,000,000원의 공사비가 투입된다.

4. 피수용자의 주장내용

(1) 기호 5 토지 : 공부상 지목이 임야이나 현황 전으로써 농업손실 보상을 해줄 것

(2) 기호 6 토지 : 공부상 지목이 전이므로 농업손실 보상을 해줄 것

자료 4 지장물의 조사내용

1. 기호 1

본 사과나무는 일반사과나무이며 주당 굴취비, 상하차비, 운반비, 식재비, 재료비, 부대비용 등의 이식비는 500,000원, 주당 순이익은 10,000원, 나무가격은 120,000원으로 조사됨.

* 시행규칙 별표 2

수종	이식가능수령	이식적기	고손율	감수율
일반사과	5년 이하	2월~3월	15%	이식 1년차 : 100% 이식 2년차 : 80% 이식 3년차 : 40%

2. 기호 2

본 건축물은 2008년 3월 30일에 적법하게 건축한 건축물로서 재조달원가는 600,000원/㎡, 내용연수는 50년으로 조사됨.

3. 기호 3

2019년 3월 30일에 신축된 건축물로서 재조달원가는 200,000원/㎡, 내용연수는 40년으로 조사되며, 가격시점에서의 인근 유사한 버섯재배사만의 거래는 8천만원인 것으로 조사되었다. 해당 버섯재배사는 현실적으로 이전이 불가능한 것으로 판단된다.

4. 기호 4

2019년 4월 1일에 건축한 건축물로서 사업시행자의 재결신청 후 수용재결 전에 소유자의 과실없이 인근 임야의 산불로 인하여 멸실되었으며, 협의시 평가자료에 의하면 재조달원가는 600,000원/㎡, 내용연수는 50년으로 조사되며, 소유자는 재결신청 후에 본인의 고의나 과실 없이 멸실된 것으로 건축물에 대해서도 정상적인 보상을 요구함.

자료 5 표준지공시지가 현황

1. 해당 사업지구 내의 표준지공시지가 현황(보상대상과 지역요인 격차 대등함)

기호	소재지	면적(㎡)	지목	이용상황	용도지역	도로교통	형상	공시지가(원/㎡)		
								2023년	2024년	2025년
가	G면 1	200	전	전	자연녹지	세로(가)	장방	60,000	90,000	100,000
나	G면 2	200	대	단독주택	자연녹지	세로(가)	장방	200,000	260,000	280,000
다	G면 3	200	전	전기타(창고)	자연녹지	세로(가)	장방	120,000	190,000	210,000
라	G면 4	2,000	임야	자연림	자연녹지	세로(가)	장방	20,000	35,000	40,000
마	G면 5	200	전	전	일반주거	세로(가)	장방	120,000	180,000	190,000
바	G면 6	200	대	단독주택	일반주거	세로(가)	장방	240,000	320,000	330,000
사	G면 7	2,000	임야	자연림	일반주거	세로(가)	장방	40,000	70,000	75,000
아	G면 8	200	전	전기타(창고)	일반주거	세로(가)	장방	180,000	270,000	290,000

2. 해당 사업지구 밖의 표준지공시지가 현황(보상대상 인근지역과 지역요인 대비 5% 열세)

기호	소재지	면적(㎡)	지목	이용상황	용도지역	도로교통	형상	공시지가(원/㎡)		
								2023년	2024년	2025년
가	T면 1	200	전	전	자연녹지	세로(가)	장방	50,000	60,000	190,000
나	T면 2	200	대	단독주택	자연녹지	세로(가)	장방	190,000	210,000	220,000
다	T면 3	200	전	전기타(창고)	자연녹지	세로(가)	장방	110,000	120,000	125,000
라	T면 4	2,000	임야	자연림	자연녹지	세로(가)	장방	16,000	20,000	30,000
마	T면 5	200	전	전	일반주거	세로(가)	장방	110,000	120,000	125,000
바	T면 6	200	대	단독주택	일반주거	세로(가)	장방	220,000	230,000	240,000
사	T면 7	2,000	임야	자연림	일반주거	세로(가)	장방	35,000	40,000	45,000
아	T면 8	200	전	전기타(창고)	일반주거	세로(가)	장방	160,000	170,000	180,000

자료 6 지가변동률(H군)

기간		녹지지역	주거지역
2023.1.1. ~ 2023.12.31.		7.0%	6.0%
2024.1.1.~ 2024.12.31.		6.0%	4.0%
2025년	1월	0.7%	0.6%
	2월	0.6%	0.5%
	3월	0.7%	0.4%
	4월	0.7%	0.5%
	5월	0.5%	0.4%
	6월	0.5%	0.5%
	7월	0.6%	0.6%

※ 지가변동률치에는 해당 공익사업으로 인한 가격상승은 반영되지 않은 것으로 조사되었다.

자료 7 생산자물가지수

2022년 12월	2023년 12월	2024년 12월	2025년 1월	2025년 2월	2025년 3월
109.7	113.4	116.5	119.6	122.0	125.1
2025년 4월	2025년 5월	2025년 6월	2025년 7월	2025년 8월	
125.3	125.7	126.0	126.1	126.5	

자료 8 비준율 등

1. 제한보호구역의 경우는 정상토지에 비해 약 20% 열세하다.

2. 삼각형은 장방형에 비해 15% 열세하다.

3. 모든 평가시점에서 개정된 법률을 적용할 것(관련 법률의 소급적용 여부는 고려치 아니한다)

4. 적용공시지가의 판단과정을 상세하게 기술할 것

5. 잔여지에 대해서는 사업시행자 측에서 매수 가능성 여부까지 판단해 줄 것을 요청하였다.

6. 별도의 그 밖의 요인보정은 하지 않는다.

QUESTION 146

감정평가사 K씨는 다음과 같은 조건으로 보상감정평가 의뢰를 받았다. 주어진 자료를 활용하여 각각의 물음에 답하시오. 20점

〈물음 1〉

〈자료 1〉을 활용하여 경기도 K시 D구 및 서울특별시 E구 J동 일원에서 시행하는 『공공주택 특별법』에 의한 A공공주택사업(신도시사업) 의 보상에 관해 답하시오. 10점

1. 가격시점을 결정하시오.

2. 적용공시지가를 선택하시오.

3. 비교표준지를 선정하시오.

〈물음 2〉

〈자료 2〉를 활용하여 경기도 성남시의 토지보상 감정평가액을 결정하시오. 10점

1. 적용공시지가를 선택하시오.

2. 비교표준지 선정 및 토지의 보상평가액을 구하시오.

자료 1 물음 1 관련 자료(평가목적 : 중앙토지수용위원회의 이의재결을 위한 보상감정평가)

1. 경기도 K시 D구 S동 및 서울특별시 E구 J동 일대에서 시행하는 『공공주택 특별법』에 의한 수도권 제3기 신도시 조성사업임.
2. 사업규모 : 1,600,000㎡(경기도 K시 D구 : 110만㎡, 서울특별시 E구 : 50만㎡이 각각 편입됨)
3. 주민 등 의견 청취일 : 2023년 6월 1일
4. 주택지구 지정고시일 : 2024년 2월 3일
5. 주택건설사업 계획승인일 : 2024년 10월 9일
6. 협의감정평가시점 : 2025년 3월 31일
7. 수용재결일 : 2025년 6월 7일
8. 이의재결신청일 : 2025년 7월 21일
9. 이의재결예정일 : 2025년 8월 14일
10. 현장조사일 : 2025년 8월 1일

※ 관련법령(공공주택 특별법 중 필요부분 발췌)

공공주택 특별법 제27조(토지등의 수용 등)

② 주택지구를 지정하거나 제35조제1항에 따라 주택건설사업계획을 승인하여 고시한 때에는 「공익사업을 위한 토지 등의 취득 및 보상에 관한 법률」 제20조제1항 및 같은 법 제22조에 따른 사업인정 및 사업인정의 고시가 있는 것으로 본다. 〈개정 2020.12.22.〉

⑤ 제10조제1항에 따른 주민 등의 의견청취 공고로 인하여 취득하여야 할 토지가격이 변동되었다고 인정되는 등 대통령령으로 정하는 요건에 해당하는 경우에는 「공익사업을 위한 토지 등의 취득 및 보상에 관한 법률」 제70조제1항에 따른 공시지가는 같은 법 제70조제3항부터 제5항까지의 규정에도 불구하고 제10조제1항에 따른 주민 등의 의견청취 공고일 전의 시점을 공시기준일로 하는 공시지가로서 해당 토지의 가격시점 당시 공시된 공시지가 중 같은 항에 따른 주민 등의 의견청취 공고일에 가장 가까운 시점에 공시된 공시지가로 한다.

⑥ 제1항에 따른 토지등의 수용 또는 사용에 관하여 이 법에 특별한 규정이 있는 것을 제외하고는 「공익사업을 위한 토지 등의 취득 및 보상에 관한 법률」을 적용한다.

공공주택 특별법 시행령 제20조(토지등의 수용 등)

① 법 제27조제5항에서 "취득하여야 할 토지가격이 변동되었다고 인정되는 등 대통령령으로 정하는 요건에 해당하는 경우"란 주택지구에 대한 감정평가의 기준이 되는 표준지공시지가(「부동산 가격공시에 관한 법률」에 따른 표준지공시지가를 말한다. 이하 같다)의 평균변동률이 해당 주택지구가 속하는 특별자치도, 시·군 또는 구 전체 표준지공시지가의 평균변동률보다 30퍼센트 이상 높은 경우를 말한다.

② 제1항에 따른 평균변동률은 법 제10조제1항에 따른 주민 등의 의견청취 공고일 당시 공시된 공시지가 중 그 공고일에 가장 가까운 시점에 공시된 공시지가의 공시기준일부터 법 제12조제1항에 따른 주택지구 지정의 고시일 당시 공시된 공시지가 중 그 고시일에 가장 가까운 시점에 공시된 공시지가의 공시기준일까지의 변동률로 한다.

③ 제1항에 따른 평균변동률을 산정할 때 주택지구가 둘 이상의 시·군 또는 구에 걸치는 경우에는 해당 주택지구가 속한 시·군 또는 구별로 평균변동률을 산정한 후 이를 해당 시·군 또는 구에 속한 주택지구 면적의 비율로 가중평균한다.

<자료 1-1> 평가의뢰물건내역(사업시행자 제시 토지조서)

기호	소재지	지번	지목		면적(㎡)		용도지역	비고
			공부	현황	공부	편입		
1	K시 D구 S동	3	대	전	160	160	제1종 일반주거	주택지 근처의 사용하지 않는 전으로 이용 중임.

※ 해당 토지의 용도지역은 종전의 개발제한구역(자연녹지지역)이었으나 우선해제지침에 의하여 2020년에 개발제한구역이 해제되었으며, 현재의 용도지역으로 변경되었음.

<자료 1-2> 인근지역의 공시지가 표준지 현황

일련번호	소재지	지번	면적	지목	이용상황	용도지역	공시지가(원/㎡)		
							2023	2024	2025
1	K시 S동	8	190	대	단독주택	제1종일주	240,000	300,000	320,000
2	K시 S동	9	230	대	주상용	제1종일주	300,000	370,000	400,000
3	K시 S동	20	540	전	전	제1종일주	150,000	190,000	220,000
4	K시 S동	22	300	대	주거기타(교회)	제1종일주	230,000	290,000	310,000
5	K시 S동	26	2,000	전	전	개발제한	90,000	120,000	130,000
6	K시 S동	29	270	대	단독주택	개발제한	150,000	180,000	200,000
7	K시 S동	35	350	전	전기타(창고)	자연녹지	110,000	140,000	150,000
8	K시 S동	산50	3,000	임	토림	자연녹지	60,000	75,000	80,000
9	K시 S동	산85	12,600	임	자연림	자연녹지	12,000	15,000	17,000

※ 상기 제시된 표준지공시지가 중 기호 #1~#8은 해당 공익사업지구 내의 표준지공시지가이며, 기호 #9는 사업지 밖의 표준지공시지가이다.

※ 상기 표준지 중 #4, #7, #8은 해당 사업의 감정평가에 선정되지 않은 표준지이며, #9는 사업지 밖에 소재하고 있으나 비교표준지로 선정되었다.

<자료 1-3> 연도별 공시지가 평균변동률(%)

구분	2021~2022	2022~2023	2023~2024	2024~2025
경기도	2.97	3.07	3.79	4.67
K시	4.99	5.88	6.97	8.67
K시 D구	6.11	6.99	7.11	9.33
서울특별시	3.37	4.24	4.57	5.69
서울특별시 E구	4.20	4.78	5.26	6.57

자료 2 물음 2 관련 자료

1. 해당 사업의 개요

경기도 성남시 ○○유원지 사업(도시계획시설)(3만평 규모) 내에 편입되는 토지에 대한 보상감정평가임.

2. 감정평가일정

감정평가를 위한 실사는 2025.8.16.부터 8.20.일까지 진행하였으며, 해당 협의의 예정시점은 2025.9.16.일이다.

<자료 2-1> 해당 사업의 개요

1. ○○유원지 시설 공사 관련 주민공청회 : 2024.5.1.
2. 실시계획인가고시일 : 2025.5.8.
3. 보상평가 현장조사일 : 2025.8.11.~2025.9.5.
4. 보상계획의 공고일 : 2025.4.20.

<자료 2-2> 대상물건(토지)상황

1. 소재지 : 성남시 B구 C동 71, 대, 500㎡ 중 150㎡
2. 용도지역 및 이용상황 : 자연녹지지역, 주거나지
3. 기타제한 : 군사시설보호구역, 유원지
4. 형상, 고저 : 사다리, 평지
5. 접면도로상태 : 세로한면

<자료 2-3> 인근지역의 공시지가 표준지 현황

1. 사업지 내 표준지(원/㎡)

기호	소재지	지번	면적(㎡)	이용상황	용도지역	도로교통	형상지세	공법상 제한	공시지가	
									2024	2025
1	B구C동	19	429	전	자연녹지	세로한면	세장형 평지	군사시설보호구역 유원지	15,000	16,000
2	B구C동	33-1	530	단독주택	자연녹지	세로각지	부정형 평지	군사시설보호구역 유원지	30,000	31,000
3	B구C동	53	501	주거나지	자연녹지	세로한면	세장형 평지	군사시설보호구역 유원지	35,000	36,000
4	B구C동	69	483	단독주택	자연녹지	세로(불)	사다리 평지	유원지	25,000	26,000

2. 사업지 밖의 표준지(원/m²)

기호	소재지	지번	면적 (m²)	이용 상황	용도 지역	도로 교통	형상 지세	공법상 제한	공시지가	
									2024	2025
5	B구C동	201	853	주거 기타	자연 녹지	세로 각지	부정형 평지	군사시설 보호구역 도로20%	148,000	151,000
6	B구C동	256	428	주상용	자연 녹지	세로 각지	부정형 평지	군사시설 보호구역	153,000	155,000
7	B구C동	289	360	단독 주택	자연 녹지	세로 한면	세장형 평지	군사시설 보호구역 광장	158,000	161,000
8	B구C동	321-3	411	주거 나지	자연 녹지	세로 한면	사다리 평지	-	153,000	155,000

<자료 2-4> 지가변동률(%)

구분	행정구역	상업지역	주거지역	녹지지역	공업지역
2024년12월	성남시 B구	-0.174 (1.425)	-0.227 (2.208)	-0.114 (3.016)	-0.247 (1.511)
2025년 4월	성남시 B구	0.174 (1.425)	0.001 (1.097)	0.312 (2.333)	0.001 (1.097)
2025년 5월	성남시 B구	0.162 (1.589)	0.136 (1.234)	1.231 (3.593)	0.136 (1.234)
2025년 6월	성남시 B구	0.201 (1.793)	0.601 (1.842)	0.337 (3.942)	0.601 (1.842)
2025년 7월	성남시 B구	0.152 (1.948)	0.238 (2.084)	0.601 (4.567)	0.238 (2.084)

<자료 2-5> 토지가격비준표(성남시 B구)

1. 도시계획시설(국토계획법상)

미저촉	도로
100	85

※ 도시계획시설 유원지 저촉은 그 저촉 여부에 따른 가치차이가 이용상황별 편차가 크다.

2. 공법상 제한상태(군사기지 및 군사시설 보호법)

미저촉	군사시설보호구역
100	75

<자료 2-6> 개별요인

1. 접면도로

세로불	세로한면	세로각지
100	107	110

2. 형상

부정형	사다리	세장형	정방형, 가장형
100	105	108	110

3. 해당 사업과 별개로 2025년 2월 20일 정부의 인근도로사업계획 발표로 인하여 사업지구를 포함한 인근지역의 토지가격이 약 10% 상승하였다.

4. 비교표준지에 관계없이 그 밖의 요인으로 120%를 증액보정한다.

QUESTION 147

감정평가사 Y씨는 전라북도 J시에 소재하는 한 토지, 건물이 도시계획도로사업에 편입되어 사업시행자인 J시청과 소유자 간의 협의목적의 보상감정평가를 의뢰받고 아래의 자료를 수집하였다. 25점

1. 공법상 제한을 구분하고 각 공법상 제한의 예시를 3개 이상씩 나열하시오. 5점
2. 아래 보상평가의뢰에 따른 감정평가액을 결정하시오. 20점

자료 1 토지 및 지장물조서

기호	구분	소재지	지목/구조	공부면적(㎡)	편입면적(㎡)	용도지역 등/사용승인일	이용상황	개별공시지가(원/㎡)
1	토지	전라북도 J시 W구 K동 138	대	800.0	100.0	제1종일주(문화재 보호구역)	주상용	570,000
2	건물	전라북도 J시 W구 K동 138	목조	300.0	50.0	2003.5.1.	주상용	–
3	기타	전라북도 J시 W구 K동 138	상기 건물에 대한 보수비 1식					

자료 2 사업의 개요 등

1. 사업명 : ◎◎~◎◎간 도시계획도로사업
2. 사업시행자 : J시청
3. 실시계획인가고시일 : 2024년 3월 1일
4. 가격시점 : 2025년 2월 20일
5. 감정평가서 작성시점 : 2025년 3월 6일

자료 3 현장조사사항

1. 본건 토지의 지적현황

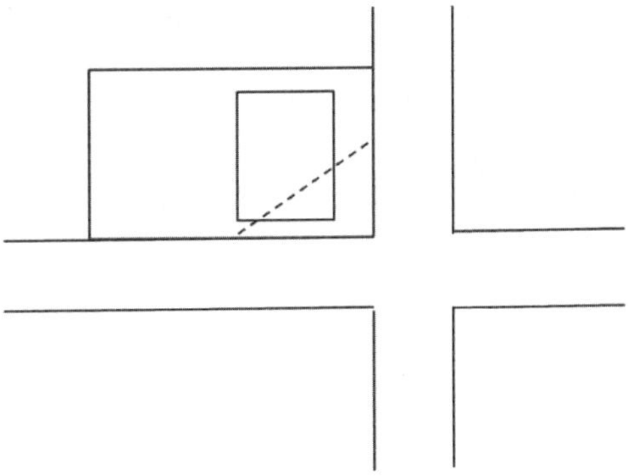

※ 본건 남측의 도로는 중로이며, 본건 동측의 도로는 소로이다.
※ 점선의 남동측이 편입부분이다.

2. 건물의 보수 관련 내용

(1) 본건 건물은 해당 도로사업으로 인하여 외부로 보수해야 할 벽체의 면적이 약 30㎡ 노출되었으며, 벽체공사비는 ㎡당 약 200,000원이 소요될 것으로 판단된다.

(2) 본건 건물의 일부 편입으로 인하여 배관공사가 필요할 것으로 보이며, 배관의 일부 비용은 2,000,000원이며, 공사시 전체 배관을 다시 시공해야 하며, 그 비용은 3,000,000원이 소요된다.

(3) 본건 건물의 보일러부분이 편입되면서 보일러는 위치를 옮겨 설치되어야 할 것으로 판단되며, 보일러의 잔존가격은 4,000,000원이며 이전설치비는 1,500,000원이 소요된다.

(4) 수도 및 전기 등 계량기의 이전설치비용으로 약 500,000원이 소요된다.

(5) 도로편입부분의 담장이 편입되어 담장의 재설치가 필요할 것으로 판단되며, m당 300,000원 정도의 담장(h = 1.8m)을 20m 정도 설치해야 할 것으로 판단된다.

(6) 부대비용은 상기 보수공사비의 10% 정도로 한다.

자료 4 표준지공시지가 현황

구분	소재지	지목	면적(㎡)	이용상황	용도지역	도로교통	공시지가(원/㎡)		기타
							2024	2025	
1	K동 139	대	247.3	주상용	제1종일주	중로한면	550,000	560,000	도로 20%
2	K동 180-1	대	251.2	주거용	제1종일주	소로한면	350,000	360,000	

※ 표준지는 문화재보호구역이 아니다.

자료 5 인근의 지역현황

1. 본건이 남측으로 접하고 있는 도로를 따라 주상용 건부지가 소재하고 있으며, 후면은 주거용 부지가 표준적 이용을 이루고 있음. 본건 역시 노선상가지대에 위치하고 있음.
2. 본건 지상의 건물의 경우 신축단가표 기준등급으로서 1, 2등급의 중위치 정도로 판단된다.

자료 6 인근의 보상선례

기호	기준시점	용도지역	이용상황	보상액(원/㎡)	비고
A	2025년 4월 1일	제1종일반주거지역	주상용	741,400	소로한면으로서 도로조건을 제외하고 비교표준지(1)에 비해 5% 우세하다.
B	2024년 1월 1일	제1종일반주거지역	주상용	768,100	중로한면으로서 도로조건을 제외하고 비교표준지(1)에 비해 10% 우세하다.
C	2023년 1월 1일	제1종일반주거지역	주거용	578,400	세로(가)로서 도로조건을 제외하고 비교표준지(2)에 비해 10% 열세하다.

※ 상기 보상액은 감정평가법인 간 평균단가를 의미하며, 개별요인에는 행정적 조건이 포함되어 있다.

자료 7 재조달원가

구분	용도	급수	표준단가(원/㎡)	내용연수
목자한식지붕틀 한식기와잇기	신한옥	1급	2,000,000	50년 (45~50년)
		2급	1,600,000	

자료 8 지가변동률 등

1. 지가변동률

구분 1	구분 2	2023년 12월	2024년 12월	2025년 1월
J시	주거지역	0.343 (1.974)	0.342 (1.957)	−0.097 (−0.097)
J시 W구	주거지역	0.123 (2.174)	0.375 (1.611)	−0.082 (−0.082)

2. 생산자물가지수

구분	2022년 12월	2023년 12월	2024년 12월	2025년 1월	2025년 2월
지수	102.7	104.6	106.9	107.2	미고시

자료 9 토지가격비준표 등

1. 도로조건

구분	중로한면	소로한면	세로(가)	세로(불)
중로한면	1.00	0.95	0.90	0.85
소로한면	1.05	1.00	0.95	0.90
세로(가)	1.10	1.05	1.00	0.95
세로(불)	1.15	1.10	1.05	1.00

※ 각지는 5% 가산한다.

2. 공법상 제한

구분	일반	문화재	도로
일반	1.00	0.80	0.85
문화재	1.25	1.00	0.97
도로	1.18	1.03	1.00

3. 특별한 제시가 없으면 상기 요인비교치를 제외한 요인은 대등하다고 본다.

4. 그 밖의 요인비교치는 비교표준지를 기준한다.

박문각 감정평가사

유도은
S+ 감정평가실무연습

2차 | 종합문제 1권 | 문제편

제12판 인쇄 2024. 5. 16. | **제12판 발행** 2024. 5. 20. | **편저자** 유도은
발행인 박 용 | **발행처** (주)박문각출판 | **등록** 2015년 4월 29일 제2015-000104호
주소 06654 서울시 서초구 효령로 283 서경 B/D 4층 | **팩스** (02)584-2927
전화 교재 문의 (02)6466-7202

저자와의 협의하에 인지생략

정가 54,000원
ISBN 979-11-6987-957-6(1 권)
ISBN 979-11-6987-956-9(세트)